U0512125

劳动效用论

On the Utility of Labour

《劳动论》再续集

钱 津／著

社会科学文献出版社
SOCIAL SCIENCES ACADEMIC PRESS (CHINA)

孤帆远影碧空尽，
惟见长江天际流。

——李　白

目　　录

导　言……………………………………………………… 1

第一篇　自然效用与社会效用

第一章　具体劳动成果 ………………………………… 3

第二章　效用的实现 …………………………………… 9

第三章　实物效用 ……………………………………… 18

第四章　劳务效用 ……………………………………… 21

第五章　虚拟效用 ……………………………………… 25

第六章　知识效用 ……………………………………… 30

第七章　效用范畴在经济学中的地位 ………………… 36

第二篇　边际效用与均等效用

第八章　市场交易中的价格与效用 …………………… 43

第九章　效用的基数性与序数性 ……………… 50

第十章　边际效用的递减与递增 ……………… 58

第十一章　效用的均等性 ……………………… 67

第十二章　研究边际效用与均等效用的意义 ………… 76

第三篇　中间效用与终点效用

第十三章　中间效用的存在 ……………………… 81

第十四章　非理性的中间效用 …………………… 93

第十五章　中间效用优化 ………………………… 105

第十六章　常态效用的终点 ……………………… 118

第四篇　创造与选择

第十七章　常态效用的整体水平 ………………… 129

第十八章　智力平台 ……………………………… 133

第十九章　山体效应 ……………………………… 142

第二十章　信用关系 ……………………………… 151

第二十一章　国际交往 …………………………… 168

第二十二章　军事效用 …………………………… 180

第二十三章　商品竞争 …………………………… 197

第二十四章　契约组合函数 ……………………… 210

第二十五章　共争时代 …………………………… 234

第二十六章　经济增长质量 ……………………… 248

第二十七章　经济发展方略 ……………………… 263

第二十八章　经济结构平衡 ……………………… 281

第二十九章　终点效用优化 ……………………… 299

第五篇　分配与消费

第三十章　　常态分配原则 ……………………… 315

第三十一章　市场分配 …………………………… 327

第三十二章　国家与政府的分配 ………………… 340

第三十三章　契约组织分配 ……………………… 350

第三十四章　家庭与个人的分配 ………………… 360

第三十五章　消费的常态性及一般性 …………… 369

第三十六章　生活消费 …………………………… 380

第三十七章　生产消费 …………………………… 395

第三十八章　乏值效用 …………………………… 408

第六篇　经济秩序与社会调控

第三十九章　常态经济秩序 ……………………… 421

第四十章　　人口、教育与就业 ………………… 430

第四十一章　社会经济管理……………………………… 451

第四十二章　公营经济…………………………………… 466

第四十三章　对外贸易与金融控制……………………… 476

第四十四章　国民经济的"魔方调控"………………… 492

第七篇　劳动的延续与人类的生存

第四十五章　人类与自然的对抗………………………… 508

第四十六章　全球生态的治理与保护…………………… 525

第四十七章　劳动的可持续发展………………………… 536

第四十八章　以最小的价格支配最大的财富…………… 546

第四十九章　走向科学的政治经济学…………………… 560

跋　………………………………………………………… 574

导　言

　　生存是人类的根本需要。每一个人的生命都是宝贵的，保护每一个人的生命是社会的责任。而在社会的保护下，还要每一个人都对自己的生存负责。人类不能问为什么自己要生存下去，因为这是自然的奥秘，不是社会性的问题。生存在地球上，只能说，珍惜生命，热爱生活，应是每一个人的人生准则。人类的生存是艰难的，也是幸福的。对每一个人来说，可以不理解生存的幸福，却不能不承认生存的艰难。在当代，发展中国家的绝大多数人口还在忍受生存的煎熬，每天都有数以万计的人被饿死；而全世界每年因自然灾害和社会灾难而死去的人，更是成百万上千万。对现代人最严重的生存威胁是全球生态环境的恶化，是大气的污染、气温的变化以及水资源的短缺。而从历史来看，每一朝每一代，都发生过惨绝人寰的人吃人的现象，而且最恐怖的是发生人吃活人的现象。

　　概括地说，人类生存需要自然条件，也依靠劳动成果。人类一方面要尊重自然，保护自然条件；另一方面要勤奋劳动，获取劳动成果。劳动的作用凝结在劳动成果之中是抽象的价值，对劳动成果本身具有的有用性的抽象是财富。所以，从财富的角度研究劳动成果，就是研究劳动成果的作用，这种作用的一般化可称之为效用，即劳动成果的效用。这也可简称为劳动效用，因为毕竟劳动成果是劳动创造的，但是，我们一定要明确，效用是劳动成果的作用表现，这与价值是劳动作用的凝结不同。在人类生存的意义上研究效用，实质是研究劳动成果的作用，研究人类生存与劳动和劳动成果的关系。

效用不同于具体效用，有如劳动不同于具体劳动一样。具体效用是指具体劳动成果的作用，即具体的有用性或具体的使用价值；而效用是对各式各样的劳动成果作用的抽象概括，即是指各种具体的劳动成果的有用性或使用价值的一般化。我们的研究将从不同的角度讨论效用范畴，这些范畴都有一般与具体之分，而讨论中将不再强调这种区分，在此给予说明。

自然效用与社会效用是最基础的一对效用范畴。自然效用表示劳动成果作用的自然性，社会效用表示劳动成果作用的社会性。对人类生存而言，劳动成果的作用不可只具有自然性，不具有社会性。在商品经济条件下，自然效用与社会效用需经过市场而取得统一，即凡市场交换实现价值的劳动成果的效用都是自然效用与社会效用的统一。这就是说，商品是价值与使用价值的统一，也是自然效用与社会效用的统一，其中社会效用就是商品的社会使用价值，是社会对劳动成果有用性的评价。凡商品，只有获得社会效用，才能实现价值，实现价值与使用价值的统一，实现自然效用与社会效用的统一。而在自然效用的基础上，按其自然性的不同，可做大的类别划分，在我们的研究中，将逐一讨论实物效用、劳务效用、虚拟效用、知识效用等范畴。

边际效用是效用研究最早展开的理论领域和影响最大的理论范畴。但建立在基数效用范畴确定基础上展开的边际效用分析，实际上对效用的认识与我们的研究基点并不一致。19世纪下半叶的一些经济学家认为，效用只是人们的一种主观心理感受。而他们兴起的边际革命就是由确认这种效用的主观性而引发的。在充分尊重历史的前提下，我们概略地阐述了传统的效用理论的基本观点。但是，在我们的研究中，强调的是效用的客观性，而不再是主观性。我们必须指出，凡商品效用都是具体劳动成果的效用，如果没有具体的劳动成果，就不会有任何商品效用存在，任何人都不能不顾劳动成果的客观存在，而只讲主观的心理感受。所以，科学的效用理论应从确认商品效用是劳动成果作用的一般化起始，应从确认效用具有客观性起始。重新界定效用不是从主观心理范畴入手，我们的认识不再囿于传统的边际效用递减规律的成见，而是从事实出发，从效用范畴的客观性出发，分析了边际效用递减与递增的情况。

我们的研究还涉及效用的均等性问题，即提出了与边际效用不同的均等效用范畴。这一范畴是从自然效用使用的角度对具体劳动成果作用表现的概括。效用的客观性源于劳动成果的自然效用，而这种客观性鲜明地体现在劳动成果的使用中，即不论社会效用的表现如何，同质同量的自然效用必然发挥均等作用。所以，均等效用是客观存在的，是对效用研究的新的理论概括。这是政治经济学研究贴近经济生活实际的一种认识推进。

在我们的研究中，还划分了中间效用与终点效用。这种范畴的划分揭示了现代市场经济中出现的虚假繁荣的经济机理。中间效用的膨胀将会引起严重的社会经济问题，而对此原本是缺乏理论认识的。时间将证明，如何控制中间效用总量和如何优化中间效用结构，将是政治经济学研究的一个重要领域。而我们讨论的终点效用优化问题仍然要以科学地划分生产劳动与非生产劳动为认识基础。这种讨论实质是生产劳动理论研究的落脚点，是政治经济学研究区分生产劳动与非生产劳动的学术意义的扩展与延续。

乏值效用是指劳动成果的自然效用被无奈地损耗了的情况。

这也是效用理论研究的一个新的领域。出现这种无奈，有技术方面的原因，也有管理方面的原因。展开这一领域的研究，有助于进行国民经济运行的分析，有益于提高宏观经济调控的质量。

军事效用是变态劳动成果的效用。我们曾研究过军事价值，那是对军事劳动作用的研究，现在接续的是研究军事劳动成果的作用。强调军事效用存在的重要性在于揭示常态效用的性质。常态劳动是正态劳动与变态劳动的统一，常态效用也是正态效用与变态效用的统一。军事效用是常态效用中惟一的变态效用。这就是说，变态劳动分为军事劳动与剥削劳动，而变态价值和变态效用只有军事价值和军事效用，因变态的剥削劳动主体并不参与价值与效用的创造。我们的研究将阐述军事效用存在的历史阶段性，说明当代人类社会遏制军事效用发展的重心所在和实践意义，使效用理论全面反映常态社会的劳动成果作用。

我们的研究并未止于对效用的各种基础范畴的探讨，而是在讨论了常态社会的常态效用的总体发展水平之后，以人性与非人性的区分和理性与非理性的区分为基点，进入常态劳动创造与国民经济运行的各个方面的研究。我们阐明，经济发展的核心是提高劳动主体的智力水平，人类的生存，在自然的允许下，取决于劳动主体的智力。这是我们的研究主线，也是我们研究的主要内容凝聚的思想结晶。

伟大的高斯曾讲："灵魂的满足是一种更高的境界，物质的满足是多余的。"然而，遗憾的是，经济学的研究包括政治经济学的研究却无法达到那种更高的境界，这门学科恰恰总是在研究那多余的方面的问题。而从事这种研究的人，也并未因此成为多余的人。

第一篇

自然效用与社会效用

　　研究劳动成果效用的实质是探讨其对人类和人类社会的作用及意义，但认识的起点却只能是效用的自然属性。否认效用的自然属性，即否认效用的客观性，只将效用作为纯粹的主观心理范畴，并依此构建政治经济学理论体系，不能不说是一种认识上的误导。无论何时，大约只有在相对独立的人文认识领域，人们的思维才可将纯主观的感受抽象出来，天马行空，发挥自由的想像力，展示精神的追求与创造。然而，在关系每一个人的衣、食、住、行的经济生活中，无疑纯粹属于主观的感受是不可能存在的，不论哪一种劳动成果，都注定与自然的客观有关，都是以其物质的存在满足人类的生存需要为基础的。因此，凡是劳动成果效用都必定有自然效用，缺少自然属性，缺少客观性，无从描述劳动成果效用的基本性质。这也是对政治经济学效用理论研究的一种客观的限定。但是，在现实的社会经济生活中，劳动成果的自然效用并非单独存在，而是与社会效用相统一的，即现实的效用的社会属性始终是伴随着自然属性存在的，未有社会属性的效用是未能进入人类社会生活的效用，不在政治经济学的研究范围之内。正是根据现实的效用的社会属性存在，政治经济学才能对效用的存在与交换，效用的有形与无形，效用的虚拟与特殊状态等方面的问题展开抽象的理论研究。

第一章　具体劳动成果

　　自然有用的具体劳动成果可称其具有自然效用。自然效用是随自然有用的劳动成果的产生而出现的。在自然经济中，不存在交换，劳动成果只是满足生产者或所有者自身的需要，不论何种具体劳动创造的自然有用成果都是既有自然效用，又有社会效用的，即劳动成果效用的自然属性与社会属性的统一是以自然效用的实现为标志和依据的，社会效用的实现及与自然效用的统一具有直接性，劳动成果没有自然有用性或没有劳动成果的具体劳动是无用劳动。在商品经济中，由于生产的直接目的是用于交换，是满足他人对自己创造的劳动成果的需要，因此，不论何种具体劳动成果，其自然效用与社会效用不直接统一于自然效用的实现，而是统一于实现交换之后，即只有实现交换，具体的劳动成果才具有社会效用，否则，具体的自然有用的劳动成果就只有自然效用，而没有社会效用，其生产这些成果的具体劳动也就相应成为无用的具体劳动，即在商品经济中只有自然效用的具体劳动成果并不是有用劳动的实现，具体劳动的有用性是与具体劳动成果的社会效用存在相一致的，具有自然效用并不表示生产具体劳动成果的劳动是社会的有用劳动。

　　然而，如果根据商品经济对实现社会效用的要求，即自然效用不直接决定社会的有用性，便否认效用具有自然属性，只认定效用具有社会属性，进而将效用的社会属性归纳为人们的主观心理感受，则是从政治经济学的认识基础上走偏，丢弃了认识对象本身而只讲对认识对象的需求心理，违背了科学研究必须遵守的认知逻辑。从自然决定的客观事实出发，人们可以看到，具体劳动成果的自然效用是可以单独存在的，尽管在商品经济条件下有这种存在是一种社会损失，而相反，社会效用是不可以单独存在的，不论何种具体劳动成果，其社会效用都必须依托于自然效用而存在，或者说凡社会效用都是建立于自然效用基础之上的，有自然效用不一定有社会效用，而有社会效用却必定有自然效用。在相当长的时期内，关于效用的研究，政治经济学界保持着两种截然不同的认识，一种是将效用作为纯粹的主观心理范畴，另一种是排斥这一范畴。但不论是哪一种认识，实际上对效用都未展开全面的基础性研究。这是政治经济学界脱离劳动研究效用形成的自然结果。

从劳动出发而不是从商品出发，从具体出发而不是从抽象出发，是政治经济学的研究回归客观约束的认识方法。对于具体的劳动成果，是可以直观辨析的。虽然人类社会的经济发展越来越复杂，但是政治经济学的研究基础并不随之复杂，最简单的具体劳动成果实质上蕴涵着这一学科最基础的认识内容，而任何复杂的认识都必然要源于这一基础。对于基础理论研究来说，直观辨析具体劳动成果的各种性质，有助于确切地认识最基本的事实，这可避免在学术问题讨论上的许多无谓的争执。当今的政治经济学研究，各个学派的认识都表现出片面的深刻性，因而，学科的发展并不在于激烈地讨论理论观点，而在于首先要建立基本的学术规范，要确认经济理论的研究有客观性的约束，理论体系的建设应从直观辨析最基本的事实起始。政治经济学对效用的界定不能是主观的心理感受，而必须是具体劳动成果具有的客观的有用性。人们的主观心理感受固然是重要的，但无论如何感受却必须建立在对被感受物存在的承认上。因而，相比主观的心理感受，客观存在的被感受物无疑是更重要的。具体劳动成果就是人们主观心理感受的被感受物。必须确认的是，这种被感受物是人类生存的需要，现代政治经济学的研究必须具有这样的认识高度。以被感受物为研究对象，为研究基础，效用理论才具有客观性的约束，才能与人类的生存需要相连接，起到政治经济学的研究作用。

在一些不劳动就可以生活得很好的人看来，似乎没有必要研究具体劳动成果，分析效用而脱离具体劳动成果更可以显示自己的才思。然而，那恐怕不是在研究经济理论，而只是在做一种游戏性的研究。政治经济学的研究是认识客观的经济事实，最基本的事实就是具体劳动和具体劳动成果，而效用就是具体劳动成果的有用性，所以，效用理论的研究必须以具体劳动成果的事实为基础，尊重具体劳动成果与人类生存之间的客观逻辑关系，而不能违背事实与逻辑去做任意的认识抽象。长期以来，政治经济学的研究不能抵达具体劳动与具体劳动成果这一基础，流于形式化的认识，已成为传统，且这种传统现在还具有强大的惯性作用，难以很快转变。但是，这终归是需要转变的，效用的理论研究必须要有新的起点，政治经济学的研究必须要建立在具体劳动与具体劳动成果研究的基础上。

在具体的劳动成果创造已经十分复杂的现时代，并不排斥简单的认识，但却不能以简单的认识为时代的标志，更不能依靠简单的认识去推进社会经济的发展。时代的进步要求政治经济学的研究必须进入复杂的发展阶段，而这种复杂只能是从认识具体劳动与具体劳动成果的复杂性开始。认识劳动成果效用的复杂性只是学科发展的一个重要方面。如果现在对劳动成果还是只有笼统的效用和边际效用的认识，还不能根据事实的复杂而丰富效用理论内容，那是认识严重地落后于时代的。在现时代，如果政治经济学还讲市场的背后有一只看不见的手，那并不是那只手不可能被看到，而只是因为政治经济学的研究力度不够，即还没有达到相应的复杂程度。漠视具体劳动成果，并进一步虚化效用范畴，是阻碍效用理论深化复杂的认识障碍。只有完全学究式的从书本到书本的研究，才会置活生生的多姿多彩的具体劳动成果于不顾，一头钻进虚假的概念里不能自拔，始终纠缠于片面的认识，不能探究劳动成果效用具有的客观性。由于以往的研究都不是从具体劳动成果出发认识效用，都没有将效用作为一个客观范畴，因此，有关效用研究的复杂认识只能起始于 21 世纪，起始于政治经济学对于具体劳动成果的复杂性认识。也许，在整个 21 世纪，或是在以后更久远的岁月，政治经济学的研究也无法穷尽对具体劳动成果效用的复杂性的认识，那么，在 21 世纪初就实现终极的认识似乎更是不可能的，但是，从现在起开始向具有客观性的复杂的效用理论认识迈进，全面展开对具体劳动成果的自然属性与社会属性的复杂性认识，即深入地研究客观的自然效用与社会效用的复杂性，却是可能的。

在现时代，不用比远古，只比工业大革命时期，人类的劳动能力也是极大地提高了。因此，在能够享受现代生活的人看来，用以满足他们生存必需的具体劳动成果占其全部消费品的比重是很小的。这就是说，随着人类劳动整体水平的提高，越来越多的具体劳动成果是用于人类的非必需消费。这种经济发展趋势诱导了相当一部分理论工作者将研究的视点集中在非必需消费品方面，而不是从人类生存必需的具体劳动成果起点研究现代社会经济问题。所以，在现代经济理论研究中，设定满足现代人的市场需求是一个相当复杂的前提，其中很少是满足生存的必需，而讲求生活质量的需求是更主要的内容。但是，客观地讲，满足人类需要的内容可以变化，可以丰富与发展，而人类需要的根基不会变，生存的需要永远是人类最根本的需要。政治经济学的研究不能无视这一点，即理论的认识必须从有关人类生存的具体劳动与具体劳动成果起步，不能抛开满足生存的必需品直接关注非必需品研究。这也就是说，在对具体的劳动成果效用的研究中，必须强调人类生存的根本需要，不能缺失必需品效用与非必需品效用的划分，更不能抛开对必需品效用的研究，只侧重于非必需品效用的研究。

　　但是，另一方面，政治经济学的研究又必须关注非必需品效用比重不断加大的事实，必须对所有的具体劳动成果的效用进行总体上的概括研究。可以说，正是由于非必需品效用不断增加，整个社会的经济运行才更为复杂。政治经济学的研究不能丢弃根基，也不能缺失全面性。简单的根基是最重要的认识起点，对复杂的总体更需花费研究精力。在具体劳动成果之中，非必需品效用只是对于人类的最基本生存的需要讲是非必需的，而这类占现代消费品中主要比重的效用能够获得社会属性则表示社会对它们的需要是真实的。现代社会的人类生活可能与原始社会的人类生活对于生存的必需品效用的基本要求是一致的，但却在非必需品效用的消费方面存在天壤之别。现代的政治经济学要研究古代的和近代的人类劳动与劳动成果，而其直接的作用却是为现代社会服务的，所以，现代的政治经济学研究要深入探讨具体劳动成果效用的社会联系，要依据具体劳动成果的社会效用分析国民经济运行，并不能只限于认识必需品效用对于维持人类生存的重要性，还必须全面地研究具体劳动成果效用的总体上的一般性以及非必需品效用存在的复杂性。具体的劳动成果效用所含有的复杂性并不都与必需品效用有关，在很大的程度上，政治经济学的研究要致力于揭示非必需品效用所具有的更为复杂的性质。因而，在现代的政治经济学研究中，对具体劳动成果效用的复杂性认识与对其的全面性认识，是具有同等意义的。无疑，若缺少对现代社会涌现的各式各样的前所未有的具体劳动成果效用的研究，政治经济学的效用理论研究是不具有时代性的，是缺乏创新精神的。而相反，随着现代人类劳动的复杂化推进，随着具体劳动成果的不断增多与创新，政治经济学对于效用的研究一方面紧紧地抓住根基，一方面更广泛地贴近现实，则是跟上时代发展步伐的基本要求。对此，人们有理由相信，同 20 世纪相比，21 世纪的政治经济学研究将具有更多的自觉性。

第二章　效用的实现

在商品经济中，社会效用的实现就是具体劳动成果在市场上得到需求者的承认。随着人类对自然和自身的认识水平的不断提高，不仅人类劳动的能力越来越复杂，而且市场关系的发展也越来越复杂。作为商品，具体劳动成果的价值实现与社会效用实现是同一事物在市场上的不同涵义的表现。价值实现表示劳动作用的抽象凝结在具体劳动成果上实现了。社会效用实现表示具体劳动成果的自然作用在市场上得到社会需求的承认。由于社会效用实现是价值实现的基础和条件，因此，研究具体劳动成果的社会效用实现更具有认识复杂的市场关系的现实性。

一　市场决定的社会效用

除自然经济外，凡具体劳动成果实现社会效用，都要经过市场交易。在现实经济中，市场交换是市场交易的一个方面，只要市场处于正常状态，绝大多数具体劳动成果是能够实现市场交换而实现社会效用的。而产生具体劳动成果的社会效用不能实现的主要原因有：（1）市场的供给大于需求。即同类劳动成果的生产量超过市场需求量，其超过的部分难以实现市场交换。（2）劳动成果的质量差。由于质量不合要求，没有人愿意在市场上与之交换。（3）双方谈不妥交换价格。这是交换双方对社会效用的认识不一致引起的交换障碍。（4）没有市场需求。这是盲目生产的后果。可能是生产者一厢情愿的创新产品得不到社会承认，也可能是产品过时了，市场需求已经从这种产品上转移了。（5）找不到交换对象。这种情况在以物易物的市场交换中是经常发生的。在以货币为媒介的市场交换中，由于信息不对称，也可能是有市场需求但找不到需求者，无法实现市场交换。即使是在通讯技术和信息传播极为发达的现时代，也未必不出现这种情况。

只要具体的劳动成果能够实现一次市场交换，就会实现其社会效用。而现实中有许多的具体劳动成果，在实现了一次市场交换之后，还可再次或多次被用于市场交换。这种再次的市场交换，不论成功与否，不影响具体劳动成果的社会效用存在。只是，在一次又一次的市场交换之后，具体劳动成果的社会效用可能还保持着原有的评价，也可能不再是原有评价了，或比原有评价高，或比原有评价低，都是现实中会发生的。

以自然效用的客观性为基础，经过市场需求的社会评价实现的社会效用，是具体的劳动成果进行市场交易的依据。在不同的具体劳动成果之间，自然效用是不同的，不具有可比性，因此，现代的市场交易不以自然效用为依据，尽管交易的目的从最终消费角度讲是为了获得交换物的自然效用。现代的市场交易还表明，其依据的也不是具体劳动成果的价值，因为价值是劳动作用的抽象凝结，其表示的是投入，进行具体劳动成果投入方面的比较可能影响生产，但却不必然成为市场交易的依据。因此，在现代的市场交易中，人们只是依据一致的社会效用进行不同自然效用的具体劳动成果交换，是依据不同量的社会效用缔结表现同样准则的市场交换关系。从人类走过的历史看，在小商品生产时期，那时的人们进行市场交易依据的是劳动主体付出的劳动时间和劳动强度，但那时的市场关系是不发达的，也是不规范的。现代的发达的市场交易关系已经历史地超越了那时不规范的市场交易关系。

二 社会效用的量化

作为现代市场交易的依据，包含自然效用在内的或者说以自然效用为基础的社会效用，可以异质量化，也可以同质量化。异质量化是指具体劳动成果的社会效用可以其他具体劳动成果的数量表示。同质量化是指不同数量的具体劳动成果的社会效用可以其他具体劳动成果的不同数量表示。

在市场交易中，异质量化的社会效用可有各种表现。

例如：

$$
\begin{aligned}
1\,匹布 &= 100\,斤小麦 \\
&= 200\,斤玉米 \\
&= 10\,箱苹果 \\
&= 20\,箱梨 \\
&= 50\,瓶矿泉水 \\
&= \cdots\cdots
\end{aligned}
$$

或：

$$
\begin{aligned}
1\,块木料 &= 120\,斤小麦 \\
&= 240\,斤玉米 \\
&= 12\,箱苹果 \\
&= 24\,箱梨 \\
&= 60\,瓶矿泉水
\end{aligned}
$$

$$= 1.2 \text{ 匹布}$$
$$= \cdots\cdots$$

以上假设是说明，1 匹布或 1 块木料的社会效用可以小麦、玉米、苹果、梨、矿泉水的数量表示。在这种量化中，可以相对地比较 1 匹布与 1 块木料之间的社会效用的差别。

而社会效用的同质量化可用以下假设做说明。

例如：

$$1 \text{ 匹布} = 100 \text{ 斤小麦}$$
$$2 \text{ 匹布} = 200 \text{ 斤小麦}$$
$$3 \text{ 匹布} = 300 \text{ 斤小麦}$$
$$4 \text{ 匹布} = 400 \text{ 斤小麦}$$
$$5 \text{ 匹布} = 500 \text{ 斤小麦}$$
$$\cdots\cdots = \cdots\cdots$$

或：

$$1 \text{ 块木料} = 120 \text{ 斤小麦}$$
$$2 \text{ 块木料} = 240 \text{ 斤小麦}$$
$$3 \text{ 块木料} = 360 \text{ 斤小麦}$$
$$4 \text{ 块木料} = 480 \text{ 斤小麦}$$
$$5 \text{ 块木料} = 600 \text{ 斤小麦}$$
$$\cdots\cdots = \cdots\cdots$$

这种假设说明，不同数量的布匹或木料，都可用小麦的数量表示社会效用。在这种量化中，社会效用的比较不是抽象的，而是有具体的数量差别的。

从具体的情况讲，市场交易的双方在确定交易条件的同时，即确定了用于交易的具体劳动成果的社会效用。但是，世有公论，市场交易也是同样。特别是对生存必需品交易或其他一些有共同性的大量社会需求的具体劳动成果，其社会效用不是由个别交易决定的，而是在大量的市场交易磨合中产生的一般平均值，即其社会效用具有一般性和相对稳定性。对于具有一般性的社会效用，这是个别的交易不可改变的，只能是接受。只有在具体的劳动成果不存在一般性的社会效用的情况下，个别的交易才能起市场化地决定社会效用的作用。

三　直接交换与间接交换

在市场交易中，具体劳动成果的交换方式分为直接交换与间接交换。直接交换是指以物易物的交换。间接交换是指以货币为媒介的交换。不论是直接交换，还是间接交换，都是具体劳动成果实现社会效用的必要途径。

以物易物，或是说用一种具体劳动成果直接交换另一种具体劳动成果，是商品经济最初产生的交换方式，也是迄今为止并没有完全退出历史的交换方式。在原始的商品经济中，直接交换是怎样进行的，无任何文字记载可查。而对小商品经济中直接交换，恩格斯曾做过这样的描述："中世纪的农民相当准确地知道，要制造他换来的物品，需要多少劳动时间。村里的铁匠和车匠就在他眼前干活；裁缝和鞋匠也是这样，在我少年时代，裁缝和鞋匠还挨家挨户地来到我们莱茵地区的农民家里，把各家自备的原料做成衣服和鞋子。"①

在物与物的直接交换中，还包括劳务与劳务的直接交换。劳务是一大类型的具体劳动成果，用劳务直接交换劳务，是劳务型

---

① 马克思：《资本论》，第3卷，人民出版社，1975，第1016页。

商品的直接交换。在现代经济中，劳务与劳务的交换并不依据双方的劳动时间付出，而是依据双方劳务成果各自的社会效用。一个社会效用倍数于另一个劳务社会效用的劳务，一次付出可换得对方两次同样的劳务。若按时间计算，就是对方的劳务时间要长1倍。比如，2个小时家教劳务可换4个小时的家政劳务。

物与物的直接交换也可能在时间上不对应。可能是甲方先将交换物付给乙方，一段时间后乙方才将交换物付给甲方，即交换不是同时进行的。但只要交换的双方是以物易物，那么存在时间差，并未改变交换方式。

但是，不论何时，换工不属于具体劳动成果的交换。换工交换的是劳动要素，而不是劳动成果。只有具体的劳动成果的交换才是商品交换。关于这一点，是要求区分劳务商品与劳动过程中劳动力作用的不同。

以货币为媒介的间接交换是现代市场交换的主要方式。间接交换优于直接交换，更有利于具体劳动成果实现社会效用。在间接交换中，货币成为进入市场的各种具体劳动成果的社会效用的衡量尺度。相同的货币表现相同的尺度，不同的货币表现不同的尺度。具体劳动成果之间的社会效用的可比性在货币形式上得到了充分的展现。一定量的货币就是一定量的社会效用的表现，一定量的货币可以同各种具体的劳动成果相交换，同样，各种具体的劳动成果可以经过交换得到一定量的货币。因而，货币也是具体的劳动成果，也是商品，或者说特殊的商品。但是，现代经济中通行使用的纸币并不是特殊商品，而只是特殊商品的符号。用纸币表现社会效用要靠自觉的社会立法决定，而不单纯是自发的市场关系的表现。

现在，市场交换的发展趋势是使用信用卡记账。信用卡与纸币一样是货币媒介的表现工具，只不过信用卡比纸币的使用更为方便。从商品货币走向纸币符号，又走向信用卡，这是间接交换方式自身的发展演变，而其交换的实质作用与间接性质都是没有改变的。货币作为间接交换的媒介物，不论以何种形式表现，均代表的是具体劳动成果的社会效用，是不同自然效用的社会效用的一般化的直观表现。

四　经营性交换与非经营性交换

最初产生的交换都是非经营性交换。这种交换的目的是为了自己使用交换物，或满足自己的生产消费和生活消费要求，或作为自己的财产对交换物的具体使用行使处置权。而经营性交换是在市场交换关系发展到一定程度之后才出现的。经营性交换的目的是为了再次进行牟利性的交换，这种交换的产生就是商业的产生，即商业分工的出现。

经营性交换的实质内容是商业劳动。在现时代，商业劳动已是社会劳动中的重要组成部分。交换的经营性与非经营性划分并不影响具体劳动成果实现社会效用，即只要是经过交换，具体劳动成果就可实现社会效用，因此，经过商业劳动过程，实现了交换的具体劳动成果，都是具有社会效用的，即都是自然效用与社会效用相统一的商品。从商业劳动的角度讲，经营性交换可概括为三大类：（1）经营者与生产者之间的交换。这是经营性交换的源头。在这种交换中，生产者不是直接与消费者交换，而是与经营者发生交换关系，经营者是代表社会对生产者的具体劳动成果给予承认和评价的。这种交换一般是大批量的，表现出经营者商业劳动专门从事交换的作用。（2）经营者与经营者之间的交换。这指不同层次的经营者之间的交换。这类交换越多，即社会交换成本越高。因此，社会的理性要求是尽可能减少这一类的交换。

但在现代经济中，这类交换仍是大量存在的，甚至在某些时期或某些地方还特别地活跃。只是，网络时代的到来，已经为减少这类交换创造了基础条件。（3）经营者与消费者之间的交换。这类交换同生产者与消费者交换一样体现市场交换的最终目的。消费者包括生产消费者和生活消费者，消费者得到的交换物，可能是经营者从生产者那里交换来的，也可能是经营者从其他经营者那里交换来的。在正常情况下，经营者与消费者的交换必须起到方便消费者的作用。

非经营性交换是市场交换中的更普遍的存在。从消费者的角度而言，他们同生产者的交换是非经营性交换，同经营者的交换也是非经营性交换。从生产者的角度而言，他们同消费者的交换是消费者的非经营性交换，他们同经营者的交换是经营者的经营性交换。从经营者的角度讲，他们同生产者的交换是经营性交换，同消费者的交换也是经营性交换。在现代社会，非经营性交换不是劳动内容，而是人们维持自身生存的必要的经济行为。每一个人的生活需要都主要依靠非经营交换去实现，虽然有的人如小孩或生活不能自理的人不能自己去进行非经营性交换，但是家人或其他人也要为他们的生活进行这种交换。现时代的非经营性交换基本上都是间接交换，即消费者都是用货币为媒介去交换自己所需要的商品。对于这种交换，实际存在着消费者的交换能力的差别问题，这种差别不是指支付能力的差别，而是指消费者进入交换过程之时能否达到交换目的和保证交换质量的能力差别，这也是人们生活能力差别的一个重要方面。

五　特殊的社会效用的实现

国家起源之后，社会管理劳动的劳动成果表现为保护国家利益和负责国家立法、执法和司法等方面的管理，其社会效用是以非市场化的特殊方式实现的。

从广义上讲，凡是由国家财政资金保障的社会管理劳动，在整体上，劳动成果的社会效用是依靠国家政权的力量强制实现的。这就是国家政权以税收的形式实现了社会管理劳动与对其劳动成果需求的整体性交换。每一位社会管理劳动者的作用都融入了整体的社会管理劳动成果的作用之中，整体实现社会效用，国家财政才能保证每一位社会管理劳动者的劳动报酬，才能保证各个方面的社会管理劳动的客体投入。

从整体上讲，由于依靠国家政权的力量，社会管理劳动成果的社会效用实现是必然的，不存在可能无法实现的危险，至少在国家的政治生活正常的情况下是如此。但是，如果一个国家的经济状况不稳定，那么，社会管理劳动成果的社会效用实现量可能也是不稳定的，或者说存在着较大的不确定性。

在现代社会，税收已经是很复杂的经济活动了。从劳动的角度讲，税收是实现劳动成果社会效用的一种特殊方式。从市场的角度讲，税收是实现劳动成果交换的一种特殊方式。税收实质表现为社会管理劳动运作的经济要求。规范税收，不仅是维护正常的市场秩序的需要，也是更好地实现社会管理劳动成果的社会效用的需要。

第三章 实物效用

　　进入市场的具体劳动成果,其自然效用与社会效用的统一取决于交易的成功。但不论我们对市场交易的认识多么深刻和多么复杂,其认识的基点仍然是实物型劳动成果的交换。实物型劳动成果的效用,可以简称之为实物效用。这种效用是满足人类生存的基本需要。

　　生产消费的实物效用属于生产资料性质。在人类的经济生活中,效用并不都是直接满足人们的最终生活需要的,其中必须有一部分用于生产消费。进入生产消费的实物效用发挥的是劳动客体作用,因此是新的劳动成果创造的前提条件,是劳动整体的构成部分,是劳动成果作用向劳动作用的转化。也可以说,这些实物效用是新的价值和使用价值创造的物质力量。在漫长的历史进程中,生产消费的实物效用有量的变化,也有内容的变化。生产资料的变化在各个不同历史时期的标志,主要是体现在实物效用的变化上。青铜制工具的效用对应了奴隶社会,铁制工具的效用对应了封建社会,而大机器的效用则对应了资本主义社会。

　　生活消费的实物效用是人们日常生活的需要,其中有必需的,也有非必需的。在 20 世纪以前,生活消费的必需的实物效用是绝大多数人倾其全力而追求的,在许多劳动能力较低或缺少基本的劳动条件的人看来,能够得到满足自身生活消费的实物效用几乎是很奢侈的事情。然而，自新技术革命之后，特别是电子计算机技术在全球得到了广泛的应用之后，以人类现有的劳动能力，获取满足全世界 60 多亿人口的生活消费必需的实物效用，已经是绰绰有余的了。如果到如今还在为这种效用的消费满足而犯愁，那一定还是生活在贫困之中，未能跟上现代社会的发展步伐。当然，现实之中即在已进入 21 世纪的人口之中，处于这种贫困状况的人还不少，据统计，到 2002 年，全世界大约还有 8 亿人口的生活得不到基本的温饱。① 在此，我们不讨论为什么到现在还有这么多人口贫困，而只是要强调生活消费的必需实物效用对人口生存的自然基础性。一个人少吃一顿饭还是没有问题的，可如果是两顿饭没有吃，可能就受不了。所以，不论到何时，都要保障人的基本饮食需要，现代社会也不能改变生活消费的必需的实物效用的自然基础性。虽然在现代社会，生活消费中的实物效用消费已经大大地降低了比重，而且食物消费的比重也在大幅度地降低，即恩格尔系数的降低已经成为现代社会发达的一种标记，但是，即使是最发达的国家，也不能对人们生活消费的必需的实物效用的供给掉以轻心，尤其对于人们的食物供给更是丝毫不敢懈怠。

人类的经济生活是理性的，也是非理性的，也许，理性是人类生存的保障，而非理性是人类生存的乐趣。对于实物效用，人类也是既需要理性，又无法抗拒非理性的。从理性的方面讲，任何有关这方面的研究和生产与消费的行为都是值得尊重的，人们必须要理性地对待生活消费必需的实物效用，不管它在现代生活消费中占有的比重已经降到多么低，都要确保这一生存的基础条件。从非理性的角度讲，政治经济学的研究也要更多地接触这一

---

① 参见《南方周末》2002 年 4 月 11 日。

领域，仔细研究非理性的实物效用需求对市场经济运行的影响。如果现代的政治经济学的研究能够比较准确地认识在整个社会经济中，实物效用占总的效用的比重是多少，生产消费的实物效用占总的实物效用的比重是多少及结构如何，生活消费的实物效用中必需的与非必需的比重与结构，非必需的生活消费的实物效用中理性的需求与非理性的需求的比重与结构，特别是对其中非理性的实物效用需求能有深入的研究和自觉的认识，那么，政治经济学的实物效用理论研究将一定会成为一块丰硕的园地，并由此会将整个效用领域的理论研究向前大大地推进。

第四章 劳务效用

实物效用是具体的实物型劳动成果的自然效用与社会效用的统一。而劳务效用则是指以具体的劳务劳动过程为服务产品的自然效用与社会效用的统一。一般说来，劳务劳动过程结束了，这种效用也就不存在了。如亚当·斯密所说是："随生随灭"[1] 的。

从生产的角度讲，劳务效用是劳务劳动作用的创造；从消费的角度讲，劳务效用是劳务劳动成果的作用被用于满足人们的需要；所以，劳务效用的存在是劳务劳动作用与劳务劳动成果作用的耦合，在表象上反映为一个过程，即劳务劳动过程就是劳务效用消费过程。

在人类的社会经济生活中，劳务效用一直是存在的。远古时代的实物劳动成果，如打制石器、磨制石器、青铜器等等，至今仍可见到，只是都已成为珍贵的文物了，但是，那时的劳务劳动成果是无法留存的，已全部在那时消没了，这如同今日的劳务效用不可留存是一样的，人们只可从现代经济中的劳务劳动状况推断劳务效用在历史中的存在。国家起源后，庞大的国家机器发挥着社会管理作用，也是一种劳务效用。不过，在以前的政治经济

①　亚当·斯密：《国民财富的性质和原因的研究》，上卷，商务印书馆，1988，第 304 页。

学研究中，是很少提到社会管理劳动的。有许多人认为国家公务人员的工作不是生产劳动，而只是社会消耗，甚至还普遍地存在多少人养活 1 个公务员的说法。比如，在某一个国家，人们说公务员太多了，平均每 28 个人就要养活 1 个公务员。这样讲的意思，一是说公务员是靠别人养活的，一是说公务员太多就养不起了。就前一层意思讲，这显然是没有认识到公务员的工作是社会管理劳动，社会管理劳动成果的效用是与社会对其需求整体交换的，根本不存在谁养活谁的问题，公务员是靠自己的劳动养活自己的。就后一层意思讲，这也是不懂得公务员的工作受客观的经济关系制约，公务员与其他就业人口的比例是由社会分工决定的。尽管可能存在公务员队伍膨胀的问题，需要裁减人员，但从根本上说，其数量是由社会对国家管理工作的需要决定的。现代社会已不同于古代社会和近代社会，现代社会需要为每一位社会成员提供全面系统的社会管理服务，因而，相比古代社会和近代社会只能为社会成员提供较少的服务，现代社会当然需要配置更多的公务人员。如果现代社会也像古代社会那样数千人才配置一名国家官吏，那么这位社会公仆恐怕生出三头六臂也难以满足百姓对社会管理的需要。时代不同了，人们吃的、用的、想的都比前人丰富得多也复杂得多，而且在生活上处处要求社会为之提供相应的管理服务，因而，在现代社会没有较多的公务人员配置是不可能的。将来，随着社会经济的发展，人民生活水平的提高，恐怕对社会管理劳动的需要量还会有所增加，即可能在社会上存在着一支更为庞大的公务管理和社会团体管理的就业人口队伍。社会对社会管理劳动成果效用的需求是根本，有多大的需求，就要相应提供多大量的效用，这二者之间是相对应的。

劳务效用也分为生产消费的劳务效用与生活消费的劳务效用，亦可简称之为生产劳务效用与生活劳务效用。在以往的政治经济学研究中，分析生产过程，通常只注重实物效用消耗，基本上不涉及生产劳务效用问题。因为事实上，在 20 世纪中叶之前，即在新技术革命之前，市场交换中的生产劳务确实是很少的，那时的社会生产还远没有达到现在这样的复杂程度，生产过程中的许多劳动还没有以生产劳务的形式相对独立地分离出来。然而，如今许许多多的生产劳务效用已经是各类企业不可或缺的消费品。现在大量的市场中介机构涌现，主要是为生产提供劳务效用服务的。企业为自己创新的产品申请注册商标，可以请专门的商标事务所为之代办，而不必自己派人去跑有关部门。会计师事务所为企业提供审计服务或会计服务，也是一种生产劳务效用，并具有一定的公信性。如果会计师事务所帮生产企业做假账，那就如同商家卖假货一样。与实物效用用于生产是起劳动作用相同，劳务效用用于生产也是起劳动作用的，即也是劳动成果作用向劳动作用转化，劳动成果作用与劳动作用同时表现出来。而不同的是，用于生产的实物效用只是起劳动客体作用，用于生产的劳务效用却是以劳动主体与劳动客体并存的方式起作用。

生活劳务效用是用于满足人们生活消费的。现代生活已经展现了对丰富多彩的劳务效用的消费需求。从大的方面区分，生活劳务效用分为两类：一类是社会生活服务业提供的劳务效用，再一类是进入家庭生活服务的劳务效用。表现前一类效用的有为生活的金融服务、餐饮服务、娱乐文艺服务、旅游休闲服务、文化教育服务，等等。表现后一类效用的主要是家政劳务服务。在现代社会，进入新的生活方式的人们，其消费的主要内容不再是实物效用，且恩格尔系数在他们身上已大大下降了，而是劳务效用，是市场上提供的各式各样的生活服务和劳务享受。其中旅游消费是生活劳务效用消费的重头戏，已经富裕起来的人们每年都要准备一大笔钱用于旅游，或国内旅游，或国际旅游，享受旅游的乐趣。在许多国家，旅游业已成为提供生活劳务效用的重要产业。如美国，2001 年旅游业创造了 1800 万个就业岗位，给市、州和联邦政府带来 944 亿美元的税收，同时国际旅游收入也达 900 亿美元。① 就一般工薪阶层人士而言，进行跨洲的国际旅游应是他们目前生活中最奢侈的消费。在发达国家，有的居民一年内用于旅游的费用已经远远超过他们的日常生活费。另一方面，日益兴旺的家政服务也是现代社会的生活劳务效用消费的热点。由于社会历史原因，已进入高科技时代的劳动力中，有一部分人并不具有复杂劳动能力，他们没有受过高等教育，只能从事相对比较简单的生活服务劳动。这些人提供的家政服务，是一些相对收入较高的家庭的需要，于是，市场的供求关系就这样比较稳定地建立了起来，并形成了前所未有的家政服务产业。对于这样一种经济关系的普遍存在和产业化，只能是进行常态社会的一般市场分析，无须追究为什么人们之间的劳动能力差别如此悬殊。在效用理论的研究中，应确定家政服务提供的劳务效用是现代社会生活消费的重要构成，并可分析供求双方的未来变化，不必对这种效用的存在做非市场因素的评判。消费家政劳务效用同样要遵守现代市场规则，家政服务人员是按他们提供的劳务效用获取雇主付给的劳动报酬的。

① 参见《光明日报》2002 年 6 月 11 日。

第五章 虚拟效用

　　实物效用与劳务效用是实体经济的劳动成果效用。比之劳务效用，实物效用对于人类生存更具有自然的基础性。比之实物效用，劳务效用对于现代人类生活具有更丰富生动的内容。实体经济是人类社会生存与发展的基础，实体经济的劳动成果效用是满足人类生活需求的主要消费对象。

　　虚拟效用是指虚拟经济中的虚拟劳动成果效用。虚拟经济不同于实体经济，虚拟效用也不同于实体经济的劳动成果效用。从实质上讲，虚拟经济是在实体经济中的价值相对独立运动基础上产生的更进一步的价值独立运动的相关经济活动。虚拟经济也是一种劳动的表现，人类的一切经济活动都与劳动活动有关，没有例外。虚拟经济的劳动活动是以实体经济的劳动活动为基础的。而其虚拟性就是指远离实体经济的形式化运动。

　　从劳动的角度讲，虚拟经济有两个主要的特征：

　　其一是依存性。实体经济是虚拟经济的存在基础。有实体经济存在并且有实体经济的价值相对独立运动存在，才能有虚拟经济表示的价值进一步独立的运动。脱离实体经济这一基础，不可能产生任何形式的虚拟经济运动。

　　其二是衍生性。虚拟经济是一种衍生的经济运动，其运动比实体经济的价值相对独立运动有更大的独立性，即衍生出了更大的价值独立运动范围、更多的价值独立运动内容与方式、更强烈的价值独立运动的效果与影响，等等。

中国理论界对虚拟经济的认识仍在探讨之中。[①]从马克思的虚拟资本（fictitious capital）引出对虚拟经济的认识，是认为虚拟资本运动构成了虚拟经济的主要内容，虚拟资本是虚拟经济的核心，虚拟经济是由虚拟资本推动的社会经济活动，资本与资本主义经济没有截然的分界，虚拟资本与虚拟经济之间也没有不可贯通的障碍。只是，在马克思的虚拟资本理论概括中，并不包含新技术革命之后的经济发展情况，因而，无论如何，不能将对虚拟经济的认识停留在 19 世纪对虚拟资本的概括认识的框架之内。有人指出："20 世纪 90 年代，在西方出现了与实体经济相对称的虚拟经济（virtual economy）的概念，'虚拟'一词在这里的含义是'尽管表面上不相似，其实质是相同的'。"[①] 基于这一点，其认为，在英文中 virtual 与 fictitious 根本不是一个意思，所以由马克思的虚拟资本概念推演出来的对虚拟经济的认识与现时代即 20 世纪 90 年代以后讲的虚拟经济是不同的。

当年，马克思认为："即使假定借贷资本存在的形式只是现实货币即金或银的形式，只是以自己的物质充当价值尺度的商品的形式，那末，这个货币资本的相当大的一部分也必然只是虚拟的，也就是说，完全像价值符号一样，只是对价值的权利证书。当货币在资本循环中执行职能时，它虽然会暂时成为货币资本，但它不会转化为借贷货币资本，而是或者换成生产资本的要素，或者在实现收入时作为流通手段付出去，因此，不可能为它的所有者转化为借贷资本。"[②] 马克思还就此举例说："英格兰银行不

---

① 刘韬：《正确认识虚拟经济——访国务院体改办副主任李剑阁》，《人民日报》2003 年 2 月 24 日，第 13 版。

② 马克思：《资本论》，第 3 卷，人民出版社，1975，第 576 页。

用库内的金属贮藏当做准备金而发行银行券时，它创造了一些价值符号，对它来说，它们不仅是流通手段，而且还按没有准备金的银行券的票面总额，形成了追加的——虽然是虚拟的——资本。并且这一追加的资本，会为它提供追加的利润。"①

而今，就虚拟经济所从事的金融活动而言，其与马克思描述的虚拟资本活动是一脉相承的，并不存在实质性差异，有的只是发展的程度上不同。因此，虚拟一词在英文中是用 virtual 表示了，而不用 fictitious 表示了，只是话语源的转变，是对词语的重新选择，而不是经济含义的变化，这是语言发展中的正常现象。在马克思时代，用 fictitious 表示虚幻、不实在，已经是转义了，其本义应是写小说的，是文学的虚构性。而现代用的 virtual，则是从物理学概念引申出来的，是以物理学的虚性来表示某事物的实际状态，即可从实质上来认识的不同存在的同一性。作为经济学使用的词语，讲 fictitious 肯定不是讲文学虚构性，讲 virtual 也决不会是指物理学的虚概念，它们实际面对的描述对象是同一事物，即实体经济的价值相对独立运动基础之上的价值更为独立的运动。所以，用 virtual 而不再用 fictitious 并不改变认识对象，而我们更需要研究的是认识对象的同一，而不是词语的变化。也许，正因如此，现代有学者指出："从接触到的文献来看，无论如何定义虚拟经济，金融总是构成其最主要的组成部分。当人们说某年全球虚拟经济的总量已达若干万亿美元，相当于同期GDP 若干倍的时候，当人们称某年全球虚拟经济日平均流量高达若干亿美元，超过日平均国际贸易若干倍的时候，他们事实上描述的就是不同类型的金融变量及其规模。而且，看起来，除却金融变量，我们似乎还没有发现其他重要的虚拟经济形态。果若

---

① 马克思：《资本论》，第 3 卷，人民出版社，1975，第 614 页。

如此，索性将虚拟经济等同于金融，可能更有利于对问题的研究。这样做，省去了很多无谓的概念争论，有助于我们集中精力，讨论实质性问题。"①

但是，在政治经济学的研究中，严格地讲，虚拟经济并不等同于金融经济。我们已经阐明，虚拟经济是实体经济的价值相对独立运动基础上产生的价值独立运动，其存在的基础也是金融经济活动，但不属于虚拟经济活动，只是那一基础之上又形成的价值独立运动，才构成虚拟经济活动。虚拟经济的金融活动与其基础的金融活动是相连的，而理论上又是可以分列的，所以，金融经济包含两个部分，一部分是基础性的实体经济的金融活动，一部分是衍生性的虚拟经济的金融活动。

虚拟经济也不同于泡沫经济。泡沫是一种形象说法，指的是经济生活中存在的投机活动。投机越多，泡沫越大，所以，泡沫经济就是对投机过度的经济状态的描述。而虚拟经济中并不都是投机性的，如外汇期货交易中，有套期保值的功能，就不属于投机行为。只有投机行为过度，才会呈现出一种泡沫经济的景象，这一点，在实体经济中和在虚拟经济中，是一样的。

虚拟经济中，劳动主体与劳动客体的结合构成虚拟劳动过程，创造虚拟劳动成果。虚拟经济的功能体现在虚拟劳动成果的效用上，即体现在虚拟效用上。

虚拟效用是真实存在的效用，不是虚构的效用。虚拟经济的虚拟性与虚拟效用的真实性并不矛盾。虚拟性表示的是一种存在，是虚拟的存在，不是不存在；而虚拟效用更表示是一种存在，是一种劳动成果作用的存在。

虚拟效用是现代政治经济学研究的重要内容，目前的探讨是

---

① 李扬：《关于虚拟经济的几点看法》，《经济学动态》，2003 年第 1 期。

初步的。仅就现在已有的认识，可对这一范畴做以下几点概括。

（1）虚拟效用只是特殊的生产效用。虚拟效用只存在于价值化证券化的生产要素市场，因此是只为生产服务的效用。

（2）虚拟效用可能与虚假繁荣或泡沫经济有直接联系。虚拟效用一旦供给过度，就可能引发投机泛滥，而投机泛滥的结果就是泡沫经济的出现，即虚假繁荣掩盖着经济上的空虚和危机。如果发生这种情况，那虚拟劳动创造的过多劳动成果就不再是社会的财富，而是社会的灾难了。

（3）虚拟效用的多样性及变化性远不如实体经济的效用。虚拟经济领域，同实体经济领域相比，是很小的，它只是单纯的更为独立的价值运动，因此在劳动服务的表现上并无太多的变化空间。

（4）虚拟效用反映的金融活动更具有独立扩展的功能。如在金融衍生品交易中，市场扰动的交易量，比之交易者手中持有的现金量大得多。

第六章　知　识　效　用

知识是人类劳动的成果。概括地讲，这种劳动成果是指人类对自然和对自身的认识。在知识构成中，人类对自然的认识比对自身的认识具有更为基础的意义。现代人认为现代社会进入知识社会，即以知识为基础的社会，就是说明确地承认了知识对社会存在与发展的作用是至关重要的。然而，人类社会并不是到了现代才以知识为基础生存与发展的。事实上，自人类起源时社会的存在与发展就以知识为基础了，劳动的创造性主要是指知识的创造，有了最简朴的知识创造才有最初人类与猿类的揖手告别，有了知识的高度复杂化发展才能有现代社会的财富创造与生活享受。

知识效用是指知识劳动成果的效用。同其他劳动成果效用一样，知识效用也是自然效用与社会效用的统一。知识所凝聚的对自然或对自身的认识是其自然效用，社会对知识的评价并通过市场交易表现出来的是其社会效用。知识的创造需要产权保护，而经过一定的保护期之后有用的知识就社会化存在了，不再具有市场性的价格要求，虽然其仍有相应的价值。历史表明，人类的知识发展是逐渐演进的，在漫长的进程中，作为劳动成果出现的知识，并非在初创时就是准确的，甚至有些还可能是有错误的，人类纠正不准确的认识或错误认识需要一定的时间，在某些方面可能需要很长的时间，因而，知识劳动成果从整体的存在状况讲不具有必然的自然有用性，只具有或然的自然有用性。而知识获得的社会效用，也可能出现不准确或错误的评价。

人类是生存于自然之中的，但更体现与其他自然生物不同的社会性。知识效用就是支托这种人类独有的社会性的基础。如果人类失去了所有的知识，那么只能退回到纯自然的世界，不再有人与动物区别。所以，知识效用是人与动物的社会区分依据。社会的进步，从某种意义上讲，就是知识的增多，就是人类对自然和对自身的认识不断提高。实物效用起自然基础作用，知识效用起社会基础作用，在人类劳动成果效用中，这是两大基础的存在。在任何时代，知识效用都是社会劳动的主导和对社会的发展起决定性作用的。经济的发展水平与知识效用的创造是成正比关系的，只有重视知识效用的创造，才能推进经济的发展，从根本上说，经济的力量是源于知识效用的，是知识的效用力量决定经济水平的。从劳动成果的角度讲，是知识效用起这种决定作用；从劳动的角度讲，是智力因素起这种决定作用；这二者之间具有一致性。只是，知识效用的决定性并不排斥其他劳动成果效用存在的必要性，包括虚拟效用在现代经济中都是必要的存在，知识效用的决定性是浸透在其他各种效用的必要性之中的。

从总体上说，知识效用是主要服务于实体经济的，虽然虚拟经济也处处呈现智力劳动成果，但毕竟所占比重是很小的。在其服务的实体经济中，知识效用是在各行各业的生产中发挥作用的。在远古时代，青铜器生产中起决定作用的是生产青铜器的知识效用。铁器的生产代表了封建社会经济形态的到来，那么，到底是铁器创造了这一时代，还是生产铁器的知识效用创造了这一时代，过去的认识是见物不见知识的，即是不见人的，而实际上起决定作用的是知识效用，是创造知识的人的智力作用。到了机器时代，生产力飞速发展，但蒸汽机的力量、电的力量，统统来自知识效用的力量，正是在知识的创新中，资本主义社会才取得了空前的经济成就，尤其是在 20 世纪新技术革命之后，知识效用的决定作用是更清楚地体现出来的。

除了日常生活消费外，知识效用在社会生活领域，主要用于教育消费。用于教育的知识效用包括人类全部知识的主干，只是对于每一个接受教育的人来讲所享受的不过是其中的一小部分。小学教育要传授最基础的语言、数学、美术、体育、音乐、伦理、历史、地理，自然科学等方面的知识。在中学期间，学生们要进一步学习各种知识。到了大学，除了通用的数学、语言、自然科学和社会科学知识以外，受教育者还要接受各种专业知识的教育。在学历教育之外，还有职业教育及各类生活知识教育，知识效用是通过教育而一代一代传递和创新的。

自然科学知识比社会科学知识具有更为基础的作用，其效用是推动社会进步和人类生活水平提高的基本力量。人类与自然关系的进展依赖自然科学知识的拓展与更新。从理性的角度讲，自然科学的知识效用是造福全人类的，不应有国界的区分，更不应有市场范围的分割。

社会科学知识代表了人类对自身认识的理论化和系统化的成果。社会科学的进步要以自然科学的发展为前提，即人对人的认识要以人对自然的认识为前提，没有自然科学理论的推进，社会科学的认识很难有所提高。从 21 世纪初来看，社会科学的知识创造已经远远地落后于自然科学了。20 世纪是自然科学突飞猛进的年代，而相比之下，社会科学的理论研究一直处于徘徊状态。尽管从实践中人们已经深切地感受到社会科学研究的落后，知识陈旧，急需创新，但是，在全球范围内，主流的意识还是远远地落在自然科学的认识之后，已经进入 21 世纪的人类仍然在饱受思想困惑的苦恼。在现时代，社会科学的知识教育在全世界都是相当沉闷的，缺乏应有的生气与活力。更为严峻的问题是，在自然科学的飞速发展之后，社会科学认识的僵化已经严重地威胁到人类的生存，高科技不仅创造了现代的生活享受，也创造了空前的恐怖。飞机撞大楼，"9·11"的阴影像梦魇一样留在美国人民心中，留在全世界人民心中。这表明，人类对自身的认识严重地落后于对自然的认识，这种不平衡已成为社会的灾难。只是，面对这种灾难，并不能停住自然科学的发展步伐，而只能是加紧推动社会科学研究的进步，即重新恢复平衡，只能是让落后的一方迎头赶上去。所以，无论是当前，还是往后，反恐怖都只是治标，发展社会科学，创新对自身的认识，使之跟上自然科学的脚步，才是消除社会危机的治本之路。

哲学知识与数学知识既不属于自然科学知识，也不属于社会科学知识，但对人类生存和社会发展是必不可少的基础知识。数学知识的作用是显而易见的，越是到现代社会，人类对数学的需要越强烈，对数学的应用越广泛，数字化时代的到来是数学知识造福于人类生存所需要，哲学知识的应用并不是只在大学课堂上，而是处处体现在生活实际之中。

宗教知识也是劳动的成果，只不过是一种非生产劳动的成果。宗教对于人类社会的存在与发展也是必不可少的。人生短暂，每一个人在自己有限的人生过程中都要求有一种心灵上的寄托，宗教知识给予人们的正是这种心灵上的庇护，这是宗教存在的自然基础。宗教认识的领域不是科学能抵达的，宗教将与人类社会同在。在我们生存的地球上，不论在哪里，没有宗教的社会生活都是残缺的。宗教的知识效用最大限度地满足社会需求，是其自身存在的社会基础。

艺术知识、文化知识、体育知识、音乐知识等，都是人类文明的传承。在这些方面，知识效用广泛地为人们的生活所需求。在全世界，现在每年要有数以万计的艺术活动、文化活动、体育赛事、音乐会等等，而支撑这些活动的灵魂是其专业的知识，知识效用是保持这些领域世代延续的力量。

知识的种类是繁多的，知识效用充斥在人类社会生产和生活的每一个领域。尊重知识是素质问题，也是现实需要。只是，从生存基础，到生活享受，各种知识效用的作用与分量还是有所区分的。有的知识属于最重要的一类，如爱因斯坦的相对论，带动了整个20世纪自然科学的发展，为人类打破地球生存空间的封闭起了重要的理论推动作用。而另有些知识的效用分量比较轻，如养鸟知识、游戏知识、棋牌知识等，虽可丰富人们的生存内容，但终究只起生活消遣的作用，不是生存保障的内容。不过，有些知识并不能因其小而被忽视，如安全使用燃气热水器的知识、公路交通知识等，在这些方面的知识稍欠缺，就可能酿出大祸。从整个社会的存在而讲，是一定要分清种种知识效用的轻重的，不能在笼统的尊重下，本末倒置，避重就轻，丢弃了对最重要知识的把握与创造。在现代社会，更需高度重视最重要的有关社会安全和社会发展的知识研究，并要特别抓好对已有的最重要的知识的学习与运用，不能只重芝麻不重西瓜，即不能是以轻急重缓或轻实重虚的态度对待知识效用。

从总体上讲，人类的知识是处于不断地变换之中。在各个历史时期，都要有一些知识的效用丧失，被淘汰；也都要产生新的知识。但同时，有的知识是亘古长存的，即其效用是永远存在的。如数学的知识就是这样的，"$1+1=2$"是最基础最简单的算术式，也是最古久的数学知识。

相比其他劳动成果效用，知识效用的创造是最基础的，知识效用的消费也是最广泛的。但是，现在政治经济学的研究对知识效用范畴还尚未普遍地接触，这恐怕是制约现代经济理论发展的一个瓶颈。对知识的作用充分肯定与对知识效用的研究空缺，这种不对称的情况是必须改变的。走向未来，有关知识效用的研究必将是一个重要的理论领域。

第七章 效用范畴在 经济学中的地位

美国经济学家劳埃德·雷诺兹教授撰写的教材中，对经济学是研究什么的，列出了以下 5 点:[①]（重点号系引文原有的）

1. 经济学是研究节省的；即是关于稀缺资源的各种利用法的选择。千千万万个人、企业和政府单位在进行选择。经济学考察这些选择是怎样加到一起成为一个经济体系的，以及这个经济体系是如何运行的。

2. 经济学者用简化的经济模型说明道理；这些模型体现经济的基本特征而不考虑很多复杂细节。这种讲道理叫做经济理论，要求思想明确，但不要精确的数学。

3. 任何经济，不管它的组织如何，必须对以下各点做出决策：什么人应该工作，他们在什么地方工作，生产什么物品，生产多少数量并用什么方法，以及这些物品有多少给每个个人和家庭。

4. 作为经济组织的"纯粹形式"，我们可以区分自给自

---

① 劳埃德·雷诺兹:《宏观经济学》，商务印书馆，1987，第 3 页。

足经济，计划经济和市场经济。现实世界的经济一般是这几种形式的某种混合。

5. 对经济学，企业和政府可以作重要的实际应用。对于政府的政策问题，经济学者应该能够同意，什么能够实行的，但不能指望他们同意应该做些什么。

如果我们将雷诺兹教授讲的节省，更明确地表述为是对劳动要素和劳动成果的节省，那么人们对经济学的理解会更贴切一些。如果我们对上述 5 点中讲到的工作、物品、经济组织分别换为劳动、劳动成果、劳动组织，那么实质上意思是相同的。并且，我们也可以将企业视为劳动组织，将政府的公务员劳动概括为政府工作内容。这样就可以表明，尽管在目前的经济学教义中很少出现"劳动"一词，而更多的是用"稀缺性"、"资源"、"管理"、"生产"等范畴表述，但这门学科实质是不可能脱离劳动和劳动成果而研究的。劳动是一种过程，劳动过程创造了一切人类生存需要的产品。而劳动怎样创造劳动成果以及人们如何使用劳动成果，这就是经济学要研究的全部内容。在经济学界，不论是哪个国家的经济学家，也不论是哪一学派的经济学家，不论是用何种语言表述对经济学的认识，归根结底，谁都不可能脱离劳动和劳动成果来谈这门学科的研究内容，或者说不论是谁总要在劳动的作用之内和劳动成果的使用方面分析经济学问题。人们讲到的资源与资本，实质是劳动客体的存在；讲到的人力，实质是劳动主体；讲到消费，实质说的都是对劳动成果的消费。若不用劳动和劳动成果范畴表述，并不是说以往的经济学研究没有面对劳动和劳动成果分析问题，只表明已做的研究还未达到应有的理论纯化程度。

效用是劳动成果作用的一般化，也就是指劳动成果的自然使用价值与社会使用价值统一的一般化。因而，对效用的研究，就是对劳动成果作用一般化的研究，就是抽象地研究劳动成果在生产领域和生活领域的一般使用价值。或者说，研究效用分为两个方面：一个方面是研究劳动成果重新回到劳动过程中的作用，再一个方面是研究劳动成果满足人们生活需要的作用。由研究的内容决定，效用范畴在经济学体系中属于最基础的范畴——劳动范畴——的延伸，是一种核心的基础范畴和基础理论要研究的内容。

劳动成果再回到劳动过程中去，在一定的历史时期和相当大的范围内，属于资本的运作。因此，用于资本的劳动成果的效用可以简称之为资本效用。而经济学研究资本的实质是研究资本效用。资本不等同于社会全部劳动成果，只是包含在社会全部劳动成果之内，所以关于劳动成果的研究是包含资本研究的，资本研究在现代经济学研究中的重要性也决定了效用研究的重要性。

在社会生活方面，经济学对于劳动成果使用的研究，也是效用研究。生活消费效用，是劳动的最终目的。如何使生活消费品效用更好地为人类生存服务，是经济学研究的最终目的。每一个人的消费行为可以是理性与非理性并存，但经济学的研究却都要以理性的头脑去分析。劳动的创造是一个方面，如何用好劳动创造的成果是又一个方面，经济学不仅要研究劳动，而且要研究劳动成果，这本身就使效用的研究构成经济学研究的重要组成部分，更何况这部分的研究还直接贴近人们的生活消费，是最为敏感的现实经济的反映内容。所以，不论是从生产方面讲，还是从生活方面讲，在经济学理论的研究中，关于效用的理论研究都是举足轻重的。

自政治经济学创立以来，在基础的经济学理论研究中，效用与边际效用理论是19世纪和20世纪经济学家研究取得的重要成果，这些已有的理论成果初步奠定了效用范畴在经济学理论体系中的地位。这种地位的存在与其研究对效用的认识走偏都是不可回避的。现在，进入21世纪以后，从对劳动的研究应得到高度的重视起始，关于效用理论的研究也必将实现大跨度的推进，效用范畴作为一个基础的核心范畴，在经济学研究中的地位也必将得到越来越明确的认定。现代经济学站在新的历史阶段的理性高度之上，必然会更深刻地将"效用是满足人类需要的一般能力"① 的思想贯彻到整个学科体系的创新研究之中。

---

① 威廉·斯马特：《自然价值》英译本编者序，载弗·冯·维塞尔：《自然价值》，商务印书馆，1995，第15页。

第二篇

边际效用与均等效用

边际分析已是经济学研究中普遍运用的方法。进行效用的边际分析是政治经济学基础的边际问题研究，并由此提出了边际效用范畴。但以往的研究对边际效用的界定是建立在将效用视为主观心理感受基础上的，并且最初是根据基数效用推演而来的。而在基数效用进入经济学研究体系之后，又有序数效用范畴问世，并得到了更广泛的运用。作为效用研究的基本范畴，这些范畴经历了一个多世纪的时间检验，构成以往经济学历史悠久的认识基点，至今仍很活跃。然而，这方面的理论一直受到来自实践的挑战，对效用的认识始终存在学术上的争议。从现在来看，纯主观地对待效用范畴，将效用描述成一种心理感受，这如同将价值的创造单纯地归为劳动主体作用一样，是不符合客观逻辑的。政治经济学不能依靠想像研究问题，亦不能以主观的心理感受为依据研究劳动成果的使用问题。政治经济学的研究是具有功利性和客观性的，在对待效用范畴上同样要遵守认识的客观性要求。现在，基数效用与序数效用仍可作为基本的效用范畴，只是对它们的效用内涵需要重新界定。我们的研究指出，效用是劳动成果作用的一般化，在自然效用与社会效用的统一中，社会效用受主观评价，自然效用是客观的基础。

由边际效用范畴将引出边际效用的递减或递增的问题。在以往的认识中，只存在对边际效用递减的分析，从未阐述过边际效用的递增情况。而我们现在的研究，不仅要重新讨论边际效用递减，还要讨论边际效用的递增。这方面的讨论有助于开阔现代政治经济学研究的视域，可以将人们的思维定势从 19 世纪对于效用的认识下解脱出来。

效用有边际与非边际之分，这是以往研究的区分。而从自然的基础来认识，即从自然效用出发来认识劳动成果的作用，就必然要客观地探讨效用的均等性问题。正是在对均等效用认识的基础上，才能进一步揭示价格形成的市场条件。价格与效用的关系，就是量化表现与量化物存在的关系，也就是研究市场所要研究的一个基础性问题。我们的研究将表明，不可将效用纯主观化，也不可将价格神秘化，更不能将价格与价值混同，只有依据市场的客观性，才能正确认识价格与效用之间的关系。

第八章　市场交易中的
价格与效用

　　法国经济学家让·巴蒂斯特·萨伊在 19 世纪初曾指出，价格是效用的尺度。[①] 这一观点后来并未进入广泛的讨论和传播的范围。在学术界，人们比较熟知的只是萨伊定律即供给创造需求的定律以及萨伊的三位一体公式。但现在看来，萨伊关于价格与效用关系的认识或许更具有讨论意义。因为脱离劳动关系认识供求关系和脱离劳动的整体性阐述价值原理，是绝不可能解释清楚问题的，而价格与效用实现的关系却是一种直接的市场关系，承认事实与理论概括具有直观的一致性，可不存在逻辑推理错误之类的干扰。

一　交换价格与契约价格

　　首先需要讲明，在政治经济学基础理论中探讨的价格范畴一律指劳动成果的价格。至于非劳动成果的价格问题讨论，我们会特别地标示。在价格的市场关系表现中，并非只有交换才有价

格。只存在交换关系的市场，是简单商品生产时期的市场，当然只有交换价格。而在商品经济发达之后，市场交易就不仅仅是交换关系了，还出现了契约关系即要素配组之间的经济关系，因而，价格就不再单纯是交换价格，还有了契约价格。交换价格是以交换的劳动成果作为价格表现的，契约价格是以要素配组的合同约定作为价格表现的。明确市场中的价格既有交换价格，又有契约价格，不将契约价格混同于交换价格，也不将交换价格等同于契约价格，这是对市场价格认识细化的进步。

交换价格是人们通常讲的市场价格，比较易于观察和理解。相对契约价格，交换价格是直接的市场实现。交换需要价格，如同打水需要容器一样；不用货币表现，也是有价格的；若用货币表现，那价格的存在就更明显了。以一定的价格，在使用货币的条件下，购买一定的物，就完成了一次交换，价格在这其中既起连接交换双方的市场沟通作用，又起对双方交换物效用的度量作用。准确地说，价格一词是人们的约定俗成，最初指的就是市场交换双方对相互交换的劳动成果共同认定的度量标准。在市场中，虽然不能说有价格就一定有交换，但是却可以肯定有交换就一定有价格。交换价格的社会性在于市场交换双方的存在，缺少一方，另一方不可能存在，只有双方认同，价格才能起市场连接作用；反过来说，也正是因为存在价格关系，才能有双方交换关系的连接和实现。在常态社会中，市场交换包括各个方面，其中也有变态劳动成果的交换，但价格始终是保持中性的，不论是什么交换，只起自身的度量和连接作用。在数字化时代，交换之中的价格支付已经可以采用高度电子信用化手段，不出现任何纸币，就完成有一定价格约定的交换过程。在更发达的未来社会，交换仍是存在的，而且只要不是社会统一分配生活用品，就一定还有价格的存在。

契约价格是在市场化进行要素配组中出现的价格。在市场契约关系中，并非各方都持有劳动成果，而契约价格仅就劳动成果而言，是其进入市场的直接表现。契约价格主要是约定参与要素配组的劳动成果持有者即资本持有者在生产后的收益权力。与交换价格相比，契约价格是一种间接的价格表现。进入要素契约组合之中的劳动成果，有的已是经过交换的，即经过经营性交换或非经营性交换，在契约关系中是再次对价格进行确认，这是价格的又一种功能作用，即连接契约关系的作用。也有的进入契约关系的劳动成果是未经过交换的，这时契约价格的形成是由契约各方协商决定的，一般情况下这种契约价格的形成可以参考同类物的市场通常交换价格，但若无市场交换价格参照，那契约价格的形成就完全取决于契约各方的评价与磋商了。在市场交易中，契约关系不同于交换关系，契约价格的形成也不同于交换价格的形成，但就价格表现来讲，契约价格与交换价格一样是起劳动成果的效用表现作用的。契约价格对于生产的配置和效益具有直接的影响力，这是生产的各方利益分配的市场基础。所以，比之交换价格，契约价格应是现代经济学中价格理论研究的焦点，而且这种研究属于对生产要素市场的研究。

二　价值与价格的矛盾

不论是交换价格，还是契约价格，都是由市场决定的。离开交换，或离开契约，并非无价格存在，但离开市场，就不会有价格产生了。价格与市场是共存亡的，市场的作用是集中体现在价格上。自政治经济学创立以来，经济学家们就始终关注着价格的研究。现在，到了21世纪，政治经济学的研究还要继续关注价格理论的基础问题，特别是要认真解决对价格与价值的关系认识规范问题。

对于价值范畴，到目前为止，政治经济学存在两种态度：一种是视而不见或避而远之，不再使用这一范畴，或对这一范畴的任何讨论都不介入；再一种是仍然坚持 19 世纪的劳动价值论对这一范畴的认识，即仍然是坚持劳动主体创造价值，价值是劳动主体的必要劳动时间的抽象。形成这种状态，是长期以来关于价值理论的讨论不尊重最基本的事实导致的结果。这使人们在始终不能正确地认识劳动的整体性的前提下讨论劳动价值理论，使更多的人厌烦这种讨论。从今天来看，解决问题不在于延续以往的观点争论，而在于重新认识劳动存在的最基本事实，否定劳动主体活动就是劳动的不符合事实的理论概括。

劳动与生产是对相同过程的不同表述。事实上，在生产过程中并没有劳动要素与非劳动要素之分，而只有劳动主体要素与劳动客体要素之分。劳动是劳动主体与劳动客体的统一，是生产过程中的所有要素的共同运动。如果政治经济学的研究能够尊重劳动存在的最基本事实，那么就能够从 21 世纪起统一地科学地认识价值与劳动的关系。毫无疑问，价值表现的是劳动作用，即价值是指劳动作用在劳动成果中的抽象凝结。劳动成果又可称为财富，从价值的角度看待劳动成果，并不是抽象表现劳动成果的作用，而只是表现其抽象凝结的劳动作用，价值不等同于劳动成果，亦不等同于财富，但价值在劳动成果即财富中凝结的劳动作用，是劳动主体作用与劳动客体作用构成的劳动整体作用凝结。除去劳动整体作用，无价值可言。但除去市场交易，价值依然存在，价值表现的是劳动作用，是生产过程的创造，这不是由市场决定的。然而，价格不同于价值。事实上，价格表现的是劳动成果作用的一般化，不是劳动成果中凝结的劳动作用，人们进行市场交易客观上需要的是劳动成果的作用，尽管没有劳动作用就不会有劳动成果，没有劳动成果就不会有劳动成果作用，但是，劳动作用与劳动成果作用毕竟是两种不同的作用。在劳动成果中，劳动作用是已发生过的作用，是已有的生产投入的一般化作用的凝结，而其本身的作用在市场交易时是还未发挥的，交易双方需要的就是各自的劳动成果的这种还未发挥的作用，这种作用是市场交易的依据，劳动作用的凝结不具有这种市场决定性。因此，就商品的二重性讲，价值是已有的劳动作用的凝结，使用价值是尚未发挥的劳动成果作用。这种二重性不具有内含时间的同一性。所以，价格以价值为基础，并不是价值本身，即劳动成果作用的产生是以劳动作用的存在为基础，但创造劳动成果的作用并不是劳动成果作用，表现直接需求的劳动成果作用的价格是由市场决定的，而表现创造劳动成果的劳动作用的价值是由生产决定的。所以，价格与价值，是两个不同角度的抽象，一个是对过去的劳动作用的凝结，一个是对尚未发挥的劳动成果作用的表现，这二者之间存在不一致性，由此产生的矛盾就是生产与市场的矛盾，而缓解矛盾只能是生产调整和市场调节之间的相互适应，并不能单方面要求价格必须符合价值。也许可以说，从知道市场中有一只看不见的手的政治经济学，向基本上能够看见那只手的政治经济学转化，在很大程度上，要取决于对价值与价格之间内在的矛盾的研究推进。

三　价格与效用的一致性

价格不等同于价值，价格有自身的相对独立运动。价格表现的是劳动成果作用的一般化，这就决定了价格实现与效用实现具有内在的一致性。在以往的政治经济学研究中，价格研究是一个重要领域，效用研究也是一个重要领域，只是没有将这两个领域的研究内在地联系起来。这缘由人们将效用归结于主观心理感受，于是导致价格失去与效用统一的客观基础。因而，效用一直未能像价格那样进入国民经济运行的现实分析之中，效用的最大化只是作为一种意念留在了纯经济学假设推理的演示范围之内，而不能与价格一道成为实际经济分析的工具。这种障碍是人为造成的，是政治经济学的研究未能从最基础的劳动范畴出发形成的认识误区。现在，人们需要对价格与效用的关系重新认识，走出历史的局限。

我们已经阐明，效用不是主观的心理感受，而是对劳动成果作用一般化的抽象，是劳动成果客观实现的自然使用价值与社会使用价值统一的一般化表现。因而，效用与价格之间具有统一的认识基础。从市场关系讲，价格是效用实现的度量标准。这种标准与被衡量的物相比是有区别的，尺度不能代替被衡量的物。但是，在抽象的描述中，价格是可以作为尺度表现一定的被衡量物的效用。无论是在理论上，还是在实际中，人们都可以用价格表示效用量，即价格高是效用大的表示，价格低是效用小的表示。这也就是说，价格实现与效用实现的一致性，在市场上表现为价格是对实现效用的量化。这种量化是对自然效用与社会效用统一的量化，是对由社会效用实现决定的劳动成果效用的量化。由于价格是市场决定的，是社会性的表现，所以，价格对于效用的量化是一种社会性的量化，不是自然性的量化，自然性的量化是以自然的标准对具体效用的量化，而价格的量化是对效用的一般化表现，即是表示各种效用之间在社会性上的可通约性。

价格量化的效用表示社会对劳动成果有用性的评价。这种评价以劳动成果的自然使用价值为基础，但并不一定符合自然的客观要求，而劳动成果的社会使用价值与价格永远是一致的，因而，市场实现的效用是由社会使用价值决定的，是由价格作为度量标准的。整个国民经济中的效用可以用总的价格量表示，这是相对的表现，可以有不同历史时期之间的可比性，因为价格的尺度基本是一致的或可换算的。

价格与效用是表现与被表现的关系。价格的表现是度量效用的社会认定量，效用的被表现是市场交易的依据。人类的生存需要的是效用而不是价格，但市场的交易以及社会对效用的统计需要有价格。研究效用问题需要直接研究价格，这是对劳动成果作用的一般化表现的研究，是与对劳动作用的一般化表现的价值研究所不同的。

第九章 效用的基数性与序数性

　　若不从劳动成果的角度认识商品，不从劳动成果作用的角度认识效用，那么是无法准确认识效用这一范畴的。在政治经济学的研究中，不论是说效用取决于消费者的欲望，取决于满足消费者欲望的能力，还是说效用指消费者消费后的感受，都是没有从劳动成果作用的角度认识效用的内涵。将效用表述为纯主观的心理感受，也许是这一范畴未能成为早期政治经济学深入的研究对象的原因之一。从根本上说，政治经济学的研究必须符合客观实际，脱离客观约束，其研究就会失去意义。政治经济学对效用的研究，不是从一开始就走偏，而是在比较广泛地应用于分析时无法纳入客观的约束之下。就以往的教训而言，现在必须要明确，政治经济学要研究的是人类的生存需要，而不是人们怎样吃饭。所以，像以往那样用人们吃馒头的感受解释效用，是无法推动人类经济思想进步的。凡是具有生活基本常识的人都知道，一个人当时吃饱了，不想再吃馒头了，可再过 5 个小时之后，食物就消化了，他的胃就又要产生吃的欲望了。在现实社会中，许多人都要从市场得到自己需要的食物，而且在有一定的支付能力下，一个人不可能是吃一个馒头，买一个馒头，吃完一个馒头，再买一个馒头，他一般是将一顿要吃的食物或几天内要吃的食物在一次交易时买齐。只要不是智力有障碍，一位一顿吃 3 个馒头的人，不会对这3个馒头有不同的评价,他不能说第一个馒头重要,第三个馒头不重要,也不能说前两个馒头白吃了,只是第三个馒头才使他吃饱,事实上这3个馒头在他的胃里的状态是一样的,而且他也不可能以不同的价格购买这3个馒头。如果没有价格上的差异,那么即使存在感受上的差异,在市场关系上也体现不出主观心理对市场交易的影响。更何况,就食物而言,每天人们的需要是有定量的,不会无节制增多,也不会无缘由减少,这不是依每一顿饭中对每一口食物的感受评定的。所以,从主观的心理感受研究效用是行不通的,政治经济学对于效用研究的意义在于要从社会的角度认识问题,要从市场关系认识人们的生存状态。

区分效用的基数性与序数性是以往效用理论研究的重要内容。基数效用是先提出的范畴,19世纪70年代发生的边际革命就是以基数效用为核心展开边际理论分析的。而序数效用的提出是在19世纪末期,并且直到20世纪30年代才为学术界普遍重视。只不过这两个范畴的运用是有条件限制的,在以往的理论中始终未能解决与市场运行分析的连接问题。基数效用本身假定的可度量性因为找不到市场的真实标准而不能用做直接的市场描述工具,甚至因此被序数效用范畴堂而皇之地取而代之,在很大程度上失去了理论光泽。但认识推进到序数效用范畴确立之后,在其有限的演示范围之内,人们还是无法将简单的效用分析与复杂的市场现实相沟通。这不能说不影响序数效用范畴在政治经济学研究中的活力。可以说,到目前为止,以传统的认识诠释基数效用与序数效用这两个范畴,既不能为微观经济分析提供客观的认识基础,也不能使宏观经济研究有效地与社会总的劳动成果作用联系起来。因而,在21世纪初,政治经济学的学科建设还是需要从重新界定基本的效用范畴做起,即必须以自然效用与社会效用的统一为客观基础,对基数效用与序数效用进行再认识。

具有客观涵义的基数效用应是对市场上交易的劳动成果的作用的基本计量单位的量的描述。在一定的经济范围之内，劳动成果的总效用就是由表示一定量的相等的基数效用构成的。而对具体的劳动成果来说，它具有的基数效用可能是 5 个单位，也可能是 3 个单位，一般直接是由市场决定的，即由劳动成果的自然效用与社会效用的统一在市场上的实现决定的。在市场中，交易者的客观需要决定他们的主观评价，交易者的主观评价决定劳动成果的价值实现与效用实现以及实现的基数效用的多少。基数效用代表了劳动成果作用一般化的计量单位。以基数效用度量的每一效用单位都是自然效用与社会效用统一的效用。价格是市场实现的效用的量化，从效用的基数性讲，也就是若干基数效用单位的价格表现，其中一定的价格表现一定的基数效用。或者说，具体劳动成果的基数效用是多少，可以用在市场交易中的价格是多少来表现。以市场关系为生存点的基数效用的可度量性应实际体现在价格之上。就此而言，市场交易价格表现的基数效用具有现实性，即价格的市场实现决定了劳动成果现实具有的基数效用，而价格本身的市场波动性、不确定性也都是要产生影响的。在具体的市场交易中，现实性是掩盖一切和取代一切的价格性质的表现，因而，离开现实的价格无法描述具体的劳动成果的基数效用。在统一的货币服务区内，如果将货币的计量单位直接用为基数效用单位，那么一元钱的价格就表示一个基数单位效用。具体劳动成果之间的效用与效用的量的相比，就是基数效用与基数效用的量的相比，也就是劳动成果的价格与价格在统一货币计量单位下的相比。给予基数效用计量单位与价格计量单位相一致的界定，可以价格来表现基数效用，使基数效用可度量，这样就能将对效用的研究与对市场的研究连接起来，而不再使效用范畴游离于市场研究之外。在微观经济学的需求理论研究中，可度量的基数效用作为分析的基础，必须改变传统的主观心理感受的涵义，以劳动成果的自然效用与社会效用的统一为新的内涵，将基数效用的表现与价格的表现对等看待，实现理论认识的抽象与现实市场的交易关系的沟通一致，以使经济理论的分析能够建立在稳固的客观基础之上。这种要求从主观心理回归客观基础的对基数效用的认识，不再认为在市场上以同等的价格可以获取不等量的效用，不再认为效用最大化是消费者的选择，而是根据市场的决定性明确了效用的市场实现与价格的对等关系，明确了基数效用的量可由价格量表现。这样，交易中的效用分析就进入市场分析之中。从劳动成果作用的角度认识效用的存在，是对基数效用的度量；从劳动成果交易的角度认识价格的存在，是对交易量的计量。经济理论的分析只能是根据市场的真实情况做出抽象的认识，不能依据假定的心理感受去评判真实的市场关系。在现实经济中，劳动成果的数量与劳动成果的效用量是两个相连而不相同的概念，交易者持有的货币量就是其能够购买的劳动成果效用的最大量，如果市场波动，劳动成果的单位价格升高说明其效用增大，交易者减少购买劳动成果数量但获得的效用量与价格未升高前是一样的，反之，劳动成果的单位价格降低说明其效用减少，交易者可增加购买劳动成果的数量但获得的效用量与价格未降低前也是一样的。这是根据效用与价格一致的原则推定的，在这其中基数效用是以价格的单位表现的，这种表现与自然的使用价值可能不一致，但与社会的使用价值是一致的，即具体的劳动成果的自然使用价值不变，其社会使用价值可能会变化，或者说其基数效用的量可能会变化，基数效用的表现具有社会性，而不单纯是自然性的反映。

　　假定：1单位基数效用是以既定的1元价格表现，交易者共有3元购买能力，那么在购买商品时，无论商品的单位价格为1

元，还是商品的单位价格为 3 元，他得到的效用量是相同的，即都是 3 个单位的基数效用。见图 9 − 1。

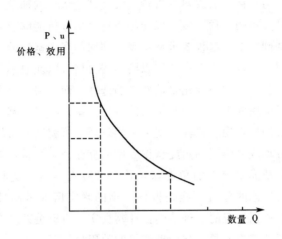

图 9 − 1　基数效用相同的市场表现

具有客观涵义的序数效用是指交易者对于劳动成果作用需求的选择性表现，即人们对劳动成果作用的需求有一定的顺序排列，对各种效用分为第一需求效用、第二需求效用、第三需求效用……以此类推。这种序数的存在，若以商品的具体种类区分，那将是巨大的数值系列。而并列的序数也是存在的，比如无论何人都要同等重要地需求粮食与饮水。对于具有互补性的商品，其效用的序数排列也应是同等的，桌子与椅子，等等。现在看来，除了主观心理感受这一界定前提之外，传统的序数效用理论缺陷还在于缺乏必要的抽象概括性。由于只将效用的序数假定为甲乙两种具体商品的代表符号进行分析推理，大大限制了这种分析的意义，使得本具有实用功能的序数效用研究几乎变成了一种经济数学游戏，无差异曲线就是在这样一种学术背景下提出的。这将序数效用理论只应用于课堂，而与实际经济生活相脱离。因为任何人都知道，市场上的商品根本不会是只有甲乙两种，人们对商品的需求也绝不会只是两种，任意确定甲乙两种商品的选择，实际上没有研究意义。序数效用理论的生命力取决于其对现实经济生活的概括性反映能力。这就是说，理论的概括要抛开具体的商品，重在把握整体，即应将商品先分为必需品与非必需品两大类，这样就能与市场的现实进行吻合的连接。客观上，人类的生存需求有必需品与非必需品之分，其中包括两大部类生产各自对生产资料的需求。在一般情况下，社会生活是不会缺少对非必需品需求的。在现代社会，市场需求的主要部分是非必需品。但不论何时，按序数区分，人类对必需品的需求总是在先的，即必需品的效用序数是排在非必需品之前的。更进一步说，这两种效用需求的顺序是不能颠倒的，相互之间也不能替代。序数效用的区分可以明确表现人类生存必需品效用的创造与消费的重要性，以此为基础进行经济理论分析，才能体现基础经济理论研究对人类的生存与社会的发展的不可或缺的重要作用。这种回归客观的序数效用的抽象概括划分，将会有力地推进 21 世纪的政治经济学研究，就是在分析方法的运用上，也会产生重要的影响。这是指：从定性的角度讲，在必需品效用中，还可再做两类概括性的区分，即分为生产消费的必需品效用与生活消费的必需品效用。而再往下讲，这两类效用中的每一类又可分为两类有正负概念之分的效用，如生产必需的能源效用与生产必需的非能源效用等，这样一层一层地分下去，可直至达到不可再分的具体。同样，在非必需品效用中，也可一层一层地分下去。如此区分序数，对于引入数学模型分析现实的商品市场运行是必要的定性基础，可以为定量分析拓展广阔空间。这种二、二进制的分解，不论多么复杂，在电子计算机的帮助下，都会迅速取得分析的结果。所以，序数效用范畴的运用，从联系现实经济讲，是刚具备起步条件，其未来准确的定性分析将为探视高度复杂的市场关系的数学定量分析开辟一条全新的道路。

首先，对序数效用的数学基本分析可以确定生存必需品与非必需品的比例关系。这一比例不是任意的组合，而是有人体生理必需的客观要求和社会的历史制约性起决定性作用。生理的基本需要必须保证，社会文明的发展水平对每一个人生存的最低限要求也必须保证。就现实的一般情况讲，每一个人最基本的食物要求、衣物要求、住房要求以及学习要求等等是必须保证的。序数效用分析研究必需品效用与非必需品效用之间的比例变化关系，有利于社会经济的稳定与发展。这将有力地保护必需品的生产，为其长期的计划提供研究基础。同时，这种研究也可更自觉地推动非必需品市场的发展。因为在优先保护必需品市场之后，余下的市场发展就全都是非必需品了。

其次，采用二、二进制的模型分析，可以全面模拟市场交易情况，为避免市场盲目的损失提供便利的分析工具。在确认序数效用的前提下，可以对市场进行连续的二、二分解，每一次分解确定一个序数，不断地分解可以最后抵达末端，即对全部市场有序地分解完毕，这样就可以建立全面的市场分析模型，抽象地考察每一种商品的交易形成的市场关系。在没有电子计算机的年代，即使有了这样的定性研究思路，也难以完成这一模型下的定量分析，而现在这一目标实现已经不是可望而不可即的了。只要对序数效用的划分准确，一个相对系统、完整、全面的市场交易构成的数学分析模型就可以有步骤地建立起来，进行模拟市场的量化分析，使政治经济学的认识能够超越朦胧的直觉，走向精确描述的境界，即可全部用数学分析解读全部的市场交易关系。

再次，序数效用的科学定性可为交易者对效用的需求提供理性的定量分析。交易者可以是企业，也可以是个人，还可以是其他市场主体，回归客观涵义的序数效用的划分都会有助于其理性地实现交易。就企业而言，只有对效用的需求进行合理的排序，才能有效地完成企业全部生产要素的市场配组。借助于电子计算机，现在企业完成这一工作已不是很繁杂棘手的了，而有序的定性则是这种定量分析的必要基础。对个人的需求而言，尽管总量有限，但对全部需求做一个序列编排，建立一个小小的数量分析模型，不仅是有趣的，而且也是相当有理性的，可使个人的生活更加有条理，个人的消费更具有科学性，这一点是现代消费教育学始终提倡的。对此，只需要强调，在市场交易关系的分析中，对各类劳动成果效用的数量都需用现实的价格做量化表现。

第十章　边际效用的递减与递增

18 世纪的意大利经济学家斐迪南多·加利阿尼的《货币论》最早提出了效用范畴和稀缺性价值原理，因此，人们认为他的论述："为边际效用概念的提出开辟了道路：物品数量有限（稀缺），才可能使其效用显现出某种界限和边际，从而使边际效用同总效用在概念上区别开来。后来的发展证明，人们对于这个边际效用赋予了极不寻常的意义和作用。也正因为这样，加利阿尼才被人们看做边际效用分析的先驱。"①

但是，实际上边际效用是 19 世纪才提出的经济学范畴，在加利阿尼时代还没有人明确地讲边际效用。奥地利经济学家弗里德里希·冯·维塞尔在其 1889 年出版的《自然价值》一书的第五章论述边际效用问题时指出："即使在自然的赋予最为慷慨的场合，它所提供给人的也只有少数几种财物能够丰富到这样的程度，也就是使人能够满足一切需要感觉，甚至包括那种无关紧要的需要感觉。通常情况是，他自己所能利用的财物的供给总是那么贫乏，以至他一定得在尺度上尚未达到完全饱和的一点就放弃他的满足。这一点——假定尽最大可能利用财物的情况下所能得到的最小效用——无论对于估价行为还是对于经济生活，都具有

---

① 晏智杰：《经济学中的边际主义》，北京大学出版社，1987，第 11 页。

特殊的重要性。下面就是不同作者所给予它的名词：戈申的'最后原子的价值'；杰文斯的'最后一度效用'或'终极效用'；瓦尔拉的'已满足的最后一个需要的强度（稀罕）'。门格尔没有使用特别的标志。'边际效用'一词则系我的建议（见《价值的来源》，第 128 页），随后为大家所普遍接受了。"① 这就是说，虽然杰文斯在 1871 年出版了《政治经济学原理》，门格尔也在 1871 年出版了《经济学原理》，瓦尔拉在 1874 年出版了《纯粹政治经济学主义》，他们 3 个人共同掀起了一场"边际革命"，但是，维塞尔自己认为，最先是他明确地提出了边际效用这一概念。

从边际革命至今，按照传统的效用理论，即认为效用是商品或劳务存在于消费者心目中的满足欲望或需要的能力，对边际效用的解释是："指在一定时间内消费者增加一个单位商品或者劳务的消费所得到的增加的效用量或增加的满足，也就是每增加一个单位商品或劳务的消费所得到的总效用增量。"②

2002 年的诺贝尔经济学奖授给了美国普林斯顿大学的以色列籍卡尼曼教授和美国乔治梅森大学的史密斯教授，以表彰他们对现代经济学所做出的贡献。在他们获奖的理论思想中，卡尼曼认为在可以计算的大多数情况下，人们对损失的东西的价值估计高出得到的相同东西的价值的两倍；史密斯则认为，以往经济学理论都是没有经过试验过的理论，这些理论仅仅是一种假设，而不是基于一个可以重演的严格证实或证伪的过程。③ 史密斯的观点表明了他对传统主流经济学科学性的怀疑。当然，在他获奖之后，也有人对他的怀疑提出质疑。不过，不管怎样说，将诺贝尔

---

① 弗·冯·维塞尔：《自然价值》，商务印书馆，1982，第 61 页。
② 参见张卓元主编：《政治经济学大辞典》，经济科学出版社，1998，第 358 页。
③ 参见《南方周末》2002 年 10 月 17 日。

奖授予卡尼曼和史密斯，代表了经济学界对传统理论的一种自我反省和谨慎的检讨。而对于只做纯主观认定的效用范畴而言，即使没有学术界的反省和检讨，也是必须进行重新认识的。经济理论研究不从客观出发，不以劳动和劳动成果的存在为依据，是没有作用的。传统的效用理论对边际效用的分析是将经济学演变为纯数学思辨的砝码或阶梯，是无法服务于现实的市场分析的。我们的研究已经明确，效用是劳动成果作用的一般化，是商品使用价值的一般化。因此，边际效用就是在一定时点的交易完成之后再行交易的新增商品或劳务的效用表现。边际效用同样是劳动成果的自然效用与社会效用的统一，是客观性的存在，不是纯主观的心理感受。研究边际效用就是研究新增交易的商品或劳务的效用。从单纯的主观认识，到客观地把握自然与社会的统一，这是在政治经济学的理论基础重塑时代，对效用及边际效用的认识推进。

在传统的效用理论中，除了对边际效用的分析，还有对边际效用递减规律的认识。有关这一规律的表述是："一定时期内消费者对某一物品最末一单位的消费增量中所获得的欲望满足水平随该物品消费量的增加而呈递减的趋势。"① （见表 10 - 1）：

表 10 - 1　某消费者每日吃苹果数的效用表

每日苹果消费量	边际效用	总效用	每日苹果消费量	边际效用	总效用
1	10	10	4	4	28
2	8	18	5	2	30
3	6	24			

---

① 　参见刘凤岐主编：《当代西方经济学辞典》，山西人民出版社，1988，第 19 页。

　　传统理论关于边际效用递减规律的概括又是在表述消费者怎样吃或用某种商品或劳务的问题。这种研究是脱离市场的，也是与人们日常生活的情况不相符的。如果一个人吃 5 个苹果不多的话，那么这 5 个苹果对于他的胃的作用是一样的，或者说肯定在他的胃里分不清哪些是第 1 个苹果，哪些是第 5 个苹果。如果他吃 5 个苹果吃多了，那也与苹果的效用递减无关，而只与他的选择与决定有关。换成粮食来讲，每个人每天要吃的粮食是有定量的，不会是一天多，一天少，而且他每天吃的所有粮食对他的身体健康的保障都是作用一致的，不会有每一口饭之间的效用的不同，或者说越吃效用越少。所以，传统理论对于边际效用递减规律的认识是脱离客观实际的，是不能对宏观经济或微观经济的实际分析起工具作用的。在实际生活中，不论何人，对任何商品或劳务的消费都是有客观限度的，不是可以主观任意的，比如苹果，一天只能吃一个或两个；比如鸡蛋，也是一天只能吃一个或两个；比如衣服，有几套或十几套即可，再多就是浪费；再比如住房，一个人有 20 平方米或 40 平方米足矣，多了实无必要。诸如此类的问题，是生活中简单的事实，每天都在发生的事实，都不是用纯主观心理感受的抽象能解释的，在这其中，不存在感受到的效用递减，因为这些消费都要求适量，多了不行，少了也不行。如果政治经济学的研究做出的假定完全不能贴近事实，那么这种假定是必须抛弃的。因此，不论是对效用及边际效用的界定，还是对递减内容的描述，有关边际效用递减规律的认识都是需要重新探讨的。

　　在客观上，由于边际效用是指最后交易实现的商品或劳务的效用，这种效用是体现在劳动成果上的，不是存在于消费者心中的，所以，出现边际效用的递减，只能是劳动成果本身的自然使用价值量的递减，或交易者对再行交易的劳动成果的社会评价递减，从而引起劳动成果的自然效用与社会效用的统一的递减。一般说来，劳动成果的自然效用递减的情况较少，影响边际效用递减的主要是劳动成果的社会效用出现递减，即市场对商品或劳务的社会评价降低了。

从市场的相关变化来看，边际效用递减的表现是持续交易的商品或劳务的价格呈现递减趋势。在效用的实现中，价格是效用的量化。所以，效用的递减，价格是直接的证明。或者说，有价格的递减，才有边际效用的递减。如果不同时点的同等质量的同类商品或劳务的价格始终保持一致，那么就是说不存在边际效用递减的情况，即其边际效用与非边际效用是一样的。

在市场实际中，某些商品或劳务的边际效用递减的情况是存在的，即这些商品或劳务的价格出现下降趋势。出现这种情况的原因是复杂的，可能每一种具体的商品或劳务的价格下降都有其具体的原因，当然，若是较多的商品或劳务的价格在同一时期呈下降趋势，那么肯定会有相同的社会原因。由于现在是刚刚重新认识边际效用递减规律，在此我们还只能是一般性地探讨这一规律表现的某些现象。

手表曾经是人们的奢侈品，而且直到如今，高档手表对于大多数人是比较奢侈的物品。但从市场发展的总的趋势看，一般人是经历了极渴望得到手表到有没有手表已无所谓的心路过程，手表的消费热早已不存在了。事实上，将表做成那么小，让人几乎没有重量感地戴在手腕上，确实是很不容易的，在技术不发达的时代是根本不可能的事情，即使到了技术十分发达的大工业时代，不论怎样组织生产，获得这样的劳动成果也需要精密的管理和专门的设备。因而，在相当长的一段历史时期，不管是真的工作需要，还是仅仅为了戴手表而购买，手表市场是相当繁荣的，而且手表的价格是居高不下的。一位普通工薪阶层人士，恐怕要倾其两个月或 3 个月甚至更长时间的全部收入才能添置一块比较体面的手表。然而，现在就不一样了，技术的进步直接推动了手表制作工艺的更新和成本的下降，市场上一般牌子的手表已经不是奢侈品了，同时也不是市场热销产品了。手表的价格已经大大地降了下来，即效用下降了。所以，相比过去，手表已经是边际效用递减了。

服装类产品出现边际效用递减的情况是比较明显的。一款新式服装上市肯定价格较高，但其价格随着上市产品的增多会逐步下降。而且，越是高档的服装，这种价格下降的速度会越快。服装价格下降的表现是打折销售，上市时间越长，打的折扣越大，一些名牌服装店最终可将折扣打到 1 折，即仅是刚上市时价格的 10%。

电视机尤其是彩色电视机刚兴起的时候，谁也没有想到几十年后的价格会这样低。现在，北京市场上的一般彩色电视机，价格只在 2000 元左右。这样的价格至多只是以前价格的 50%，还可能降价的幅度会更大。从开始问世时的高价，到如今的低价，电视机的边际效用是一个递减的过程，而且，这一过程还将会延续下去。

家用轿车的降低价格也是市场的必然趋势。特别是中低档的轿车，在全世界的市场价格走势都是下降的，这将使越来越多的人买得起轿车，使轿车进入越来越多的家庭。在这种形势下，也就是轿车的边际效用递减了。

电子计算机的发展趋势也是边际效用递减。在中国，从一台售价几万元，到一台售价几千元，没有用多少年的时间，几乎就是一路滑下来的。现在，人们已经普遍感到电子计算机的价格便宜了。而这种价格的下降过程，就是电子计算机的边际效用递减过程。

蔬菜、水果等日常生活消费品，也会出现边际效用递减的情况。早上的蔬菜价格最高，比如黄瓜是2元1斤，到了中午黄瓜就降为1.8元1斤，而到了傍晚黄瓜的价格就可能是1.5元1斤了。其边际效用在一天之内是递减的，这是市场实际的反映。水果的边际效用递减也是表现在价格下降中。从新水果少量上市，到这种水果大量上市，一般总是呈现出一个价格下降的过程。

概括地讲，商品或劳务的边际效用递减，主要体现在以下方面：（1）技术创新产品。这类产品刚上市时，价格较高，以后随着市场的扩大，生产规模效益产生，价格开始逐步下降。（2）季节性或时令性产品。这类产品要在限定的时间内上市销售，过了季节就没有销路了，所以上市以后的价格是逐步下降，直至销售结束。（3）日常生活用品。这类产品只要货源充足，就可能出现价格上的灵活调节，出现由一般价格向优惠价格的转化过程。这种情况经常出现在大型超级市场中。（4）成本或利润可降低的产品。只要可降低生产成本，或是还有利润调整的空间，一般情况下，都会促使价格下降，以提高产品的市场竞争力。

而另一方面，在现实的市场上，还存在着边际效用递增的情况。这是由商品或劳务最后交易的价格不断提升所表现的，即只要一种商品或劳务随着交易量的增加而出现价格上涨，就形成了一种边际效用递增的趋势。我们不能将市场上的任何一次价格上扬都称为边际效用递增，因为凡是递增效用总需保持一定的价格上涨的连续性。

有人认为，在21世纪，人类将为争夺水源而爆发战争。在几百年之前，水资源还同空气一样，几乎不在经济学的考察范围之内，因为到处都有水，水一般是没有价格的。但是，还没有到21世纪，水荒在世界各地就表现出来了。在加快文明进程的努力下，人们都怀着真诚的愿望积极地避免人类为水而战，不让无辜的血肉之躯再为汩汩清流而惨烈地死去。因而，将有限的水资源有效地控制起来，实行市场化的垄断价格管理还是十分必要的。在中国，现在已有一些城市在闹水荒，黄河每年都会有一段时间断流。经济还未发展起来，水资源已告短缺，这是摆在中国人面前的严峻问题，刚刚迈入 21 世纪，就需要调动专门的力量来解决这一矛盾。因而，现在中国各地都在限制用水，都在不断地提高用水的价格。像北京市，在 2002 年常住人口已达到 1423.2 万人，[①] 加上常年的流动人口 400 多万人，总计超过 1800 万人生活在这片土地上，本地的水源早就不够用了，现在正在引长江、黄河的水进北京，以保证城市用水的供应。就此而言，水的价格上涨是顺理成章的。例如，1 吨水的价格从 1 元钱，逐步升到了 5 元钱。在水的价格上涨中，可以看到水的边际效用是递增的。

在其他资源的利用方面，像水资源一样，市场也有同样的反应，特别是对于不可再生资源的开采更是要求边际效用递增的。因为只有保持边际效用递增，才能比较好地保护和使用不可再生资源。例如，煤炭是不可再生资源，地质学上讲石炭纪是成煤的地质时期，过了那一个古生代历史时期（大约 7500 万年），地球上就不再具有成煤条件了。对于人类来说，煤炭是挖一点，少一点，直到挖完为止。一处煤田，即使是大煤田，特大煤田，也只能开采几百年。至于中小煤田，往往开采几十年就没有煤了。现在，人们似乎以为煤炭资源还有很多，还有许多煤田尚未开采。可事实上，人类距离全世界的煤炭都采光的那一天并不遥远，即使很节约地开采，不超过 500 年，就再也不会有人采煤了。煤炭采光了，人类还会找到新的可替代的能源。可在煤炭资

---

① 参见《北京日报》2003 年 3 月 18 日。

源的消耗过程中，市场逐步提高价格也是可能的，这也就是说存在煤炭的边际效用递增的可能。

现在有些地方已开始试用植物油当汽车燃料。① 因为在现时代，石油资源比煤炭资源更为稀缺。植物油作为汽油的替代品是比较理想的，但是在有石油的情况下，还是开采石油炼汽油更方便。不过，随着石油资源的大量消耗，石油的价格会逐步提高。近几十年，石油的价格虽有波动，但总的趋势是升高的，今后这种价格的变化还会继续下去，这就是石油的边际效用递增。

在以往的政治经济学研究中，从来没有讲过边际效用递增，而且，以往理论对于效用、边际效用、边际效用递减的解释也与我们的阐述不相一致。问题在于，20 世纪的自然科学发展已经大大地改变了社会的生产方式与生活方式，政治经济学的研究必须要跟上时代前进步伐，不能仍旧徘徊在前人狭小的视域里。只要是实事求是地从现实出发，从市场出发，以客观的逻辑为分析基础，就能够说明这样一个简单的问题：例证一个人吃馒头或吃苹果的心理感受，并不是政治经济学的研究内容，而研究人类的生存需要在劳动中和在市场上的表现，研究劳动的作用和劳动成果的作用，才是政治经济学的研究内容。我们的努力只是要将政治经济学对于效用及边际效用的研究回归到客观现实中来，能够反映社会经济生活的实际，使之成为市场分析的有力工具，发挥理论基础研究的作用，赋予这一领域的基本范畴和一般理论研究的新的生命力。

---

① 参见李孟某：《炒菜，还是开车》，《中国经营报》2003 年 4 月 14 日，G3 版。

第十一章　效用的均等性

政治经济学要研究劳动成果的创造与劳动成果的交易，还要研究劳动成果的使用。市场交易中对劳动成果效用的界定与在生产和生活中使用的劳动成果效用，是有区别的。前者市场化地表现出自然基础上的社会评价，后者具体落实的是社会评价前提下的自然作用。现在，需要展开研究的是，在劳动成果使用的自然作用下表现出的效用的均等性。

一　均等效用的涵义

均等效用是对劳动成果效用均等性的范畴概括，是指同类同质劳动成果在被使用的过程中，每一单位的作用都是均等的，即单位劳动成果之间的效用相比没有量的差别。均等效用是进入使用过程中的劳动成果作用一般化的表现。对均等效用范畴的概括与界定同样不是来自主观感受，而是来自客观实际。

从现代社会经济的客观实际出发，认识均等效用范畴，需要把握以下要点。

1. 均等效用是指进入使用过程中的劳动成果效用

在进入生产或生活的实际使用过程之前，劳动成果的效用是在市场实现的，价格是对效用的量化。但效用的均等性并不指市场实现的效用的性质，因为在不同的市场、不同的时点、不同的评价下，同样的劳动成果以价格表现的效用可能是不同的。而在使用的过程中，不管价格多少，效用的量只是依据其所能起到的自然作用。均等效用指的就是处于这种自然作用状态下的劳动成果效用。

2. 均等效用是指同类劳动成果的使用效果

如果不是同类劳动成果，那么相互之间不存在均等效用。均等效用是同类劳动成果在使用过程中的比较，讲均等效用就是讲同类劳动成果的使用，就是讲同类效用在同单位劳动成果使用中的表现。同类效用的概括是有类的区分，没有单位量的确定；而均等效用的概括是既有类的区分，其确指就是同类的效用表现，又有单位量的等同确定。

3. 均等效用是指同等质量的同类劳动成果的使用效果

如果只是同类劳动成果，而质量不同，那么它们之间的效用比较不可能是均等的。而要达到效用均等，同类劳动成果必须同等质量。这也就是说，同类劳动成果不具有同质性，就不具有使用中的效用的均等性。只有既是同类劳动成果，又是质量相同的同类劳动成果，才会有均等效用的存在。

4. 均等效用的存在是由自然效用内在地决定的

在自然效用与社会效用的统一中，自然效用是基础，而劳动成果的使用只能是依据于基础。因此，自然效用对均等效用的表现起内在的决定作用。同质同类的劳动成果在市场交易中可能表现为实现了相同的效用，也可能表现为实现了不相同的效用，社会的评价使得自然基础相同的劳动成果也可能产生不相同的效用统一；但在使用过程中，这些劳动成果的效用只能是相同的，不会因曾得到过不同的社会评价而不同。自然效用的存在不会因人们的看法不同而改变，自然效用决定的均等效用同样是一种客观的反映。

二　均等效用与边际效用的区别

实际上，边际效用也是对同类同质劳动成果效用的一种描述，但均等效用对同类同质劳动成果效用的概括与边际效用的涵义是不同的。在我们的研究中，只是将这两个范畴加以区别，而不是要将这两个范畴对立起来。

均等效用与边际效用的区别在于，这两者是从不同的角度对劳动成果作用的认识。边际效用是从市场交易的角度做出的认识概括，而均等效用则是从使用过程的角度得到的抽象认识。边际效用是市场新增交易时对劳动成果作用的认定，而均等效用则指劳动成果在使用中发挥的实际作用。在对边际效用的概括中，对劳动成果效用的认识只能是潜在的，或者说认定是预见性的，即使是对边创造边消耗的劳务效用，也存在这种认定的潜在性和预见性。而在对均等效用的抽象上，对劳动成果效用的认定是实在的，即是对肯定能起到的或已经起到的作用的认识。边际效用是交易中的表现，均等效用是使用中的表现，即在交易中没有均等效用，在使用中没有边际效用。

区别均等效用与边际效用反映了现代效用理论一定的复杂性。若以笼统的眼光看，不会是又存在边际效用，又存在均等效用的。而确切地讲，这不是用同一个尺度衡量的范畴。其复杂性就在于这是分别从交易和使用的角度做出的不同认识。而更进一步说，这种复杂性是源于劳动成果市场交易与劳动成果使用过程的客观差别的。劳动成果的市场交易，决定于社会评价，它要涉及市场上的所有劳动成果的比较，因而，交易者明明知道同类同质的劳动成果在使用中的效用是均等性的，也要根据市场交易的情况，按照不同劳动成果的交易比价变化，在不同的时点对同类同质的劳动成果作用给予可能是不同的社会评价，其表现为价格的波动性与变化性。这也就是说，在市场上，由于存在交易者对各种劳动成果的选择问题，因而是在各种劳动成果的效用比较中确定每一类劳动成果的实现效用，并且最后交易实现的就是边际效用。而在使用之中，没有不同劳动成果的比较，只有单一的同类同质劳动成果的投入，因而只从单一的效果衡量，由自然效用决定劳动成果作用的发挥，于是就排除了任何社会因素的干扰，客观自然地表现出同类同质劳动成果效用的均等性。关于均等效用认识的这种复杂，也是由客观上存在的复杂性决定的。政治经济学的研究不能创造复杂，而只能是如实地反映复杂的客观现实。

三　均等效用与生活需要

　　劳动成果的使用分为在生活消费中使用与在生产消费中使用。我们先考察生活消费中的均等效用。

　　民以食为天。吃饱饭是人类生存的大问题。在采集经济时代，猿人们采野果为生，野果就是他们的劳动成果，野果的效用满足他们果腹的需要。从本质上讲，现代人吃的精米白面，与猿人们吃的野果，作用是一样的，都是必不可少的食物。人们通过吃食物摄取营养，维持身体发育和新陈代谢。假定猿人那时在没有渔猎收获的情况下，只有野果子可吃，那么他们就会一只果子接一只果子地吃，直到吃饱为止，或直到没有吃饱就没有果子了为止。就吃饱的猿人而言，这些果子虽然是先后吃的，但效用都是一样的，不存在先吃的效用高，后吃的效用低的问题，每只果子都有自然决定的效用，这不是猿人的感觉能改变的。现代人不会像猿人那样只能单调地吃野果，在现代，人们的膳食已经是非常丰富的。现在，许多中国人早上要喝牛奶或豆浆，吃面包或馒头、包子、花卷、油饼之类的面食，也可能是吃一碗稀饭或面条、馄饨之类的食物，有人还要吃一点儿青菜或咸菜，大多数人还要吃鸡蛋或其他营养品。到了中午和晚上，是要吃正餐的，除了各种主食，一般每顿饭还要吃炒菜或炖菜，有不少人是每顿都要吃肉食的。但不管怎样吃，每个人吃的食物是有限量的。在这一定量的食物之中，同类同质的食物效用是均等的，这种均等性也是依自然使用价值而定的，不是依人们的感觉而定的，感觉既不会影响价格，更不会改变自然使用价值的决定性。

均等效用还表现在人们对服装的需要上。猿人时代，人们可能穿点儿东西，也可能什么都不穿，这是无从考证的。有些做画的人，在画上给猿人穿上树叶或兽皮，只是一种想像，肯定不会与历史事实相符。树叶可以穿，但夏季湿漉漉的，很不舒服，冬季树叶就枯萎了，无法上身。而兽皮不经鞣制，是干硬的，根本不能穿，在原始时期还没有鞣制技术的发明，猿人们恐怕无法利用兽皮当衣服。所以，文明的进步，就体现在从不穿衣服到穿衣服的变化上。而人类一旦穿上衣服，就成为生活必需了，再也脱不掉了。在人类的穿衣时代，从古至今，遮体都是穿衣的第一目的，爱美则是派生的要求。服装对于人类，不似食物，没有它并非不能生存，只是不文明。但一种服装，不管人们的感觉如何不同，事实上还是同食物一样，对于适用它的人的效用都是相同的，即同样的衣服有一致的均等效用。很可能人们购买衣服时的价格有差别，但穿在身上的效用就无差别了。除去工装、军装、校服之类的服装，人们没有必要买两件同样的衣服，这不同于食物，人们可以每天吃大米、白面。如果是同样的衣服，有的人买去天天穿，有的人买去只穿几次，这也并不说明衣服的效用不均等，这只表示人们对均等效用的利用不同。

住房是现代人生活中最大的消费。城里人大约平均要用 6 年的工薪收入才能买得起一套与自己消费水平相当的住房，农民大概要积蓄 10 年左右时间才能盖得起自家的新房。住房是人们的必需生活消费，住房的效用也是均等性的。这并不是说高楼大厦与破旧小屋的效用一样，而只是说同样的房屋对任何人都只有均等效用。如果是 3 层的住宅与 30 层的住宅相比，效用肯定是不同的；如果是朝南的住宅与朝北的住宅相比，效用也肯定是不同的；但在同一地点的 3 层南房、30 层南房、3 层北房、30 层北房，它们各自的效用都是均等的，且不论每套住宅住进多少人。住宅的效用是客观的，住进人是对效用的利用或使用，若没人住那就是浪费了。

现在，人们出行可以乘轮船、飞机、火车、汽车，在市内还可以骑自行车，不用说比古代、比近代，就是比 20 世纪中期，也方便多了。流动性强是现代人的特点，能够享受这种生活是因为有了发达的交通工具和交通网络。乘飞机的效用不同于乘火车的效用，从北京到广州，飞机从起飞到降落用不了 3 个小时，而现在的火车最快的也要走行 23 个小时。但同是乘飞机的人享受飞机的均等效用，同是乘火车的人享受火车的均等效用。

用于生活消费的劳动成果效用在使用中是均等性的。对于这种表现，政治经济学的研究不必使用显微镜，也不必做复杂的数理逻辑计算，就可以直观地认定。凡是有朴素的生活经验的人，都可以清楚地确认这一点。虽然举出的例子再多，也是一种不完全的归纳，但是，科学的研究首先需要的是承认已考察到的事实。因而，普普通通的生活中的人都承认的实例，是对均等效用存在的最好证明。

四　生产过程中的均等效用

以往的效用理论几乎不涉及生产过程中使用劳动成果的效用

问题，最初的研究学者举的例子都是生活需要的消费品给予人们的主观感受，从来没有人在政治经济学的认识层次上认真地讨论过锅炉燃烧煤炭、车床切削铸件、汽车使用汽油等效用的使用问题。事实上，工业生产都是有客观过程的，炼铁的高炉达不到一定的温度，不耗费相当的时间，绝不可能将铁矿石炼成铁水的。因此，深入生产过程之中探讨劳动成果在使用中的均等效用问题，也是现代的政治经济学研究需要给予提示的。

煤炭在生活中多用于取暖和烧饭，但更多的是用在生产过程中。由于生成条件不一样，现在开采出来的煤炭质量也不一样，有灰分少、发热量高的优质煤，也有灰分大、发热量低的劣质煤。如今，煤炭仍是工业的食粮。随着工业技术的进步，现代的燃煤设备比之工业革命时期更先进了，即对煤炭的效用的利用率是有较大提高的。但是，不论先前，还是现在，同样质量的煤炭，在同样的或同一个锅炉燃烧，每天的效用是同样的，即一定单位的同等质量的煤炭是均等效用的。这其中，既没有主观心理感受的不同，也没有边际效用的递减。在生活消费中，人们还可以讲主观心理感受，以此作为分析依据，而在生产消费中，机器对机器，或机器设备对原料、燃料等，纯主观的感受显然是不存在的，一切都归于客观决定，这才表现出现代的政治经济学需要研究的问题。

石油是重要的化学工业原料和直接的工业燃料。在资源短缺的条件下，很少能像烧煤一样烧石油，而主要是将石油当原料生产汽油、柴油、煤油及各种润滑油等。100吨石油可以提炼多少吨汽油，在原油同等质量下，使用同一炼油设备，效果是相同的，不会是一天多一天少，更不会是一天比一天少。这其中没有人的主观心理感受的地盘，石油的效用均等是由自然的物理成分决定的，也不是人们主观意志能改变的。

由石油提炼的汽油、柴油等内燃机使用的燃料油，其使用中的效用也是均等性的。运输货物的大卡车烧柴油，一般的货车和小轿车烧汽油，一升柴油或汽油能跑车多少公里，在各种车辆的设计时就已经确定了，其根据就是柴油或汽油的均等效用。如果这些燃料油的效用是不均等的，汽车设计师是无从计算车辆的耗油量的。在实际中，柴油、汽油的价格可能受市场各种因素的影响出现较大的波动，只是价格的变化不影响这些燃料油的均等效用存在。

根据 2002 年的国际统计资料，人均年消费钢的数量：美国为 618 公斤，欧共体为 510 公斤，日本为 681 公斤，中国为 141 公斤，全世界人均为 138 公斤。① 从总量讲，全世界的年产钢超过了 8 亿吨，中国的年产钢达到 1.8 亿吨。有人预测，到 2020 年，中国人口将达到 15 亿人，人均年消费钢将达到 200 公斤，即全年总消费钢的数量为 3 亿吨。这么多的钢，主要是用于建筑、铁路和汽车生产。建筑用钢是最大项，全社会的建筑规模越大，用钢量也越多，成正比关系。建筑用钢主要是螺纹钢，用做浇铸混凝土的钢筋。每平方米建筑使用多少钢材，在建筑设计时有明确的规定，并且设计对钢材的质量也有明确的要求。如果同样型号同样质量钢材的效用不是均等的，那么建筑师是无法做设计的，施工单位也无法保证建筑质量。事实上，合格钢材的物理性能是有标准的，在同等质量的钢材使用中，会具有均等效用的。再说铁路用钢，每一公里铁路要用两公里长的钢轨，如果是复线，则要用 4 公里长的钢轨。火车压在钢轨上，钢轨的效用必须是均等的，这是钢轨的质量保证。如果钢轨不具有均等效用，一段强，一段弱，那火车就不能飞驶了，因为只要有一处的效用弱，火车就可能将其压断，再也动不了地方了。就此而言，没有钢轨的均等效用，就没有铁路运输的安全性。同样的道理，对于

---

① 参见《中国经营报》2003 年 4 月 14 日。

用来制造汽车的钢材，也是一样的。

水力发电的历史并不悠久，但现在发展很快。有些发达国家的主要河流上，水电站已经是建了一座又一座，全都排满了，没有地方再建了。水力发电的原理是用水推动水轮发电机发电，现代技术的进步表现为水力发电的装机容量越来越大。在20世纪40年代建造的大型水电站，与21世纪要建造的大型水电站相比，只能算是一般规模的水电站。但不论怎样发展，水电站安装的水轮发电机，是5万千瓦的电机，都具有5万千瓦的发电效用；是12万千瓦的电机，也都具有12万千瓦的发电效用；即所有同型号同质量的发电机组都具有均等效用。这也是一种在生产过程中体现的均等效用。看到水电站放出的巨大水流，看到高高架起的通向远方的高压输电线，任何人都会承认水轮发电机的效用绝不是随人们的主观心理感受变化的。

用机器生产机器在工业发展史上具有划时代意义。机器生产是工业的骄傲，用机器生产机器，不仅提高了生产效率，而且保证了机器的质量统一。经过了几个世纪的磨炼，现在的机器性能更强，也更稳定了。同一型号的机器的使用效用也是一样的，即可发挥同样的作用。机器的均等效用也不是在价格上体现，而只是在使用中体现。

与生活消费一样，在生产过程中，劳动成果的效用也不是由人的主观心理感受决定的，只不过，生产过程中对劳动成果的使用，其均等效用由客观自然决定是更显现的。我们对此需要强调的只是，关于均等效用是一个对简单的事实认定的问题，并不复杂，但却也是一个政治经济学研究不可忽视的问题，不能因其简单而忽略，这就像是数学中的加、减、乘、除的四则运算法则，是最基础的部分，要取得广泛的一致的共识。讨论均等效用只是刚刚开始，对这一问题的更全面更系统的认识，还有待学术界更多人的努力。

第十二章　研究边际效用与均等效用的意义

政治经济学是研究客观的经济事实的经济学基础学科。在我们每日的经济生活中，客观的事实就是，从生产到交易，从交易到使用，从使用再回到生产，以此往复循环。这样一个简单的过程，蕴涵着人间无比的丰富性，演绎着一代人又一代人的人生。边际效用与均等效用的研究意义也包含在这一过程之中，或者说其意义就是服务于这一过程的。下面，是这一过程的示意：

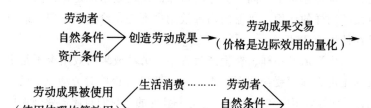

边际效用是对边际交易的劳动成果作用的一般化概括。每一次交易实际都是当时时点的边际交易，边际交易决定边际效用，边际交易的价格是对边际效用的量化。边际效用也是自然效用与社会效用的统一。但是，在这种统一中，边际效用是因社会效用

的实现而实现的，并且，是由社会效用的实现量决定统一的具有
社会性的效用量，自然效用是基础，不起决定实现量的作用，在
自然效用完全一致下，统一的由价格表现的效用量是可能不均等
的，有多也有少。现代政治经济学对边际效用的范畴概括，代表
了对效用范畴的市场性研究。

传统的政治经济学讲述的边际效用递减规律是依据人们的主
观心理感受假定的，只部分地解释了使用物多了就要引起人们心
理评价降低的现象，既没有涉及使用物的自然效用的决定性，也
没有反映进入生产过程的使用物不存在主观感受这一情况。因
此，传统的解释距社会经济中的实际偏差太远。重新界定边际效
用，是使这一范畴重新回到市场之中，回到可做分析工具的状
态。而通过这一重新认识，我们就自然能够观察到，在客观之
中，不仅存在着边际效用的递减，而且也存在着边际效用的递增
规律。这种递减与递增并不是人们主观上的创造及描述，而是客
观经济存在的事实。政治经济学的研究不过是对过去没有认识的
事实进行新的描述。因此，研究边际效用以及边际效用的递减与
递增，是政治经济学对市场研究的贴近，是对客观存在的市场关
系的又一新的角度的认识。

对均等效用的研究说明，在使用中劳动成果的效用与价格无
关，而只与自然效用的决定性有关，同类同质的劳动成果具有均
等的效用。不管劳动成果在交易中是如何表现的，一旦进入使用
过程，市场就失去了决定性，效用是依据自然的性质发挥作用
的。因而，均等效用表现了与边际效用不同的性质，是对劳动成
果进入使用过程的作用一般化的描述。这一范畴的提出，既表现
了劳动成果效用存在的复杂性，又是对效用的自然基础的存在作
用的认识与肯定。从市场交易与使用过程的不同角度认识劳动成
果效用，确认边际效用的市场性质与均等效用的自然性质，都是

对效用存在的客观认识，而不是主观的评判。因而，关于这一对范畴的研究，更表现出政治经济学理论的概括应具不同以往的客观性。

有关生产过程中的效用消费更说明了对效用只以人的主观心理感受确定的局限性。因此，均等效用不仅与边际效用相比属于对效用的自然属性的研究，而且更表现出效用是一个客观性的范畴，是劳动成果本身具有的作用，而不是人们对劳动成果的认识。

均等效用的提出，在政治经济学的研究中，树立了一个新的理念，即使用劳动成果必须懂得尊重自然决定的客观性。任何进入使用过程的劳动成果都不再表现它们的价格了，它们之间可能存在的价格不同是市场交易关系的反映，与自然决定的劳动成果的作用是不相同的，在使用中能够衡量的效用只能是均等的自然效用，而不再是价格表现的效用差别了。由此特别地表明，经济科学是一门与自然科学有着密切联系的学科，不管市场关系多么复杂，人们的经济生活内容多么丰富，实质上维护人类生存的生产过程总是要依据客观的自然约束条件进行，这不是人们的主观意愿能改变的，即自然的性质从根本上决定了人类劳动生产的性质，人类不论怎样能动地处理经济关系，也不可能脱离自然的根本性制约。所以，政治经济学的研究只能是反映客观的存在，而不能是以假设的主观心理感受为研究的前提。

第三篇

中间效用与终点效用

　　社会经济发展的历史是自发性与
自觉性并存的，而政治经济学的研究
也始终是科学性与盲目性同在的。不
可将人类社会漫长的经济发展历史看
成完全是混沌的，忽略其长期的自发
运动的背后隐藏的客观性和自觉的能
动性；也不可将现代各派的经济学说
都视为完全有理性的，落入与科学的
认识态度相违背的教条崇拜之中。可
以说，相对于政治经济学初创时期，
现在的研究已经是比较复杂了；但
是，相对于现实经济的复杂而言，已
有的经济理论又显得过于简单了。问
题在于，在政治经济学的研究中，有
些需深入研究的复杂问题并未能进

行，而有些并不复杂的问题却因缺少基本的学术规范而搞得相当复杂。对有些公认的没有能够定性的认识，再接着搞大量的繁琐的定量研究，也许只能导致一种逻辑上的悲剧。

劳动成果的效用是供人类生存使用的。终点的使用分为两个基本方面：生活中的终点使用和生产中的终点使用。以往对效用的生活终点使用与生产终点使用都有一定的研究，却只是没有区分中间效用与终点效用的不同。也就是说，自政治经济学创立，至今尚未树立中间效用范畴，已有的研究是将所有的供人们使用的效用在潜意识中统统列为了终点效用。这是相对于复杂的经济现实，政治经济学的研究还相对简单的一个表现方面。因而，研究的推进就要求，在区分生产消费品效用与生活消费品效用的基础上，还要再对消费效用做中间效用与终点效用的区分。理论的研究不能标新立异，任何经济范畴的提出只能源于客观实际。政治经济学的发展，从某种意义上讲，就是要使自身学科能够对复杂的经济现实的认识逐步地复杂起来，不断地增加对复杂事物认识的新范畴。现代经济具有的复杂性是不必论证的，如果现代的政治经济学研究还不能有效地驾驭其所要认识的现实复杂性，那只能说现在这门学科的发展还停留在起步的阶段。现在，提出中间效用范畴，在理论上对这一范畴领域进行新的研究，准确地区分中间效用与终点效用的不同以及高度重视研究中间效用区分的意义，是推进现代政治经济学研究的又一个重要方面。

第十三章 中间效用的存在

在自然经济占统治地位的时期，人类劳动是原始性的，十分简单，只有采集、渔猎、刀耕火种等效率很低的生产活动。以后社会发展到商品经济初期，也是只有简单的生产和简单的交换。而出现具有中间效用的劳动成果，是在商品经济发展普及之后。中间效用的增多是与劳动的复杂化或经济运行的复杂化有关的。因此，在现代经济已经高度复杂的前提下，政治经济学需要展开对中间效用的研究。

一 中间效用的涵义

效用是劳动成果作用的一般化，终点效用是最终供人们生活消费和生产消费的效用，中间效用不是最终供生活消费和生产消费的效用，而是只起帮助人们实现终点效用消费作用的劳动成果效用。

在生活消费领域，如果将人们得到的终点效用消费视为福利，那么中间效用就是一种非福利效用，即人们消费中间效用并不能使自身得到的福利增加。

在生产消费领域，如果将生产过程使用的终点效用视为必需消费，那么中间效用就是一种非必需消费，即中间效用消费是生产成本的增加，但不是生产消费基础的成本部分。

中间效用的产生是社会劳动分工的结果，中间效用的创造是劳动的创造。虽然中间效用不是人们最终生产和生活消费的效用，但其效用的实现表明市场对其存在的承认，创造中间效用的生产者依靠这种为社会需求或为市场承认的劳动成果为生。在社会劳动分工体系中，不论是在生产生活消费品的领域，还是在生产生产消费品的领域，中间效用都不是作为实物型的劳动成果效用存在的，而是一律表现为劳务效用，或者说中间效用只存在于劳务效用之中。因而，中间效用也可以说是非最终消费需求的各种劳务效用。若从大类上区分，即可分为两类：一类是为生活消费服务的劳务型中间效用，一类是为生产消费服务的劳务型中间效用。

二 中间效用的内部性

终点效用与中间效用的区分，是客观的经济现实的反映。中间效用是随着劳动的社会化发展应运而生的。

中间效用的内部性是指经济组织内部在生产经营过程中消费的中间效用。形成这种内部性，其要点是：（1）这一经济组织为社会提供的劳动成果是具有终点效用性质的。比如是生产方便面、汽车、机床、枪支等产品的，其组织的设立就是为了生产终点效用。这种组织是普遍地存在于现实经济之中，社会需要的各种最终消费品都是由这一类经济组织提供的。（2）在这一类经济组织的生产经营过程中需要有中间效用的消费。其中间效用的存在是生产经营复杂化的表现，消费中间效用的宗旨是为了本经济组织更好地运营。（3）这一经济组织不向市场提供中间效用。其创造的中间效用是只供本经济组织内部消费的，创造中间效用的劳动属于内部的工作安排，与其他提供终点效用的劳动共同构成一个经济组织的生产能力。

国际内部审计师协会在 2001 年给内部审计下的最新定义是："内部审计是一项独立、客观的保证工作和咨询活动，它的目的是为机构增加价值并提高机构的运作效率。"① 这是进入 21 世纪之后，经济界对于经济组织财务收支状况的内部审计监督职能的重新认识。这种内部审计的作用就是一种内部性的中间效用。在 20 世纪初，内部审计还很少出现在经济组织的活动中。在 20 世纪中期，人们对内部审计的认识还仅仅停留在对财务会计活动的独立评价上。一些内部审计专家认为，在为机构增加价值并提高机构的运作效率中，内部审计的功能还将体现在对经济组织未来经营风险的评估和预防上。在 2002 年，广州市一家大型企业，在对一个房地产开发 30 万平方米建筑面积的项目进行内部审计时，找到了人为作弊 700 万元的漏洞，使企业避免了险些造成的损失，也使企业对内部审计的重要性更加明确。这就是内部性的中间效用的作用。对这家大型企业来讲，它向社会提供的是商品房屋，不是审计服务，审计只是企业内部添加的工作，这一工作对企业有利，在企业建筑开发方面起了间接的财务管理的监督作用，这一工作可以没有，但有了可起对财务工作的堵漏洞作用。目前，在中国企业界，还没有普遍实行内部审计，即使在经济比较发达的省份，企业主动进行内部审计的，也还是少数，绝大多数企业还没有形成这样的中间效用。

中间效用的内部性存在并不仅限于内部审计。在经济组织内部，凡属只是发挥间接的辅助作用的劳务劳动安排，都只提供中间效用。像内部的法律顾问、内部的百货商店等等，其服务都属

---

① 参见钟国栋：《中小企业缺位内部审计，经营风险急需经济医生》，《中国经营报》2003 年 4 月 14 日，H3 版。

于内部的中间效用。

在市场经济中，各类经济组织，除政府控制的以外，都有法律保障的经营自主权。需不需要中间效用，需要多少中间效用，需要何种中间效用，需要的中间效用是由内部安排还是由外部提供，这都是企业自行决定的问题。只要本组织决策层认为有必要，就可以内部安排提供中间效用。如果正相反，认为没有必要，那也无妨，至少其提供终点效用的生产是会照常进行的。只是，在现代经济中，有一些经营管理比较规范的经济组织，除了需要从市场上获得中间效用外，一般在内部也安排一定的提供中间效用的劳务。

三 中间效用的外部性

中间效用的外部性是指在社会经济活动中只提供中间效用和并非只提供终点效用的经济组织向市场提供的中间效用的服务性质。中间效用进入市场，是外部性的表现，是市场交易的对象。就经济组织而言，中间效用是它们向社会提供的劳动成果的效用，它们创造的中间效用不是用于自身消费而是用于交换的。相比内部性，中间效用的外部性是更主要或更普遍的表现。在现代经济中，外部性的中间效用的基本作用是有利于提高社会生产水平和人民生活水平。

商业劳动是最典型的提供外部性中间效用的劳动。整个商业即商业全行业提供的效用都是中间效用。社会的生产消费和生活消费都需要商业服务，而商业本身并不是消费目的。人们直接从生产厂家买东西不方便，这才有了商业存在的理由和作用，但显然，人们最终的需要是厂家生产的东西，并不是商家的服务，商业劳动提供的只是助买的服务。在不买东西时，人们不需要商家，商家不能作为消费的最终目的存在，而只能是人们消费利用的手段。人们通过商家购买的商品，其价格包含了需付给商家的酬劳。而这种酬劳就是人们使用或消费中间效用的费用。在现代生活中，缺少商业服务是不可思议的，这种中间效用的提供已经与人们的生活需要紧密相连了。可是，我们需要明确，尽管商业吸收了越来越多的人就业，各地建造商厦耗费了巨资，而这所有投入的人力和财力，都只是为社会创造的中间效用而不是终点效用。从最原始的牲畜市场上的经纪人，到最现代的网上购物的服务机构，性质都是一样的，都是靠他们自身创造的中间效用得到社会承认而生存。网上购物并没有改变商业的性质，只改变了商业的形式。现在的趋势是，不论在哪里，商业都是在更多地投入资金、设备、场地和综合服务设施，有些超级购物中心几乎是一座娱乐城，里面吃的、玩的应有尽有，但这也不改变商业的性质，商业效用永远都是中间效用。现在，散布在世界各地的大型超级市场太多了，其规模是传统商业不可与之相比的，这是商业的进步，也是时代的进步，从中间效用创造的角度讲，是中间效用表现形式的进步。人们在尽情地购物的同时，也在尽情地消费着商业劳务劳动成果的中间效用。或许，未来的年代，商业还会发生更大的形式变化，网络技术正在一点一点地改变着市场上的一切，这是我们现在难以预料的。但不论是过去，还是现在，人们的生活都离不开商业，商业劳动提供的外部性的中间效用是社会需要的一般效用。

银行业也是全行业提供中间效用的服务行业。从普通的中介人，到万能的垄断者，在市场经济条件下，银行成为了整个社会经济的调控中枢，其作用是其他行业比不上的。然而，这种特殊的重要性存在并不表明银行创造的效用是终点效用，其重要性与其中间效用的存在并不矛盾。中间效用只是指不作为最终消费的效用，而其社会性的存在仍可表明能够具有重要性。银行是为生产和生活服务的，但没有人将享受银行的服务作为最终的消费目的。银行是经营货币资本的组织机构，是借款和贷款的经营者，银行一方面揽储，一方面放贷，显然，储蓄者不会将储蓄作为目的，贷款者也不会将贷款作为目的，没有哪个方面与银行打交道是将银行作为最终消费的交易者。到 2003 年 3 月底，中国城乡居民储蓄余额达到 94568 亿元。① 这些钱仍是要有最终消费的，不是只存不用了，银行提供的是储蓄服务，是替客户保管储蓄金，并可将其中的大部分用做经营的借贷资本。因而，银行的基本职能是提供中间效用，是非终点消费的劳务服务。任何人都不可将银行业的发展作为社会增加终点消费看待，过量的银行设立只表明这方面提供的中间效用太多了，超过社会正常的需要。

在现代经济中，一些市场中介服务组织提供的劳务效用也均是外部性的中间效用。这些中介机构主要包括：会计师事务所、审计师事务所、评估师事务所、商标代理机构、专利代理机构、律师事务所、房地产经纪公司、咨询公司等等。中介机构进入市场，作用是提高交易的规范性，保证经济更有效率地运行。比如，在商务谈判中，自家没有法律顾问，又未请律师事务所协助，既不合规矩，又可能影响谈判效果，损失自家利益。审计的介入也是同样的，自家可以搞内部审计，但这并不可以取代外部审计，在规范的要求下，企业除了内部审计，还需要聘请中介机构进行外部审计，由执业的注册会计师出具审计报告。近年，美国安然公司的丑闻，几乎使外部审计界信誉扫地，但是这也没有动摇中介服务的地位与作用。资产评估机构也是提供重要的中间效用的中介组织，它出具的评估报告可为产权交易提供规范的基

---

① 参见《中华工商时报》2003 年 4 月 18 日。

础研究成果。但不论是企业，还是个人，最终的需求都不在资产的评估上。其他中介机构的作用也是一样，都不是为社会提供最终消费产品的，所提供的都是外部性的中间效用服务。

四 为生活服务的中间效用

商业是既为生产服务又为生活服务的行业，但零售商业主要是为生活服务的，即主要是提供生活服务中间效用的。在现实经济中，享受文明生活的人无不一生都在需求商业提供的服务。无论何时谈起商业，都会使人感到太普通或太熟悉了。于是，就存在一个需要理性回答的问题：商业是为哪方服务的？有 3 个答案可供选择：A. 为买家，B. 为卖家，C. 既为买家又为卖家。如果向正在购物人征集答案，大概有许多的人会毫不犹豫地选择 B，即商业是为卖家服务的，是替卖家做销售。如果将这个问题提给上课的大学生，也许有一些学生会选择 C，即商业是既为买家又为卖家服务的，是一座沟通的桥梁，可为买家找到卖家，也可为卖家找到买家。但正确的答案只能是 A，即商业是为买家服务的。因为商业为哪方服务的问题，从根本上讲，要看是为哪方提供了中间效用，是哪方为商业劳动支付费用的。在市场交易中，卖家并不是将自己创造的价值让渡一块给商业，商业实质上是靠自身劳动创造的价值生存的，商业是为买家提供中间效用服务的，即是为卖而买的，而购买这种中间效用服务的只能是买家，是买家来为商业劳动的付出给予回报的。凡是购买商品的人，从商家走出来，那就是在买到商品的同时也买到了商家为其提供的服务。这是一个每天都在无数次发生的事实，任何一位购物者都会承认自己购买的商品价格中含有商业劳务劳动的服务费，而自己是对所购物的价格全额支付的。因此，就市场的交易关系讲，在客观上，商业是为买家服务的，不是为卖家，也不是既为买家又为卖家。对于商业劳动提供的这种中间效用服务，讲顾客是上帝恐怕不对，因为上帝是神，而不是芸芸众生，更重要的是上帝没有支付能力，他是超然世外的，将顾客当做上帝是有违商业宗旨的，商业提供的服务是需要由顾客付酬的。所以，回到现实之中，顾客只是商家的服务对象，商家的生命力就在于有足够的买家需要其中间效用服务，并且按市场的规则支付费用。在 21 世纪初，当我们看到世界上最著名的零售商正在向一些发展中国家挺进，也就知道现代商业提供的中间效用，还是大有社会需求的。

商业劳动创造的劳动成果是中间效用，而不是终点效用，这一点在零售商业比批发商业可能看得更直观一些。而在以往的政治经济学研究中，是从未区分中间效用与终点效用的。马克思曾将商业劳动归为不创造价值的劳动。他说："商业劳动是使一个资本作为商人资本执行职能，并对商品到货币和货币到商品的转化起中介作用所必要的劳动。这种劳动实现价值，但不创造价值。"① 马克思的这种认识是对商业劳动与其他生产劳动做了区分，即做了不创造价值的劳动与创造价值的劳动的区分。而从今天来看，商业劳动与其他提供终点效用的行业劳动相比，只能是创造中间效用的劳动与创造终点效用的劳动的区分，而不会是在价值创造上有区分，因为价值是市场承认的劳动作用的凝结，凡是劳动，凡是劳动作用，凡是被市场接受其劳动成果交换的劳动，都是创造价值的劳动，商业劳动在这方面与其他行业劳动是没有区别的。商业劳动与工农业等行业劳动的区别是在于效用创造的中间性上。关于商业劳动也是创造价值的劳动等价值理论问

---

① 马克思：《资本论》，第 3 卷，人民出版社，1975，第 332 页。

题，在现代政治经济学讨论中，已经基本上取得了新的共识。

银行业也同商业一样，是既为生产服务又为生活服务的提供中间效用的行业。除去银行、商业，在现代生活中，还有其他一些提供生活服务中间效用的行业劳动。家政服务业是近年新兴的服务行业，从事家政服务的人员上岗前需要接受专门的培训。随着城市的扩展和城市人口的增多，对家政服务的市场需求也越来越多。家政服务提供的是终点效用，而为人们介绍家政服务人员的中介机构提供的是中间效用。人们若无需中介可直接找到家政服务人员，那就不必花费用在这种中间效用上的酬资了。但是，在现实中，大多数人还是需要中介机构为其需求家政服务人员提供中间效用服务的。现在，家政中介已经成了一种普遍的社会化服务了，正规的中介可以为用户提供经过专门培训合格的家政服务人员。在现代市场，除了家政中介外，还有更广泛的职业中介组织存在。一般人们找工作，都不是直接找用人单位，而是找职业介绍机构。这些职业介绍机构是为个人提供中间效用服务，起到沟通就业的桥梁作用。现代银行业的储蓄业务是为居民生活服务的，贷款业务中也有为居民生活服务的内容，如为个人买车、买房提供按揭等。市场经济是法制经济，法律服务也是现代经济生活中不可缺少的中间效用服务。在发达国家，律师业是相当发达的行业。律师的服务几乎无处不在。这种中间效用服务可以帮助人们弥补法律知识和经验方面的不足，以更好地通过法律维护自身的权益。现在，人们不仅打官司要找律师，就是买房子、买汽车，也要请律师。当然，律师除了为个人生活服务外，还要为各类组织提供中间效用性质的法律服务。

五　为生产服务的中间效用

银行业为个人生活服务，也为生产服务。在现代经济中，企业利用银行，即通过银行提供的中间效用，可以借到贷款扩大再生产，不必一定等到自身完成资本积累才做追加的资本投入，这样就能大大地提高资本运营效率。在现代市场机制下，如果企业将同银行打交道视为畏途，不敢用银行贷款，或者以没有向银行贷款为荣，且不说是缺少必要的市场信誉，其经营效益的损失也将是明显的，与同行相比决不会有更高的市场竞争力。对于企业来说，银行提供的虽然是中间效用，但并不是可有可无的，而是在现代已成为必不可少的，拒绝银行服务，就等于是拒绝现代经营方式。仅从支付手段的作用讲，银行也是各类企业经营的最紧密的帮手。而从更广泛的金融服务的角度看，不光是企业需要银行服务，且整个金融市场都可为企业的生产提供中间效用服务。为企业上市发行股票或债券，是证券市场的功能与作用，企业通过这种直接融资手段，可以迅速成长，扩大生产规模，形成更强的市场影响力。在金融市场上的不同运作，往往决定企业的发展走向，体现企业不同的经营水平。现代经济要求不论是从事哪一行业生产的企业，都要充分地利用好银行服务或金融服务，使其中间效用的创造融入生产过程之中。这当然不是说要求企业利用的这种中间效用越多越好，而只是强调有竞争力的企业应当有效地利用这种中间效用越多越好。

批发商业及生产资料市场也是为生产提供中间效用服务的。在现代经济条件下，尽管信息技术高度发达，网络的连接为企业的生产提供了直接沟通供求关系的可能，但是，绝大多数的生产单位还是离不开商业的辅助，离不开生产资料市场的服务。一方面，批发商要为企业生产提供必要的原料、材料以及生产专用设备等等，另一方面，批发商还要为生产企业销售产品。商业的网络就是企业生产的生命线，没有及时的生产用物资的供给，企业的生产就要中断；没有及时的销售，企业的生产也不能延续。生产是社会生存的基础，而中间效用进入生产过程也构成生产的要素，虽然这些要素不是基础性质的，但是对生产并不是可有可无的，一旦这些中间效用的提供渠道不通畅，就可能会对生产造成严重的影响。所以，中间效用在社会生产之中，并不代表不必要的投入或不重要的投入，而是在适当的比例要求下和特定的连接环节中，起非常重要和必不可少的劳动成果作用。

外部审计起的也是为生产服务的中间效用提供的作用。在上市公司，请会计师事务所或审计师事务所进行外部审计，是各地证券交易所的硬性规定。在非上市公司，规范的经营也需要自觉地请中介机构做外部审计。外部审计的作用并不仅仅是审核企业财务账目，而且还要全面检查企业资产的运营质量。企业若有内部审计，并不妨碍再进行外部审计。这种为生产服务的外部性的中间效用，已是现代经济中的普遍需要。

广告业也是为社会生产提供中间效用服务的行业。社会的最终需求是产品，而不是产品广告，但产品广告的宣传可以促进产品的市场销售。生产厂商要做广告，经营商也要做广告，大笔的广告费付出的结果，可能是提高产品价格，也可能是降低产品价格。如果厂商通过广告打开了产品销路，扩大了生产规模，产品的价格就能降下来。所以，不能将广告投入看成是一种相对的成本增加，有效的广告实质上应起降低产品平均成本的作用。广告业是一个独立行业，专门为生产厂商制作或发布广告，是现代经济中的朝阳行业。其专业性产生的效果比厂商自己制作或发布广告要好得多，所以，一般的广告都是由广告公司制作及代理发布的。广告公司出售的实质是中间效用，这其中也存在着尖锐的竞争，只有做得好的广告公司才能在竞争中生存下去。现代的电子计算机技术为广告的制作提供了高科技的手段，形成了一个高档次的操作平台，但广告的竞争还不完全是技术方面的竞争与抗衡，而是广告创意方面的高智力之间的角逐。

　　还有资产评估机构、管理咨询机构、商标代理机构等诸如此类的中介服务组织也是为生产服务的中间效用的创造者。通过这类市场中介机构提供的服务，可以帮助企业解决生产经营方面的某些问题。这些机构创造的这些中间效用所发挥的作用，就是它们自身存在的必要性的表现。但除去法律法规和政府及非政府机构社会团体的明文规定，对于生产企业来说，并不一定要请这些中介服务组织提供中间效用服务。这一点，也是这一类机构参与市场交易的特殊性所在。由此也就决定了这类机构的活力在于能够保证为企业生产提供有效的和高质量的中间效用服务。

第十四章 非理性的中间效用

在人类社会的经济生活中，理性与非理性永远是并存的。人们不可追求完全的理性，也不可放纵自己的非理性行为。在非理性中，不仅仅是感性存在，还包括愚昧的任意性和无知的迷误。作为非终点消费的中间效用，从已有的实践来看，是更容易强化非理性创造的，因此，这是现代的政治经济学研究需要深入探讨的问题。

一 资源过度耗费

创造中间效用，满足社会需求，同样要耗费一定的资源。由于中间效用有其存在的必要性，因此这种耗费也是社会总的资源耗费中的必要部分，从长期讲，应占有一个相对比较稳定的比例。若社会总的资源耗费量上升，中间效用创造耗费的资源也应按比例增加。

自 20 世纪人类走向高科技时代以来，一种世界性的普遍趋势是，直接为人民生活服务的商业大厦越建越多，越建越漂亮。对此，似乎绝大多数人是欢迎的，好像从消费者的角度看人们都能理解，况且每天都有许多的人沉浸在去商厦购物或逛商厦的享乐之中。但问题是，一座比一座大，一座比一座漂亮的商厦建设要耗费大量的资源。现在地球上的可用资源是极其宝贵的,在人类的科技发展还不能开发出其他新的能源和资源之前,从理性的角度思考,不论是哪里的人,都应该注意资源的消耗不能过度。现代人购物一定要去大商厦吗?没有众多的高级商厦是不是一样可以满足人们的购物需求。而且,高级商厦盖多了,多到与城市人口不合比例,是不是一种很大的浪费。商业创造的是中间效用,不是终点效用,不增加人们的福利,高级商厦盖多了,只能是减少人们的福利,因为社会的资源是有限的,过多地用在了商业大厦的建造上,势必就要影响终点效用创造的投入,影响人们福利的增加。并且,在极尽豪华的商厦购物,只能是加大了人们的购物成本,将原本简单的购物变得十分的复杂。这种脱离商业本能作用的建筑性扩展,说是塑造优美的购物环境,实在是做跑题的文章。如果购物还不如看景重要,那商业的利润又如何能保证呢?这是一方面浪费资源,一方面又造成商业亏损的做法,实际是一种缺乏理性的限制商业作用的行为。

从现代的市场运行状况看,如果不能以降低资源耗费来提升商业经营的效率,保证商业劳动存在的宗旨,那么趋向复杂化的商业的创新努力就是失败的,至少在保持一定的商业利润率上会是失败的。在总的社会资源紧缺的前提下,让建商厦无端占去了大量的资金,然后一座座商厦又空在那里,这绝不是理性的经济人能做出来的,这显然是只从微观出发认定商业挣钱,才会有巨大的宏观的整体上的浪费出现。如果这些盖豪华商厦的人能挣到钱,那恐怕整个社会的损失就更大了,因为那将更加剧了资源的过度耗费。随着网络技术的应用范围越来越大,未来的商业将会越来越少地使用商业大厦。在新的生产技术带动的经济发展进程中,传统的商业正在面临着挑战,面临着全面退出商业大厦的可能性。但不管未来如何,有一条具体的要求需要贯彻到底，这就是创造中间效用的商业必须尽可能少地耗费社会有限的资源。

二　品质粗糙

为社会提供中间效用，在劳动分工中，是从事这一领域工作的人的谋生手段，也是他们应尽的职责。保证中间效用的服务质量是对这些劳动者的最基本要求。但在现实之中，并非能完全实现这种保证，缺乏产品质量的服务引起的经济纠纷屡见不鲜。这也是中间效用创造领域的非理性行为的表现之一。

现在，广告业已成为一个庞大的提供中间效用服务的行业，从业人员之多，经营额之巨，都是工业革命时代不可相比的。但在广告之中，可谓良莠不齐，出色的令人拍案叫绝，效果极好，差的也害人不浅，白搭功夫白费钱。这还不包括虚假广告，因为虚假广告属违法行为，是必须取缔的，不能纳入经济学的讨论范围。仅就品质粗劣的广告讲，主要有以下几种情况：（1）策划失败，几乎没有效果。广告策划包括创意、针对性、传播方式的选择、发布力度及区域范围等等，如果在主要方面考虑失当，就可能达不到广告目的。比如，一家房地产开发商为自家开发建设的一处商品房住宅小区的房屋销售做广告，本来这个楼盘地理位置很好，价格也适中，且市场也未出现异常情况，但广告做了之后没有任何反应，这样的广告就是失败的。检讨其原因，可能是多方面的，也许是媒体选择不当，也许是制作上的问题，也许是力度不够，总之广告没有抓住特定的消费群体，只能自我欣赏，没能起到广告的应有作用。对于房地产开发商讲，这就是白花钱。有时一次广告的费用，相当于一套或几套住宅的售价，没有效果，等于这一套或几套住宅白送人了。在实际经济中，广告效果为零的情况并不罕见，甚至有的房地产开发商做的广告效果是负值，没起促销作用，反而更难卖房了。作为专业的广告公司，若业务做到这种效果上，那只能是对客户的损害，不仅浪费人力财力，还可能耽误了客户的最佳销售时间。（2）广告不能给人留下深刻印象。这也是广告质量不佳的表现。广告是一种特殊的产品，质量的关键不在外观，而在要能达意。如果一个广告做了之后，谁都看不懂，或是说人们找不到感觉，那当然就给人留不下印象，达不到基本的质量要求。有时候，电视上就出现这样的广告。面对广大电视观众，荧屏上一会儿是方便面，一会儿是洗衣粉，解说词念得飞快，让人反应不过来，再加上画面一晃一晃的，还没等人明白，广告就结束了，至于到底讲的是方便面，还是洗衣粉，到底是什么牌子的，到底什么价格，一概不知道。弄不好，这家企业做的广告会成就了那家企业的产品，因为人们没看明白，就可能产生误认。（3）广告起了市场误导的作用。有些广告做的效果极好，能给人留下深刻印象，但就是广告内容是误导购买者的。这样的广告不管是有意的，还是无意的，都是不起好作用的中间效用。

在外部审计中，注册会计师不坚持公正立场，包庇假账，不属于执业质量问题，那是违法行为。属于审计质量问题的是，审计报告模棱两可，本来有问题却没有发现问题，或是本来有大问题却只发现小问题，等等。审计报告质量不佳是有危害性的。社会需要外部审计，是需要一种公正。外部审计实质上是为社会提供一种公正性服务，所以，如果这种服务不到位，那就起不到应有的作用，会给企业留下隐患，使社会公正的天平失衡。就其执业者而言，把不住审计的质量关，从根本上讲，不是业务水平问题，而是执业素质问题。由于执业素质不高，中间效用就不仅不能有益于社会，还会有害于社会，这就是作为中间效用的创造者们必须时刻牢记的问题。由于外部审计的质量欠佳，实际上会在某种程度上造成社会经济秩序的紊乱。

　　商业服务的质量更是一个社会关注的问题。保持良好的服务质量也是对商业中间效用创造者劳动的基本要求。但服务质量差在全世界的商业经营中始终没有绝迹，可能在经济发达国家的情况略好一些，在发展中国家由于市场建设滞后的原因表现得更多一些。需要区分的是，讲商业服务质量差，并不是指商业出售的商品质量差。如果是买到有质量问题的商品，那商家当然要负责任，但更主要的是制造商要负责任，即应由提供终点效用的生产厂家负责，而不是商家提供中间效用所负有的责任。商业服务质量差的主要表现是：（1）服务的硬件设施或用具不合基本要求。如度量衡失准、服务人员着装不雅、店铺的地面不整、送货的车辆失修等等。造成这些情况是服务主体的质量意识淡泊的表现。改进需从服务主体的素质提高做起。（2）缺乏商品知识，不能为顾客提供满意的咨询服务。商业人员不懂商品，这是不能保证服务质量的。商业工作并不是简单的一买一卖的关系，从本质上讲，是一种服务与被服务的关系。顾客有权力要求商业服务人员提供其所购商品的咨询服务。如果商业服务人员一问三不知，对商品的性能和使用方法不甚了解，或是其介绍是一种误导，那就是服务质量差的表现。（3）商业服务人员的工作态度恶劣。一般的态度恶劣是恶声恶气、爱答不理。严重的是恶语伤人、讽刺、挖苦或嘲弄顾客。凡发生这类情况，会使商业信誉下降到冰点，全无任何服务的质量保证可言。

三　布点欠妥当

　　服务劳动并不一定创造中间效用，但中间效用却一定是服务劳动创造的。市场化地配置服务劳动，一般应考虑就近提供和配比得当等因素。提供中间效用的服务网应是均衡地覆盖被服务对象的网络。如果网点过稀，不符合就近提供的原则，人们需求服务会很不方便。只有网点分布适当，服务网络才能方便人们的需求。如果设立的服务网点与当地居民人口比例失当，即或网点小、居民人口多，或网点大、居民人口少，也是中间效用的提供缺失理性的情况。现实当中，这种情况很难完全避免，网络总是要处于调整之中，因为服务对象是不断变化的。

律师劳动在中间效用创造中也是重要角色。在现实社会中，一个国家或一个地区的经济发展状况，在某种程度上可以用律师从业的多少来间接衡量。商业网点应按社区配置，而律师事务所却可按城市设点。一个城市对律师的需求量应大体与本市的经济发展状况相适应，若律师过少，用户寻求律师就较困难，若律师过多，也是对律师资源的浪费。现实的情况就存在一些非理性的表现。出于自身利益的考虑，律师们总是愿意进入大城市，结果就造成大城市的律师过多，而一些中小城市的律师又比较少。事实上，挤到大城市的律师也不一定在大城市帮人打官司，有相当一部分还是要到中小城市去接案子。这样，在无形之中，造成这部分中间效用的创造成本增高。

商业网点的布局似乎由于家庭轿车的普及而不必苛求均匀。要是有足够大的停车场，是不是一个城市只建一个特大的商业中心就可以了。这样的设想恐怕只适合一些发达国家的中心城市。在当今世界，不是发达国家多，还是发展中国家多。有家庭轿车的家庭，只是在发达国家普及，在发展中国家并不普及。因而，在现阶段，就世界绝大多数城市而言，如果商业网点分布不妥，也是理性不足的行为结果。例如，在一些地方，居民人口多，商业网点却很少；而在另一些地方，商业网点集中，形成商业区；这样的态势结构可能很有传统性，但其实并不合理。商业的服务也应是就近提供，网点分布与各社区人口相适应十分重要，将商业网点集中在一个地区，既不方便人们的日常生活，也影响商家的效益。

到了信用卡时代，银行的营业点可以减少密集度了，但是，在一些地区却出现反常的更为密集的情况，不是减少营业点，而是增加了大量的营业点。过于密集的营业点确实很方便服务对象，人们去银行可有很大的选择性。有的地方不长的一条街上，可以看到数家银行开设的营业点，更有甚者是一家银行的营业点的门紧挨着另一家银行营业点的门。还有的地方是，在不大的范围内，同一家银行开设了数个营业点。这其实也是颇具盲目性的举动，是一种中间效用创造上的浪费，是对社会总福利增长的负面影响。

中间效用的性质是跟从终点效用发展的，其自身的能动性很小，若抛开跟从的性质，任意发展中间效用，那并不意味着工作主动，而只是乱动。在网络技术的带动下，今后人们的生活方式会发生更大幅度的变化，各个方面中间效用提供的网点分布要不断地适应新的变化，但变化的只是中间效用的提供形式，中间效用的服务性质是不变的。关于网点的布局，需要从现实出发，更需要超前看，而不论是现在，还是以后，布局的基本要求都是要为服务对象着想，都是要避免自身的盲目膨胀。

四　服务不对路

20世纪以来，商业的变化是显著的，超级市场的兴起和让人眼花缭乱的各种信用消费，烘托了新的一代商业繁荣。在这繁荣的年代，人们走进商场，经常会看到商家举办的各种各样的促销活动。然而，就是在这类活动中，有些商家的中间效用服务是不对路的。所谓不对路，是指服务不适合服务对象的需要，促销的办法只是商家一厢情愿，或者说是商家费力不讨好。这种服务不对路主要有以下表现：（1）不规范地打折促销。打折销售是商家常用的手段，也是相当一部分购物者喜欢的。只是打折必须规范，必须有道理。如果打折不规范，表现为任意性的，那就是一种不对路的服务，既无益于消费者，也有损商家利益。在规范的商家打折销售中，商家可依据时间打折，比如时装上市前3个月是全价，第4个月打9折，第5个月打8折，以此类推，1个月减1折，到来年新货上市之前，商家可以1折的价格出清全部旧货。这样打折是有依据的，即是以销售时间的长短为参考系数的。一般购物者都清楚商家打折的路子，也愿与商家的打折默契配合。比如，要讲时兴就不要等商家打折再买，可以赶在势头上尽兴地购物展现自己；要便宜就等到最后，待商家以极低的价格出售时再买。如果又要讲时兴，又想便宜，那么可以去外地买本地没有的打折商品，既引领本地时尚，又所费无几，似可两全其美。一些国际旅游者购物往往是寻找这种价格差和地域差的结合点。但是，不规范的打折是难以得到消费者呼应的。有些商家会突然打出打折的标牌，让购买者摸不着头脑，更不敢买了，因为不知道为什么便宜，怕有诈。即使相信商家打折的诚意，也会知道商家原先的利润空间，不仅打折的不买，不打折的更不愿买。这样的打折结果是商家自讨没趣。因为这只表现商家急于销售的心态，未表现出商家应有的为买家服务的精神，让买家产生了困惑，失去对商家的信任感，使商家的努力适得其反。商家这样做的本身是不明智的。（2）过度包装商品。商品出厂一般都带有包装，有些中高档的商品是很精美的。商家卖货，还可以进行二次包装，体现商家的服务特色。通常的做法是，商家将顾客购买的若干小物品装入印有商家店名的大提袋中，或是在中高档商品的外包装上再加上商家的外包装，等等。商家这样做，是很能博得顾客好感的。因为这体现出了商家的服务精神，是商家为顾客创造的一种体面。商家提供的这项中间效用服务，其界限是有度的，即包装不可过度，过度的包装就是服务不对路了。比如，不多的商品套上偌大的包装，普通的商品硬做豪华的包装，就是过度了，这会超过合理的成本，引起顾客的不快。商业服务最讲究恰到好处，对商品的二次包装，简陋了不妥，过度了也是非理性的。(3)附赠其他商品。有些商家可能是好意，为了促销商品，推出极为优惠的条件，如购裤子可以获赠袜子，购上衣可以获赠围巾，购冰箱可以获赠微波炉，等等，千奇百怪，五花八门，什么样的附赠搭配都有。这种做法是无意的浪费。这对于买卖双方好像都挺有挑战性，而结果都不会有益处。在正常的情况下，消费者应是需要什么买什么，不应买暂时不需要的东西，更不应买根本不需要的东西。所以，不论商家附赠什么给消费者，其实都是消费者不需要的。相信不会有人因为贪图商家附赠的小物品而产生购买大物品冲动的。而已拿定主意购买大物品的人也不会在意商家是不是还送他小物品。因而，没有人会欣赏商家附赠小物品这一做法，商家采用这种促销手段会让消费者感到很麻烦，仍然是商家自作多情。这也属于不对路的中间效用服务。(4)附赠各种购物券。这比买一送一的做法进了一步，但同样是不对路的。有的商家推出这种促销手段，规定购物者消费满100元送30元购物券，等等。各商家的具体规定可能略有不同，但用意都是一样的，希望用购物券牵住顾客在本店继续消费。这种做法也是一种打折行为，只是比直接打折更婉转一些。问题在于，这同不规范的打折一样，让消费者看不透商家的名堂，不能起强化服务的作用。而且，这种促销活动是有阶段性的，只能是过一段，搞一阵，停一段，再搞一阵，没有连续性和稳定性，商家的效益也是难以保证的。（5）举办商场内的广告表演活动。凡搞这种活动，场面都乱得很，且费用较高。商场是购物场所，不是娱乐场所，这是有区别的。将广告做到商场内，并无不可，但加上娱乐就不伦不类了，破坏了商场的购物气氛，这样搞的结果，商家是得不偿失的。在商业利润不高的情况下，广告表演的费用会冲抵相当一部分营业额，几乎不可能为商家提高利润率。这还不算，商家还极可能给人留下俗气的印象。（6）其他。现在一些商家的促销手段别出心裁，不走正道，还洋洋得意，自以为很聪明。但事实上，只要是背离为买家服务的宗旨，其提供的中间效用必定是非理性的。而且，凡是邪门歪道，都是来的快，去得也快，因为只要是服务不对路，就不可能长久地搞下去。

五　总量偏大倾向

创造中间效用的劳动耗费资源过度会给社会造成不必要的损失和浪费，而若创造中间效用的劳动总量超过应有的比例，也会对社会经济的正常发展产生一定的不良影响。从现实来看，在这一领域，基本上总是呈现出总量偏大的倾向，这是自发的市场难以克制的问题。这种偏大倾向的表现就是，在市场上，中间效用的供给总量大于需求总量是一种比较稳定的长期态势。

产生中间效用供给总量偏大倾向的主要原因是：（1）资产回报率的导向诱使。在银行业、会计审计中介服务业、资产评估业、广告业等行业中，资产回报率可大大高于其他行业。银行的经营主要是依靠信誉，即因有信誉保障才实现用少量的货币经营资本加上吸储得到的社会资金进行借贷资本的经营，所以，一方面是风险大，另一方面是资产回报率高。而会计审计提供的中间效用服务，主要是靠专业的智力投入经营，资产的投入量并不大，所以，资产的回报率也很高。资产评估业的情况也是这样。因而，这就吸引了众多的跃跃欲试者想进入这些行业。久经风雨的资本经营者们将办银行视为资本经营的最高境界，总是想方设法地去圆自己的银行梦。在现代经济中，银行是市场运行的中枢，想进入这一中枢经营并不是容易的，但这难不倒资本经营的高手们，成功者是大有人在的。在这样的诱惑下，银行的供给总是十分充足的，这一行业中的竞争是十分激烈的。而会计审计的中介、资产评估业的工作也是投资少、见效快的，并且对人力资源的要求也不是很多，只要有执业资格的专业人士带头，就可以创办机构，承揽业务，获取丰厚的回报，即行业进入的门槛很低。于是，不用看好市场行情，甚至在已知这几个行业的从业者过多的情况下，还是有人源源不断地踊跃进入。这就自然要造成行业内的供给过剩了。如果市场发育比较成熟了，是不应该明显存在这一类的供大于求状态的。（2）创造中间效用的劳务劳动的技术含量普遍较低也是诱使其总量偏大的重要原因。像商业服务这一类行业，除去管理及市场分析比较复杂一些，主体的劳动部分没有太多的技术含量。所以，从中间效用的创造条件讲，资本都是比较容易进入的。这不同于高技术产业，对于那些方面的投资，至少需要相应最低量的技术人才，缺少人才，资本是不能发挥作用的。因而，相比之下，许多人愿意将资本投入到没有太高技术要求的中间效用创造领域。但这就自发地造成了这一领域吸收的资本过多。本来，资本盈利率是最好的调节阀门，一旦某个行业的资本盈利率过低，一方面是新的资本不再进入，另一方面是原有资本纷纷抽逃。但对于一些低技术含量的中间效用创造行业讲，因没有技术限制，面对已经很低的资本盈利率，资本还是一批又一批地挤进来。每个新进入的资本都抱有幻想，认为别人不行，自己可以做好。也许确实有后来者成功的，但在大多数情况下，仅仅因为没有技术限制就涌入大量资本，还是会造成相互之间的激烈残杀。（3）执业风险低也是致使形成总量偏大倾向的部分原因。比如，律师的执业收入很高，能够进入高收入群体的比例较高，但同时，律师的执业风险很低。这也是中间效用创造的一种特点。有许多人当了一辈子律师几乎没有遇到过执业风险之事。只要律师不触犯法律，他就没有风险可言。因为律师是替别人打官司的，而不是自己打官司，不管输赢，律师都是要收取佣金的。而且，越是难打的官司，律师收费越高。正因为这是一种低风险的行业，所以才有大批的法学专才涌入这一行业，造成行业的供给也总是大于需求。还有一个不可忽视的原因是，律师行业为兼职工作提供了很大的便利，因而常年有一大批法学工作者兼职从事律师职业，结果对行业的扩张起到火上浇油的作用。

中间效用的总量偏大倾向是市场自发形成的，不是理性的表现，也不是宏观调控容易改变的。在目前阶段，由此造成的资源浪费和社会损失只能是一种无奈的代价付出，并起到保护常态社会发展延续的作用。但只要政治经济学的研究能深入下去，社会的管理实践也能处处到位，那么，在某种程度上，扭转这种总量偏大倾向的自发盲目性，变非理性的浪费为理性地自律进入行业的资格，也是有可能逐步实现的。

第十五章　中间效用优化

　　仅就商业、银行业、律师业等行业的经济活动当量讲，中间效用的创造在现代国民经济中已占有相当的比重。我们的研究表明：在人类社会中，一切有用劳动都是创造价值的劳动，而这些创造价值的劳动的具体表现就是创造自然效用与社会效用统一的具体有用劳动，这包括中间效用的创造，即中间效用也是自然效用与社会效用的统一，创造中间效用的劳动也是创造价值的劳动。但是，大量存在的也同样承载价值的中间效用又和作为国民经济主流活动存在的终点效用有所不同，并且以劳动的无差异性是无法解释的。中间效用与终点效用的区分在于效用是否是满足最终生活消费或最终生产消费需要的。现实地讲，社会财富的创造不能不包括中间效用的创造，但是又不能以中间效用的创造为目的。中间效用是伴随着终点效用的创造而创造的效用，是为生活消费和生产消费提供中间劳务服务的效用。在效用的一般性上，中间效用与终点效用的市场交易表现是一致的，都要遵循等价交换或契约一致性原则；而在特殊性上，抽象地讲，中间效用是不能单独存在的效用，特别是在客观上中间效用不可脱离终点效用的创造去自行扩张。在政治经济学的效用理论研究中，对于中间效用的研究是一个重要的方面，其中包括从维护社会经济正常运行秩序出发对中间效用的优化问题的研究。

一 中间效用的本原与衍生

中间效用是为终点效用的生产、交易、消费等过程提供服务的劳动创造。在现代经济中，中间效用无时无刻不在社会生产和社会生活中发挥作用，人类劳动的发展和社会分工的存在已经使创造中间效用的相当一部分劳动成为了社会必要劳动的组成部分。中间效用是为了满足社会生产和社会生活的某些特定的需要而进入市场的，直接为生产消费和生活消费提供服务的中间效用表现出这种劳动成果作用的本原性。具体说，这种本原性的中间效用是指，为人们购物需要提供的商业服务，为人们进入司法程序解决矛盾冲突提供服务的律师作用，为产品推销提供服务的广告业劳动，为企业整顿财务工作提供的审计服务，为人们的生产与生活提供一般的金融服务的劳动，等等。概而言之，本原的中间效用是紧密地伴随直接的生产消费和生活消费而产生的，是最基础的中间效用。一般说来，本原的中间效用提供的服务是具有社会普遍需求意义的，可起到增进社会生产总体效益和社会生活总体福利的作用。在现实的经济运行中，绝大多数的中间效用是具有本原性的，或是说这种本原性可以表述为中间效用的一般性，在没有特别的解释下，一般讲到的中间效用均属于本原的中间效用。本原性指称的本义是讲中间效用最初产生的根源，其概括的范围包括所有的直接为生产消费和生活消费提供中间服务的效用。

在常态社会中，军事劳动创造的中间效用也属于本原性的。军事劳动是一个复杂的系统，在其系统之中，也存在中间效用服务，而且，除去军火交易之外，军事劳动中的中间效用创造与非军事中间效用的表现并无二致。若在承认军事劳动整体性之上，分解其组成部分，那么军事劳动的中间效用存在就是更为明显的。为生产服务的中间效用是一样地存在于军工企业之内，为生活服务的中间效用也是一样地存在于各个军事单位的营区之内。

现代经济中的中间效用，除去本原的中间效用外，还有衍生的中间效用。衍生的中间效用是指在本原的中间效用服务的基础上又形成的非终点消费的服务效用。相比本原的中间效用，衍生的中间效用是后出现的中间效用类别，这一类的中间效用是相对较少的或者说是不具有普遍性。作为特殊性的存在，衍生的中间效用大致可分为以下3个方面。

1. 服务于投机性交易的中间效用

资本市场是现代经济的运转核心。投融资是资本市场的基本功能，为资本市场的投融资提供服务的中间效用是本原的中间效用。但在已高度发达的资本市场，除了投融资之外，还有明确无误的投机功能，因此，这种伴生的功能需要的中间效用就成为一种衍生的中间效用。

同样，在房地产市场，也可能产生投机交易，如炒作地皮或房权，在这种状态下，为其投机服务的中间效用也成为衍生的中间效用。进入房地产市场的投机资金可能会推动着市场走向虚假繁荣，而为之服务的经纪人则提供的是中间效用。这种衍生的中间效用会随着投机的高涨而高涨。但过度的投机之后将会是长久的经济低迷，卷在其中提供衍生的中间效用的经纪人也会遭受沉痛打击。

2. 服务于赌博性交易的中间效用

从现代经济的角度来认识，赌博性交易不是指博彩活动，而是特指金融衍生品交易。在资本市场上，金融衍生品交易不同于股票交易、债券交易、期货交易等具有一定投机性在内的金融交易活动，而纯粹是赌博性的金融交易活动。这种交易实质上是现代资本市场的一个毒瘤，有百害而无一利，却像吸毒者一样，还难以戒掉了。因此，为这种赌博性金融交易提供服务的中间效用，也是一种衍生的中间效用。许多业内人士将金融衍生品交易视为资本市场现代化的标志，如同现代军人崇拜核武器等现代高科技武器装备是一样的。其实，在人类社会的历史中，战争的发展极限是消灭战争，而不是用更先进的武器打仗。若能清楚这一点，就应知道现代资本市场的功能不是无限度地扩展，不能是畸形地发展。从期权交易到股指期货期权交易，金融衍生品交易的内容越来越复杂，品种也越来越多。这些金融工具的推出，为赌博性的金融资本运作创造了更大的活动空间，只是不能对与直接生产过程挂钩的投融资产生有益的影响。在现时代，经济的发展，社会的现代化实现，都离不开本原的金融服务，而衍生的金融交易只会导致越来越疯狂的金融赌博。由金融衍生品交易产生的衍生的中间效用也是一种高智能与高度疯狂相结合的服务效用。

3. 提供奸宄性交易服务的中间效用

这种衍生的中间效用主要是指由本原的军事劳务劳动中间效用衍生形成的世界军火市场交易的服务效用。比之赌博性交易，世界军火市场的交易更是一种远远超过毒瘤危害性的灾星。因而，可称之为奸宄性交易。凡是为这种交易提供的服务，都是奸宄性的中间效用。在20世纪下半叶，世界军火市场的交易一派火红，到了20世纪末已经发展到了相当的规模。据斯德哥尔摩和平研究所研究结果表明，1995年世界常规武器的销售额比1994年下降了0.2%。1995年销售额共约228亿美元。美国仍然是最大的武器出口国，其销售额占世界的43%，而1994年占56%。这是美国自1993年以来连续第三年下降。1995年美国的武器销售额为98.5亿美元，比1994年下降了23%。俄罗斯的出口增加了3倍多，占世界销售额的17%，而1994年只占4%，但与1986年前苏联所占43%的份额相比仍然很低。1995年俄罗斯出口额为39亿美元，使之成为仅次于美国的第二大武器出口国，排在其后的是德国和英国。德国近年来已成为欧盟最大的武器出口国，远远领先于英国和法国。但1995年德国的武器销售额比1994年下降了21%，为19.6亿美元。英国同年的销售额增加了11%，达到16.6亿美元，排在第4位，而法国的销售额则下降了20%，为8.15亿美元，位居世界第6。中国的排名上升到第5位，增加了17%，达到8.68亿美元。在进口方面，亚洲武器进口量最大，1995年占46%的份额，而1986年只占26%。曾为世界主要武器市场的中东国家武器进口量1995年只占世界市场的23%（1986年为31%）。南美洲国家近年来武器的进口量略有增加，但1995年南美各国的进口量加在一起只占世界总进口量的5%。① 而2001年美国发生"9·11"事件之后，世界军火市场的交易量剧增。2003年伊拉克战争爆发后，更是促进了世界军火贸易的繁荣。在世界军火市场上，现在不管是什么军火都能买到，包括大规模杀伤性武器。所以，在人类文明高度发展的今天，这一市场的扩张和竞争真是达到了丧心病狂的程度，它只起反人类的作用。明明知道卖武器给人家，人家是要用这些武器打仗的，甚至在恐怖主义横行下，这些卖出去的武器还很有可能打回到自己的头上来，就这样，这些靠卖军火发财的人还是要卖。他们只管卖，至于这些武器将来用在哪里，去打谁，他们就不管了，他们惟一需要的是追求军火的高额利润。在这种认识逻辑下，军火商当然是惟恐天下不乱的，他们希望世界各个地方

① 参见《军情商情动态》1996年7月25日。

都燃起战火，那样他们才可以更多地卖武器了。这是极端的变态行为，是当代世界动乱的祸根。可以说，世界军火市场一天不除，这个世界就一天也别想安宁。提供这种衍生的中间效用，是恶性的，它的金钱效益的背后是血肉模糊的苦难之躯，是千百万人的生命丧失。在 21 世纪，对这种高科技下的奸宄行为，是必须给予制止的。这种奸宄性的效用甚至完全违背军事劳动的本义，不是制造武器保护自己，而是利用卖武器赚钱，而不管人家是否会用这些武器来打自己。相比之下，奸宄性的从事世界军火贸易服务的效用是衍生的中间效用中最恶劣的表现，其疯狂的变态性存在，遗患无穷。

二　市场中的无奈

在现代经济的发展中，出现衍生的中间效用，是一种市场的无奈。在纯粹的市场活动中，所有的交易行为都是为了逐利，既然如此，那就是什么合法的手段都是可以运用的，即在不违法的前提下，人们可以不断地从既有的交易内容和形式中衍生出新的服务内容和形式，使双方交易的获利目的更为突出和务实，而形式上也可以变幻莫测，让人们匪夷所思。这是衍生的中间效用产生的自然基础。由一般的逐利转向投机性逐利、赌博性逐利和不可理喻的疯狂性逐利，在现实之中，还都是合法的，更是为市场的准则允许的，至少在 21 世纪初，这都还属于合法的范围，还是市场关系能够容纳的。在资本市场上，不论是从事投机性交易服务，还是从事赌博性交易服务，都算得上是体面的社会工作，是值得赞美的能人行为，是赋予了英雄气概的壮举。尤其是在金融衍生品交易中，能够调动并驾驭巨资的人，是具有良好心理素质的领袖人才，是普遍地受到市场内外各类从业者尊敬的。而更无奈的是还无法制止世界军火贸易。在常态的社会历史中，国家是惟一可以合法地使用暴力的组织，因此，国家也可以制定相关法律合乎市场规则地进行军火贸易，世界军火市场由此而形成。从猿人到今人，人类的进化不知付出了多少代价，但眼前的世界军火交易却是人们可以清楚地看到的代价。常态的市场是在这种无奈中存在的，常态的社会是踏着这种代价发展的。一切无奈都在合法地延续，一切代价的付出似乎都具有充足的理由。然而，世界军火交易在创造巨额利润的同时也加剧了世界的恐怖与灾难。对资本收益贪婪地追求，是导致形成种种的市场无奈的直接原因。人类在无奈中生存是有其自然的必然性的，但人类对自然和自身的认识进步肯定可以相应地减少许多无奈。

在 19 世纪，生活在当时经济最发达的英国，针对人们的商品拜物教，马克思指出："商品形式的奥秘不过在于：商品形式在人们面前把人们本身劳动的社会性质反映成劳动产品本身的物的性质，反映成这些物的天然的社会属性，从而把生产者同总劳动的社会关系反映成存在于生产者之外的物与物之间的社会关系。由于这种转换，劳动产品成了商品，成了可感觉而又超感觉的物或社会的物。正如一物在视神经中留下的光的印象，不是表现为视神经本身的主观兴奋，而是表现为眼睛外面的物的客观形式。但是在视觉活动中，光确实从一物射到另一物，即从外界对象射入眼睛。这是物理的物之间的物理关系。相反，商品形式和它借以得到表现的劳动产品的价值关系，是同劳动产品的物理性质以及由此产生的物的关系完全无关的。这只是人们自己的一定的社会关系，但它在人们面前采取了物与物的关系的虚幻形式。因此，要找一个比喻，我们就得逃到宗教世界的幻境中去。在那里，人脑的产物表现为赋有生命的、彼此发生关系并同人发生关系的独立存在的东西。在商品世界里，人手的产物也是这样。我把这叫做拜物教。劳动产品一旦作为商品来生产，就带上拜物教性质，因此拜物教是同商品生产分不开的。"①

货币是固定地充当一般等价物的特殊商品，也就是说，货币是最一般化的商品。因而，在商品拜物教发展到极致时，会自然转化为货币拜物教。在熟知商品的魅力之后，人们更发现货币的魅力。在商品经济条件下，人们交换商品获得货币，有了货币可以舒适地遨游在商品的海洋中，货币化的商品成为人们社会生存条件的标志，因此，人们不由不对货币产生比对商品更大的崇拜。并且，货币拜物教比商品拜物教更带有虚幻的性质，它会使人迷幻地以为有了货币就有了一切，不问货币的来源与作用，将生存的依据不是置于劳动之上而是置于货币之上，掩盖了人类生存与劳动之间的本质联系，将个别人依赖于货币的生存状态转义为一般的生存条件，由拜物教而脱离生活的实际，只有对形式的依赖，而忘却内容的存在。在这样的盲目下，人们可能置一切于不顾，视货币为生命和幸福，不是以劳动为生，而是以不择手段地获取货币为生。本来，货币是代表生存条件的，货币本身不是生存条件，而在货币拜物教中竟然颠倒了标志与实在的关系，以幻觉的疯狂扭曲现实的市场。

资本是能增值的货币。资本主义生产的发展给人们带来前所未有的对货币的重新认识。与货币相比，资本的成就已经表明它更具魅力。从商品到货币，再从货币到资本，人们的拜物教一级高于一级。资本拜物教的内涵似乎更有说服力：在现阶段，资本是统治一切的，统治生产，统治市场，统治分配，统治人们的头脑，即使你只有资本，不懂市场，不懂生产，不懂技术，不懂管理，不懂……你也可横空出世，以握有资本的权力统领其他生产

---

① 马克思：《资本论》，第1卷，人民出版社，1975，第88、89页。

要素，让懂的人为你服务，构建庞大的生产系统，创造社会财富。由此而言，资本拜物教比之商品拜物教和货币拜物教更有气势，是拜物教递进的顶点，表现出人们对资本力量的依赖和折服。这或多或少是现实的写照，资本在表现自身的实用性的同时，也在某种程度上继续地证实着商品拜物教和货币拜物教的市场影响力和社会认同基础。也就是说，资本拜物教不是孤立存在的，是历史发展而来的，是以商品拜物教和货币拜物教的社会作用存在为自身存在并施展魔力的基础。若切断拜物教形成的历史，无从解释资本拜物教产生的渊源，也无法诠释资本的现实作用。

从直接的联系和具体的行为来分析，现代经济中的资本拜物教仍像幽灵一样徘徊在市场交易主体的心中，从而导致了脱离生产强化资本赢利的投机性交易、赌博性交易以及奸宄性交易的产生和勃兴，构成了社会经济运行中的另一面，即单纯地追求价值的增加，使归属社会无奈代价的衍生的中间效用应运而生。在这种真实的市场面前，一些人不愿再去费力地生产各种生产和生活消费品，也不愿再单纯地持有货币，而是非常精明地只想最现实地在资本市场上进行价值交易或独立化运动的价值交易，去实现货币的增值。或许，参与这类市场交易的彻底失败者才会对自己的行为有深刻的认识，而成功者们是不屑于考虑这样的问题的，他们的成功就是拒绝回答一切与获利无关的问题的最充足的理由。事实上就是，靠卖军火发财的人不会谈战争的创伤，不会谈被这些军火夺去性命的人的生存价值，他们只讲武器的先进性和价格的合理性，在市场上他们是彻头彻尾资本化的人，是资本拜物教打造的常态强者，他们将个人幸福实实在在地建立在了血腥之上，他们拥有的足以骄傲的资本力量是在周而复始地深切述说着市场的无奈。中间效用的衍生就是这种无奈存在下的衍生。

三 无奈与优化

存在的并非都是合理的，只是，若存在就一定有其存在的原因与条件。衍生的中间效用存在是市场的无奈，也就是说市场本身无力改变这种状态。不仅市场逐利无可厚非，隆隆的战火也与市场无关。在军火商看来，不是我要卖军火给你，而是你要向我买武器，我只是向你出售武器，并没有让你用这些武器去打仗，去杀人，更危险的行为是买武器而不是卖武器。所以，虽然明知社会付出的代价巨大，但在市场的无奈面前，几乎不能对市场的具体交易者和衍生的中间效用的创造者有任何责难。股票市场上的投机不过度，就是正常现象，甚至说，如果没有投机才是不正常的。金融衍生品市场一直是作为现代金融市场的创新标志存在的，任何对它的诅咒都抗拒不过在这一市场上活跃的强大的资本力量。那个金融赌博交易的圈子很小，却有着极强的生命力。衍生的中间效用是自有生存条件的，它们是常态社会中变态劳动长期发展的结果。从今天来看，不能否认这些效用的特殊性，也不能否认它的存在的适应性。至少，不论是投机性的，还是赌博性或奸宄性的，这些效用的产生都是交易者自身情愿的，一个愿打，一个愿挨，市场上的他人无须置喙。按照现行的市场交易准则，任何衍生的中间效用都是不能被市场排斥的。

但是，超市场的力量可对市场的无奈起一定的作用。人类社会的进步将会从各方面改变衍生的中间效用的存在状态。从根本上说，人类劳动的整体发展将提升劳动主体作用而最终敲碎现代人崇拜的资本拜物教。人类社会的存在希望就在于，不能永远地停留在资本起支配力量的发展阶段，经济运行的内在推动因素始终是在变化的，这将引导人类走向更高级的社会。如果政治经济学研究者只局限于近几十年或近几百年的市场存在看问题，就将会同市场的交易者一样深深地陷入资本拜物教之中不能自拔，并将表现出对事实的尊重，从而认为现实的资本市场存在的根本准则是天经地义的，是不可改变或不会改变的。但是，只要展开人类历史发展的全过程，就能从劳动发展的内在决定力量看到未来劳动主体作用的支配性产生，看到结束资本统治一切的时代已见端倪。因而，不是新的时代的睿智者要打破资本拜物教，任何个人都没有这种能力，而是整个社会劳动的进步将使之成为必然。市场的无奈不由市场自身解决，而要由决定市场存在的力量解决。不过，在现阶段，这还未成为主流趋势。现在可以做的，只能是动用全社会的力量努力实现中间效用优化。这种优化就是指，与社会劳动的发展水平相适应，将衍生的中间效用的市场实现控制在可能的最小限度之内。目前，实施中间效用优化，主要体现在以下 3 个基本方面。

1. 尽快消灭为奸究性交易提供服务的中间效用

在 21 世纪，人类还无法消灭战争，但却可以阻止世界军火贸易。这是人类走向消灭战争的第一步，也是极为关键的一步。走好这一步，其重要意义并不亚于 1969 年 7 月 20 日美国宇航员尼尔·阿姆斯特朗在月球上代表人类迈开的那一步。而且，自美国发生"9·11"恐怖事件之后，消灭世界军火贸易的急迫性就更为突出了。这并不是说美国积极地卖军火，到头来引火烧身了，而是说人类必须警醒，若再不大幅度地提高对自身的认识，即社会科学再不迅速跟上自然科学的发展，那么高科技下的暴力的蔓延将最终毁灭全人类。所以，反恐怖只是治标，发展社会科学理论才是治本。只有人类对自身的认识跟上对自然的认识，人类才能有生存延续的希望。卖军火是当代市场发展的最高峰，变态的和危险的最高峰。人类从什么都不卖，发展到什么都卖，发展到卖军火、卖大规模杀伤性武器，这是变态理性促进市场发展带来的最大危险，也是人类社会进步中最愚蠢的非理性行为。在充满恐怖的 21 世纪，需要各个国家联合起来通过决议，制止国家与国家之间的军火交易，取缔世界军火市场。如果哪个国家胆敢继续买卖军火，其他国家要依照共同签署的决议规定给予其严厉的制裁。美国长期以来是世界头号的军火出口国，全世界人民有权力联合起来要求美国带头停售军火。不管是哪一任的美国总统，都应代表美国人民认真地思考这一问题，督促相关机构通过立法，尽快实现这一转变。若美国能率先消灭这种衍生的中间效用，必将大大提高其国际威望，为人类消灭战争做出不可磨灭的贡献。美国的退出不仅可以使世界太平一半，还可以有效地钳制另一半。这样，结束世界军火市场历史使命的那一天就终将到来。在伊拉克战争结束之后，这应成为各国政治首脑关心的头等大事。若对此漠视，那不论是谁，实质上都是没有资格在这个时代从事国家政治工作的。

2. 尽力遏制为赌博性交易提供服务的中间效用

金融衍生品交易是资本市场内生的毒瘤，早除去一天，市场早康复一天。但是，现在资本起支配作用的社会发展阶段尚未过去，或者说人类社会现在还停留在这一发展阶段之中，所以在客观上资本拜物教还不会破灭，资本还在全球市场上施展着巨大的魔力。所以，与资本的支配力和拜物教直接相关的金融衍生品交易还不可能完全消灭，退出历史舞台。现在，有些国家和地区对开放金融衍生品交易市场始终持谨慎态度，这是遏制为这种赌博性交易提供服务的中间效用的最好办法。但更重要的是政治经济学的效用理论研究要积极地推进，要从根本上阐明这种资本交易走向极端疯狂的性质和危害，使理性的力量能对指导实际遏制的工作发挥作用。这种研究不能交由金融学去研究，因为这必须跳出金融来认识金融。若只局限于讲金融，那当然金融衍生品的交易更体现金融运动的独立性特长，更会受到娴熟金融游戏规则的专家创造性的支持和鼓励。社会经济的发展不能以单纯的资本赢利多少为评判尺度，对于赌博性交易的赢利，只是中间效用性质的，并不代表终点效用的增加，即没有更大的社会福利的增加。因此，遏制金融衍生品交易，在这方面只保持较小的游戏规模，对于整个社会还无太大的伤害；而不加遏制，任其蔓延，可能会引起极大的市场混乱。到任何时候都必须明确，人类社会经济的发展是由劳动的创造支撑的，不是毫无创造力的赌博性的金融游戏能够承担的。政治经济学效用理论研究的推进与普及是遏制这一类衍生的中间效用扩展的重要力量之一。

3. 尽量保持为投机性交易提供服务的中间效用发展适度

由人类劳动整体发展的水平决定，在今后较长的时间内，世界各地的股票市场及其他证券市场将繁荣地存在，并且会以不同的方式不同程度地表现资本的活力。尤其是股票市场，这是各个国家的民营资本的融资渠道，是资本市场融资功能的核心所在。在现实的资本市场中投机性交易是不可少的，投机性的交易活跃同样表现出资本市场的活跃。因而，资本市场的发展表明，为投机性交易提供服务的衍生的中间效用是发挥了促进市场活跃的作用的，这种作用是不可缺少的，只是市场以外的力量要将这种作用的发挥控制在适度的范围内，不能缺失保持适度的理念。社会必须将对股票市场及其他证券市场的监管落在实处，对投机性交易实施规范的保护和控制措施，防止投机交易者兴风作浪，掀起狂潮。在 21 世纪，保持世界各地的资本市场的投机性交易适度，不仅表现出现代社会的成熟与宽容，也表现出现代社会的经济运行的稳定与理智。

第十六章　常态效用的终点

终点效用是指满足社会生产和社会生活最终消费的劳动成果效用。在社会财富的创造中，终点效用与中间效用是分主辅存在的，中间效用也是现代经济不可缺少的劳动创造，但相比之下，更重要的生产效果是增加终点效用，而不能是任意地脱离终点效用的创造单纯地增加中间效用。无论何时，增加中间效用均可增加社会总的经济活动量，但却不能增加社会最终消费需要的财富。中间效用的增长若与终点效用的创造不匹配，是市场运行紊乱的表现。比如，过度地投机炒股，过度地炒地皮，过度地搞商业炒作，过度地加大金融交易成本，等等，都将会造成国民经济虚胖，或者说造成没有实质内容的经济虚假繁荣（泡沫太多），对正常的发展起阻碍作用。凡市场实现的终点效用不存在虚增问题，每一单位的终点效用都将成为社会最终消费的财富，只是在效用的创造中存在结构性问题，即应根据社会对各类终点效用的需求结构对称地创造具有各种终点效用的劳动成果。结构平衡的终点效用增长是社会经济实力增强和运行状态良好的标志。因此，区分中间效用与终点效用，研究终点效用的结构与交易等一系列基本问题，在现代政治经济学研究中具有重要的理论意义。而且，至今人类社会处于常态发展阶段，对于终点效用的研究也需要从常态劳动的创造出发进入常态分析的体系，这在 21 世纪的政治经济学的学科建设中更是要予以明确的。

一　常态效用

若劳动是常态的，那么劳动成果也是常态的，劳动成果的使用价值的一般化同样是常态的。在客观上，效用只能是指劳动成果的作用，只能是由劳动决定其创造的范畴，不能脱离劳动及劳动成果认识效用。准确地讲，自政治经济学创立以来，迄今为止的所有的对效用的研究实质都是研究常态效用，只不过，在以往的研究中，人们对此没有自觉的认识。若研究效用，而不认识效用的常态性，那必然是对人类劳动发展的历史与现实缺乏深刻的认识。经济学是一门认识客观事实的科学学科，不是单纯的思维工具学科，任何与客观实际不相符的认识都不可能对现实起科学的指导作用。因而，作为政治经济学研究的重要内容，效用理论的研究必须进入常态的历史与现实之中，必须反映效用的常态性。常态劳动是正态劳动与变态劳动的统一，同常态劳动的范畴概括一样，常态效用也是正态效用与变态效用的统一，即常态效用是对现实经济中正态劳动创造的正态劳动成果的正态效用与变态劳动创造的变态劳动成果的变态效用的统称。

常态效用对应常态价值。可以说，效用是常态的，价值才是常态的，因为抽象的价值是以具体的使用价值为基础的。也可以说，价值是常态的，效用才是常态的，因为价值是劳动作用的凝结，效用是劳动成果作用的一般化，劳动创造劳动成果，劳动的作用在先，劳动成果的作用在后，有先才有后，劳动的常态性决定劳动成果的效用也是常态性的。常态价值可分解为正态价值与变态价值，常态效用可分解为正态效用与变态效用。在现实经济中，正态价值是对应正态效用的，变态价值是对应变态效用的。从社会总的劳动创造讲，正态价值的创造是主要的，占社会总的价值创造的绝大部分，并且是社会存在的价值基础；相对应的是，正态效用的存在是主要的，占社会总效用的绝大部分，并且是社会存在的物质基础。变态的价值与变态的效用具有统一性，即变态的价值就是变态的效用所承载的价值抽象，变态的效用也就是变态的价值所依托的具体的使用价值。统一的变态价值与变态效用是常态社会不可缺少的劳动作用与劳动成果作用提供的生存保障，也是常态社会经济的基本特征。正态价值与变态价值虽有态势不同的区分，但价值的衡量尺度是统一的。同样，正态效用与变态效用也不因态势的不同而有不同的衡量尺度，价格是效用的社会表现，不同态势的效用交换同样贯彻等价格交换原则。

正态效用的创造要最大限度地满足常态社会人民生活的需要。人类社会的发展在某种程度上就体现为这种满足的水平提高。这也就是说，人类是在正态效用的滋养下慢慢地成长进化的。人类生活的变化相应可以用正态效用内容的变化来表现。正态劳动作为人类生存的基础是体现在正态效用的具体作用上的。因而，有正态效用的存在，就有人类的存在，尽管现在人类社会整体上还处于常态发展阶段，但是，无论在哪一时期，正态效用都是社会劳动创造的基础部分。

在常态社会，变态效用是社会总效用中的归属军事效用的部分，即军事效用就是变态效用，除此之外，效用都是正态的。军事效用具有整体性，即整个军事系统共同创造一个整体性的劳动成果，起到保障国家安全的作用。变态效用的存在也是一种无奈。现实之中，每个国家都要投入大批的人力、物力、财力维护国防，创造军事效用，很少有例外。但最终，实际能用上的军事设备，也是很少的。除非发生战争，投入军事劳动上的要素都只是各国之间的对抗性消耗。不过，由于恐怖主义横行，战争的危险始终存在，各个国家都不敢在这方面掉以轻心，都仍在积极地强化本国的军事劳动。但是，对于这种无奈，即对变态效用的创造，现在不能一下子取消，也要开始一点一点地取消。

二 社会必需的终点效用

在常态效用中，除去中间效用外，包括本原的中间效用和衍生的中间效用，其余全部是终点效用。而在终点效用中，则还要区分社会必需的终点效用与非社会必需的终点效用。

每个人生存的生理所需要的热量、营养、水分、洁净的空气等等需要每日得到满足。满足这些人类生理需求的效用是社会必需的终点效用中的最基础的一部分实用效用，不包括非基础部分的劳务效用及其他效用。在满足生理必需的基础上，必需的终点效用还包括社会性的某些需要，如衣服、住房、交通工具、通讯工具、生产设备、能源、社会管理等方面的效用。在社会发展的各个历史时期，人类劳动的成果除了要满足当时最基础的生理需求效用之外，从总体上还需要按社会发展水平满足社会性的必需的终点效用，至少，这在客观上是能够做到的。

就效用大的种类划分讲，社会必需的终点效用不具有选择性，只是在大的种类之内人们才有选择的余地。比如，食物是一大类必需的终点效用，任何人都需要食物，这无可选择，人们只能是对食物的品种进行选择。人们不吃大米可以，但是不能不吃别的食物。问题在于，不能用具体的食物品种的可选择性否定食物作为社会必需品的确定性。在食物之内，存在着各个品种之间的效用可替代性。所以，社会必需的终点效用是抽象认定的，这不能以具体的效用表现。对于具体的效用，只能是看其能否归类到必需的终点效用范围之内。

生活必需的终点效用是社会生产的根本目的。在劳动发展水平较低时,生活必需的终点效用范围小,只是最基本的衣、食、住等方面的需要,因为全社会的劳动倾其全力,也只能提供这些效用,非必需品的生产是很少的。直到今天,在经济落后的贫困国家或地区,这种状况仍未改变,满足衣食温饱还是比较困难的。在高科技的带动下,到了 21 世纪初,经济已经是高度发达了,像美国、加拿大、日本、西欧和北欧一些国家经济已经是高度发达了,几乎家家都有轿车并已成为生活必需品了,遑论最基本的食物效用的需求满足问题。因此,从昂贵的商品进入发达国家人口的社会性必需消费而言,在现代经济中,存在着尖锐的两极对立,一极是贫困人口难以满足最低生活需要,一极是富裕人口的最低生活需要在其总的生活费用中占的比重已经是很低的了。就这个状况而言,在全世界范围内很难统一区分哪些劳动成果属生活必需品,哪些劳动成果不属于生活必需品,因为各个国家或地区的社会发展水平不一致,而确定必需品的范围是带有社会性标准的。所以,现实的界定只能是相对性的,区分不同的国家或地区,经济发达国家或地区的生活必需品范围肯定要大于经济落后的国家或地区。只是,在相对性的确定之中,无论是怎样贫困的国家或地区,其确定的范围也不能小于人们生存的最低需要。

生产必需的终点效用是根据生活必需的终点效用范围确定的。生产是为生活服务的,所以,有了生活必需品的确定,才能有生产必需品的确定。在经济落后的国家或地区,生产的必需品同样是一个较小的范围。或者说,正因为只有较小的生产必需的终点效用,才表明社会的生产力低下,经济发展水平低,人民的生活水平难以提高。当然不同的是,在发达的国家或地区,生产的必需品也是一个相对较大的范围,包括生产家用轿车的消耗品效用都属于生产必需的终点效用，因为这些家用轿车在其实际的生活已是普及的或几乎离不开的。由贫困状态下的生产必需到经济发达后的生产必需，这是一个发展的过程，是任何国家或地区都要经历的过程。

需要明确指出的是，不论在哪个国家或地区，不论是穷国还是富国，每个国家或地区的公务系统劳动提供的效用都是社会必需的终点效用。这是为社会生产和生活服务的终点劳务效用，这类效用在古代社会就是必需的，在现代社会更是必需的。至于公务系统劳动中是否有冗员，是否滥设机构，那是另一回事。只就劳动成果效用的种类讲，这属于社会必需是确定无疑的。此外，社会教育系统的基础部分和尖端部分也都属于社会必需的终点效用范围。

再需要讲清楚的是，变态效用即军事效用，就其整体的存在讲，也属于社会必需的终点效用。在这一点，军事效用与公务效用是一致的。在现阶段，每个国家都不可缺少常备军，只有个别的国家或地区可例外，这就是军事效用表现出的必需性。同样，军队设置过多与军队内部人员设置安排不当，也是与军事效用的必需性相冲突的。

三 非社会必需的终点效用

在人类常态劳动发展到一定水平之后，才出现非社会必需的终点效用。这些非社会必需的终点效用是应市场真实的需求而涌现的。它们是由市场催生的，而不是被市场排斥的。可以说，有了这一类效用的产生，才有了市场发展的更大繁荣。也只有相应地大力发展非社会必需的终点效用，人民的生活水平才能不断地提高，生活内容才能更加丰富多彩。在现时代，发达国家的人民生活不仅要求社会必需的终点效用的范围扩大和水平提高，而且要求非社会必需的终点效用的消费量增加和种类更加丰富。

与社会必需的终点效用有所不同的是，这些非社会必需的终点效用既不是正态效用与变态效用并存，也不是没有无益效用与有益效用的划分。这其实与社会必需的终点效用正相反，在社会必需的范围，是既正态效用与变态效用并存，又只表现为有益效用而排斥无益效用。在社会的现实中，社会的必需性决定了其概括范围内的终点效用均具有益性。而在非社会必需的终点效用中，就没有必须是有益性的规定了，即所有的无益效用都归属了非社会必需的终点效用，但无论何时，有益效用还是非社会必需的终点效用的主要组成部分。

从劳动发展的近代历史看，在非社会必需的终点效用中，有相当一部分劳动创造是逐步地由家务劳动转化而来的。这就是说，随着生产社会化程度的提高，有越来越多的非社会化劳动转为社会化劳动，也开始进入经济学研究的视野。比如，有更多的人经常在餐馆吃饭，不在家里做饭，这一方面减少的是非社会化的家务劳动，一方面增加的是社会化的饮食业劳动。餐馆创造的效用就是非社会必需的终点效用。现在，不光是做饭，包括洗衣、制衣、打扫室内卫生、照顾小孩等家务劳动有相当的量已社会化了。这是社会经济发展的结果，是人民生活水平提高的一种表现。

从某种意义上讲，非社会必需的终点效用为人们带来的不是艰苦朴素的生活，而是有一定的方便性和舒适性的享受。如果一个人在生活上处处自给自足，并且除了吃饭、穿衣，别无所求，那么他的生活肯定是与非社会必需的终点效用无缘的。如果是要享用非社会必需的终点效用，就会多多少少超出一个人的基本生存要求，多多少少带有一点儿享受的成分。比如，去做身体的保健按摩，去沐足，去茶楼饮茶，去打保龄球，去洗桑拿，去看电影或戏剧，等等，都是有一定情趣的生活享受，都是非社会必需的终点效用的享受。在现代的都市生活中，进行诸如此类的生活消费已是很平常的事情，不用说在发达国家人们的生活很讲究，就是在发展中国家也有越来越多的人的生活越来越讲究起来。那种上班干活，下班回家，除了吃饭，就是睡觉，千篇一律的生活正在发生着改变。所以，也可以说，发展非社会必需的终点效用是导引人们的生活走向享受的。即使在发展中国家普遍还达不到享受的程度，那么至少也可以为人们的生活提供一些便利。

除了一些生活服务效用外，非社会必需的终点效用还包括相当多的实物效用。从现有的出土文物看，在古代就有一些精美的奢侈工艺品生产，这些体现劳动智慧的杰作，是属于非社会必需的终点效用提供的。同样，现代制作的工艺品，也是起美化生活作用的，并不是生存的基本需要。还有鲜花、美酒之类的劳动成果，提供的都是非社会必需的终点效用。一个人除了吃饭、穿衣之外，如果还有一些嗜好，比如抽烟、喝酒、喝汽水、吃零食、喝茶、喝咖啡、吃补品，等等，都属于对非社会必需的终点效用消费。尤其是化妆品效用，更是非社会必需的终点效用，但现在是人们的消费支出中的一大项。还有玩具，除了儿童玩具，现在已出现了成人玩具，这一大类劳动成果的效用无一不是非社会必需的。

社会的发展已进入 21 世纪，现时代的非社会必需的终点效用包含着相当丰富的内容。从茶楼饭肆到歌厅舞场，从国内旅游到国际旅游，从衣冠多姿到时装表演，从家用电器到家庭浴室，从 VCD 到 DVD，从足球世界杯到国际奥运会，从电灯、电话到电视、电脑，等等，有越来越多的人越来越多地能享受到现代劳

动的非凡能力创造。这些具有现代品性特征的无数的非社会必需
的终点效用已经成为现代社会的生活象征和许多人离不开的生活
需要，也成为了政治经济学研究工作者不得不花费很大精力投入
的研究领域。

第四篇

创造与选择

效用是有用劳动的成果作用的一般化。也就是说，效用是有用劳动的实现，无用劳动不涉及效用问题；效用是直接指劳动成果的作用，而不是直接指劳动的作用，必须区分劳动作用与劳动成果作用的差别。虽然在劳动作用中含有作为劳动客体作用存在的劳动成果作用，但抽象地区分劳动作用与劳动成果作用是必要的。再有，要强调效用是抽象范畴，不同于各种具体的使用价值，这一范畴是对众多的有差别的使用价值的一般化即无差别化的表述。

对效用的研究，既涉及劳动成果的创造，又涉及劳动成果的使用。劳动成果的创造就是劳动的过程。对劳动的研究要求首先科学地认识范畴本身，否则，对劳动的界定缺失科学性，有关劳动创造历史，劳动创造价值，劳动创造劳动成果的认识，都将陷入基本概念不清而引起的认识混乱或扭曲的窘境。以往的研究只将劳动主体的活动认定为劳动，并不是对客观事实的准确认识。而今，对于劳动与劳动价值的研究已经走出了历史的局限，所以，对于劳动效用的研究也要从科学地认识劳动做起。在对常态下劳动成果效用的社会性、均等性和中间性等基本性质分析之后，我们将依此进入经济运行方面的系统研究，先阐述劳动成果的创造性与选择性问题，然后再讨论劳动成果的分配与消费等方面的问题。

劳动创造的选择是在国民经济的整体框架下进行的。在现代市场经济条件下，生存的竞争与市场的合作等经济关系无不体现在银行利息率与生产总量上。而经济增长的速度与质量，经济发展的方略，经济结构的平衡，对非生产劳动的控制，等等，也都是劳动成果效用创造中需要进一步研究的运行理论问题。

第十七章　常态效用的整体水平

常态效用是一个历史范畴，也是一个现实范畴。从人类社会起源计起 400 多万年来，人类经济活动创造的所有效用即劳动成果的有用性表现，都全部是常态效用。而到了高科技发达的 21 世纪，取消变态效用，实现效用整体的正态化，仍然是可望而不可即的。讨论常态下的创造与选择问题，即讨论劳动成果的效用创造以及如何按社会的需要进行效用的选择，我们拟由分析常态效用的整体发展水平起始。

一　劳动整体的发展决定效用整体的水平

效用是劳动成果有用性的抽象表示。效用的整体水平是指一定时点或时期人类劳动创造的劳动成果的总的有用性达到的规模和程度，即相应表现人类社会总的生产能力和生活水平。劳动的整体是一定时点或时期人类所有的即包括各个国家和地区全部的劳动主体与劳动客体的统一。

劳动整体的发展水平决定效用整体水平，即不可脱离劳动脱离劳动整体认识效用的整体水平。将效用视为人的主观心理感受，是无法认识历史中的效用整体水平，也无法认识现实中的效用整体水平。将效用的创造完全归纳于人的主体活动结果，也不可能正确认识效用的存在及其发展的整体水平。一定时期的效用整体水平是一定时期劳动的整体水平决定的，因而，效用的整体水平也是劳动发展水平的一种标志。效用与劳动的关系，就是劳动成果与劳动的关系，劳动成果的复杂表现劳动的复杂性，劳动成果的先进表现劳动发展的先进性。效用的整体水平不同于各个劳动成果的具体效用，整体水平是抽象的总衡量，一般讲其中最高的复杂性表现劳动整体中最高的技术水平与管理水平，或者反过来说，劳动整体中最复杂的技术和管理的作用决定效用整体的最高水平。在 21 世纪初，人类的航天飞机和火星探测器已经进入太空，可是，在同一年代，在世界上最落后的地方，还存在着刀耕火种。而面对这种反差，衡量的标准是以最高点为代表的，即是以航天飞机和火星探测器的制造技术为代表的。

决定劳动整体发展水平的是劳动整体中的智力因素。劳动的发展只能是依靠智力发展，不能是由体力或劳动客体决定的。一方面，劳动客体在劳动整体中是处于受动地位的，不是施动的一方，作为受动因素是不可能起主导作用的。再一方面，在主体因素的主动作用表现中，体力因素是服从于脑力因素的，智力是脑力的表现而不是体力的内容，因此，在主体因素的主动作用中，只有智力是带动整体发展的因素。在这样的内在机制下，人类劳动的发展进程表明，永远是劳动主体的智力水平的提升决定劳动整体的发展水平，然后再表现出是劳动整体的发展水平决定效用存在的整体水平提升。效用与劳动的关系，在根本上，取决于智力实现的水平，即劳动整体水平决定效用整体水平，客观上是由劳动内部智力因素起主导发展作用制约的。

二　各个历史时期的效用整体水平

在人类劳动发展的进程中，智力因素始终起主导作用，由智力作用水平的提升而引起劳动整体水平提升，这种变化客观地决定了各个历史时期的效用整体水平。

最初，在400多万年前，人类刚刚起源，劳动的内容是采集、渔猎、打仗等，采集是采山中的野果，渔猎是打鱼和捕兽，打仗一是为了抢山林、渔场、猎场，一是为了俘获对方人员供食用。效用主要是野果的效用、食用的鱼、兽和俘虏的肉体效用。只是到了原始时期快结束时，才有了一些刀耕火种的种植物收获，食物的效用才开始脱离完全是野生或野蛮的来源。生产工具作为劳动成果，其效用主要是石制的工具效用。

经历了漫长的原始生活之后，人类的劳动逐步地由单纯的采集转为采集与种植并举，由单纯的渔猎转为渔猎与游牧同时并存，以游牧为主了，即开始家养动物供食用，同时，也不杀俘虏食用了，而是奴役俘虏去干活劳动，以生产更多的生存资料。在这一时期，发明了文字，人类的文明迈开了新的脚步。而青铜冶炼技术的发明，使青铜制的农具成为生产力进步的最显著标志。军事效用也比原始时期有了长足的发展，打仗不再全民皆兵，而是有了职业军人。在国家的号令下，军队对内镇压奴隶起义，对外侵略或反侵略。战争的特点是更加惨烈了，并注重掠夺人口当做奴隶。

社会的进一步发展是农业经济走向繁荣。农业劳动的创造是社会生存的支柱，农产品的效用是社会主要的生活消费。在这一时期，农业生产知识越来越丰富，从事农业劳动是绝大多数人的谋生方式。铁制工具的发明成为划时代的标志，在农业经济发展中发挥了重要作用。但土地的作用比工具的作用更重要，劳动的整体水平决定了人类生存对土地的强烈依赖性和土地的数量与肥力对劳动成果创造的制约性。而这一时期的战争，在各个国家内是农民起义和镇压农民起义，在国家与国家之间主要是争夺土地。

工业革命之后，世界经济发展的主流转向工业经济，即工业革命开创了一个新的时代，开创了人们新的生产方式和生活方式。大机器的力量改变了整个世界，人们开始生活在新的工业文明之中。虽然在 20 世纪发生了两次世界大战和无数次局部战争，在 21 世纪初出现了"9·11"极端恐怖主义事件，但是，自工业革命起至今，尤其是在 20 世纪 50 年代之后，人类劳动创造的效用是以前的历史远远不能相比的。人类的劳动，特别是科技劳动，在这一时期，创造了高度的现代文明。效用的整体水平，不是以贫困落后的国家和地区为代表，而是以最高的智力创造为标志，发达国家已经进入了信息化、数字化时代。享受国际旅游的人行中有许多是普通的企业员工和普通的农民，而且还会有越来越多的普通人加入这一行列。乘飞机 10 多个小时就可以跨越半个地球，这是每天都在发生的事，并不是稀罕事，更不是梦。最尖端科技成果的代表是宇航员登上月球和火星探测器在火星着陆。当代劳动创造了当代以网络技术为核心和以金融体系为中枢的具有庞大的丰富内容的常态效用，将人类文明的发展推向了新的时代，这使得人类更加清楚地认识自身的智力发展在自然之中的力量。

第十八章　智力平台

　　"美国著名经济学家西奥多·舒尔茨从长期的农业经济问题的研究中发现，从20世纪初到50年代，促使美国农业生产的产量迅速增加和农业生产率提高的重要原因已不是土地、劳动力数量或资本存量的增加，而是人的知识、能力和技术水平的提高。在1960年美国经济学会年会上，舒尔茨发表了一篇很有创见的讲演，其题目为《人力资本的投资》。他指出，传统的经济理论认为，经济增长必须依赖于物质资本和劳动力数量的增加。然而，他认为，人的知识、能力、健康等人力资本的提高对经济增长的贡献远比物质资本、劳动力数量的增加重要得多。"① 需要明确的是，在劳动内部，智力因素永远是起主导作用的，但同时也能起主要作用，除了远古时期以外，到现在还仅仅是一种萌芽的体现。贝克尔和舒尔茨讲的人力资本其实指的是劳动中的智力作用，并不包括人的体力作用，对体力他们不讲是人力资本，外在地区分他们讲的是高智力复杂劳动者。在科学的意义上，政治经济学的研究只能是对现实经济客观状态的反映，如果不是20世纪以来人类劳动中的高科技迅猛发展，劳动技能的整体水平相

---

① 罗湘：《人力资本》中译本序言，载加里·S. 贝克尔：《人力资本》，北京大学出版社，1987。

应大幅度提高，经济学家们是难以从劳动主体因素的角度认识现时代劳动中的最重要因素的。关于劳动内部智力因素的主导作用与主要作用合一表现的萌芽，我们可以用智力平台这一术语做形象的描述，借以表示当代人类劳动发展的最高水平程度衡量的内在标准。

一　智力平台的存在

在人类劳动的发展中，电子计算机的问世及其微型化和普及化具有重要的开创意义。这表明，劳动内部的智力因素既起主导作用又起主要作用的合一萌芽已经外观化地呈现在电子计算机的应用上。政治经济学的研究不能分析电子计算机的工作原理，这种高科技的劳动成果的作用是如何体现复杂的技术水平的，亦不是政治经济学的理论能解释的。从政治经济学研究的角度认识，由没有电子计算机到电子计算机飞速升级换代，标志着人类常态劳动的发展开始进入一个新的具有重大历史意义的发展阶段。劳动的变化是以劳动工具的进步为标志的。在没有电子计算机的历史年代，或者说在这种新型的劳动工具产生之前，人类的劳动工具主要是延展人的肢体作用的，如刀、斧、箭、锯、锤、牛车、马车、织布机、风车、水车、汽锤、汽车、电车、火车、飞机、车床、电话、电动机、发电机、内燃机，等等，这些工具可助劳动者有更灵巧的手，更强的臂力，更大承载的脚力，更快的运输速度，能够明显提高劳动效率，而电子计算机是延展人的脑力作用的劳动工具，有了这一开端，才有其他的智能化的劳动工具陆续进入人类劳动过程。这种延展人的脑力作用的劳动工具的出现促使 20 世纪下半叶整个人类劳动的技能取得突飞猛进的发展，使发达国家的人民生活实现了高水平的现代化，同时也使发展中国家的人民生活有了不同程度的改善。

由于出现了延展人的脑力作用的高效能的新式工具，在当今时代，人类劳动发生了重大转变，开始由主要依靠延展人的肢体作用的劳动工具创造财富向主要依靠延展人的脑力作用的劳动工具创造财富转变。在此之前，人类劳动分为体力劳动与脑力劳动，而在此之后，劳动不再是这样简单地以劳动主体的体力作用为主还是脑力作用为主进行划分，而是更有意义地表现为是以使用延展肢体作用的工具为主，还是以使用延展脑力作用的工具为主，即不再是简单的体力劳动与脑力劳动之分，而是由使用劳动工具的差别做出比较复杂的划分。从客观的事实出发，人们可以看到，替代人的体力的工具作用是自然人的体力远远不能相比的。比如，万吨水压机可以聚合1万多吨的力量压下来，一下子将轧件冲压成形。这是任何自然人的力量做不到的，即使组织100万人的自然力相加，也无法完成这种力量的聚合。再如，一列火车60节车皮可以拉走几千吨货物，若换成人背那是不可能的，即使散货可以分给成千上万的人背，大件物品也是人们背不动的。不用说火车，就是汽车，其力量和速度都是人的自然力无法相比的。但是，从现在的劳动来看，以劳动工具延展人的肢体作用，替代人的体力，也不能与使用延展脑力作用的工具的劳动相比的。劳动工具的进步即智能化释放出的能量是巨大的，至少在今天看来是潜力无限的，即现代化证明了人脑的力量远远大于人手的力量。传统的工具可以帮助人们移山填海，筑起高楼大厦，而新的工具却可以建成全球信息网络，为人类打开地球的空间封闭，找到通向宇宙太空的道路。

创造延展脑力作用的工具的劳动和使用这种工具的劳动代表当代人类复杂劳动发展的主流水平。在当代，并不是所有的劳动都能达到这一水平。事实上，有许多地区、许多人的劳动还是很简单的，只有简单的劳动工具，生产效率低下。即使是使用比较先进的内燃机、电动机、精密车床之类的劳动工具的劳动，其复杂程度也与延展脑力作用的工具的劳动创造相差太大。因而，可以说当代人类劳动的整体发展事实上形成了一个智力平台，这是由智力因素在起主导作用的同时又起主要作用所决定的，现实经济之中发挥着延展脑力作用的工具创造与使用，正是标志着智力平台的存在。人类劳动的智力将在这一平台之上得到更迅速更壮观的数字化发展，而劳动整体也将在智力平台导引下走向新的辉煌。这也就是说，智力平台是当代劳动复杂程度的体现，能够跃上这个平台的劳动才是当代的高智力复杂劳动。在劳动工具只能延展肢体作用的年代，不会涌现这样一种代表高技能与高效率的智力平台。在当代形成这一智力平台之时，相当多的复杂劳动并没有超越或达到这一平台，只是受到了平台上的复杂劳动的较大影响。

已经实现了现代化的发达国家均是依赖于智力平台而发达的。尽管这些国家曾经依靠船坚炮利横行天下，曾经依靠大机器的工业生产威力垄断世界市场，但那些力量并不足以支撑这些国家今天所达到的发达水平。智力平台在这些国家起了提升经济发展水平的决定作用，依靠新的延展脑力作用的工具所发挥的创造力，才是这些国家经济高度发达的现实原因。而发展中国家的经济水平上不去的现实原因相应地也就是缺少这一智力平台。就电子计算机而言，现在世界上每个国家都使用，但能制造完整的电子计算机的国家却很少，而且，很多人的电子计算机就是一个打字机、游戏机、上网娱乐设备，很少能将其用于科学研究或工程设计，并不是用上了电子计算机就提高了劳动的复杂程度。正是由于智力平台均建在发达国家，所以这些国家才能在各个行业起技术领跑的作用，并且获得相应的丰厚收益。这样，这些发达国家就形成了一种强者越来越强的良性循环，智力平台的存在及其数字化的信息发展作用对于财富的创造力量在其经济发展中十分显著地体现出来。这些国家无一例外地是依靠智力平台取胜的。

二 智力平台的上下关系

准确地讲，智力平台在发达国家存在并发挥巨大的作用，但是也尚未达到完全的统治地步。因此，讨论智力平台的上下关系，需分为两个方面：一是发达国家自身存在的智力平台的上下关系，再是发达国家与发展中国家之间存在的智力平台的上下关系。

在发达国家，智力平台代表的高智力复杂劳动是国民经济的中流砥柱。正是因为有了这样的劳动智力水平，这些国家才区别于其他国家，在整个世界率先走进现代化。高智力复杂劳动是这些国家发达的依靠力量，或者说是这些国家经济发展的强大动力。尊重并支持这些高智力复杂劳动，是这些国家的经济建设取得成功的关键。具体说，在这些发达国家，能够形成智力平台，是市场也是社会促使的，国家财政为此投入了大量的财力，从对劳动者的素质培养，到各门学科发展所需的设备设施，都有社会长远的思考与投入。而市场的现实，也导引资本向更能获利的高科技投入倾斜，加上军事科学研究的需要产生的带动作用，现代高智力复杂劳动的数字化研究始终是社会和市场的热点，这甚至不为一般的市场波动所左右。因此，在发达国家，是整个社会的配合，才取得劳动的根本性突破，才形成了智力平台，使之以后的经济发展具备了更好的条件。在今天，人们可以用电子计算机上网，可以打手机全球通电话，可以进行国际旅游，可以每周只工作 5 日抑或更少的时间，可以享受带薪休假，这均得益于智力平台上的劳动存在。没有现代的创造和使用延展脑力作用的工具的劳动出现，整个社会的劳动技能不会达到现代化水平。但是，高智力复杂劳动决定社会的效率与水平，不代表社会劳动完全的必要性，在高智力复杂劳动之外，还存在大量的其他劳动处于智力平台之下。平台下的劳动分为两种情况：一种是将来可以上升为智力平台之上的劳动。这是由于现实条件的制约，劳动智力的提升还未能带动某些劳动发生时代性的变革。比如，应该用数控车床却还在使用普通车床，应建全自动化生产线却仍是半自动化作业等。再一种情况是，永远作为智力平台下的劳动存在。因为社会永远需要这一类劳动，社会的分工对劳动的需要是不同层次的，一些简单的劳动或者说不太复杂的劳动是人们生活中不变的需求。如粮食作物的种植、水果的采摘、饮食服务、保健按摩、汽车运输，等等，不可能将来变复杂，而社会对这些劳动的需求是不会因生活走向现代化而改变。这些平台下的劳动与平台上的高智力复杂劳动将长期共处于各个国家的市场之中，它们之间也存在相互的交易关系。我们应明确这两种劳动的并存性，智力平台之上的劳动不能排斥平台下的劳动，智力平台之下的劳动也不能都转为平台之上的劳动。凡在市场中成为具有社会必要性的劳动，都是社会给予承认的有用劳动，即都是创造劳动成果效用的劳动，都是创造价值的劳动，相互之间都可发生交易关系，只是，智力平台之上的劳动成果效用在交易中会表现出一种效率可比的复杂性，因此，相比之下，在市场上，无论在哪里，无论是采取何种方式交易，高智力复杂劳动都会取得相应的高收益，而且通过现实的表现从根本上支撑了整个社会劳动的现实的发达水平。

在发达国家与发展中国家之间更是明显地存在着智力平台上

下的劳动之分。但并非发展中国家的劳动都在智力平台之下，正如发达国家也存在一定的智力平台之下的劳动一样，在当今世界走向融合的年代，发展中国家也培养了一些高智力复杂劳动者，并从发达国家引进了一些技术专家与管理专家，只是这些属于智力平台以上的劳动要素的聚合还不能达到支撑国家实现经济现代化的力量水平。事实上，发展中国家的高智力复杂劳动与发达国家的高智力复杂劳动是一脉相承的，后者对前者有着直接的促生作用。这种劳动的转移方式是有利于人类社会整体进步的。一般说，发展中国家的高智力复杂劳动的实力，除个别领域外，总体上是与发达国家的高智力复杂劳动存在一定的差距。所以，跟随在发达国家之后学习、借鉴、模仿、引进和提升，似乎是发展中国家的高智力复杂劳动扩展的一个普遍特征。另一方面，发达有早晚之分，没有可能与不可能之别，在 21 世纪，经过艰辛的努力，发展中国家的智力平台也会建起来，并使自身经济发展起来，逐步迈进发达国家之列。而发展中国家的只能存在于智力平台之下的劳动，也同发达国家一样，永远活跃在市场之中。

三　智力平台提升产业结构

产业结构的进步是人类劳动发展的外在表现之一。从根本上讲，不是市场需求的变化引起产业结构的变化，而是劳动内部的智力作用不断提高促使了产业结构不断演进。因此，与智力平台出现相对应的是实现了产业结构的现代化。这就是指，在按第一次产业，第二次产业和第三次产业划分的产业结构之中，第三次产业的比重最高，接近、达到或超过 2/3。表 18-1 列出 20 世纪 90 年代世界主要发达国家的产业结构情况。

表 18－1　1993 年世界主要发达国家的 GDP 及产业结构

国　家	人口 （百万）	总 GDP （百万美元）	人均 GDP （美元）	第一次 产业	第二次 产业	第三次 产业
爱尔兰	3.5	42962	13000	8%	10%	82%
澳大利亚	17.6	289390	17500	3%	29%	67%
英　国	57.9	819038	18060	2%	33%	65%
芬　兰	5.1	74124	19300	5%	31%	64%
科威特	1.8	22402	19360	0	55%	45%
意大利	57.1	991386	19840	3%	32%	65%
新加坡	2.8	55153	19850	0	37%	63%
荷　兰	15.3	309227	20950	4%	28%	68%
法　国	57.5	1251689	22490	3%	29%	69%
奥地利	7.9	182067	23510	2%	35%	62%
德　国	80.7	1910760	23560	1%	38%	61%
瑞　典	8.7	166745	24740	2%	31%	67%
美　国①	257.8	6259899	24740	1.6%	22.5%	76.5%
挪　威	4.3	103419	25970	3%	35%	62%
丹　麦	5.2	117587	26730	4%	27%	69%
日　本	124.5	4214204	31490	2%	41%	57%

资料来源：世界银行：《世界发展报告》，中国财政经济出版社，1995，第 163、167 页。

①美国的产业比重是 1997 年数据，转引自刘树成、张平等《"新经济"透视》，社会科学文献出版社，2001，第 27 页。

产业结构的现代化是发达国家经济现代化的表征之一。智力平台形成之后，并不是第一次产业的生产绝对值下降，而是第二次产业和第三次产业的生产绝对值大幅度升高，由此才使得第一次产业的比重下降。智力平台发挥的新型工具作用，在 20 世纪 50 年代之后逐渐显现出来。电子计算机的应用并不是直接地使人们从繁重的体力劳动中解放出来，而是使人们从繁重的脑力劳动中解放出来。电脑帮助人脑进行各种复杂的计算，开创了数字化时代，过去要花费很长时间计算的脑力劳动，经过电脑处理又快又好地得到结果，因而是在脑力作用的效率提高下进一步解放了体力劳动，使整个社会生产获得更高效率。

　　一个国家具有智力平台之后，大批的劳动力从第一次产业和第二次产业分离出来，第三次产业成为容纳新的就业的领域。这时，第三次产业并不都是发展高科技，而最多的是从事生活服务业劳动。智力平台的建立实质是造就了更多的简单劳动，这是自然形成的社会平衡。问题就在于，只有发展高智力复杂劳动，建立智力平台，才能形成这样的社会平衡，一方面提升社会生产的技术性和效率，另一方面转移或留存大量的普通劳动力。如果缺少智力平台，单纯地发展第三次产业，以此改变产业结构，保持简单劳动的高比重存在，那是违背经济发展的自然进程的，是不可能使经济走向现代化的，即现代化是高智力复杂劳动的存在形成一定的规模或力量决定的，实现产业结构现代化的关键在于能否建立智力平台，而不在于大力发展第三次产业。

第十九章 山 体 效 应

　　智力因素在人类劳动中起主导作用，是与生俱来的，即是自然的必然。人类劳动起源后，无论何种具体劳动都体现智力因素的主导作用，无论哪一时期的劳动整体发展水平都是由智力因素的主导作用决定的。认识劳动中的智力因素的主导作用存在及其发展趋势，是 20 世纪末和 21 世纪初政治经济学研究的推进。新技术革命之后，智力因素在人类劳动中起主导作用已经能够直观认识了。历史终于将智力因素对劳动发展的决定性作用外观地显现出来，这为政治经济学认识复杂的劳动及劳动成果的作用提供了易于为公众经验认可的分析条件。

一　智力因素主导性的表现

　　如果一个地区有丰富的自然资源，煤炭储量适于大规模的工业开采和深加工，有色金属矿藏品种多样且具有相对优势，生物资源得天独厚，水能资源有巨大的可开发量，但经济长期落后，人们该怎样认识这种状况呢？强调资源优势尚未转化为经济优势，只是对现实现象的描述，并没有解释任何原因。指责外界支持不够，恐怕没有道理，因为责任与利益是一致的，如果经济发展后的利益留在本地，那么发展经济的责任也主要由本地承担。

认为由于缺乏资金才导致了资源未开发而使经济落后，如果资本市场的情况确实如此，那还可以成为一个理由。但是，任何从外部找到的原因，都不是根本的原因。凡是经济落后，都是劳动落后，劳动包括主客体，客体是受动性的，所以落后的根子只能是在施动性的劳动主体。劳动主体包括体力因素和智力因素，体力不决定智力，脑力不仅是智力的载体而且是支配体力的，因而，凡经济落后，最根本的原因是劳动中的智力因素水平相对低。这也就是说，如果智力发展距离当代发展的主流相差较远，那么经济的发展肯定是跟不上时代步伐的。所以面对贫困，引智比引资更重要，智力开发比自然资源开发更重要，目前的经济发展落后地区的根本出路在于提高劳动整体中的智力因素作用的水平，即只有从根本上认识财富来自智慧，才能彻底地告别贫困。

若一家企业，生产的产品很受市场欢迎，供不应求，但问题是生产线上产品合格率低，生产成本高，经济效益并不理想。这种情况表明企业劳动中的智力因素在技术方面未能达到应有水平，由此影响了企业劳动整体的生产能力。所以，要提高企业的经济效益，需要抓住关键，想方设法加强企业的技术力量，以解决生产技术方面的问题。企业的技术状态是企业劳动智力因素作用的一个重要方面，在企业生产中也是起主导作用的。

若再假设一家企业，技术力量强，生产设备先进，原材料和动力供应不存在障碍，销售市场前景良好，这种状态下企业经济效益差，人心涣散，没有竞争力，那问题就出在管理上，只能是管理人员的水平低，不适应企业管理要求。这是企业劳动的智力水平在管理方面的落后表现。改变这种状态，就是要提高企业管理层的智力水平，使其能够担当起管理企业的重任。而且，对于企业的生存与发展来说，相比技术的主导作用，管理的主导作用更重要。

就个人而言，如果只能从事简单劳动，那所能创造的劳动成果是有限的，对社会的贡献也是有限的；如果是高智力复杂劳动者，创造力是相当大的，对社会的贡献也是相对大的。在每一个人的劳动中，智力因素都起主导作用，其劳动能力的差异，就体现在智力的发展程度上。因而，提高劳动者的劳动能力，提高每一位劳动者的社会作用，主要是提高其智力的水平。智力是起决定作用的。

二 劳动创造的聚合性表现

在世界范围内，人类劳动是一个整体。在这个整体之中，存在着根本利益即人类生存利益的一致性。劳动的整体是由利益的一致性决定其存在的。若没有利益的相关，就没有统一的必要。在人类劳动整体之中，不论是古代还是现代，不论是东方国家还是西方国家，不论是个人还是组织，只要有所创造，都属于人类劳动的创造。古代中国有指南针、火药、造纸术、活字印刷四大发明，既是中国人民劳动智慧的创造，也是古代人类劳动的创造。现代美国向火星发射探测器，既是美国高科技劳动的成果，也是现代人类劳动智慧的结晶。整体之中有代表性的劳动，标志着整体劳动的水平。古代的埃及金字塔建筑代表了那一时代劳动的创造能力，现代的数字化是 20 世纪末和 21 世纪初人类劳动发展的最高水平表现。

一个国家的劳动也是一个整体。其整体性是由国家利益的存在决定的。自国家起源之后，人们都需要国家为其生存提供整体屏障。在国家劳动整体中，最高的智力水平是代表国家劳动整体水平的。哪一个国家的智力发展水平低，哪一个国家的劳动发展水平低，经济发展也相应落后。不论是古代还是现代，国家与国家之间都存在着劳动整体的发展水平的或大或小的差距。

在各个地区，劳动亦可为一种整体。在这种劳动整体中，存在着地区利益的一致性。比如，土地占有和使用的权力一致性，水资源占有和使用的权力一致性，对空气净化的权力要求的一致性，对生态治理的权力要求的一致性，对就业岗位增加的权力要求一致性，等等。而各个地区的经济发展差别，也是由劳动发展的整体水平决定的，其中决定劳动整体水平的也是智力水平。

企业劳动整体是可以直观感受到的。企业利益决定各参与方的利益，即只有维护企业利益才能保证企业的投资者、管理者及普通员工们的利益。企业劳动中的智力水平决定企业的竞争力和生存状况。企业与企业相比的差距，从根本上说，是智力水平的不同。不论是哪一个行业的企业，都是由其劳动整体中的智力发展程度决定其经营状况，决定其竞争力和生存期限的。

从全球范围的最大的社会存在，到最小的经济组织，劳动都可聚合为整体。利益的相关是整体聚合的基础，劳动的创造是聚合整体的水平表现。在各个层次的聚合之中，劳动整体的水平都是由聚合之中的智力发展程度决定的。在每一具体的整体聚合中，智力也都是维护整体利益的决定力量。

三　取决于短板的认识

从劳动出发研究政治经济学，是必然要贴近现实进行研究的。在现实经济中，人们常常援引"木桶理论"来说明一个人、一个经济组织、一个地区或国家的整体之中存在短板问题，即存在的薄弱环节制约整体的水平。

假定一个人，又忠诚又勤快，又健康又礼貌，又年轻又稳定，只是学历不高，因而在求职时学历问题就成为一块短板，使其不能选择专业技术职位，不能选择薪酬较高的工作，而只能从事一般的操作性的职业，从事报酬较少的劳动。

假定一家企业，产品销售很好，技术力量雄厚，管理工作到位，只是厂址位置欠佳，因而厂址位置就成为企业发展中的一块短板，或者说水是从这里流出的，企业的竞争力由此受到一定的影响。

假定一个地区，有资源、有资金、有技术人才、有管理人才，只是缺少足够的劳动力，那么在劳动力未能流入这一地区之前，劳动力就成为约束性的短板，其经济的发展会为此而受到影响。

假定一个国家，人民勤劳智慧，资源丰富，工业基础已初步建立，拥有比较强的技术力量和管理力量，只是经济体制不适应，那么，经济体制就成为制约国民经济发展的短板，影响其现代化建设。

"木桶理论"是对一些现象的概括，说明短板的存在可能造成高板的无用，要防止短板造成损失。这种概括是实用性的，具有一定的解释力。在这一认识的基础上，我们还可以进一步做理论上的探讨。首先，我们应确认"木桶理论"说明劳动整体聚合性的存在。其假设前提是一只木桶，木桶是劳动整体的形象表现，由桶箍将桶底与桶板紧紧地箍为一个整体，桶板与桶板之间就不是各自孤立存在了，它们是聚合在一起的，都成为木桶的一个组成部分，正是由于有这种聚合的存在，才会呈现短板问题。如果没有木桶本身的聚合性，那么短板的流失效应就无从谈起了。其次，"木桶理论"并没有区分聚合整体中的主导因素作用与非主导因素作用。在一个整体之中，各个部分的作用应是不相同的，或是说并不完全一致，并且一定要注重主导因素的作用，既不能不区分主导因素与非主导因素，也不能颠倒这两种因素的不同作用。而"木桶理论"对此未做区分是一种认识上的缺陷或不足。再次，"木桶理论"是静态分析，未讲前因，这样的认识可能存在局限性和缺乏说服力。

基于对"木桶理论"的上述辨析，从劳动存在的整体来认识，我们至少可以探讨以下3个问题。

第一，在确定存在短板时，是不是应同时确定这块板是可修复的，还是不可修复的？

第二，这块短板是在制桶时做短的，还是在使用时变短的？如果是前者，为什么要将一块短板箍在桶上。如果是后者，那又是怎样造成这块板由长变短的。

第三，谁应对出现这块短板负责，谁有能力改变这块短板？

这样提出问题，是将"木桶理论"的静态描述变成了一种动态分析了。如果短板可以修复变长，那么问题就解决了。如果短板不可修复，那问题就复杂了。而为什么会出现短板的问题，也是十分尖锐的，因为无论如何，造成这一后果是一种过错。对此，重要的不是板的问题，而是谁对出现短板负责的问题。

显然，谁对木桶负责，谁就应对短板负责。这是一个桶的问题，而不是一块板的问题。不论是造桶的人，还是使用桶的人，只要是造成了短板，就应该对这一过错负责，或是修复短板为长板，或是放弃这一木桶，当然还可以有其他的选择。但问题是，"木桶理论"讲到了短板，却没有强调谁对短板负责，将短板与木桶的关系讲成了局部决定总体而不是总体决定局部，这是缺失管理性的认识。事实上，如果对木桶负责，或是说有能力负责，那么负责者是不允许出现短板的，即使出现了短板也会及时得到解决。决定效益的是总的负责人，而不是局部的问题，在有效的管理下，局部出现了问题会很快得到解决。所以，"木桶理论"

讲一个单位的效益取决于短板，是一种静止的、孤立的、未讲总体管理作用的局限性认识。

四　取决于高点的分析

从确定智力因素在劳动中起主导作用出发，我们认为在现实中存在的是"山体效应"，而不是"木桶理论"讲的短板效应。

"山体效应"是指山多高，水多高，劳动整体的发展水平取决于智力因素的作用水平。与"木桶理论"相反，"山体效应"强调一个单位的效益取决于高点，即智力水平的高点。"山体效应"的概括是讲，在自然中，山体达到的高度就是地下水可以达到的高度，只要山高，水就可以高，意指劳动中的智力水平的高点决定整体所达到的水平。

下面，我们画一图说明智力发展水平与劳动整体存在的关系。

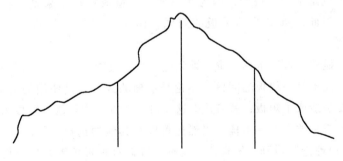

图 19 – 1　"山体效应"示意图

注：山形线代表劳动整体中的智力水平。垂直线代表劳动整体的发展水平。

山体表示某一聚合的劳动整体，在这一整体中，智力因素作用是不平衡的，但最高的智力水平代表劳动整体的发展水平。在

"山体效应"图中，我们是用智力因素作用存在的状况表现劳动整体的存在状况的。

在现实中，每个国家的劳动整体都必然呈现"山体效应"。发达国家是因其高智力复杂劳动的发展水平达到相当的高度，才带动了整个国家的劳动发展达到一个挺拔山形的较高水平。其最高的智力因素作用决定了整个国家的经济发展水平。发展中国家之所以经济落后，最根本的原因是劳动内部的智力因素作用发展水平低，用"山体效应"图表示只能是一个低矮的山形示意，所以整个国家的经济发展水平低，劳动的整体缺乏水平高度。因而，相比之下，不是各个国家的最低点的劳动水平决定相互之间的发展差距，而是各个国家的最高点的劳动智力水平的差距拉开了相互之间的经济发展的距离。

在各个国家，若存在地区之间的发展不平衡，那么这种不平衡也是"山体效应"的不同。某一地区经济发达一般是由于劳动整体中的智力水平尤其是复杂管理劳动的智力水平高，才带动了整个地区的劳动发展进入整体的高水平，才促使了本地区的经济发达。凡发达地区，其智力线的示意都是有一定高度的，这是整体之中的高度。而与发达地区相比，经济发展落后的地区是以无较高的智力线表示的，即山体的表现只能是小丘。其劳动整体中的智力水平尤其是管理劳动的智力水平低是制约其经济发展的关键。因而，落后地区发展经济的主要力量必须用在提高劳动者的智力水平上，特别是要提高管理劳动的复杂程度使其跟上发达地区的复杂管理劳动的发展水平。

无论在哪个国家、哪个地区，各个企业都有自身的"山体效应"表现。这可形象地解释各个企业之间的竞争力的不同。对于企业来说，不管是从事哪一行业，其管理者的智力水平都是决定性的。企业最高的智力表现是管理者的智力，代表智力线的山顶端，企业出现问题由其负责，包括出现短板问题也要由其负责，企业取得成就也是首先归功于这些管理者的。一个竞争力不足的企业，从根本上说，是企业管理者的智力水平低于竞争对手企业的管理者的智力水平。企业的经营，可有多种方式的选择，也可有各种人员的选择，还可能出现各种问题，但关键是管理者要有正确选择和正确处理问题的能力。凡是出现效益流失的短板，都是要由管理者负责并解决的。所以，企业的生存也是决定于高点的智力，低点的短板出现只是对高点的智力的一种挑战，高点的存在是决定性的力量。

在任何层次的劳动整体中，智力的发展状况用智力水平示意线表示都是一个山形，即两头低（或周边低），中间高。决定其整体水平的不是两头（或周边），而是中间的高点。确认这一点，就可赋予"山体效应"的解释以普遍的现实意义。这一形象的概括认识，强调的是智力因素的主导作用，强调的是整体性的存在，说明劳动是整体性发挥作用的，决定其水平的是主导因素而不是非主导因素，是全局性的管理而不是局部的状态。"山体效应"表现的是基本的事实，与"木桶理论"揭示的单纯的短板现象不同的是，反映了整体之中的智力因素发展水平的决定性作用和管理的作用。

第二十章 信用关系

　　人类社会进入信用时代已有悠久历史了。从最早的货币出现开始，信用关系就在人们的经济交往中存在了。最初的信用关系是伴随着市场交易关系发展的，市场交易关系扩大规模和走向复杂，信用关系才能扩大规模和走向复杂。开始，信用只是建立在市场交易者直接的买与卖之中，就像没有形成商业和商业劳动时一样，也没有专门的提供信用服务的组织和劳动，信用关系的承担者要么是生产者，要么是购买者。大约在商业分工即专业的商业劳动产生之后，专门提供信用服务的劳动也随之产生了。到了现代，不仅市场上的信用关系高度复杂，信用关系已成为整个社会经济敏感的神经线，而且专门提供信用服务的劳动也已是社会劳动分工中的一个较大的组成部分，尤其在服务业中，占据着显著的地位。为人们的信用关系的建立提供服务的劳动，其成果的效用是为社会承认和重视的。银行业、证券业、保险业、担保业等行业是专门提供信用服务的劳动部门，而其他一些行业如律师业、审计业、评估业及有关政府部门也有相当一部分劳动是为社会信用提供服务的，即是做辅助的信用工作的。在现代社会，这些部门劳动的成果效用发挥着经济中枢或链接经济中枢的作用，是社会经济运行不可缺少的中间效用。在此，我们从政治经济学的研究角度，概括地分析社会生产和生活中的主要信用关系。

一　个　人　信　用

　　现代社会是信用社会，即信用关系充斥社会经济生活的各个方面，无处无信用，无时无信用，而这种庞大的社会信用体系建立的基础是个人的信用关系规范。概括地讲，国家是个人生存的整体屏障，社会是个人生存的外部环境，信用是现时代个人生存的经济纽带。国家的素质是由个人素质反映的，社会的存在是由个人的存在构成的，信用体系的作用也是由个人守信用保障的。在现代社会，如果有一部分人不讲信用，破坏社会信用关系，那么只要这种破坏产生比较显著的影响，整个社会的经济秩序就将陷入一种严重的无序状态，整个经济运行就可能产生严重障碍。因而，现代社会对每一个人的最基本要求就是，在任何经济活动中都必须守信用，不得有任何失信行为。为了有效地维护社会整体利益，对于不守信用的个人，公正的社会和规范的市场会对其予以严惩。在现时代，任何一个国家若对失信的人不惩处，表现手软，都将贻害无穷，使整个社会缺失必要的经济秩序。从个人讲，也许并非每个人都是受教育程度越高，素质越高，信用度越高，失信的可能性越小。但从全社会讲，必然是教育越发展，人民素质越高，守信的程度越高。所以，在现时代，如果教育落后，那是难以保证正常的信用关系发展的。作为市场成熟的一种标志，每一个进入市场的人都应懂得自己守信的重要，知道不守信的连锁反应可能会造成相关的人包括自己都要承受损失。

　　一个人进入企业工作，实质是与企业订立了信用契约。在企业接受其为员工的同时，个人要承诺遵守企业的所有规章制度，包括薪酬制度。如果一个人既承诺了要遵守契约规定，又有意违反企业制度，那么这也是一种不守信的表现。而企业对员工的承诺也要守信，比如，规定每月支付员工薪金 5000 元，必须按时支付。如果企业不能按时足额支付员工薪金，也是一种失信的表现，也是对企业与员工之间的信用关系的破坏。这种情况是要影响员工个人生活的。

如果一个人自己创业办公司，那么他更需要有信用的保障。他的所有的创业活动都依赖于他的信用关系确立。如果他个人在历史上曾有不良的信用记录，那么将在某种程度上影响他的创业活动，除非他的那段经历已经为社会谅解了。他的公司经营无论在何时都是以他的信用为基础的，其经营能力是次要的，最重要的是他要保持良好的信用记录。

在社会信用体系高度发达之下，个人的信用是个人生活的基础条件之一，这带有劳动的时代特征。现在，劳动的个人需要信用，就像需要生命一样，因而，任何这样的个人，都必须像保护自己的生命一样，去保护个人的信用。而社会，在劳动整体的智力因素主导作用下，也要从社会管理的角度，对个人的信用提供其秩序的维护，给予必要的保障。

二 银 行 信 用

货币是人类经济生活中较早表现的信用关系，到了近代，成为银行信用的标志。负责发行货币的银行创造的信用关系，是市场经济中的信用核心，是现代社会的一道生存保障线。创造银行信用，从效用的角度讲，是银行业的劳动成果。

银行业劳动的主体是从业员工，包括掌门人和普通员工。银行业的经营资金，一部分是银行的自有资本，一部分是银行吸收的民众储蓄金。银行业劳动创造的效用是银行为社会提供的信用服务，包括银行的储蓄服务和借贷服务，还有其他品种的金融服务。现代银行的职能已经在基本的银行信用服务之上包含了更多的内容，它是政府、企业、个人及其他各个方面的收支往来的结算中心，包括信用卡购物结算、个人通讯费用结算、水电费用结算、购房贷款等等方面的个人金融服务，还包括企业与企业之间、企业与政府之间、政府与政府之间以及其他各种当事法人之间的费用结算。属于银行中间业务范围的各种服务也都是现代银行信用关系的表现，这是银行信用在当代的发展。而现实的银行信用的重要性在于，一旦这种信用关系发生断裂，整个社会的经济生活将受到严重的影响，甚至会造成短暂的瘫痪。货币的发行和调控是中央银行的重要职能，也是银行信用服务于社会的突出性表现。

有服务，就有效用。从效用的角度讲，银行业劳动创造银行信用，而信用关系的实现，均有效用的量化价格。这一价格的存在，不是指银行的存贷款利息率，而是指银行经营的总收入。一家银行一年经营的总收入，就是这家银行在这一年为社会提供信用服务的总价格。虽然现代银行的业务非常复杂，让业外人士几乎搞不懂银行的工作系统，但不论在哪里，实际上银行业的信用服务劳动提供的基本效用内容是不变的，复杂化的只是具体的业务形式和人际关系。总的说，银行提供的服务是有价格的，这种价格是效用的量化，这种效用是银行业劳动创造的。

在现阶段，社会经济的发展与市场对银行信用的需求成正比关系，因而，经济越发达，越需银行业劳动创造更多的效用。银行信用的状况已经成为社会经济发展水平的集中表现。但是，任何国家或地区，也不可盲目地不顾及经济发展的制约去扩大银行信用规模和增加银行业劳动，更不能一味地延展中间效用的创造，使过度的金融投机或赌博泛滥。所以，从一个角度看，银行信用是社会经济的必然需求；从另一个角度看，社会经济对于银行信用又是有既定需求的。银行业劳动创造的银行信用是中间效用的创造，不是终点效用的创造。这种效用的创造必须限定在社会的既定需求之内，不能自行扩张。从逻辑上讲，利用现代信息处理工具已能够相对比较准确地把握各个国家或地区在既定范围内的各个经济时点上对于银行信用服务的需求量。

在现代经济学体系中，有关银行信用的研究业已形成了一门相对独立的经济学分支学科。金融学研究中的货币银行学主要是研究银行信用关系，并且也涉及银行组织与具体的银行效用等问题。从最初的货币产生到现代银行业高度发达，如果仅从信用关系的表现看，似乎现代经济中的各种市场关系都是由银行信用制约的，尤其是生产领域的劳动创造更是受制于银行，但如果认识只停留在表层，那无疑是颠倒了信用与终点效用创造的关系。信用固然是重要的，但作为中间效用存在的银行信用实质上是为终点效用创造提供服务的。约瑟夫·熊彼特讲："信贷在本质上乃是为了授予企业家以购买力而进行的对购买力的创造，但并不单纯是现有的购买力的转移。在原则上，购买力的创造标志着在私有财产及劳动分工制度下实现发展的方法。凭借着信贷，企业家在对社会商品源流还不具备正式的要求权之前，就取得参与社会商品源流的活动的机会。"[①] 在进入 21 世纪之后，银行信用有了更多的社会需求，发展的规模和速度都会前所未有，信用服务的形式也会更为丰富多彩，银行业的劳动会为全社会创造更多更好的必需的中间效用。

---

① 约瑟夫·熊彼特：《经济发展理论》，商务印书馆，2000，第119页。

三 证券信用

现代市场经济中，证券信用是证券业劳动创造的信用，具有相当大的普及性。不论证券业与银行业是分业经营，还是合业经营，实质上证券信用与银行信用是分开的，并不能混同。证券信用是一种独立的信用体系，是活跃于证券市场中的信用关系表现。在没有证券市场的地方，不存在证券信用。人们只有进入证券市场，才能接触证券信用。相比银行信用，证券信用是较晚出现的信用关系，因而证券信用也是一种现代信用的表现。

证券市场包括债券市场、股票市场、期货市场、金融衍生品市场等现代信用交易市场。其中：债券市场分为企业债券市场与财政债券市场，企业债券市场又分为不可转换债券市场与可转换债券市场；股票市场分为主板股票市场与二板股票市场，国内股票市场与国际股票市场；期货市场分为证券期货市场与实物期货市场，单一型期货市场与复合型期货市场；金融衍生品市场根据其品种的细分而分为不同品种的交易市场。凡进入证券市场参与交易者，不论是在哪一市场的哪一层次出现，都是证券信用的承担者，都享受证券业劳动创造的效用。在现代社会，随着进入证券市场的人员队伍的扩大，证券信用在国民经济中的影响力越来越大，并与经济全球化的运动表现相一致，出现全球证券信用市场一体化连接的趋势。证券信用与现代化的劳动工具相结合，已成为现代信用体系中的敏感神经，每时每刻都在影响着世界各地的经济运动，成为各方经济人士关注的焦点。经过历史的凝聚和现实的发展，市场对于证券信用的需要，同银行信用一样，就像人离不开空气和水。

证券信用具有完全的虚拟性，这是在价值的独立运动基础上又形成的价值独立运动表现出的信用关系，其价值关系已与实业生产拉开了相当大的距离。因而，证券信用既有为实业生产提供服务的功能，包括发行债券、股票为企业融资，期货市场为企业提供套期保值服务等；又有脱离直接生产而成为单纯的交易游戏的功能，如炒股票、炒期货、赌博性的金融衍生品交易等。在其单纯的游戏功能表现中，证券信用的虚拟性是更为突出的。从人类社会发展的历史阶段来看，证券信用的产生与存在，除了有客观的需要外，还表示一种社会的无奈。尤其是游戏功能带来的无奈，有时可能会为社会经济的正常运行造成危害。而现实地讲，对证券信用如何才能趋利避害，这是经济理论研究需要给予高度重视的。

在现代经济中，证券信用存在与其他信用关系的交叉性。比如，银行信用进入证券市场，利用国债市场进行银根的调节和基础货币的吞吐操作，这是银行信用与证券信用的交叉。再如，在国债的发行与交易之中，还表现出财政信用与证券信用的交叉。再有，保险业的资金在现代市场经济条件下也要常规地流入证券市场一部分，这也形成了保险信用与证券信用一定程度的交叉。

自证券信用产生以来，这种信用关系就始终是极有活力地发展着。借助证券信用，社会生产的能力可以最大限度地调动起来。当然，证券信用的游戏性也会带来损害经济正常运行的弊端。而不论是现实的有益，还是现实的弊端，证券信用都是证券业劳动创造的，体现证券业劳动成果效用。所以，经济学的研究应从基本的劳动关系去认识证券信用关系，而不能只就市场的表现分析这种信用的存在。在古代，富家孩子没做过农活，没见过庄稼，只知道米是从粮店买的，就认准粮店产米，要吃饭，就要依靠粮店。现在，有更多的人不去过问吃的、用的、穿的、住的是怎样生产出来的，只知道不论是什么，有钱就能买到，所以，就认准要有钱。这种认钱的逻辑与古代富家孩子认粮店的思想是一致的，都是撇开了经济的实质内容，只看表面现象。这对于个人来讲，恐怕还是很现实的，或者说也无可厚非，大可任其所为。但是，对于整个社会而言，是不能颠倒农业和粮店的关系，不能颠倒物资生产与证券信用的关系。因为很明显，个人可以靠炒股生存，而社会却不能从炒股中获得任何可供人们生存的终点效用。证券业劳动只创造中间效用，而不是终点效用，社会的存在与发展可以缺少中间效用，不可以缺少终点效用。如果整个社会受过良好教育的人都去炒股，那才真正是社会的悲哀。炒股只是现代社会市场经济中的点缀，不能影响物质劳动和科技劳动的发展。证券信用是现代社会的需要，但也是劳动合理分工下的需要，超出了客观的允许限度，就不是有益的而是无益甚至有害的。尤其是，在常态社会条件下，理性的人们必须对证券业劳动的变态性延展有所遏制，以使其信用关系避免恶性扩张，以维护常态下的市场秩序和人类生存的基本准则。

四　厂商信用

厂商信用已有长久的历史。从商业开始独立时起，就有了厂商信用，这种信用可能是生产者与生产者之间的信用，也可能是经营者与生产者之间的信用或经营者之间的信用，还包括生产者或经营者与消费者之间的信用。赊购与赊销是厂商自古奉行的信用方式，这在传统社会的经济生活中起着市场交易之间的协调作用。在世界各地，漫长的历史表明，厂商信用一直在厂家和商家的经营中延续，其中并没有外部的专门的信用服务劳动介入。这构成了传统厂商信用的基本特点，即自生性，没有当事者之外的信用关系与之交合。卖家对信得过的买家可以先发货后收钱，买家对信得过的卖家也可以先付钱后提货。此种信用的风险是由厂商自己承担的。在一般情况下，建立这样的信用关系是根据经验行事的，对于自己长期的生意伙伴，或有可靠的介绍人，厂家或商家是可以允许对方赊购或购销的。事实上，不论是哪一厂商，在不能确保对方守信用的前提下，允许对方赊购或赊销，都要承受巨大的风险，因为一旦对方不守信用，自己就要蒙受相应的损失，甚至可能导致自家破产。所以，应用厂商信用，不论是在何时，都要双方相互知根知底，至少也要对赊购方或赊销方知根知底，有确实的把握，不然厂商就是将自家的性命押在了信用上。有一种特例是，依据亲缘关系可以比较多地实施厂商信用，即大量的赊购或赊销活动是发生在有亲缘关系的人创办的厂家或商家之间，而说到底，这种亲缘关系也是便于双方知根知底，其特别之处只在于，亲缘关系是对接受信用的人的一种强势的约束。

从现代市场经济的视角来看，厂家或商家已经走出了消极地使用这种信用关系的历史，即不再是在对方资金调转不便时给予对方方便，允许其先提货或先收款，现在厂家或商家已可积极地利用这种信用关系为自己打开市场或创造发展条件。例如，厂家做好产品销售策划方案后，可主动与销售商联系，以代销的优惠，迅速建立销售网络，打开市场。这既可以说是现代市场营销，也可以说是信用营销，即是以厂商信用的方式营销。如果这种营销还可起创品牌的作用，那么也可以说是信用营销与品牌营销的结合。时至今日，利用信用营销的厂商已是比较多的了。在不断出现一些厂家或商家不诚信的同时，还有另一些厂家或商家源源加入这种信用营销的行列。因而，厂商信用也融于市场竞争之中，这种信用关系的发展是厂家或商家管理劳动的智力创造。目前，商家并不都是被动地接受厂家生产的产品，而是可以要求厂家按自己的设计制造，并先行预付款额订货。这是管理劳动的复杂化对厂商信用发展的积极推动。

现代物流业的出现为厂商信用的发展开拓了更广阔的领域和创造了更便利的条件。反之，若没有厂商信用的发达，也就没有现代物流业产生的可能。厂商借助现代物流网络可广泛地与外界建立信用关系，即这可超出厂商原有的信用关系范围，现代物流业借助厂商信用可充分发挥专业配送的特长，更便于厂商的采购与销售。当然，现代物流业的服务并不是以发展厂商信用为主，形成专业的配送只是为了更好地提高物资流通效率。然而现代物流业的配送方式直接带动了厂商信用的活跃。我们知道，厂商信用不以道德规范为基础，而是以法律规范为基础，但厂商信用关系的建立更是以双方的共同利益为保障的。所以，厂商信用所注重的"诚"字，实际是依赖于双方的共同利益而存在的。若在共同的利益上缺乏诚意与诚信，不采取合作态度，那是无法建立信用关系的。而在双方没有共同利益的方面，无论哪一方，也没有必要对他方讲诚意与诚信，更没有必要建立信用关系。因而，现代物流业为推动厂商信用的发展所做出的贡献就在于，新的物资配送方式是以自身作业的效率为担保更多地建立起厂商之间或厂商与消费者之间的共同利益关系，并由此为整个社会降低了物流成本和信用成本。

在当今经济全球化时代，厂商从事国际贸易已是极为普遍的。由此，厂商信用也普遍地跨出国界，广泛应用于国际贸易领域。同时，在这一领域，也促使厂商信用与银行信用实现新的链接，这也是现代劳动的复杂化的表现亮点。无疑，跨出国界的厂商信用比之在国内具有更大的风险，在这种状态下，商业银行的国际保理业务应运而生，成为厂商信用国际应用的护航工具，并形成银行信用与厂商信用新的融合。这种新的带有一定融资性质的厂商信用营销业务，可为厂商扩大国际贸易，节省交易费用，提高经营工作效率，提供稳定的保障。这是厂商信用走向国际贸易的转变，也是厂商信用向经常化地与银行信用链接的转变。这既突破了厂商信用的封闭性，又开创了银行业务的新领域。而且，厂商信用关系的这种开放性的发展同时也反映了社会信用服务领域中的劳动的复杂程度的提高。

五 财 政 信 用

创造财政信用的劳动属于社会管理劳动。财政信用包括财政担保、财政透支、财政债券等方面。财政担保的基本职能是为公营经济组织提供融资担保，为公益事业融资提供融资担保，特殊情况下也可为私营经济组织提供融资担保，而且，凡是政府做出的经济承诺，如由政府负责建设的项目，也都是由财政提供资金的。财政透支是指政府直接向银行借款，这种行为在国民经济脆弱时期很容易引起恶性的通货膨胀。因而，在现代财政的意义上，各个国家都在努力避免出现财政透支。发行财政债券是现代财政的主要信用形式。在现代经济中，政府发行财政债券是将财政信用与证券信用、银行信用相链接，可使财政信用关系发挥广泛的社会影响力。通过发行财政债券，财政信用在国民经济中可起特殊的调控作用。

在国民经济的储蓄等于投资的均衡中，实际是存在缺口的，因为银行吸收的储蓄并不能100％地全部贷出，必须留有一定的准备金，包括法定准备金和超额准备金。这既造成储蓄与投资的不等，也是社会生产能力的损失。而弥补这一缺口，其他信用形式是无所作为的，只有依靠财政信用。财政发行债券可上市流通，具有最好的信誉和最低的风险，因而，财政可向商业银行发行债券，使商业银行留下的准备金流入财政信用领域，在政府的支配下发挥专项投资作用。让财政债券用做商业银行的准备金，这是财政信用的特殊功能，或者说在信用关系中惟有财政信用有资格这样做。财政信用的这种特殊功能对于国民经济保持良好的运行状态和发展趋势是有利有益的。这既可弥补储蓄与投资不相等的缺口，又可使政府获得从事基础设施建设的资金。这是财政信用关系的运用，也是国家发展经济的必要手段。依靠财政信用融资，美国在 20 世纪修建了总长度达 30 万公里的铁路网，在全国的大小河流上筑起了一道又一道的水坝，使公路交通实现了高速连接。日本人认为，日本的现代化实现是建立在财政信用融资基础之上的。其他发达市场经济国家的成功经验也都表明：在市场投资难以达到的地方，正是政府投资大显身手的领域，通过政府的这种投资带动可促使国民经济更快地发展，而政府的资金来源不是税收，只能是财政信用的融资，即来自财政债务收入。所以，各个国家在实现经济现代化的进程中，都需高度重视发挥财政信用融资的作用。

财政发行的债券分为地方财政债券与国家财政债券。地方财政债券是地方政府发行的债券，融资的使用和债务的偿还由地方政府负责。国家财政债券简称国债，是中央政府发行的财政债券。在中国，按照 1994 年颁布的《预算法》规定，地方政府不得发行地方财政债券，只允许中央政府发行国债。中国改革开放之后，自 1981 年起重新发行国债。从 1981～2003 年，中国的国债发行总量可见表 19 - 2：

表 19 - 2　中国国债发行规模（1981~2003）

单位：亿元

年度	发行额	年度	发行额	年度	发行额	年度	发行额
1981	48.66	1987	116.60	1993	381.32	1999	4015.03
1982	44.15	1988	188.36	1994	1028.27	2000	4657.00
1983	41.70	1989	226.12	1995	1510.85	2001	5004.00
1984	42.16	1990	197.23	1996	1848.50	2002[②]	5929.00
1985	61.30	1991	280.83	1997	2411.79	2003[③]	6404.00
1986	62.30	1992	460.75	1998[①]	3808.77		

资料来源：中国国债协会课题组：《国债的流通性与增发空间》，《经济研究》2002 年第 5 期。

①1998 年发行额中不包括 2700 亿元用于补充国有商业银行资本金的特别国债。

②2002 年发行额，见项怀诚：《关于 2002 年中央和地方预算执行情况及 2003 年中央和地方预算草案的报告》，《人民日报》2003 年 3 月 21 日，第 3 版。

③2003 年发行额为计划数额。

在现代经济中，国债是财政信用与银行信用的链接点。中央财政通过发行国债，完成了债务融资，为政府投资经济创造了条件，同时也为中央银行实施宏观金融调控提供了信用工具。国债作为信誉最好的上市流通债券，已事实上成为各市场经济国家中央银行进行公开市场业务操作的信用工具。在相对规范的现代证券市场，主要是由商业银行和非银行金融机构买进财政发行的国债，然后中央银行根据宏观金融调控的需要，与商业银行和非银行金融机构展开国债的买与卖的交易。在中央银行要放松银根时，就大量地购买商业银行和非银行金融机构持有的国债；在中央银行要紧缩银根时，就大量地卖出国债，减少商业银行和非银行金融机构持有的货币量。这就是中央银行的公开市场业务，这是离不开国债的一项操作，这项操作与银行利息率、准备金率的调节合为一体被称之为现代宏观经济调控中的货币政策实施的3项主要措施。中央财政发行国债实际上是为中央银行的公开市场业务运作搭建了一个可操作的平台，这是财政信用在国民经济运行中起的一种特殊作用。鉴于中央银行的宏观金融调控在利息率、准备金率上的调节不是经常运作的，而公开市场业务的操作却可经常地进行，起常规的微调作用，因此，财政信用对于银行信用的支持和交融在现代经济中是相当重要的。于是，财政信用的运用已成为现代财政不可缺少的组成部分。现在有的发达市场经济国家，虽已完成了政府投资基础设施的建设任务，但仍然保持财政信用关系的活跃，发行必要的短期国债，为宏观金融调控继续提供信用工具。从效用创造的角度讲，这是社会管理劳动为国民经济发展提供信用服务的具体贡献。由于股票市场存在一定的投机，而上市公司只占企业总数中的很小比重，不具有代表性，因而，在现代的证券市场上，能够作为国民经济晴雨表的标志性映现的，不可能是股票市场，也不可能是其他证券市场，而只能是由财政信用与银行信用链接而成的国债市场。这一证券市场是现代宏观金融调控的焦点。

六 保 险 信 用

现代社会需要有保险业提供的各式各样的信用服务。现代保险业务几乎涉及社会生产和社会生活的每一个领域。因而，从这个意义上讲，现代市场经济也可说是现代保险经济，现代社会也可说是保险的社会。人们很清楚，在现代经济中，若缺少保险服务，整个经济的运行秩序将是混乱的。提供社会必需服务的保险信用，不论是从它为社会生产和社会生活提供的服务体系去认识，还是从它进入的社会经济实体构建的信用体系去认识，其存在的意义和发展的作用都是十分重要的。

保险分为生产保险与生活保险。生产保险是进入生产领域的保险信用服务，有为生产组织服务的，也有为个人生产服务的。生活保险是只为个人生活服务的保险信用。市场化提供保险信用服务的机构是商业性的，是资本运营的表现。但这却不是一个资本可以自由进入或退出的领域。在这一领域经营是需要经过专门机构审查批准的。

保险信用是保险业劳动创造的。保险业的信用服务在现代社会呈现向更高水平进军的发展趋势，但保险业劳动创造的效用仍是中间效用，保险信用规模的扩大和产品业务种类的增多并不改变其属于中间效用的性质。

在生产领域，保险业提供的信用服务可为各行各业各个经济组织或个人的生产经营起保驾护航的作用。天有不测风云，生产中可能遇到的意外事故更是防不胜防，不论是自然界的灾难打击，还是人为因素造成的事故，对于生产者讲，都需要社会提供保险服务，以此信用关系来保障经营。所以，在现代经济中，各个生产环节上都有保险服务的介入。无论在哪一行业，缺少了保险服务，都会面临巨大的经营风险。对于企业来讲，如果拒绝保险服务，一旦出大事故，就是灭顶之灾。也许经验是最好的老师，由于已有大大小小的教训存在，已使得几乎每一个进入市场的组织或个人都会规规矩矩地依赖于保险信用，不敢有丝毫的大意，对这种社会服务不以为然。远洋货轮每远航一次，都认真地进行一次保险。民航客机更是保险公司的常年保险标的。生产用车辆，也一律是要保险的。每个企业都要购买意外事故保险，每个生产者都应有人身保险。现在，生产进入哪一领域，保险就随之进入这一领域。在发达市场经济国家，企业购买保险是无可争议的。在发展中国家，经济相对落后，保险业的发展也相对落后。一方面是保险业的行为不规范，另一方面是企业对保险未能给予应有的重视。在 20 世纪之中，保险业的发展还曾遇到重重的阻力。在 21 世纪之中，这应是一个自觉理性发展的行业。发展中国家应在经济发展的同时，促进保险业的发展，尤其是要促进生产保险业务的发展。作为 21 世纪的经济人，必须认可保险信用服务在国民经济中的重要性。这一点就是在体育运动中也不能例外。每 4 年举办一届的国际奥林匹克运动会，每一届都要开出一个长长的明细保险单。

为生活服务的保险信用分为人身保险与财产保险。财产保险分为动产的保险与不动产的保险。人身保险分为人寿保险与健康保险。在现代社会，家庭必须拥有一定的财产才能保障基本的生活条件。拥有较多财产的家庭，他们的生活水平会超过一般的家庭。但国家实现经济现代化之后，大多数的家庭都会拥有相当多的财产，他们都会拥有自己的住房、轿车及金融资产。对于这样的家庭来说，保险是必不可少的，不仅要有人身保险，更需要有财产保险。否则，发生自然灾害或人为灾害，若无保险支撑，就会倾家荡产，一蹶不振。拥有较多财产的家庭对待保险，应该像对待吃饭一样，决不可少。人寿保险还是次要的，财产保险是一定要重视的。而健康保险则是人人都需要的，当然，这也需要社会经济的发展达到一定水平之后才能实现。在现代化的生活水平上，医疗保险可以为每一个享受其服务的人提供医疗保障。现代化的实现也是保险普及化的实现，只有让保险信用走进每一个家庭，才能体现出现代市场经济条件下人民的生活水平。

保险业的劳动是服务性质的社会劳动。保险业的服务是提供保险信用的服务。在当今世界，不论是哪一个国家，其保险业都是生存于诚信之中。若无诚信，就没有保险公司生存的立足之地。现代社会的发展，已经使各行各业的生产组织或个人离不开保险服务，已经使千家万户的日常生活离不开保险服务，但这并不能使保险业飞扬跋扈，愚弄保户，不忠实履行理赔责任。保险业的发展实质上是一种社会诚信的增长，保险交易是商业行为，但更是一种诚信行为，脱离诚信而只讲交易的商业性，是违背保险信用的基本宗旨的。从本质讲，保险业的产生和存在是为社会生产和社会生活提供最基本的信用关系的，这是现代社会信用体系的基础存在。所以，对于保险服务，承认其为社会保障的理念是重要的，但认识保险本身要保护信用关系基础的理念更重要。在现代社会发展中，每一个人、每一个组织、每一个地区、每一个国家，都应充分地利用保险信用保持社会经济和个人生活的稳定秩序。保险业在现代经济中应起社会定心丸的市场作用。从根本上说，从事这一行业的劳动者应清楚地认识自身劳动的存在意义和存在条件，不能违背诚信原则，必须依靠自身劳动的有用性发挥社会保险的信用服务作用。从市场的角度讲，保险业的信用是整个社会信用体系的一面镜子。

第二十一章 国际交往

在政治经济学的视界中，人类劳动是一个整体。人类的生存就仰仗于这一劳动整体的发展。在这一整体之中，包含全世界各个地方各种肤色的人的劳动。凡是承认人类劳动具有无差别的抽象性，就要合乎逻辑地肯定人类劳动的整体性存在。但从现实来看，自人类起源之后，至今人类尚未统一，在地球的表层上还分为众多的国家和地区，劳动尚分各个国家的社会劳动，公民尚分各个国家的公民。除极少数人外，在现代社会，国家是每一个人生存的整体屏障。在国家与国家之间，存在着巨大的生存条件差别，存在着各自的生存利益。这也就是说，地球——这颗在宇宙中运行的星球，虽已经历了漫长的岁月，但还没有能够成为生存在其上的人类的统一家园。在有国界存在的前提下，自古以来，各个国家之间必然存在着劳动交往，而且，现代的这种交往是极为发达的。因而，人类的劳动成果创造以及对创造不同成果的劳动的选择，既有在各个国家内实现的，又有在各个国家的经济交往中实现的。国际交往是人类劳动创造效用的具体内容，不论是以什么形式实现的国际交往，都是劳动效用的表现。现代的国际交往不仅频繁，而且有更多的新形式创造。这些创新的交往活动影响着现代人类的生活，更影响着人类未来的劳动发展。在政治经济学研究中，我们需要从人类劳动整体性存在的角度，对国际交往的内容进行现代意义的探讨。

一 国际交往的劳动性

在地球上，每个国家都是从自身利益出发进行国际交往的。但是，直至今天，已有的国际交往并不完全都是自觉的行为，除了有自觉的自身利益驱使，还存在大量的自发举动，即往往是由于利益的驱使而不自觉地进入了国际交往之中。然而，在国际交往中，不论是自发的行为，还是自觉的行为，相互沟通的内容都是由劳动决定的。

劳动的国际交往，是国家与国家之间的劳动成果的交流，是人类文明的传播。尽管语言不通，但这并不妨碍各国人民对于文明的共同理解，对于优秀的劳动成果具有一致的评价。文明是劳动的创造，文化是劳动的成果。东方国家的文化传到西方国家，引起西方国家人民的震惊和赞扬。同样，西方国家的文化传到东方国家，也引起东方国家人民惊叹和钦佩。从古至今，国际交往之中肯定不都是比较优势的理性行为，它更体现的是劳动成果的互通有无和文明意识的相互吸引。当然，在国际交往中，商业性交往是不可排除的，而且至今商业性交往都是推进国际交往的直接动力。但是，人们不能否认自古以来的国际交往在商业性交往的支配下同时对繁荣人类文明所起的作用。地球绝非一个均匀分布人类生存条件的星体，非洲的大草原与北美洲的粮食产区相差甚远，同处中国的青藏高原与四川盆地的自然条件也犹如两重天，日本的国土上聚集了大量的活火山，印度面临海洋却常常发生干旱。这种自然的差别是国际交往的自然源头。在 20 世纪末，中国的川菜已传遍各大洲，中国的四川人、湖南人爱吃辣椒的美名也随之传遍全球，因而，在中国，许多四川人、湖南人，还有其他一些省份的人，以为能吃辣椒是他们那里人的天性，是远古的文化流传。其实，这些人不一定清楚，辣椒传入中国的历史仅400多年。辣椒以及西红柿、茄子、卷心菜等蔬菜进入中国，均是国际交往的结果。推动国际交往的劳动沟通带来的文明进步是全方位的。欧洲的工业革命成果随着国际交往散布于世界各国，这就使得其他各洲的人不必再——经历蒸汽机、电动机、内燃机的创造进程，可以直接享受生产社会化的大工业威力。从历史来看，没有哪一个国家能够抵制欧洲在中世纪之后的工业文明的传播，尽管这一传播过程不无血腥，但大工业生产的震撼力是征服了全世界的。所以，通过国际交往的历史可以看到，在人类的劳动发展之中，文明是最大的诱惑，是促使所有国家和一切人进步的力量。20世纪中期兴起的新技术革命更充分地证明了这一点。现代的国际交往，除了有形的国界的跨越，还有更多的是在无形的互联网上的沟通，这一切都是新时代劳动的创造，这种创造的力量已经惠及全人类，就像信服第一次工业革命的辉煌一样，现代的人又一次地看到了人类劳动复杂化带来的神奇。国际交往是打开劳动创造封闭的锁钥，是集中人类神奇智慧的桥梁，正是经过国际交往，人类劳动的整体才在一代又一代人的努力之下不断取得新的技能水平的提高。

在发达市场经济国家与发展中国家之间，通过国际交往，有助于发达市场经济国家带动发展中国家的经济现代化，且发展中国家只有借助这种力量才能在将来跟上发达市场经济国家的发展步伐。若无国际交往，那么在发达市场经济国家与发展中国家之间，社会永远存在着巨大的壕沟。关于国际交往的这种作用，我们是从人类劳动整体发展的视角认识的，这指出的是劳动的发展水平对于社会发展的决定性作用。发达市场经济国家的经济发展取决于劳动的复杂化，通过国际交往，发展中国家也可以逐步地实现劳动的复杂化。国际交往的实质是劳动的交往，即劳动的沟通，是人类劳动向着一个方向的提高。在地球上，已有的自然资源并不是只可以支撑目前的发达市场经济国家达到现代化的发展水平，事实上自然的恩惠可以普及每一个国家，即普及全人类。现在，有一种观点认为，在发达市场经济国家与发展中国家的国际贸易之中，只有前者对后者的资源掠夺和经济剥削，不存在帮助改变发展中国家经济落后面貌的可能。这种对于现实的国际贸易的认识，不仅过于偏激，而且恰恰是将发展中国家是受益还是受害给弄反了。事实上，在这两类国家的国际贸易中，发展中国家实质上是受益的，并不是受害的。因为：第一，在国际贸易中，不存在剥削和掠夺的问题。剥削是生产领域中的变态分配关系，是指只凭占有生产要素而取得劳动成果的一部分，这与国际交往中的贸易往来是根本不沾边的。而且，在市场关系上，也不存在掠夺概念。只要是正常的交易，就只受价格和法律的约束，不会形成非交易性的掠夺的。或者说，无论何种交易，都是排斥掠夺的。掠夺的概念与交易的概念是不能兼容的。第二，如果说双方的交易是不等价值的，那么交换物相对价值高的一方只能是发达市场经济国家，而不会是发展中国家。因为价值是依劳动的复杂程度确定的，劳动的复杂程度高，劳动成果的价值才高，而价格往往与价值不一致，一般情况下价格不会高于价值，特别是在复杂劳动成果与简单劳动成果的交换中，简单劳动成果的价值不高而价格相对可能符合价值，复杂劳动成果的价格会低于价值，因此，双方的交换会使简单劳动成果的生产者受益。比较清楚的是，发达市场经济国家主要是以复杂劳动成果与发展中国家的简单劳动成果交换，所以，受益的一方或者说相对交换物的价值低的一方只能是发展中国家，而不会是发达市场经济国家。第三，即使我们假设发展中国家在国际贸易中吃亏了，那也不能说发达市场经济国家对其实施了掠夺和剥削。因为市场交易是奉行自愿原则的，在规范的国际市场交易中，各个国家都要对自己自愿进行的交易选择负责，任何其他方面包括自己的交易对象是不可能替代自己对选择负责的。总之，发达市场经济国家是可以促使发展中国家的劳动复杂化的，国际贸易是有益于发展中国家的经济发展的。中国在20世纪70年代末改革开放之后，多年来的国际交往的事实可以充分地证明这一点。作为发展中国家，中国在对外开放之后的国际贸易之中，若只是一味地受到发达市场经济国家的掠夺和剥削，那么中国的经济走向岂不是要更加贫穷和落后了吗？但庆幸的是，事实正好相反。

二　国际交往中的常态性

在常态社会中，需存在国际交往，而且，这种常态下的交往，既促进正态文明的传播，又不可能不带有常态的负面作用。这如同各个国家国内的情况一样，既有对常态中的变态容忍的一面，也有对其遏制的一面。在国际交往中也存在需要遏制的活动。首先长期以来在国际交往中各国的法律规定不允许存在非法交易，比如走私、贩毒、非法移民等。打击这些非法活动是各国政府的艰巨任务。但是，就合法的交易讲，在国际交往中也存在负面作用。其中最典型的表现就是直到21世纪还十分昌盛的世界军火贸易。这是国际社会必须给予根除的祸害，一日不除，世界就要一日受其害。作为人类社会消灭战争的第一步，消除国际交往中的军火交易，应是追求文明进步的各个国家的共同任务。人类的理性应保证在21世纪中完成这一任务。

现实的国际交往的市场准则是常态性的。其中最重要的是强调维护资本的收益权。这也是常态下各个国家的国内市场准则在国际交往中的再现。正是因为有这样的共同的市场准则，才会有国际交往的全球通畅。在国际贸易中，并不存在剥削问题。但在国际投资中，却是有剥削存在的。就市场的一致性讲，一个国家不能在容忍和允许国内资本的剥削存在的同时，却不接受国际资本即外来资本的剥削。因此，正确对待国际投资是十分重要的，尤其是对于发展中国家，在确保维护本国利益的前提下，应努力吸引国际投资，而不能因国际投资带有剥削性质而予以排斥。对待剥削，需要的是理性，而不是感情。剥削是常态劳动中的客观存在，在各国的法律是允许的，在国际交往中必然也要受到保护。这并不是政治经济学的要求，而是现实的国际投资的要求。

在常态社会的发展中，各个国家之间的经济交往存在着历史既定的利益界限。国家的存在是常态的表现，国家利益的存在是由国家的存在决定的。在历史上一个国家依靠暴力实现对一定地域统治，这种统治延续至今，就形成这个国家现实的基本利益。其他国家的人进入这个国家的地域从事经济活动，要得到这个国家的允许和服从这个国家的管理。这种允许和管理就是国际交往中一个国家对于本国利益的维护。在一个国家的地域内，可能有丰富的资源，也可能没有丰富的资源且生存环境很差。在这之间是无法相比的。对于各个国家已占有的地域，现在是只能尊重其占有权，而不能再追究其为什么占有这一地域。打破这种历史的限定是人类未来的希望，但在现实的国际交往中历史的限定还是各个国家的利益边界，拥有丰富资源的国家占有自然的优势，并可依此获得现实的利益。

国际交往中，各个国家之间不仅有明显的地域差别，而且也有明显的文化差异。各国之间的经济往来大都是在不同的文化背景下进行的。对于由文化背景不同而引起的贸易冲突，是无法用必然性解释的。这也就是说,国际交往中的具体事件是不具有必然性的。因为必然性不能决定这种具体事件的产生和其结果,只有历史的进程是必然的,构成历史进程的各个具体的点则都是偶然性的表现,所以,文化的差异引起的国际交往中的冲突也是偶然性的。像各个国家的国土地域需要受到尊重一样,各个国家的文化差异也需要得到尊重。各种思想文化观念是随着国际交往而在各个国家相互渗透的,这有利于人类社会的进步,有利于人类越来越自觉地认识自身。从现实来看,常态的国际交往中的文化融合始终处于一种混沌状态,然而,我们应认识到,并非茫茫常态无尽头,而是在混沌之中优秀的文化终归会合为一体并导引各个国家结束常态的历史。

三 市场关系的交往

国际交往分为市场关系的交往与非市场关系的交往,前种交往比后种交往的表现更为鲜明,后种交往比前种交往的范围更为广泛。

市场关系的国际交往是指国际贸易、国际投资、国际经济合作等方面的经济活动。国际贸易自古有之,到了现代已呈燎原之势。世界贸易组织成立之后,将国际贸易划分为三大部分:一是货物贸易,二是服务贸易,三是知识产权贸易。这三大部分实际对应着三大类劳动成果的创造,即实物效用、劳务效用及知识效用的创造。这也就是说,国际贸易就是在国家与国家之间展开实物效用、劳务效用及知识效用的交换。这些方面的效用交换应当有利于各个国家的经济发展,即交换应当是必要的,应当是互通有无的,是对市场需求的满足,是有效率的。如果不是这样,进行一些没有必要的国际贸易,则是不可取的。通常情况下,一些小的国家，对各种生活消费品样样要依赖于进口，这是可以理解的，也是必要的。但是，对于一些大国，搞大出大进，本国许多需要的产品都从国外进口，而本国生产的许多产品又都用于出口，这是很不正常的，或者说是没有必要的。香水也许需要进口，但像奶粉、布鞋、睡衣、袜子、铅笔、餐具之类的物品，也要远隔重洋、不远万里地进口，那就没有经济性可言了。这一类物品至多只能是在邻近的国家之间进行贸易，不应超出大的地域范围，而且，对于一些大国来讲，应该自己生产，没有必要处处依靠国际贸易。如果在国际贸易中发生不经济的情况，那只表明这种贸易还缺乏应有的理性。在常态社会，开展国际贸易是十分有益的，不仅在经济上相互沟通，而且可以使各国人民共同推进人类劳动的整体水平的提高。但是，凡事都有一定的限度，做过了度，也会适得其反，国际贸易在客观上也是有限度要求的。因此，理性的国家管理是不会允许国际贸易泛滥过度的。国际贸易保持在适度的范围之内，是一个国家的国民经济运行保持理性的重要内容之一，也是一个国家的经济发展保持在常态正轨上的需要。

服务贸易和知识产权贸易是现代国际贸易的新内容。世界贸易组织为这两方面贸易也制定了国际规则。现在，在规范的国际贸易中从事服务贸易或知识产权贸易，各个国家都应遵守国际规则，这不仅有利于维护国际市场秩序，更重要的是还有利于各个国家自身利益的保护。尤其是知识产权贸易，是新的贸易焦点，遵守规则是国际贸易各方维护自身利益的基本条件。对于已经加入世界贸易组织的国家，遵守这一组织的规则，更是责无旁贷的。2002 年，中国货物出口 3256.51 亿美元，货物进口 2814.84 亿美元，顺差 441.67 亿美元；服务项目收入 397.45 亿美元，支出 465.28 亿美元，逆差 67.84 亿美元；收益项目收入 83.44 亿

美元，支出 232.89 亿美元，逆差 144.45 亿美元；经常转移收入
137.95 亿美元，支出 8.11 亿美元，顺差 129.84 亿美元。[①]

现代经济中，国际投资主要是由跨国公司进行的。跨国公司
的兴起具有时代的特征。这是资本全球化运动的结果，承载着新
技术革命的伟力。发展至今，跨国公司已成为世界经济的主体组
成部分。据 2000 年末统计，全世界最大的经济实体中有 51 个是
跨国公司，全世界的跨国公司已能生产全球 42% 的工业产品，
已承担着 56% 的国际贸易量，80% 的国际直接投资量，90% 的
国际技术转让贸易量。[②] 从现在来看，跨国公司的发展表现出股
东无国界、员工无民族、利益无国籍的趋势，即现在的跨国公司
大都是全球融资，其股东遍天下，没有人能分辨清楚这些公司股
东的身份，也无法用国界区分这些公司的融资渠道；而现在跨国
公司实施的本土化经营战略，使得跨国公司的绝大部分员工不再
是公司注册国的公民，员工之间已无民族区分的歧视，完全是多
民族的员工支撑了公司的繁荣；再有，跨国公司的收益大部分消
融在员工的薪酬之中，付给股东红利并不是公司经营的惟一目
的，员工的利益已是公司经营中所要维护的最大利益，因而，在
员工本土化的前提下，跨国公司的利益实际是分散在它所进入的
各个国家中。

国际经济合作也是市场关系的国际交往。目前，国家与国家
之间的经济合作的方式方法是多种多样的。各个国家都是从自己
国家的发展考虑，寻求与他国进行经济合作。这包括共同勘察矿
产资源、共同研制新技术、共同开发农业、林业等各个方面。国
际经济合作一般具有长期性，并且有时带有一方对另一方的援助
性质。而市场化地进行国际经济合作项目，则是保持这一类国际

---

① 参见《人民日报》2003 年 5 月 10 日。

② 参见《北京青年报》2001 年 4 月 23 日。

交往的经济效率的最重要的条件。广泛地开展国际经济合作是人类社会进步的重要表现。

四　非市场关系的交往

进入 21 世纪，国际会展已经高度市场化了，这甚至已形成了一种产业。而体育方面的盛会，也已经表现为一种市场关系的国际交往了。但学术界召开的国际学术会议，至今还是非市场化的国际交往活动。国际学术会议是人类劳动发展动力的重要激发点，但现实的社会经济制度并没有将这些对推进人类劳动发展起重要作用的会议划归市场评价范围。一次重要的国际学术会议可能就是这一学科思想发展的新的一步，而这一步可能会对人类劳动智力水平的提升起关键作用。这种国际学术会议包括自然科学学术会议，也包括社会科学学术会议，还包括哲学、数学等方面的学术会议。这些学术会议不论是在哪一个国家召开，都是国际交往对人类文明的贡献。

在现代经济中，戏剧、影视艺术的成果交流是完全市场化的，在国际间，这属于贸易的内容。但为了艺术创作而进行的文化交流活动却并未走进市场。目前，各个国家都在某种程度上积极地支持本国的艺术家走出国门进行国际文化交流。这种交流的本身并非不含有经济内容，甚至许多的文化交流是直接为经济的交往创造条件的，但无论如何，这些文化交流的内容还是属于文化层面的，并不体现市场关系。因而，文化交流是各个国家的非市场关系的国际交往的一个重要方面。

教育的产业在发展也是市场化性质的，所以，在国际中，是有教育市场存在并有其市场竞争存在的。只是，教育的内容并不是市场关系的体现。有关教育研究的国际交往是属于非市场性的。这方面的国际交往对于各个国家的社会发展是十分重要的，这是人类文明创造的相互交流，是直接推动人类社会发展的力量。每一个国家的发展水平的保持和提高，靠的都是本国的教育，各个国家在教育方面的相互交往，是使各个国家能够跟上整个时代发展的基础条件。

各国之间政党、政府的交往是国际非市场关系交往的重要内容。这种交往中常常带有直接的经济内容，但交往方式却是远离市场的。因为政党、政府之间的交往，双方都只是政界人士，并不是商界人士。他们的主要工作是从政治的方面为国家之间的经济、文化等方面的交往创造条件，其本身并不是纯经济性质的。有的时候，政府要员出访要带一个庞大的商界人士的代表团，但即使这样，作为政府人员，他与他国的交往也是政治性质的，即也是非市场关系的。政府如此安排，可能更直接地有利于两国之间的经济交往。

在和平年代，两国之间的军队交往也是非市场关系的国际交往的一个方面。一国军队首领对另一国军方的访问，这是正常的外交关系表现。如果是一国军队的武装力量如舰队抵达另一国家进行友好访问，这总会在当地引起不小的轰动。这种影响可能是不宜与经济交往的影响相比的，但这种影响往往会使他国人民留下深刻印象。更经常出现的情况是，在军火贸易之后，出售军火的国家往往要对购买国的军事人员进行一定的专业培训，这虽然是附属于军火贸易的，但也有其一定的独立性，仅就其独立性而言，这种国际间的军事交往并不直接体现市场关系。更何况，这种培训的内容都是技术性的。

各国之间的宗教交往也是非市场关系的国际交往。从政治经济学的研究角度讲，宗教也是一种劳动，是非生产劳动。所以，宗教的活动也具有一定的经济意义。但是，宗教之间的国际交往却并不因此能够产生市场关系，宗教交往的内容还是与市场无关的。在现代社会，人类尚不能完成统一，即使是宗教，也分为各个教派，只是不论是何宗教派系，只要是正教，不是邪教，社会都要尊重和保护。各个国家之间展开正常的宗教交往活动是值得大力提倡的，这种交往有利于各个国家宗教的发展和更好地发挥宗教的社会作用，有利于人类走向更高级的社会形态，有利于人类文明的进步和生存的延续。宗教将长期存在，宗教在很长的时期中是人类生活的重要内容，在人类社会发展的历史进程中，宗教的国际交往将始终发挥着重要的基础的社会作用。

第二十二章 军事效用

军事效用是人类常态劳动的创造与选择。在已经对军事劳动的变态性及其劳动成果的性质与作用进行过多次阐述之后，在此，我们还需要再一次系统地讨论军事效用这一现代政治经济学研究提出的经济范畴。

一 军事劳动成果的效用存在

军事劳动创造军事劳动成果，军事劳动成果作用的一般化即为军事效用。军事劳动是变态劳动，军事价值是变态价值，军事效用是变态效用。在常态社会的各行各业劳动中，只有变态的军事劳动创造的价值是变态价值，只有变态的军事劳动创造的效用是变态效用。军事效用在常态社会起变态作用，是常态社会必不可少的效用。人类常态社会是由所有的国家和地区构成的，军事效用是以国家为范围存在的。在人类社会的历史与现实中，国家是惟一可以合法地使用暴力的社会组织，即只有国家可以设立军队。每个国家的军事劳动创造的军事效用，都要起保卫国家和与他国军事力量相对抗的作用。无论是在现代还是在未来，只要有国家存在，就意味着有军事效用存在。军事劳动是依据国家权力而配置的劳动，军事效用是军事劳动创造的，这种效用不是在市场实现

— 180 —

的，而是由国家政权承认的。因此，同军事价值的实现一样，军事效用的实现也是整体性的，是由国家对于军事劳动的投入量决定的。军事效用与军事价值的关系，如同效用与价值的关系，并无二致。

军事效用在平日或是说最广泛的用途是保卫国家安全和维护国内社会秩序。在人类经过的400多万年的漫长的原始社会，在其后期战争是始终笼罩在原始人头上的阴霾，战斗也许是每日都要进行的。在原始社会后期，军事效用是原始人日常最重要的消费，并且是直接以暴力的形式体现在各个部落的生活中。后来，随着原始社会的解体，随着文明的进步，战争的频率逐步下降了，国泰民安的日子渐渐地多了起来，军事效用日常表现也不是在战场上了，而是慢慢地融入了和平的生活之中，打仗已经成为人类生活中的特殊时期。在不打仗的日子里，军事效用就只起保卫作用和维护治安作用。从现时代讲，派遣军队去打仗，已经是很少见的了，职业军人终其一生未上战场并不罕见。毫无疑问，不打仗的日子是特别受人民欢迎的，不将军队用于战场是社会安定的福祉。但是，从历史来看，和平总是用流血换来的，原始社会以后的战争确实少了，但并未消灭。因此，这是各个国家有史以来必须设置军队或者说必须保护军事效用的创造的最根本的理由。这也就是说，在常态社会，各个国家的和平需要用武力捍卫，无论是哪一个国家缺少军事效用，都将无法得到祥和的生存环境。现在，世界上各个国家都设置有军队，这是常态社会生存环境下的必然理性行为。从历史来看，每一个国家都必须依靠武力保护自己，每一个国家人民的生命都是在武力的保护下得以延续的。如果每个国家都放弃军事效用，不用依靠武力保护自己，那么从逻辑上讲，是可以得到比相互都拥有军队更好的发展。但这种假设不符合历史事实。所以，在现代劳动高度发达的时代，各个国家仍都要配置大量的军事劳动，这至少表现出是一种历史延续。而这一点并不是不可以改变的。打仗是为了生存，这是由劳动的发展水平决定的。不打仗才能更好地生存，这也是由劳动的发展水平决定的。这就是说，军事效用有无存在的必要，这是由生存决定的，是由劳动的发展水平决定的。从理性讲，现代人类劳动的发展已决定无需军事效用在人类生活中存在了，只是这种理性的力量还太弱，还抵挡不过历史惯性的力量，因而，军事效用至今还是普遍地存在于各个国家，只不过已经开始受到了一定的遏制。从现代的社会管理角度认识，优秀的人们应该意识到，在高科技时代，人类已经获得相当高的生存能力，现实社会中存在的所有的矛盾或不安定因素并不足以构成依旧保护军事效用的因由。以血还血，以牙还牙，只能激起人类更大的变态，而无助于甚至有害于人类今后的生存延续。然而，面对这一事实，现代人类不是缺少创造军事效用的智慧，而是缺少告别军事效用的理性，即到了 21 世纪初，各个国家都还在努力创造更尖端更具杀伤力的军事效用，而无一例外地缺乏对人类劳动的整体发展水平及其决定作用的自觉的认识。

在人类已走过的历史中，由于各个国家之间存在既定的利益冲突，由于生存的迫使，军事效用在各个时期还不同程度和不同时段地表现为大大小小的战争，表现为血与火的搏击。而至今，已经无可否认，人类进入 21 世纪之后并未能有效地阻止战争，战争在应用高科技成果的水平上走得更远了。从古代打到近代，又从近代打到今天，这充分地表明人类劳动的常态性和人类社会的常态性的历史延续。历史不能假设，人类是依靠战争从历史中走出来的。但历史也表明，军事效用的存在并不等同于战争的存在，战时存在军事效用，非战争期间也存在军事效用。所以，就今天讲，可以先保持军事效用的存在而致力于避免战争。如果做到这样的理性控制，那么就是人类社会的巨大进步。

在战争不可避免的历史年代，战争是社会进步的代价；在应该避免战争的现时代，保持不打仗的军事效用，仍是社会进步的代价。[①] 这两种性质相同而内容有所不同的代价，都需要各个国家投入大量的军事劳动，都需要各个国家的军事劳动者投入自己的青春乃至整个生命。在18世纪，亚当·斯密指出："本世纪的历次对外战争，也许是历史上费用最大的战争了，维持这种战争的基金似乎很少依靠流通货币、私人家庭的金银器皿或国库财宝的输出。前次对法战争使英国花费了9000万镑以上，其中不但有7500万镑新募的国债，而且还有每镑土地税附加2先令的附加税，以及从还债基金中每年借用的款项。这项费用中有2/3以上用在外国，即用在德意志、葡萄牙和美利坚，用在地中海各口岸，用在东印度和西印度群岛。"[②] 在19世纪，全球爆发殖民战争和反殖民战争，不少国家沦为殖民地或半殖民地。当时的中国，经历了第一次鸦片战争、第二次鸦片战争、甲午战争、八国联军入侵北京等战事，耗尽了钱财，死伤惨烈，还是屈辱地成为了列强的半殖民地。在20世纪，不仅有过两次世界大战，死亡数千万民众，而且还有许多国家爆发的国内战争以及二次世界大战之后又爆发的朝鲜战争、越南战争、两伊战争、中东战争、海湾战争等局部战争，成为人类战争史上死伤人员及耗费资财最大的一个世纪。现在到了21世纪，海湾地区又重燃战火，美军占领了伊拉克，让人们真实地看到了高科技战争的威力，看到了巨大的战争费用和战地上的血肉横飞。不能说这样付出的代价是很小的，

[①] 军人在战时要牺牲，在平时也有牺牲。2003年5月20日上午10时，中国海军舰艇部队统一鸣笛1分钟并下半旗，向在训练中失事的361潜艇上遇难的70名官兵志哀（参见《南方周末》2003年5月22日）。

[②] 亚当·斯密：《国民财富的性质和原因的研究》，下卷，第14页，商务印书馆，1988。

不能说这不是人类常态社会的无奈。在 21 世纪中，我们只能祈求这种代价和无奈越少越好。虽然，"金矿与战争都对人类进步有贡献——因为没有更好办法。"① 但在高科技发达的今天，人类的理性还是应尽最大的努力去减少或完全地避免战争的贡献。

另一方面，从积极方面看，自古至今，军事效用的创造都有激发人类常态社会活力的作用。在一国遭受他国侵略时，该国的军人将以血肉之躯构筑防线，抗击敌人，这将唤起全国人民的斗志。而侵略他国的军队，在军事实力上必有过人之处，一般表现为有更先进的武器或综合素质更高的军队，在变态的前提下，这也能激发国家的活力。在世界历史中，并非所有的侵略他国的国家都以失败而告终。现在各个国家地域的确定一般都是战争的结果，一些领土广大的国家可能就是历史中的胜利者。古代军事劳动的发展曾经积极地带动了采矿业、冶金业、制造业的发展，推动了许多行业的技术进步。而现代军事效用的技术带动作用就更为明显了，通讯卫星、优质钢材、飞行器、原子能等技术的开发与利用，无一不是先由军事部门研究，取得成功之后才又普及民用的。由于军事技术研究一般是国家负责的，可以抗击较大的风险和承受开发研制时间较长的压力，一般是市场投资不敢企及的，而一旦研究取得成功，又可迅速转为民用，发挥社会普及的作用，因此，这方面的军事效用对于民用技术的进步乃至国民经济的发展都是有很大的影响力的。

二 军事效用的创造

同正态效用的创造一样，创造变态的军事效用的劳动，其内

① 凯恩斯：《就业、利息和货币通论》，商务印书馆。1963，第 111 页。

部也是由智力因素起主导作用的。无论是保卫自己的国家，还是去侵略别的国家，军事智力在军事行动中都是最重要的，这种智力是军事效用的灵魂。运筹帷幄之中，决胜千里之外。古代的军事家就懂得军事智力的关键作用。如果是发动战争，军事家们必要详细准备，周密计划，任何战略行动都是事先统帅部的决策安排。保卫自己的国家，靠军事实力，更靠军事智力，军事家们要考虑怎样才能抵挡敌人的进攻，怎样才能得到外援，怎样才能最后击溃敌人，不可能将保卫祖国的任务仅仅放在不怕死的决心上，更不能拿自己暂时处于劣势的兵力去硬拼当时强大的敌人，在需要忍耐的时期和需要战略退却的阶段一定要靠理智保持足够的耐心和毅力。在历史上，曾有一些国家自以为靠自己的军事实力可以征服他国，但实际上他们的智力决定他们的实力并不足以取胜。仅就作战的能力讲，事实上也可以区分出军事上的智者和愚者。军事上的较量，既是两国经济实力的较量，也是两国军事智力的较量。胜败乃兵家常事，就是指这种军事智力的较量而言的。在军事效用的创造上，智力水平是决定效用水平的。大智才能大勇，若无大智，是不会有高水平的军事效用的。

战争是人类的创造，是人类劳动的创造。当然，我们愿这种创造越少越好。但这方面众多的创造都已成为历史，容不得我们再有任何抱怨。创造战争的劳动是变态劳动，是为战争牺牲的劳动，其劳动主体是为战争做出牺牲的军人，这种牺牲并不完全意味着军人失去生命，只是无一例外地表现为这些军人都失去了平静的人生。除去支付军事劳动主体的费用，战争耗费的巨大资财是这种变态劳动的客体，参与战争的劳动客体是备受战争摧残的人们诅咒又爱护的对象，它们既是杀人的武器和支配军人的物质力量，同时也是军人生命的护盾和无声的军事实力的存在。在人类的历史中，只有两枚原子弹用于了实战，这两枚原子弹保护了进攻日本的美国军人们的生命，杀死了广岛和长崎的 30 万日本人，迫使日本天皇宣布无条件投降、结束了第二次世界大战。2003 年，美军在伊拉克战争中动用了大量的高科技武器装备，在绝对的军事优势下，伴随着隆隆的炮火，美军开进了巴格达，接管了伊拉克。从广泛的劳动联系讲，创造战争并不仅限于双方在战场上较量，更在于军事劳动的智力用于武器的制造，军工生产的过程及其劳动者的努力并未远离战争创造的荣誉。在战争期间，军事效用的作用表现是极其骇人的，所有人间的丑恶都尽在此时迅速膨胀。母亲们知道，她们可爱的孩子在殊死地搏斗，只有胜者才能活下来，殷红的鲜血掩埋了一切人性的良知，战场上杀人的任何理由都无法摆脱失去生命的灵魂的哀怨。自古至今，人类创造的战争不知毁掉了多少正态劳动成果，这种劳动的变态使得人类的历史充满了血色的篇章。人类战争的表现，归根结底，不是个别人的狂妄，这是人类的劳动行为，是劳动整体之中的变态表现，揭示这其中的客观机理，不是历史学的责任，也不是文学的任务，而是政治经济学的使命。

在平日里，军事效用没有硝烟，但各个国家依然要全力以赴地投入大量的财力和人力。一个国家的军事实力就体现在平日对这种变态劳动的财力和人力的投入上，投入的财力多少是衡量军事实力的重要测定指标，投入的人力中的智力水平高低是保持军事实力的关键性因素。缺乏足够的智力和财力，平日的军事效用起不到保卫国家安全的作用。要保证军事劳动发挥应有作用，必须使平日的军事效用创造视同面临战争一样，不得有任何松懈。在各个国家，都要有大批的优秀人才从事军事劳动，都要有大批的资财用于军事劳动，这种军事劳动是各个国家的社会必要劳动，这种军事劳动创造的效用是各个国家既无奈又必不可少的效用。在 20 世纪末，即使不发生战争，全世界各个国家每年的军费支出总计约为 8000 亿美元，这也可以说是全世界每年创造的军事效用的价格。这个高昂的价格很难在近期内降下来。在 21 世纪初，我们似乎应认可这一数量的世界军费，只是要努力实现用这些军费换取和平的军事效用，不要发生战争。所以，从政治经济学来看，和平的实现，其代价是可以计量的。这不仅表现在战时，也表现在平时，在常态下，即使在和平时期，也要有庞大的军费才能支撑整个世界的平衡。

现代高智力复杂劳动创造的特点也充分地体现在现代军事效用上。与古代的军事效用靠人海战术打仗不同，现代军事效用是靠高科技打仗，履行军事劳动的职责，不再是兵力数量上的对抗。现代的军事技术发展得非常快。在第二次世界大战期间，尽管那时战场上也是比武器精良、比飞机、比坦克、比部队的机动性能，但与新技术革命之后的军事技术相比还是不可同日而语，毕竟那时的军人还敢说用我们的血肉筑起长城，还敢说用小米加步枪打胜仗，而仅仅是过了半个世纪，情况就完全不同了。如果说那时的战争是毁灭人性的，那么现代的军事技术力量是能够毁灭人类的。现代人类劳动之中形成的智力平台，也最先最快地出现在军事劳动之中，跃上智力平台的军事劳动是在这一平台之下的军事劳动不可抗拒的，这不是同一档次的较量，而是一个完全的控制方与另一个完全被控制方的关系，是真正的高科技的战争恐怖的降临。无疑，高科技的军事劳动已经可以做到视百万大军的性命为草芥，只要动用那些杀伤力极强的武器，就可以将敌方任何进行抵抗的生命在瞬间全部消灭掉。而尚未掌握高科技武器的国家最多只能是奔走呼吁禁止使用这一类武器，实则是无可奈何的。其实，这种发展并不表现人类的进步，而只是表现人类的绝望。这种军事效用的现代化为人类带来的只能是恐惧。在不可抗拒的智力平台之上的军事效用面前，实质上其他军事技术已经全部失去了以往的威力。也可以说，传统的军事智力的较量主要是在常规武器的运用和军事战略与策略上的较量，而现代的军事智力的较量则主要落在了高科技武器的研制上，一旦大规模应用这些致命武器，就可能导致人类的毁灭。军事卫星、巡航导弹、原子弹及氢弹，已经是现代拥有高科技实力的军队的普通装备。人类的军事效用创造，在新技术革命之后，已达到了顶峰。

　　幸运的是，人类已经拥有的高科技武器，但还没有普及应用。国家与国家之间的军事行动仍还是停留在常规武器和常规部队的对抗上，高科技装备还只是辅助作战的手段。有鉴于此，或多或少还可以让现代人喘一口气，不至于每日每时为战争的威胁，为高科技武器的恐怖，提心吊胆。现在，摆在各国军队面前的似乎只有两条路：一是签署公约，规定只可研制不可使用高科技武器，或者干脆规定不可研制这一类武器，已研制成功的也要予以销毁。再是各国继续竞相研制更先进的武器。而未来恐怕不是人们想像的那样，首先，不论是限制研究还是限制使用，都不太可能，眼下各个国家只能是自己限制自己，难以做到限制别国，国际间的约束力太微弱了，所以，签公约恐怕起不到实际作用。其次，更新的武器也很难问世。且不说这需要巨大的投入，关键是对抗现在已有的高科技武器很困难。如病毒类的生化武器，基本上是防不胜防的，一旦投入使用，就像打开了魔瓶，全世界只能听天由命。研究对抗这一类武器的更先进武器几乎还没有可能，至少在 21 世纪初是这样。那么，未来将会是怎样的呢？或许解决的办法不是军事家们能够想到的，即这不是一个靠军事能够解决的军事问题。这只能从社会科学的发展中去寻找解决的答案。这需要现代人增强对战争的理性认识，增强对人类劳动和人类自身的理性认识。在全人类都能够认识战争和武器的现代发展会毁掉人类自身，而人类的劳动能力已经不必依靠战争就能满足人类的生存需要，这一问题自然就解决了。

三 军事效用的特点

护卫人类走过了 400 多万年岁月的军事劳动创造的军事效用，同时也是无情地摧残过人类无数性命的劳动效用和正在对人类的生存延续形成巨大威胁的变态效用。这种双刃剑性质的劳动整体性效用，除去其变态性和无奈的必要性之外，在常态社会生活的现实之中，还具有以下主要特点。

1. 常备性

军事效用不能是时有时无的，必须常备不懈，因此具有常备性。亚当·斯密讲述过他生活的那个时代的军事常备情况，他说："1739 年，西班牙战争爆发，当时英国享受了 28 年的太平。可是，它的常备兵士并不为这长期和平所腐化，在攻打喀他基那时，他们所表现的武勇尤为特出。这一战役，是他们在这次不幸战争中第一次的不幸冒举。和平日子过久了，将官们说不定有时会忘却他们的技能，但管理得法的常备军，如果不忘训练，似乎绝不会忘却其武勇的。"① 在现代社会，军事效用的常备性是受到重视的，常备军的设备不断更新以及逐年增加的国防费，表明各个国家一如既往地关注常备军的建设。作为世界军事大国的美国，在 2001 年发生"9·11"事件之后，整个国家的军事防范一直处于高度戒备状态，至今不敢有一丝一毫的懈怠。

2. 持续性

不论是在平日，还是在战时，军事效用都是长久持续的。虽然军事效用也是劳务效用，但其并不像其他劳务效用那样随生随

---

① 亚当·斯密：《国民财富的性质和原因的研究》，下卷，商务印书馆，1988，第 269 页。

灭，只有短暂的时效，而是可以将其效能保持相当长的时间，并
且是连续地保持下去。一次战争之后会换得相当一段时间的和
平，这就形成了战争作用的持续。在农业经济时代，打仗不能耽
误农时，不让农耕，如果春天不种地，那么秋天是颗粒无收的，
那就意味着所有的人都要失去生存的基础条件，所以，仗不能打
到不让春耕，每次打完仗都要留有生息休养的时间。在现代社
会，更是不能无休止地打仗。一座现代化城市，一旦陷入战争，
其生活保障系统维持不了多长时间，如果战事不能迅速结束，整
个城市就会崩溃。所以，打仗不能连续地打，也不必连续地打。
但在打打停停之中，军事劳动的效用并不中断，只是以不同的形
式存在。这也就是说，军事劳动的必要存在决定其创造的效用是
持续存在的。只要常态劳动中的军事劳动还存在，那么这种劳动
创造的效用的持续性就会保持下去。

3. 系统性

军事效用是整体存在的，所以在现实中是系统表现的，并不
是单一的暴力展示。在保卫国家或发动侵略战争中，军事效用的
整体内部，上有最高决策的指挥系统，前有野战部队、有空军、
海军和情报系统的配合，后有供应系统、救护系统、宣传系统、
维护系统的跟进，下有全国的国防紧急动员系统的工作。在平日
里，常规的军事教育、科研、医疗、文体、后勤等系统，也是一
个都不能少。这多方面的合力塑成军事效用的整体力量，发挥其
职能作用。从逻辑上讲，各个军事系统构成的军事效用的每一部
分不能替代整体效用的存在，这些系统的作用只是军事效用整体
中的组成因素。而且，在平日里，由于没有战斗前线的拼杀，一
切秩序都是较为平和稳定的，军事效用的系统性就是更为明显突
出的。每个国家的军事劳动整体都像是一台巨大的机器，按照各
种系统的构成保证整体的运转，其中战斗部队序列在平日并不是

亮点，军事科研与教育是各个系统中的核心系统，而整个后勤保障系统则是维护整体军事效用延续的主要力量。

4. 疯狂性

军事效用的实质是暴力效用。在非战争期间，虽然军事效用不以暴力形式表现，但它的暴力性质并不因此而改变，军事性永远都是暴力性的。如果军事效用失去了暴力的性质，那就意味着失去了自身存在的必要。而暴力的存在，必然是疯狂的，所以，军事效用具有疯狂性是合乎逻辑的。军事效用在战场上的疯狂是其典型表现，而在战场之外，人们也会依然感受到那种疯狂性的存在。原子弹的研制代表了20世纪上半叶军事效用疯狂的顶点。当时，德国法西斯军队和日本皇军都在加紧研制原子弹，如果让这些战争挑起国军队得手，整个人类的前途和命运不堪设想，这时，美国不得不后起步，组织最优秀的人才，抢在前面加快原子弹的研制，以更大的疯狂对抗法西斯军队的疯狂，终于赢得了时间，赢得了胜利，用最先制造出来的原子弹加速了战争的结束。在第二次世界大战之后，军事效用的疯狂更是有增无减，这主要体现在军备竞争上。新的武器层出不穷，大规模杀伤性武器也并非大国才拥有，世界军火市场交易火热，各国军费倍增。这种疯狂带来的恐怖是令人绝望的，说明人类的军事效用的疯狂已经达到了极限。虽然古代军事效用的疯狂通常都是血淋淋的，但是相比之下，现代军事效用的疯狂是更让人感到恐惧的。

5. 最新技术性

在人类常态社会的历史进程中，军事效用表现出的技术性永远是领先的，始终代表着人类生产技术的最新进展。关于这一特点，也是由生存决定的。由于军事效用关系到各个国家的安全保障，而不论是哪一个国家，都必然是要将安全放在第一位考虑，所以，每个国家的最优秀人才和最前沿的科技研究都必然向军事科研集中，特别是一些基础性的和超前性的科技研究，更要借助于军事科研的力量才能进行。因此，最新最先进的技术当然是要在军事领域最先出现了，军事技术也往往成为各个时代领先的尖端技术。一般情况下，都是先有军事技术的应用，然后再向民用技术转化。比如，飞机的发展史与战争是密切相关的，飞机的生产技术是在两次世界大战的炮火中不断得到提升的，而打完仗之后，飞机才普遍地进入民用领域。再如，原子能技术的开发纯粹是为了研制原子弹才起步的，如果没有战争的刺激，这项技术决不会那么快地问世。而在经历了原子弹爆炸之后，才出现和平利用原子能的课题。现在，发达的市场经济国家对于外层空间的探测，同样是带有军事科研性质的，所以，这方面的研究作为绝对领先的技术研究，对于其他国家是严格保密的。

四　军事效用的选择

军事效用的质量和水平取决于军事劳动的发展水平，军事劳动的发展取决于军事劳动内部的智力因素作用的提高。在各个国家的军事劳动中，事实上也同其他劳动一样，在其复杂的构成部分，分为技术劳动和管理劳动。若技术劳动不精良，那就是说军事效用难以获得先进的物质技术基础。如果管理劳动不高超，军事效用就难以有聚合的力量。在军事劳动中，技术和管理都是重要的，缺乏先进的物质技术基础就不能保证军事效用发挥应有作用；缺乏有效的管理也不可能保证军事效用的应有力量。所以，在军事劳动的发展之中，无论是军事技术的选择，还是军事管理的选择，都体现出各个历史时期的特色，并由此形成各个不同历史时期军事效用的特色。

在原始社会后期，猿人部落间的战争似乎也有侵略与被侵略

之分，被侵略者就是原占有山林的一方，或是被动地接受战斗的
一方；侵略者就是去抢占别人山林的一方，或是主动发起战斗的
一方。双方混战，会各有伤亡，而山林也可能会易主。在那个年
代，战俘是食物，打仗的结果就是双方相互吃对方的战俘。军事
效用的作用就是抢占山林或保卫山林，捕获战俘或防止被捕获。
因此，原始部落对军事效用的选择就是，要么去抢别人的山林，
要么保卫自己的山林，捕获战俘是直接充当食物的，越多越好。
出于生存的需要，无论是哪一部落，都会拼死地去抢占或保卫山
林，拼死地去捕获对方人员。原始的战争往往是全民性战争，每
一位劳动者都是战士，打起仗是一起上，至多有前方与后方之
分，不会有脱离战斗的成年人。在那个年代，没有哪一个部落不
向别的部落攻击的，一味处于守势的部落会很快被消灭掉。因
而，从今天来看，在原始社会相对野蛮时期，军事效用的选择近
乎于自然的选择，这是由原始人类劳动能力低下决定的。

　　奴隶与奴隶主相对立的时期，是人类劳动内部体力因素起主
要作用的发展阶段，此时军事效用的特征是不抢土地，只抢对方
强劳力，不杀战俘，将战俘用做奴隶。那个年代，已经出现了奴
隶制国家，国家与国家之间的战争以及奴隶主镇压奴隶起义的战
争，不仅繁多，而且惨烈。由奴隶主发动的对外战争，战败方的
人员就是新的奴隶。而奴隶主镇压奴隶起义的战争，残酷到将奴
隶全部杀死，一个也不放过。奴隶主对军事效用的选择，目的就
是要补充新的奴隶和维护奴隶制度的统治。在奴隶社会中，虽已
不是全民皆兵，但军事劳动占社会劳动的比重仍是较高的。驱赶
奴隶去打仗，这是奴隶主的选择，但打仗的结果并不一定能获得
更多的奴隶，也可能是战败。如果战败，不仅奴隶要被别人掳去
继续当奴隶，奴隶主及其家人也可能沦为新的奴隶。但即使存在
这样的可能，奴隶主们也还是不断地发起战争。

在封建社会时期，人类劳动内部自然条件因素起主要作用，战争的目的主要是抢夺土地，现在各个国家的领土边界，大体上都是在这一时期确定的。封建社会的战争不再专门抢劳动力，而且战争频率相对减弱了，军事效用的选择主要以扩张国家领土和保卫国家领土为主。但战争的残酷程度更高了，战争的规模也更大了。一个国家只要是比邻国弱，就避免不了挨打的命运。或者说，一个国家只要比邻国强大，就随时都有可能发动侵犯邻国的战争，以图扩张本国领土。

进入资本主义时代之后，从表面上看军事效用的作用是比较模糊的。殖民战争是封建性质的，不是资本主义的时代特征。从根本上说，资本的统治是不需要暴力支撑的。在这一时代，暴力只是历史的延续，并不是资本扩张的必需条件。军事效用只可表现一定的威慑力，不可还像封建时期那样一再用于战争，依靠军事力量维护和平是资本主义时代军事效用的基本特征。但历史表明，两次世界大战都是发生于这一时期。然而，一是世界大战涉及的国家并非都是资本主义国家，二是世界大战的结果也更有力地表明靠暴力为资本开路是行不通的。暴力的滥用只能导向法西斯统治，而资本的力量是可以驾驭整个世界市场的，至少在这一时期内是可以做到的。所以，从资本的利益出发，各个国家对于军事效用的选择，在这一时期，不会再是战争，而是会转向维护和平的理性需要。实际发生的战争，只是表现社会理性无力的无奈。

现今，人类社会的发展已进入高科技时代。在这一时代，人类应具有更高的理性，对于军事效用的选择是关系人类命运的大事。从人类最根本的生存利益出发，各个国家之间不能再搞战争升级了，所谓要准备打明天的战争，准备打高科技战争，是与人类的生存利益相悖的。也许，未来的战争可以虚拟化，通过电子模拟演示，就可以知道战争的结果，而不必一定要去战场上较量，一定要打个你死我活，血流成河。在不得不保留军事劳动的前提下，已经能够进行外层空间探索的人类对于军事效用的理性选择，只应是用于维护和平。这对于各个国家来说，就是在现时代要尽一切可能避免战争，尤其是避免高科技战争。

五 结 语

军事效用是常态下社会财富创造的组成部分，是各个国家的国民经济总体安排下的必要劳动成果。在现实的社会分工中，必须有相当数量的人力、财力投入军事劳动中，用以创造军事效用。在人类常态社会，军事效用的创造，一方面是生存的无奈，一方面又是生存的活力。这是矛盾的，也是现实的，因为现实就是矛盾的。战争表现的军事效用是摧毁人性的，甚至可能摧毁人类，面对这种无奈的矛盾的变态效用的存在，我们更需要的是理性认识，而不是感情用事。

只要人类的生存仍是在向常态社会发展阶段过渡，那么任何人都不能在这期间幻想取消军事劳动和军事劳动创造的军事效用。将军事效用的存在视为社会的永恒或社会的浪费，都不是客观历史地认识事实的态度。在常态社会条件下，人类尽最大的努力能够做到的只是制止战争的爆发，或者说是避免战争，而不是完全地消灭军事效用。保持维护和平的军事效用是常态社会转向正态社会的一种过渡，是在最终取消军事劳动之前人类的理性选择。

从现实讲，创造军事效用需要相当量的军事劳动，虽然这是一种无奈，但各个国家都需要认真地保证对本国军事劳动的投入，以保证军事效用创造目的的实现。军事价值是变态价值，军事效用是变态效用，这种变态是常态劳动和常态社会的支撑点，一样具有劳动性。从某种意义上讲，军事效用的发展水平也是人类常态社会发展水平的一种特殊的标志。

军事效用是整体性的，它是以整体的作用为国家服务的；军事效用是常备的，它不能是时有时无，在常态社会不论是战时还是非战时，各个国家都时时刻刻需要军事效用的存在；军事效用具有连续性，不是像其他劳务效用那样随生随灭，而是一直不中断地连续发挥作用；军事效用具有系统性，它是由各个分支系统的作用构成的；军事效用具有疯狂性，从古至今，在任何时期都是疯狂的，只是现今的疯狂已经达到了顶点；军事效用还表现出最新技术的创造和应用，从历史来看，为了生存的需要，各个国家总是将最尖端的科学技术研究投入军事领域。

由劳动整体的发展水平决定，对于军事效用，每一历史时期都有不同的选择。现代的政治经济学理论研究表明：人类社会的常态发展进入高科技时代之后，世界上各个国家对军事效用的选择应置于整个人类社会的经济运行之中考虑，即应从全人类的高度认识高科技的发展对于军事劳动的影响，对于人类现实的命运的影响，应在全球人类生存利益一致的前提下尽力避免更疯狂的高科技性质的军备竞赛，尽力避免可能毁灭人类的高科技战争，理性地保持只用于维护和平的军事效用，这应是 21 世纪人类保持自身生存延续的现实选择和时代重任。

第二十三章 商品竞争

　　军事效用不进入市场竞争范围，那是战场或无形的战场上的较量。世界军火贸易是军事效用创造中的例外，也是现代社会必须予以遏制的。在进入市场的劳动成果中，又分为竞争性的与非竞争性的，属于政府投资经营生产的劳动成果一般是非竞争性的，除此之外，就都是竞争性的了。也就是说，在现实经济中，政府投资可介入市场，但一般不参与竞争。如果政府的投资也同非政府投资一样在市场上竞争，那么不论古今中外，都表现为市场秩序的紊乱。在现代发达市场经济国家，大多是通过立法阻止政府的投资行为演化为市场竞争行为，倘若出现失控，是要追究当事者的法律责任的。个别国家的政府投资涉及竞争性领域也是有的，只是不属于主流趋势。在现代市场竞争中，原则上是排斥政府投资的，即一般是不允许政府控股或独资的企业进入竞争性领域。因此，在经济实践中需要分辨清楚，允许政府资金进入市场与不允许政府参与市场竞争是不矛盾的。竞争性市场与非竞争性市场是有严格区分的，面对现实，只有深刻领会这种区分，才能减少各个方面经济行为的盲目性，使市场的竞争保持在合理的范围之内，使竞争更多地由自发转为自觉。而在人们始终关注的市场竞争之中，最具历史性和广泛性的竞争是商品竞争。

一 商品市场

进行劳动成果交换的市场是商品市场，非劳动成果进入市场交易不在商品市场范围之内。凡是商品，必定要是劳动成果，不能违背这一规定性，土地等自然资源不是商品，劳动力也不是商品。所以，土地市场、其他自然资源市场和劳动力市场不属于商品市场。商品市场只进行劳动成果交换，只含有市场交换关系。在商品市场，所有的交易属于交换性质的，非交换性交易一概不存在于商品市场。

商品市场并不都是竞争性市场，只是，在商品市场中，竞争性市场为主，非竞争性的市场比重较小。商品竞争是指各种劳动成果在市场交换中为各自实现交换而展开的较量。存在商品竞争，有以下前提：一是劳动成果在品种类别上要得到市场的承认。市场需求是有选择的，尤其是对非生存必需品的选择基本没有确定性。所以，只有在品种类别上属于市场接受的劳动产品才有竞争的可能。如果劳动成果在品种类别上不被市场接受，那就没有参与竞争的资格，是属于被商品市场排斥在外的劳动成果。二是劳动成果为同类产品。如果劳动产品不同种类，那么相互之间没有竞争性。参与竞争的劳动成果必须是同一类产品或相互可替代的产品。三是同类产品供大于求。如果同类产品在市场上供不应求，那这类产品之间也不具有竞争性。而一旦供大于求，同类产品之间就会展开各种各样的搏斗，最终会将弱者挤出市场。

一般说，商品市场的供求变化主要是在非生存必需品上。因此，商品竞争也主要体现在非生存必需品上。有竞争，说明商品的可选择性存在，竞争与选择是交织在一起的。选择就是指对具体的非生存必需品的选择，竞争就是在选择基础上的竞争。选择

的权力并不单为消费者拥有，作为生产者同样也拥有选择权，即
选择是双方的选择，供给方与需求方都有选择权。从生产者的选
择讲，他们可以选择生产某一种产品，也可以选择生产另一种产
品；他们可以根据自己的生产能力去适应市场需求，也可以根据
自己的生产能力去创造市场需求；他们的选择可以是主动性的，
也可能是被动的或十分被动的；他们的选择可能是理性的，也可
能是非理性的。从消费者的选择讲，他们可以选择消费某一产
品，也可以选择消费另一产品；他们有这种选择权力，他们往往
表现出十分在意行使这一权力；在供给适应需求的时候，他们的
选择可能是主动性的；在供给创造需求的时候，他们的选择可能
是被动性的；而不论是主动的选择，还是被动的选择，他们的选
择之中有些是理性的，有些是非理性的，并非都是理性的，也并
非都是非理性的。所以，与选择性相对应的竞争性是非常复杂
的，即不能简单地讲竞争性强就是市场适应性强。如果供给方面
有很强的创造性，对需求方面形成强大的带动力，那它同样是竞
争中的佼佼者。在市场竞争中，作为生产者，可以理性地对待消
费者的理性，却无法依据理性去适应消费者的非理性，也无法非
理性地对待消费者的非理性，只能是在理性与非理性之间游走探
索，以直接的高超的市场悟性和驾驭能力为消费者的非理性选择
创造更大更好的消费空间环境。商品的非生存必需性决定产生市
场的不确定的双向选择。而生产者的创造性可为非生存必需品的
选择拓展更大的自由度。其实，从现代经济的运行来看，对现实
的复杂的商品市场还是能够做到比较清楚和准确的分析，关键在
于需要有正确的分析思路。一切都应沿着劳动的创造能力和市场
的双向选择性进行考察，不能将市场神化，更不能脱离劳动的决
定性认识问题。单纯从主观心理出发是无法准确认识市场的客观
事实的。而事实上，商品市场的复杂性，在计算机技术高度发达

的现时代，已经是可以认识的，因为这种认识比之认识人类基因，比之向火星发射探测器，要相对容易得多，只不过现代经济学的研究在很大程度上仍受传统的教条的约束，始终未能沿着劳动的创造性和选择性去认识客观展示的每一个环节上的问题，因此才至今尚未能合理而透彻地解释和认识商品市场。应该说，相比之下，不是古代的市场太复杂，也不是现代的商品太复杂，只是自政治经济学创立以来对商品市场的认识还太简单。

需要指出的是，在价值范畴和效用范畴的一般概括之下，劳务的交换是商品市场的重要组成部分。进入20世纪下半叶之后，从全世界的商品市场趋势看，劳务效用的创造已经占全部社会财富创造的较高比重，劳务交换已成为现代商品市场交换的重要内容。在一般情况下，劳务交换的特点是劳动过程为交换对象，既不能提前制造，也不能持续保留，只能是随交换随生产。但是，劳务效用的创造需要有一定的生产条件准备，虽然在没有消费需求之前不能实施效用的创造，但却不能不在消费需求到来之前做好一切生产条件的准备。由于在现实经济中，凡劳务效用创造都是在市场不确定的前提下准备生产条件，所以是相比实物商品的交换，更具有市场风险性和竞争性。因许多劳务的创造成本较低，其行业进入相对比较容易，于是也就易于造成供大于求的市场局面，加大市场竞争的激烈程度。今后，随着更多的国家实现经济现代化，劳务消费比重大幅度提高将成为世界趋势。如何在劳务效用创造的选择上和劳务交换竞争上取得统一，应是各个国家对本国商品市场给予积极引导的一个重要方面。

按照商品的准确定义，知识产品也是商品。在现代经济中，知识产权是商品市场中重要的交换内容。无论是哪一个国家，只有尊重知识产权，完善知识产权市场，才能正常地发展。在市场交换中，知识产权与知识产权之间的竞争也是激烈到白热化程度的。这种竞争的存在是正常的。而破坏正常的市场竞争，破坏市场规则，则是极其有害的。其主要表现是：（1）侵权使用别人产品。（2）侵权改造别人产品。（3）恶意破坏别人产品。（4）冒名顶替别人产品。

不论对知识产权进行怎样的侵害，结果都是对规范的市场的打击。这种行为的破坏性是较大的，任何国家对此都不能掉以轻心。因为一旦这种反市场的不正当行为扩散，整个国家的经济秩序就会陷入紊乱，整个国家的知识创造就会受到沉重的打击，从而会造成国民经济衰退的严重后果。

在商品市场上，竞争最激烈的是一般生活消费品。这既是由于这一类商品的选择性太强，同类产品的品种繁多，即可替代性高；也是由于这一类商品的差异性小，同类产品有太多的雷同；更是由于这一类商品的更新换代快，新产品层出不穷，旧产品很容易被淘汰；所以才会引起特别强烈的市场竞争。但我们要强调的是，这一类商品的竞争可以代表商品竞争的基本特征，却不可以将这一类商品的竞争与整个商品市场竞争的内容完全等同，更不能以此表现整个商品市场包括非竞争性市场的存在。毕竟一部分典型的商品竞争不等于全部的商品竞争，在典型之外还有非典型的竞争存在；在竞争性商品之外还有非竞争性的商品，商品市场并不完全是一个竞争概念。

二　竞争核心

竞争创造活力。商品竞争创造商品经济的活力，这是长期以来人们对商品竞争正面作用的积极评价。另一方面，竞争造成很大的浪费也是人们有目共睹的，或者说，没有浪费就没有竞争。从逻辑上讲，竞争是市场上的你死我活，没有正和博弈，甚至可能没有零和博弈，有的可能都是负值，是弱者一方或竞争双方实实在在的损失。但是，自古至今，市场又不能没有竞争，不能没有浪费，历史始终是在辩证中前进的，竞争的正面作用和负面作用都是明显的。生产和生活的实践告诉我们，只保留竞争的正面作用，不要其负面作用，至少在现阶段是难以做到的。对于这种有两面性的竞争，在常态社会的历史与现实中，总是受到市场鼓励的。因此，在商品经济条件下，竞争的参与者，大多虔诚地研究竞争，以期能够自觉准确地认识竞争机制，更好地利用竞争谋取自身的最大利益。

商品竞争的形式是多种多样屡屡变换的。但如果仅仅是跟着形式走，满足于竞争形式不断创新或翻新，显然对于竞争的理解还不能不是茫然的。或许人们也可以说，无数的市场盲目性就是在这种茫然中产生的。只是，若要竞争走向自觉，或是说减少一定的自发的盲目性，在某些代价仍不可避免的前提下，取得竞争优势，就必须理性地认识竞争的核心所在。

在一些有丰富实践经验的经营者看来，商品竞争的核心是质量。他们认为，只要商品质量过硬，让消费者或客户信得过，就会有竞争的优势。因而，许多厂商是在提高商品质量上狠下工夫的，表现出敬业的诚心和坚韧的勇气。比如，有的厂商将质量不合格的产品全部毁掉，承受直接的损失以警示员工要将产品的质量视为企业的生命和自己的饭碗。从商品经济发展的历史看，确实曾经出现过许多的因产品质量差而倒闭的企业或者说因此而被无情的竞争淘汰的商品生产者。但是，经过市场长期的磨炼，特别是在进入高科技时代的商品市场上，人们应该看到，凡是规范地参与市场竞争的商品，莫不是质量精良的产品。如果说在已逝的年代里市场还能包容一些质量欠优的商品存在，那么到了商品经济已经高度发达的现时代，似乎市场已经对不能保证质量的商品亮起了红灯，并且在规范的市场中完全排斥质量差的商品。进入 21 世纪之后，根据世界贸易组织《技术壁垒协定》中规定的"不得阻止任何国家采取必要措施来保护人类、保护环境"的有关条款，欧盟国家和美国等发达市场经济国家利用自身的发展优势，通过繁多的技术标准，严格的环境要求，构筑全新的商品进口质量标准。如日本检测进口大米的指标已达 116 项，欧盟检测进口茶叶农药残限量的标准有 118 项。联合国下属机构的一份资料表明，因不符合国际环保要求，中国每年有数十亿美元的出口商品受到影响，而受发达市场经济国家绿色壁垒影响的中国出口商品额高达 300～500 亿美元，约占中国商品出口总额的 15%～25%。① 所以，看到这种情况，人们自然会明白，商品的质量并不是商品竞争的核心，市场的规范已表明，商品的质量精良只是市场的准入证，商品达不到规定的质量标准根本进不去市场，那从何能谈参与竞争，即质量只是现代市场最一般的要求，是参与竞争的商品必须具备的基本条件，而不是商品竞争的核心。

对商品市场有着更多深刻体验的人认为，商品竞争的核心是价格。他们指出，只有保持相对低的价格，或是保持相对高的价格，才能获得竞争的优势。这种认识无疑是市场实践的总结。大量的市场表现就是，低价格更吸引一般消费者，在同类产品中保持低价格是保持市场占有率的基本手段；高价格更吸引富裕阶层，因为高价格不仅表示商品是高档的和精美的，而且还能为购买者带来身份上和荣誉上的满足，因此商家也可以使用高价格保持自家的竞争优势。比如在北京这座世界著名的高消费水平的城市，燕莎购物中心是全市价格最高的商厦，然而也是全市销售额年年最高的商厦。但是，不论价格高低，人们通过比较就会发

① 参见金名：《中国出口的绿色"伤痛"》，《编译参考》2003 年第 5 期。

现，在商品竞争中，价格并不一定起决定作用。不同的消费者可能在不同的地方以不同的价格购买到相同的商品，甚至还可能是在同一地方以不同价格购买到相同商品，这说明价格并不从根本上制约交换，价格的变化并不一定能改变商品的竞争性。经济学的研究也已表明，有些商品的价格是有弹性的，有些商品的价格是缺乏弹性的。而竞争力似乎与价格弹性并不沾边。市场上用降价的办法推销商品，不是表明商品有竞争力，恰恰表明的是没有竞争力。因而，从商品经济的历史与现实来认识，不以个例为依据，从一般的共性讲，价格只是商品竞争中的一个重要因素，价格对于商品的竞争力可能是有影响的，也可能影响不大，总之，这一影响因素并不是商品竞争的核心。

在已有的经济理论中，基本是将商品竞争的核心归结为创新，即认为生产者的创新能力越高，商品越具有竞争性。这种认识已经达到了相当高的概括程度，不同于对具体的质量、价格的认识。这实际是讲，竞争不是商品与商品之间的争斗，也不是生产商品的厂商之间的竞争，而是生产商品的人自己与自己的竞争，创新就是对自己的超越，能超越自己，就具有竞争力，不能超越自己，就没有或缺少竞争力。这样认识竞争，是十分深刻的。问题只在于，将认识的焦点集聚在创新能力上还只是一种表层上的概括，并未深入本质去认识竞争的核心，若进行本质的概括，那就要阐明商品竞争的核心只能是智力。因为任何创新能力的根源都在于劳动智力的作用，即任何创新都是由劳动智力决定的。能够实现创新的劳动者分为科技劳动者和管理劳动者，而商品竞争中的创新主要是依赖于管理劳动者，科技劳动者的作用是被决定于管理劳动者的。这也就是说，商品竞争是商品生产者的智力竞争，这种竞争表现在商品生产者之间，但其核心却是商品生产者自身智力水平的提高，是商品生产者对自身智力的不断挑战。质量因素与价格因素在商品竞争中，是重要的影响因素，但与作为本质核心存在的智力因素不可相比。若要提高商品的竞争性，最核心的要求是提高商品生产者的智力水平。在商品竞争中，所谓万变不离其宗，这个宗就是指商品生产者的智力，不论是以什么方式提高商品竞争性，实质都必须有智力作用提高。因而，无论在哪里，无论是什么人，要在激烈的商品竞争中取胜，必须自觉地努力提高自身劳动的智力水平。

三　理性竞争表现

商品竞争分为已占有市场的竞争与未占有市场的竞争，后者又分为挤占已有市场的竞争与完全创新市场的竞争。不论是哪一类竞争，理性的竞争首先要求的是合法性，即必须是以合法的手段参与竞争。在这方面，有些市场主体不是公开地使用不合法手段，而是极其隐蔽地进行有悖法律的竞争。对于公开显性的不正当竞争，社会可以依法进行打击。而对于隐蔽性的不正当竞争行为，社会是难以制裁的。但是，对于此类情况更是需要加以研究的，因为这相比分配关系中存在的不合法问题，是对社会经济发展影响更深层次的和更大的问题。

另一方面，在合法的理性竞争中，多年的市场实践已总结出许多的宝贵经验。诸如像薄利多销、质量取胜、主业主打、多种经营、产品创新、品牌战略、市场跟进、广告造市、价格策略等等，都是行之有效的理性竞争方式方法，这些方式方法在不同时代和不同市场都曾有过卓越的表现。然而，若从研究的角度继续探讨理性竞争方式方法，我们还可以做出进一步的概括和分析。下面，只试尝选取若干有代表性的方式方法加以阐述。

1. 孙膑赛马

孙膑是中国古代的军事家，他的军事才华是中国军事史上值得大书特书的精彩篇章。但他留下的最著名的富有启发性的故事却不是军事故事，而是一则被称之为孙膑赛马的故事。当时是公元前的奴隶社会时期，在中国的山东省的一个地方，有一个叫田忌的大臣常常与国王赛马，从来没有保证取胜的把握，而孙膑却从中看出了一个简单的道理，可以保证让田忌取胜。孙膑告诉田忌，用自己的三等马去与国王的一等马赛，然后用自己的一等马与国王的二等马赛，用自己的二等马与国王的三等马赛，这样，田忌的三等马必输，而一等马和二等马必胜，从整体上就保证了胜利。这个道理一讲，似乎谁都明白，可是事实上至今还很少有人在商品竞争中运用这一道理取胜。在现实生活中，人们不难看到，有的厂商为了与别家的尖端产品竞争，不惜倾其血本，孤注一掷，背水而战，就是没有想一想应当如何运用自己的相对优势与自己实力相对弱的对手较量，显然，与强手过招，可能胜负未卜，而若与弱手对阵，会保证取胜的，如果懂得孙膑赛马的道理，人们就应当选择保证取胜的办法去竞争，而不应去打没有把握之仗。与强大的对手竞争，不是理性的选择，因为市场比战场还要残酷，优胜劣汰之后，弱者是没有生存之地的。所以，避免竞争的盲目性，应自觉地避开强大的对手，以自己的相对优势去压倒别人，保持自己的市场。孙膑赛马的道理应积极地应用在商品竞争之中，若反其道而行之，则是盲目竞争的不理智表现。

2. 尺短寸长

竞争需要看到自己的优势，不能只看人家的优势和自己的劣势。人贵有自知之明，这个明应是全面的明，并非只知己短是明，若不知己长其实也不是明。在盲目的市场竞争中，事实上有许多厂商是不知自家长处何在，因而不能发挥自己的长处取得优势。尺有所短，寸有所长。这个道理是人人都知道的，但能够将这个道理运用到竞争之中的人，还是寥寥无几。许多人干了许多年，还不知自己适合干什么，就是没有找到自己的长处。现在，这种情况是比较普遍的。这就是竞争中的差距。肯定地讲，无一例外，每个人都有每个人的长处，每家厂商都有每家厂商的长处，找到自己的长处，就能建立自己参与竞争的最坚实的基础。自己的长处，哪怕是寸长，也是自己的求生之术。依靠自己的寸长，而不是依靠自己的尺短，去竞争，才是理性的竞争。若反之，就会是屡战屡败的盲目竞争者。

3. 打造大船

在某些基础工业领域，厂商只有做大才能做强，即必须达到相当大的生产规模才能在竞争中站住脚。因此，对涉及这一类行业的厂商来说，做大是基本的竞争策略。要做大，首先要有市场开发能力，如果市场打不开，那厂商是无法做大的，市场的驾驭能力直接决定了生产的规模能否扩大。再有是生产技术与生产管理也要求能达到相应的水平。如果没有能力掌握大规模生产的技术控制问题，那也是无法扩大生产规模的。而更重要的是管理能力要能跟上，若管理能力不足，不能随着生产规模的扩大而提高管理水平，那么也是无法扩大生产规模的，即也是对自身的竞争能力的限制。在20世纪中期，建一座年产100万吨钢的钢铁厂，已经是大厂了；而在21世纪初，建一座年产1000万吨钢的钢铁厂都不能说规模特大，若建年产100万吨钢的钢铁厂就只能说是小厂了；所以，生产规模的大小有历史的相对性，扩大生产规模是要与现代技术基础相一致的。

4. 自限产量

什么商品在畅销时要扩大生产，什么商品在畅销时要限制产量，这是需要明确区别的。生产可能性曲线的分析不能对此做出回答。这需要厂商对具体的市场进行具体的分析。自限产量应是作为一种竞争策略来贯彻的，是理性竞争的做法。这种自限产量不是针对边际收益与边际成本的，而是针对市场承受力的。因为价格是可以变化的，所以，收益和成本都是可能改变的，单纯地讲边际收益与边际成本相等并不解决具体的经营问题。对于竞争而言，更重要的是市场的反应，是市场的评价，若再增加产量，不能得到市场更好的评价，可能反应不良，那就要自限产量，努力使本商品在市场上处于一种自然稳定状态，才是比较理智的。若市场上到处都堆满某种产品，尽管销路好，也不表现竞争力较强。自限产量的策略只限于应用最终生活消费品。对于生产过程中的中间产品，厂商没有这种自限的必要与自由。自限产量的目的是保持消费者对本商品的良好兴趣，是造市场的需要，并由此保持自身的竞争力。

5. 个性化服务

最难做到的服务就是厂商最具有竞争力的选择。在现时代，个性化在各行各业都有强烈的表现，但在大生产前提下，厂商为客户或消费者提供个性化服务，还是不容易做到的。这不仅需要高度的理性和韧性，而且需要高超的管理技能和技巧。因此，厂商在竞争中，若能做到为客户或消费者提供名副其实的个性化服务，那就是使上了让竞争对手望尘莫及的杀手锏。众所周知，在20世纪末期的激烈的计算机市场竞争中，戴尔计算机能够做到一枝独秀，就是惟因其能做到个性化服务。这是一个成功的范例。在其他各个行业也同样，哪家厂商能够做到优质的个性化服务，哪家厂商就能获得这一方面最有力的竞争条件。

四 结 语

商品竞争是最古老的竞争，也是历久而弥新的话题。从政治经济学研究的角度认识商品竞争，肯定是理性大于感性，有重点而缺失全面，分析的情况远没有未分析的情况多。

商品竞争存在于商品市场，这一市场不包括非商品交易，这一市场的商品并非都是竞争性商品。商品市场中的交易是交换关系，所以，商品市场中的竞争是交换关系的竞争。在现代商品市场中，劳务商品交换的比重越来越高，知识产权交换已成为重要的内容。

商品竞争的核心是智力竞争，是竞争者自身智力的提升。商品质量与价格是竞争的重要因素，但并不从根本上决定竞争水平。商品竞争参与者确认竞争的核心是智力，是提高自身竞争力的认识基础。

商品竞争的合法方式亦分理性方式与非理性方式。在可能的条件下，厂商应尽力提高自身竞争的理性，选择理性方式竞争，尽力避免或减少竞争中的非理性行为。

第二十四章　契约组合函数

　　商品是用于交换的劳动成果。商品竞争是劳动成果之间的交换关系的竞争，是生产过程结束后的竞争。而生产要素的市场组合，却是关系到如何选择生产过程的竞争，是生产过程的开端，是决定生产过程的竞争。在现代市场经济中，生产要素的市场组合竞争先于商品竞争，是全部的市场竞争中最为基础、最为重要、也最为激烈的竞争。

一　要素市场

　　出现生产要素市场是市场经济不同于商品经济的重要标志。虽然市场经济是高度发达的商品经济，但明确称之为市场经济，而不再延续商品经济的概括表示，关键在于市场关系的发展进入了一个新的阶段，即形成了生产要素市场和这一市场中存在不同于交换关系的契约关系。生产要素市场包括商品生产要素市场与非商品生产要素市场，其中商品生产要素市场同时也属于商品市场范畴，是生产要素市场与商品市场的交叉部分。商品生产要素市场交易的商品生产要素，既突出其商品性，更突出其生产要素性质。商品市场是劳动成果交换的市场，生产要素市场是生产要素进行市场化配置组合的市场。在商品经济中，只有交换关系。

在市场经济中，除交换关系，还有契约关系。因而，商品经济的市场关系相对简单，市场经济的市场关系相对复杂。商品经济的市场交易只是交换，市场经济的市场交易既包括交换又包括契约，并以契约关系的出现为其特征。

商品生产要素市场包括除劳动力、土地、矿山及其他自然资源市场以外的所有的生产资料市场。这些生产资料具有的商品性表示其全部是劳动成果。由劳动成果构成的生产要素市场大体上分为能源市场、设备市场、原材料市场、辅助材料市场、生产劳务市场等等。获取石油开采权的交易不属于能源市场的交易，而买卖石油的生意则是能源市场的交易。能源市场还包括煤炭市场、水电市场、火电市场、核电市场、天然气市场等等。设备市场是指提供各种专用生产设备交易的市场，包括冶金设备市场、电力设备市场、矿山设备市场、运输设备市场、机器设备市场、港口设备市场、机场设备市场等等。原材料市场包括木材市场、石材市场、水泥市场、钢铁市场、有色金属市场、生产用粮油市场等等。

非商品生产要素市场分为劳动力市场、土地市场、矿山市场，其他自然资源市场。劳动力市场是劳动主体要素市场，土地市场是最大的也是最重要的非商品劳动客体要素市场。劳动力是生产要素，不是商品，起创造商品的作用，不起商品作用。在劳动力市场中，分为各种专业的劳动力市场，其中最重要的是企业家市场。

在现代市场经济中，生产要素市场的发达体现在生产要素的资本化上。在价值相对独立运动的基础上，所有的生产要素的运动都抽象地反映为资本运动，资本市场成为价值抽象存在的最重要的生产要素市场。资本市场的供求抽象地表现了社会生产对于生产要素的供给与需求。在资本主义社会发展阶段，资本市场支配着整个社会的生产。因此，生产要素的市场组合就是在此前提下运作于资本市场的。

二 契约关系

生产要素市场不同于商品市场，商品市场的存在是为了让生产者销售产品和让消费者购买产品，而生产要素市场的存在是为了让生产者能够市场化地得到各种生产要素以组织生产。在市场经济条件下，生产者们是通过契约关系组合生产要素，依靠资本市场完备所有的生产条件。这与在市场经济之前，即商品经济条件下，生产者们是自己拥有全部的生产要素，不需要生产要素市场，不需要契约关系，是完全不同的。契约关系又称合约关系，是当事人共同认定的对相互之间利益划分核准的合作关系。契约组合就是通过契约关系组合各种生产要素建立拥有特定生产能力的经济组织。

在劳动内部资产条件起主要作用的社会发展阶段，即在资本主义时期，契约组合的发起者和支配者是投资方，是劳动力、土地、资产条件3种主要生产要素中的资产条件的占有者负责组合全部生产条件。在经契约组合的经济组织中，劳动创造的效用实现之后，资产条件的占有者即投资方、土地所有者或土地经营权的占有者、劳动者包括各类劳动者、均按契约的规定分享收益。

从劳动的角度认识，契约组合的结果是形成一个完整组织的劳动关系，即是一定的劳动主体与一定的劳动客体的结合。在这个劳动整体中，有依据契约进入的投资者、管理者、技术人员以及承担具体的生产经营工作的普通员工。在土地资本化的前提下，对土地的需求已成为投资的一部分了。因而，简单概括地讲，在契约组合之内，基本的契约关系是投资者与劳动者之间的关系。管理者、技术人员、普通员工都是劳动者，代表契约组合中的劳动主体存在；投资者是生产资料人格化的代表，也是管理者中的一部分，具有二重性，其前一性质代表劳动客体的存在，其后一性质与劳动者有一定的交叉。在契约组合中，劳动者与劳动者之间，投资者与投资者之间，劳动者与投资者之间，都是契约关系，不是交换关系。

按契约关系建立的经济组织，要做出两项基本选择：一是生产什么或经营什么，二是怎样生产和怎样经营。一般讲，前一项选择在投资者投资时就已经基本确定了，只是经营时要再确认，或过一段时间还可能会出现再选择的问题。后一项选择是经济组织的日常具体工作内容，不论是在哪一行业投资，重要的问题都是如何认识市场和驾驭市场。相比之下，前一项选择比后一项选择更重要，或是说对于经济组织的生存更具有决定性。

由于是契约关系，经济组织内的各方对形成生产能力都做出了投入，投资者是做出了劳动客体方面的投入以及一定的管理者性质的劳动主体投入，劳动者是做出了劳动主体方面的投入，并非只有投资者的投入，没有劳动者的投入。正因是各方都有投入，任何经济组织都不是单纯依靠投资者进行生产经营的，任何经济组织的利益存在也不等同于投资者的利益存在。在现实经济之中，契约组合的经济组织是依据资本总投入进行生产经营的，这是一种纯价值化的投入形式。因而，在明确这种契约组合的经济组织是劳动整体组织的基础上，从市场经济的运行研究出发，对于现实的经济组织的生产经营，可以进行资本总投入的运行分析。

三　总投入线

资本的总投入分为两部分：一部分是契约组合的经济组织中的投资者投入，在股份制企业称这部分投入为股本；再一个部分是契约组合的经济组织依靠信用融资得到的投入，即通过贷款或发行债务增加的资本，在股份制企业称这部分投入为负债。

假定一个契约组合的经济组织的资本总投入为100个单位，有3种总投入结构的选择：（1）股本占总投入20%，负债占总投入80%。（2）股本占总投入50%，负债占总投入50%。（3）股本占总投入80%，负债占总投入20%。下面，用3个坐标图分别表示这3种总投入构成，其坐标横轴表示股本投入，纵轴表示负债投入。

由图24-1、图24-2、图24-3合并，可以设立一条总投入线，见下图。

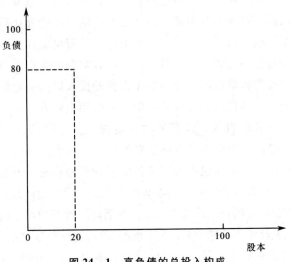

图 24 - 1　高负债的总投入构成

图 24 - 4 所示总投入线上的任何一点都表示一种总投入构成。在现实经济中，正常的总投入构成点不应与纵轴重合，即不应是100%的负债；但可以与横轴重合，即可以是100%的股本；股份制企业的实际情况一般是负债比重高于股本比重，即总投入构成点的位置是在总投入线中间点以上。

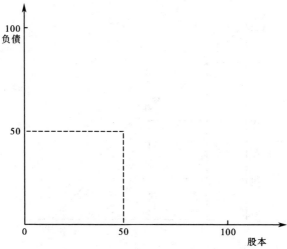

图 24 – 2 负债与股本均等的总投入构成

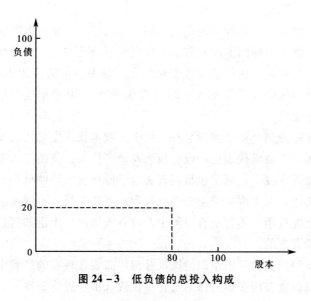

图 24 – 3 低负债的总投入构成

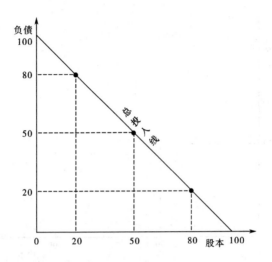

图 24 – 4　契约组合的经济组织的总投入线

总投入增加，则总投入线在坐标图上向右移动。总投入减少，则总投入线在坐标图上向左移动。在股份制企业中，一般情况下是股本没有变化，引起总投入变化的主要是由负债的变化引起的。下面分别用图表示负债增加 20 个单位或减少 20 个单位引起的总投入线变化。

　　在股份制企业的实际总投入线中，股本投入主要代表固定资本投入，即通常代表生产设备投入及地产投入，负债投入主要代表流动资本投入，通常包括周转资金、原材料、辅助材料、生产动力费用、人工成本费用等等。因此，在股本投入不增加的前提下，增加负债，不管是否增加生产设备或地产，无论如何是要增加流动资本的。

　　契约组合的经济组织的决策管理层需要在现实的经营中做出用不用负债和用多少负债的选择。在现代市场经济条件下，不用

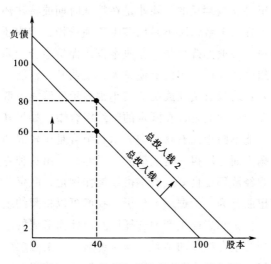

图 24 – 5　负债增加引起的总投入线变化

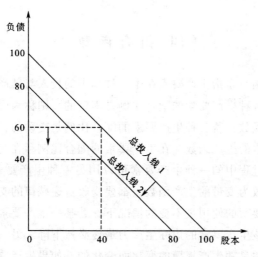

图 24 – 6　负债减少引起的总投入线变化

负债的情况是比较罕见的，除非是在特殊时期或特殊环境下。所以，实际上在大多数情况下是用多少负债选择，抑或还有用怎样的负债选择。一般的规律是，在股本投入保持净资产原值的情况下，契约组合的经济组织的负债越大，说明其经营能力越强，经营效果越好；若没有负债或负债较小则表示经营能力低，没有打开市场局面。由此而言，在既定的契约组合中，如果其经济组织的总投入线能不断地向右移，则表示其组合是比较成功的，至少在市场开拓方面是取得一定成绩的。当然，做出这种界定的前提条件是宏观经济环境良好，资本市场运作规范，融资严格按规定进行没有扭曲行为。根据以上分析，我们可以将契约组合的经济组织对生产什么和怎样生产的选择以及由此而形成的总投入构成统统作为契约组合选择的结果，即这可从广义上理解生产要素契约组合的能动性，并依此从函数关系上探讨契约组合的构成和契约组合的效益。

四　组合函数

生产函数是指生产要素在生产过程中的投入与其产出之间的关系。若各种生产要素的配合比例是固定的，则称为固定技术系数的生产函数；若各种生产要素的配合比例是变动的，则称为可变技术系数的生产函数。在生产要素的配合比例存在变动的情况下，生产过程中的一种生产要素可以用另一种生产要素来代替。凡技术系数为变量的生产函数，都要受收益递减律的支配：即在其他生产要素的使用量不变的情况下，若某一生产要素的投入量增加，则该生产要素的边际生产力最终必然下降。另一方面，生产要素收益是随生产规模的变化而变化的。如果生产要素和产品均可完全分割，生产函数为连续的生产函数。产量随各种生产要素的增加而增加。在各种生产要素按固定比例增加时，如果产量也以相同的比例增加，称为规模收益不变，生产函数为线性齐次函数；如果产量增加的比例大于生产要素增加的比例，称为规模收益递增；如果产量增加的比例小于生产要素增加的比例，则称为规模收益递减。在一般情况下，生产要素投入量较少时，生产函数为规模收益递增，以后逐步转为规模收益递减。生产函数可以表示一个企业的技术状况，总量生产函数可以表示一定区域内的生产技术状况。[①]

　　不论是从历史还是从逻辑看，都可以肯定，生产函数理论，包括比较复杂的柯布—道格拉斯生产函数理论，只是一种商品经济理论，是一种生产分析，表示技术关系。在这种理论框架内，已假定生产什么产品是不存在竞争的，已假定无论生产多少产品都是有市场需求的，即这种理论不是市场经济理论，不是市场分析，不表现管理要素作用。显然，在社会经济运行研究中，需要生产函数理论，但是，对于现代市场经济研究来说，不能仅停留在生产分析的层次上，必须要结合市场的情况安排生产，必须要从管理的水平上体现不同生产要素的组合生产相同产品或不同产品的效益差别。缺乏市场意识是无法适应市场经济的，缺乏市场意识的经济学研究必然跟不上实践的发展对理论的需要。因而，进入 21 世纪之后，经济学基础理论的研究，应从生产函数理论发展到组合函数理论，实现由商品经济理论向市场经济理论的转变，要由只关注投入的生产资料、体力劳动者的数量和技术系数与产品产出量关系，转为贴近市场经济现实的分析市场需求（销售）量、管理者水平、运营资本、体力劳动者和技术系数与货币收益关系。这是实践的发展决定的政治经济学的认识进步。

---

① 参见刘凤岐主编：《当代西方经济学辞典》，山西人民出版社，1988，第 96 页。

定义：组合函数是指契约组合的经济组织的经营收益（以货币收入表现）变化与总投入生产要素变化之间的关系。

组合函数与生产函数的主要区别在于，引入市场需求量因素，强调管理水平的差异，是对资本投入结构和总量与资本收益之间关系的市场分析。

组合函数是对一定的契约组合的经济组织的经营状况的反映，因此，也可称之为契约组合函数。

若用 EY 表示契约组合的经济组织的货币收益，用 K_1 表示固定资本的投入，用 K_2 表示流动资本投入，用 Q 表示市场需求（销售）量，用 L_1 表示体力劳动者，用 L_2 表示技术人员，用 L_3 表示管理人员，那么，组合函数可用下式表示：

（1） $EY = f (K_1, K_2, Q, L_1, L_2, L_3)$

可转换表示方式：

将 K_1 与 K_2 合并为资本总投入 K，即 $K = K_1 + K_2$。

将 L_1、L_2 与 L_3 合并为劳动主体总投入 L，即 $L = L_1 + L_2 + L_3$。

于是，组合函数的表示方式可简化为：

（2） $EY = f (K, Q, L)$

再进一步转换表示方式：

将契约组合的劳动主体投入与劳动客体投入都用资本总投入表示，即将 L_1、L_2、L_3 的报酬都集中到 K_2 表示的流动资本之中，组合函数可再简化表示为：

（3） $EY = f (K, Q)$

上述（3）式的简化主要强调组合函数是一种市场分析，即是由市场决定生产的，有多大的市场需求，才能有多大的生产量，在市场经济条件下，契约组合的经济组织注重的不是产品的产量，而是货币的收入量。在这个最简式中，只存在两个因素，一个是资本，一个是市场需求。

　　而一定的资本契约组合量，如何才能开拓最大的市场需求量，如何才能取得最大的货币收入量，这还需要引入劳动主体因素才能解释，不是最简单的组合函数式（3）能表示的。为此，还需回到组合函数式（1）。

　　组合函数式（1）列出了6个可引起 EY 变化的变量因素，即：

　　K_1、K_2、Q、L_1、L_2、L_3

　　在价格不由个别经济组织决定的前提下，或者说在价格既定的前提下，一个经济组织的货币收益直接取决于 Q，即市场需求量越大，收益就越高。而决定 Q 值的，只能是 L_3，即只能是管理人员，因为在正常作业中 L_1 是体力劳动者不能改变市场销售状况，L_2 是技术人员可以通过技术方面的变动影响产品销售，但是选择什么样的技术人员却仍然是由 L_3 决定的，即是管理人员决定的。管理水平高的表现之一就是能够选择优秀的技术人员，充分发挥优秀技术人员的作用。而选择什么样的产品生产，选择什么样的生产设备和工艺，怎样打开市场，增加销售量，那就更是管理人员的直接职责所在了。管理的水平要体现在对产品的正确选择和对产品生产要素的正确组合上，还要体现在对市场的准确认识和把握上，对销售量的增加能够合理地实现上。因此，管理是核心，市场需求是关键，就成为组合函数的基本构成框架。这一理论概括为现代市场经济条件下的经营者提供了基本的理性认识，这是具有市场意识的政治经济学分析。

　　组合函数表示：生产要素的契约组合的货币收益大小取决于资本总投入量与市场销售量的关系。资本总投入量在一定程度上限定市场销售量，市场销售量也在一定程度上限定资本总投入量。若市场销售量能增加，资本总投入量就能增加，生产要素的契约组合的货币收入量相应就可以增加。若资本总投入量能增加，并能以此推动市场销售量的增加，那么最终结果也能使生产要素的契约组合的货币收入量增加。

需要强调的是，组合函数是对市场经济中微观组织运行的实际反映。从生产经营者的角度讲，缺乏对组合函数的认识，其对市场经济的认识是粗线的，甚至是盲目的。只是在确立组合函数的思想体系中，生产函数的研究及运用才是有意义的，否则，在现实条件下，仅掌握生产函数理论是没有任何意义的，是不可能将其运用于指导实践的。

从组合函数关系讲，资本投入量的增加，能带来更多的货币收益，即 K 增加引起 Q 增加，主要取决于管理人员的作用，因为技术人员的就职是由管理人员选择的，技术作用再重要，也是通过管理决策的投资才能实现的。所以，如果契约组合的经济组织选择低水平的管理人员，那么管理人员的工薪少，该组织产品的市场销售量少，货币收入量也少；如果相反，选择高水平的管理人员，那么管理人员的工薪高，该组织产品的市场销售量大，货币收入量也大。追求货币收入量的最大化是市场经济条件下经济组织的现实目标，而这一点只有最终通过管理人员的作用才能实现，管理人员的水平及其工作效果决定经济组织货币收入量实际的结果。能生产多少产品并不决定经济组织的货币收入量，能销售多少产品才实际决定经济组织的货币收入量，虽然销售的前提是生产，但实现货币收入量多少，关键却不在生产而在销售。组合函数反映的就是这样一种现实的以管理为核心和以销售为关键的市场经济关系。从生产函数到组合函数，是经济理论研究的历史性转折，反映了现实的市场经济不同于小商品生产时代的变化。

在生产函数中，没有市场概念，以产品数量为追求目标。在组合函数中，引入了市场因素，并将其列为关键因素，以货币收益为追求目标。这是组合函数与生产函数的认识不同点。而从根本上加以区分，生产函数表示的是一种技术关系，组合函数体现的是管理作用；生产函数解释的是资本与劳动力之间发生的生产过程，组合函数解释的是资本与市场之间发生的经营过程，其中资本的质量是由投资于管理者的资本决定的，市场的大小也不是自发的且同样是由管理者作用决定的，所有的客体因素实质上都落在主体因素上，并且是落实在智力的管理因素上。因此，有效的资本投入增加必须首先落实在提高管理水平上，提高能开拓市场增加产品销售量的管理者收入上。

五　组合效益的静态比较（Ⅰ）

在生产相同产品的经济组织之间进行效益的比较，可分为5种情况。

第一种情况：资本投入与市场销量成比例增长，资本投入的单位效益不变。见图24-7。

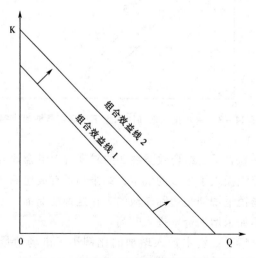

图 24-7　资本投入与市场销量成比例增长

在图 24 - 7 中，纵坐标表示资本投入，横坐标表示市场销量，由纵坐标伸向横坐标的连线称为组合效益线，两条组合效益线是平行的或斜度相同的，这表明有多少单位的资本投入，就会有多少单位的市场销量。由于价格既定，在单位资本投入的市场销量不变的前提下，单位资本投入的效益即货币收入量是不变的，或者说效益状况保持不变。

第二种情况：资本投入增加的比例大于市场销量增加的比例，资本投入的单位效益下降。见下图。

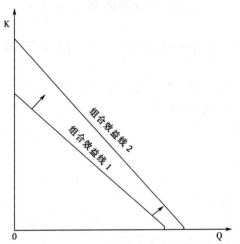

图 24 - 8　资本投入增加比例大于市场销量增加比例

图 24 - 8 表示，组合效益线 2 的斜度大于组合效益线 1 的斜度，经济组织投入了更多的资本，结果却没有成比例地增加市场销量，市场销量增加是边际递减的。在这种情况下，单位资本投入的效益不如未增加资本投入时高。

第三种情况：资本投入增加的比例小于市场销量增加的比例，资本投入的单位效益提高。见图 24 - 9。

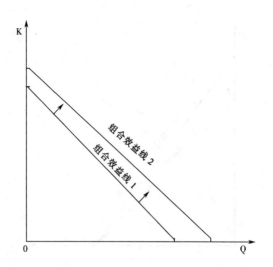

图 24 - 9　资本投入增加比例小于市场销量增加比例

图 24 - 9 表示：组合效益线 2 的斜度小于组合效益线 1 的斜度，经济组织投入了较少的增加资本，结果增加的市场销量较大，二者也不成同比例。在这种情况下，单位资本投入的效益好于未增加资本投入时。

第四种情况：资本投入增加，市场销量不变，资本投入的单位效益下降。见图 24 - 10.。

在图 24 - 10 中，组合效益线 2 与组合效益线 1 在坐标横轴上落在同一点上，表示市场销量没有变化，而组合效益线 2 的斜度大于组合效益线 1 的斜度，说明资本投入量增加了，资本投入的增加量未能创造新的效益。

第五种情况：资本投入不变，市场销量增加，资本投入的单位效益提高。见图 24 - 11。

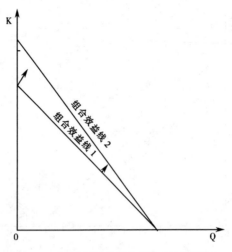

图 24 – 10　增加资本投入而市场销量不变

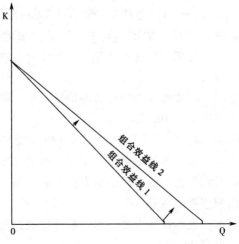

图 24 – 11　资本投入不变而市场销量增加

在图 24 – 11 中，组合效益线 2 与组合效益线 1 在坐标纵轴上落在同一点上，表示资本投入量没有变化，而组合效益线 2 的斜度小于组合效益线 1 的斜度，说明资本同样投入下的市场销量增加了，总资本投入和单位资本投入的效益都增加了。若外部条件不变，那么这种市场销量的变化表明资本的质量发生了变化，这种资本质量的变化可能来自资本结构的调整，也可能来自部分资本用途的变化，但总的说，这是经济组织的管理水平提高的结果。若是由外部条件的变化引起市场销量增加，比如价格变化、购买力增加、消费热点形成等等，在这种情况下，不论资本结构有无变化及资本用途有无变化，此时的资本质量都是没有提高，提高的只是资本投入的效益，即这种效益的提高是外生的，不是内生的。

以上 5 种情况的比较都是资本投入与市场销量的关系。这种比较是在范围较小的限定下考察的，可揭示基本的组合效益的变化情况。

六　组合效益的静态比较（Ⅱ）

从各种资本经营的一般性考察，即从资本经营的用途选择的角度来认识，组合效益的比较应是货币收益，而不再是市场销量。这主要是比较不同资本用途的效益，同样也分 5 种情况。

第一种情况：资本投入与货币收益成比例增长，资本投入的单位效益不变。见图 24 – 12。

在图 24 – 12 中，组合效益线可代表不同行业的资本投入效益，因而具有一般性。两条组合效益线平行或是说斜度不变，表明单位资本投入的效益是同样的。

第二种情况：资本投入增加的比例大于货币收益增加的比例，资本投入的单位效益下降。见图 24 – 13。

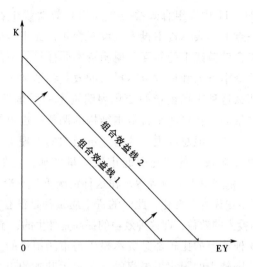

图 24 – 12　资本投入与货币收益成比例增长

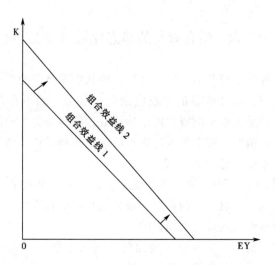

图 24 – 13　资本投入增加比例大于货币收益增加比例

图 24 - 13 表示，从一般的比较看资本投入增加与货币收益增量
相对较小变化的关系。组合效益线 2 的斜度大于组合效益线 1 的
斜度，说明货币收益的提高比例不如资本投入增加的比例，新增
资本投入的效益不如原资本投入的单位效益。

第三种情况：资本投入增加的比例小于货币收益增加的比
例，资本投入的单位效益提高。见图 24 - 14。

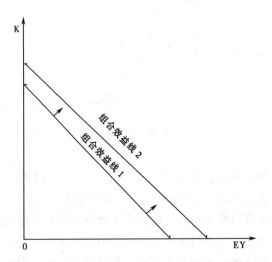

图 24 - 14　资本投入增加比例小于货币收益增加比例

图 24 - 14 表示，资本投入增加不多，而货币收益增加较大，
组合效益明显提高。组合效益线 2 的斜度小于组合效益线 1，说
明新增资本投入产生的效益远远高于原资本投入的单位效益。

第四种情况：资本投入增加，货币收益不变，资本投入的单
位效益下降。见图 24 - 15。

用图 24 - 15 也可直接表示两种不同的契约组合的效益，说
明它们的货币收益是同样的，而资本的投入量有差异，一个资本

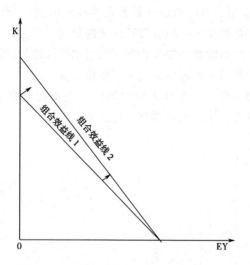

图 24 - 15　增加资本投入而货币收益不变

的投入量少（用组合效益线 1 表示），一个资本的投入量大（用组合效益线 2 表示），这是资本投入的市场选择结果。如果契约组合的内部管理水平相当，那么形成这种结果只表明契约组合的决策者在生产什么上的选择是不同的而导致了不同的效益。

　　第五种情况：资本投入不变，货币收益增加，资本投入的单位效益提高。见图 24 - 16。

　　同图 24 - 15 一样，用图 24 - 16 也可直接比较两种不同的契约组合的效益。图 24 - 16 可表示同样的资本投入产生不同的货币收益，一个资本投入的效益相对高（用组合效益线 2 表示），一个资本投入的效益相对低（用组合效益线 1 表示），不同的资本用途选择有不同的效益结果；或表示不同的管理水平决定不同的货币收益。

　　以上 5 种情况是一般性的比较，即是对资本的市场选择的不

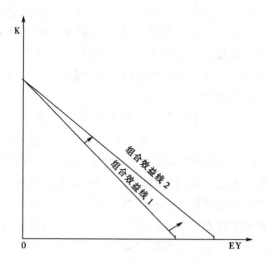

图 24 - 16 资本投入不变而货币收益增加

同用途的比较，其比较的是资本投入与货币收益的关系。若资本投入相同，货币收益也相同，那不同的契约组合的效益是以相同的组合效益线表示的，即它们在坐标图上的组合效益线是完全重合的。与市场销量的效益比较不同，更为一般性的货币收益的比较，可用于不同行业的资本或多种经营的资本之间的效益比较分析。

七 结 语

由生产要素市场化契约组合的需要而形成生产要素市场。这一市场分为商品生产要素市场与非商品生产要素市场。出现这一市场表明商品经济的发展进入市场经济发展阶段。在市场经济中，生产者首先考虑的是生产什么，即如何选择适当的生产要素组合问题，而不是像商品经济中生产者只能先面对怎样生产的问题，生产者有没有生产什么的选择是市场经济与商品经济之间的重要区别。因而，决定市场经济中的经营水平的是生产要素组合，不是生产过程的管理和产品推销能力。一般说在正常情况下，经济的效益在做出生产要素组合之后就既定了，至少已经确定了效益水平的上限。

市场经济给予资本经营者不同于商品经济的更大发展空间。在市场经济条件下，资本经营者可根据市场需要做出各种资本投入的选择，可以自身的资本投入生产创新和引领社会消费新潮流。

生产要素的组合是以契约形式形成的，契约组合的经济组织是由各种生产要素的持有者构成的，其中资本的持有者是契约组合的发起者和主持者。契约组合形成的生产能力是市场经济条件下社会生存的主要的物质保障力量。

契约组合的经济组织的投入分为股本投入与负债投入。在坐标图上，这种资本投入结构比重可以横纵轴上的落点不同表现，连接两点相交的线可称之为总投入线。不论是增加股本投入，还是增加负债投入，在坐标图上，都会向右移动总投入线。在现实经济中，规范的经济组织应尽可能多地依靠负债投入经营，而不能将负债视为负担或包袱，能够有效地发挥负债投入的作用是契约组合的经济组织有活力和有能力的表现。

从描述生产函数到分析组合函数，表现了经济理论研究由对商品经济认识向对市场经济认识转变。在商品经济时代，生产者最关心的是提高产出量；在市场经济时代，生产者最关键的工作是做好生产要素组合的选择。组合函数不同于生产函数的区别主要是：（1）因变量不是具体的产品数量，而是价值符号形成的货币收益。更为抽象地揭示了现实的市场经济运行的核心要求，即市场经济要求的是价值实现，而不仅仅是产品生产。如果生产要素组合的选择出现问题，那么生产的产品就可能没有市场，这种情况下生产的产品再多也没有价值，也不能增加社会财富。所以，组合函数的关系式表达更切合市场经济现实。（2）引入市场销量概念，作为最主要的函数自变量。这是唤起市场意识的表现。只有经济学的认识抵达市场经济不同于商品经济的差别点，认识现代的包含契约关系的市场对于生产的约束力，才能实际起理论分析的作用。事实上，脱离市场，分析生产要素组合及其生产能力，对于现时代的经济生活没有理论意义。（3）明确在契约组合中的函数关系的根本决定因素是管理劳动者的作用，即管理作用。这是劳动内部智力因素的主导作用在具体劳动中的外部表现。这揭示出组合函数变化的动因，是对各种组合函数关系不同的内在解释。这与生产函数将资本作用置于决定性位置是有所不同的，表现了理论认识新的深度。

总之，对于组合函数的研究表明，在社会经济的发展已经越过简单的商品生产时代而进入高度发达的市场经济时代之后，经济理论的认识必须要相应跟进。对于投入与产出的关系，从现时代讲，不能再是仅仅讨论生产成本与产品数量的关系，即不能再停留在技术关系层面上认识问题，必须要更为抽象地明确探讨资本投入与市场销量的关系，资本投入与货币收益的关系，必须要在市场经济的生产要素市场化契约组合界面上认识问题。若缺乏市场经济意识，看不到现代市场经济发展达到的复杂程度，经济理论的研究就绝不会有鲜活的生命力，更不可能走在社会经济实践的前面。所以，在现时代，经济理论必须改变以生产成本与产品产出关系为核心内容的效益分析传统，一定要跟上社会经济实践的发展，创新地建立以生产要素组合的市场选择、市场销量和货币收益等因素为核心的效益分析思想模式。

第二十五章 共争时代

　　劳动的创造保障人类的生存延续。劳动成果的效用是人类得以生存延续的物质和精神的条件。人类劳动的整体水平始终是在战争的拼杀和后来出现的市场竞争中不断提高的。人类劳动的成果自古至今是越来越丰富，并由此使人类的生活内容变得越来越丰富。从原始的采集渔猎到奴隶的刀耕火种，从农业经济的繁荣到工业革命的爆发，从商品竞争时代到市场经济高度发达，人类社会在劳动的演变中走过了一个又一个艰难而又激荡的历史时期，每一个时期都有自身的特点，每一个时期都是客观的历史存在。站在人类生存的高度认识，劳动的发展史表明，人与人之间的经济关系不是一成不变的，人类在原始时期要群居才能活命，在奴隶社会要靠奴隶劳动支撑生存基础，在封建社会将土地视为命根子，在资本主义时代的初期到处充满了比战场上的肉搏还要惨烈的商品竞争。但是，正像人类没有永久停留在群居生活的时代一样，人类也不会永久停留在商品竞争的时代。竞争洋溢着活力，也意味着浪费。社会的进步正在不断地改变着过去的经济关系。在人类劳动的历史发展进程中，存在竞争是客观的，是必要的；直至今日，市场上还存在着竞争，还有甚为激烈的竞争，也是不可避免的；现时代人类劳动的发展已经迎来新的曙光，人类社会将跨越竞争时代，进入共争时代，这也同样是客观的，是必然的，是不可避免的。因此，与时俱进的政治经济学的理论研究既要正视现实的市场经济条件下广泛存在的竞争，更要以现代高智力复杂劳动的发展为依据，认识已露端倪即将到来的共争时代。

一　共争与竞争

100 个生产者进入一个行业，经过优胜劣汰，剩下 20 个生产者，其余的都退出了，这就是竞争的过程和竞争的结果。尔后，20 个生产者在这行业共同发展，各自扩大生产规模，推动产业进步，实施技术革新，这就是共争而不再是竞争了。共争是促使参与者跟随产业的发展而发展，是以各自的发展形成产业发展的合力。竞争是淘汰一部分参与者而保持产业的活力，是以淘汰者为代价推动产业发展的。在竞争中，是你死我活的关系。在共争中，是共同生存的关系。普遍存在竞争的市场表现一个时代，出现共争的市场代表一个新的时代开始。正是在充分竞争的基础上，人类社会才能进入共争时代。与竞争时代相比，共争时代的到来是由现阶段的人类劳动整体发展水平提高决定的。

竞争是生产者经营管理不规范或不完善的伴随状态，共争是生产者经营管理均达到基本规范或完善要求的表现。长期以来，人们将市场关系神秘化，认为市场中存在一只看不见的手，进入市场的个人或组织的行为无不带有一定的盲目性。而竞争就是在这种状态下起调节作用。有的时候，市场的某种产品供给已经饱和，却还有新的生产者源源不断地开进这一领域，加剧竞争，结果经营管理不善者纷纷被淘汰出局，生产者的经营管理水平就是以这样巨大的代价付出而获得提高的。如果竞争不能起促进生产者经营管理水平提高的作用，那么恐怕竞争是不能产生的。如果生产者的经营管理水平都较高，每一家的经营管理都比较规范和完善，都很少有盲目性，那么至少在市场供给饱和的情况下，新的生产者是很难挤入的，已占有市场的生产者是不会轻易被后来者淘汰出局的。这也就是说，如果进入市场的生产者的经营管理都比较规范和完善，那么这时的市场主流态势只能是共争，而难以有竞争的表现。生产者的经营管理的不规范或不完善构成市场的盲目性，无论是市场占有率的竞争还是价格的竞争，都体现这种盲目性，是这种盲目性造成市场自发调节的损失。而现时代人类劳动整体发展水平的提高，突出地表现在管理劳动水平的提高上，这使得进入市场的生产者的经营管理不断地走向规范和完善，不断地减少市场盲目性，因而，市场竞争产生的前提条件的变化导致了市场状态的变化，市场竞争的作用在减弱，市场共争的环境正在形成之中。

另一方面，竞争是市场信息闭塞的产物，而共争是建立在市场信息通畅基础之上的。信息是否通畅，不取决于管理，而取决于技术。在商品经济不发达时期，市场信息量有限，无需发达的信息技术，人们就可掌握彼此的情况；而在市场经济高度发达之时，市场信息无计其数，若无发达的信息技术，人们对市场的认识只能处于盲目的猜测之中，或是得到的准确信息几乎都失去了时效。在这种信息闭塞导致的盲目之中，竞争就大显身手，大有用武之地。譬如，在棉花的供给已经饱和的状态下，由于信息闭塞，市场上棉花价格看好，可能会有更多的农田种上了棉花，由此而引起的下一年的棉花市场竞争就是盲目性的，虽然会起一定的刺激生产的作用，但必然会造成相应的损失。而在信息技术发达时代，人们会敏捷地获取充分有效的市场信息，若某一产品的供给已经饱和且生产者的经营管理基本规范和完善，那在了解这一信息之后，没有生产者会执意再挤进这一行业的，即不会引起盲目竞争。所以，信息的通畅，信息技术的发达，也是共争时代的基础条件。

比较而言，在竞争时代，人们重竞争而少合作；在共争时代，具有合作能力是生存的必然要求。不论何时，生产者与生产者之间都存在合作关系，只不过，在竞争时代，人们更强调的是竞争而不是合作，合作只是竞争的陪伴，起不到主流作用。缺少合作，是生产者效益损失的重要方面；盲目竞争，是社会效益损失的重要方面。所以，合作的增多是市场趋向完善和社会走向进步的表现，而合作的增多必定要导致竞争的减少，特别是盲目竞争的减少，这是有利于提高生产者效益和社会效益的。与竞争不同，共争的特点是注重合作。有了合作的意识才能有合作的行动，有了合作的基础才能有共同发展的可能。竞争是要置对手于死地，至少也要压倒对手；而共争是要与同行合作，共同推动行业的发展。可以说，在竞争时代，并非客观不存在合作的条件，而是主观上人们缺少应有的合作意识，由此才导致更多的盲目竞争和社会效益的损失。而现代劳动的发展正表现在对合作重要性的认识上，这也是开创共争时代的基础条件。

从根本上讲，在竞争时代，人们缺失合作意识，在于生产者之间对于共同利益的理性认识程度较低，所以才有较多的盲目性出现；而进入共争时代，关键是人们已可有较高的理性认识相互间存在的共同利益，并可通过合作维护和保障共同利益。如果不存在共同利益，那就没有合作的可能，也没有共争的基础。问题在于，从事实出发，我们可以看到，无论是在哪一领域，只要是存在市场关系，就相应存在由市场关系联结的共同利益。在存有共同利益的前提下，生产者之间激烈地竞争，这是历史既定的事实，有积极的作用，也有实际的损失。所以，历史的客观之中包含着对一定的盲目性的容纳，人类劳动发展推动的历史进步将会逐步减少这方面的盲目性，以更多的理性认识生产者之间存在的共同利益，这样就可以渐渐地将市场经济由竞争时代带入共争时代，以理性确定的客观的共同利益为生产者之间建立新的合作和共争关系的基础。

二 共 同 利 益

在共争时代，要求充分理性地认识生产者之间客观存在的共同利益。这种共同利益不同于人类生存延续的共同利益，只是受市场关系约束的有着具体经济内容的共同利益。共同利益是共争的基础，也是生产者之间合作的基础，即合作与共争就是在共同利益的基础上展开的，获取共同利益是合作与共争的目标，也是合作的范围和共争的边界。或许可以说，共争与竞争的区别也在于，竞争是在不顾及或至少漠视共同利益的前提下生产者追求各自的自身利益，而共争则是在注重共同利益的前提下生产者追求各自的自身利益。进入共争时代，理性地认知各种形式的共同利益存在，是人类劳动的发展，是市场经济的完善。

1. 合力型共同利益

这是指存在共同利益的各方必须合力突破市场约束才能获取各自的自身利益，即各方的自身利益是依赖于各方合力实现的共同利益而得到的。如此，A 建筑企业无法完成一座大厦的建设任务，B 建筑企业也无法独力完成这座大厦的建设任务，只有两个企业合力才能接下这项建设任务，因而，A 建筑企业与 B 建筑企业是在双方的合力下才得到各自的利益，合力实现的共同利益是其各自利益获取的前提条件。对于这种合力型的共同利益，我们可用图 25－1 形象地表示。

2. 基础型共同利益

这是指各方的共同利益是各自利益获取的基础，若失去这一

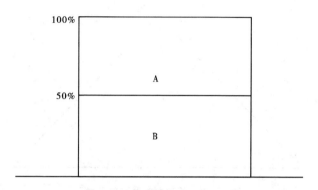

图 25 - 1　合力型共同利益示意图

基础，则各方都无法保障自身利益。比如，在一深山中，有 A、B 两个旅游景区，惟一的进山路是这两个旅游景区的共同利益所在。若进山路堵塞，则两个旅游景区均没有收益；若进山路畅通，则两个旅游景区均可有较好的收益。因而，维修进山路是这两个旅游景区的共同责任。若双方都不维修进山路，进山路不通了，两个旅游景区都要造成经济损失；若双方共同维修好进山路，进山路始终保持良好状态，两个旅游景区都可实现正常经营效益。这种基础型共同利益，我们也可用图 25 - 2 示意。

　3. 连环型共同利益

　　这是指存在共同利益的各方像链环一样连在一起，谁也离不开谁，谁的存在对于其他方都是至关重要的，其共同利益就表现在各方的利益联结上。比如，A、B、C、D、E 等 5 家养鸡场共同承担着一个城市的肉鸡供应任务，防止发生鸡瘟是它们的共同利益所在，因为只要有 1 家养鸡场发生鸡瘟，很可能迅速传染到其他 4 家养鸡场，形成共同的灾难。所以，各家养鸡场为了自身的利益，必须维护共同利益，必须共同抗御鸡瘟的发生，做好一

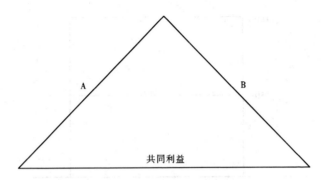

图 25 – 2　基础型共同利益示意图

切应做的卫生防疫工作,除了保证自家鸡场不发生瘟情,还要监督和帮助其他各家鸡场的防疫做到万无一失。这种连环型的共同利益,可见图 25 – 3 示意。

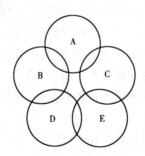

图 25 – 3　连环型共同利益示意图

4. 整体型共同利益

这是指维护自身利益的各方生存在一个大的共同体之内,这个有形或无形的整体存在是各方利益获取的先决条件,其中任何一方离开这个整体都将无法继续保持生存,因此,维护这个整体的存在是各方的共同利益。比如，某商城名扬天下，在该商城内经营的各个商家均以其商城商誉的存在为共同利益所在。如果该商城的市场影响力衰弱了，那么在其内经营的各个商家会有不同程度的损失；反之，如果该商城的名气更大了，人气更旺盛了，那么在其内经营的各个商家也会获取更多的赢利，经营效益可有不同程度的提高。对于这种整体型共同利益，我们亦可用图 25 - 4 表示。

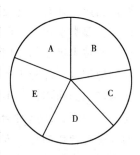

图 25 - 4 整体型共同利益示意图

三 合 作 关 系

在市场经济中，共同利益的确定是合作关系建立的基础。建立巩固的合作关系意味着由竞争时代进入共争时代。以上只简要地介绍了几种类型的共同利益。其阐释难以表述现实之中的丰富内容。更何况，共同利益还存在时间序列的区分与转化，即存在长期的共同利益与不同的短期共同利益的区分，存在不同时期不同的共同利益的转化，等等。而且，更重要的是，在不同的共同利益之上，还存在着不同的合作关系，并非某一共同利益只对应一种合作关系，即合作关系的建立也是多方面形成的。面对共争时代的到来，培养生产者的合作意识应从培养生产者的合作能力入手，而培养生产者的合作能力则应从认识基本的合作关系起始。所以，适应共争时代的政治经济学研究需要探讨市场经济条件下的合作形式，并应能对基本的合作关系做出恰当的概括。

1. 技术性合作

在现时代，生产者之间的合作并非局限于本地或本国。在世界范围内，凡有经济交往，就可能存在合作关系。其中，技术合作是主要类型之一。已有的历史表明，生产者之间的竞争可起推动产业技术进步的作用。但用竞争方式取得的产业技术进步是以残酷地淘汰一部分生产者为代价的，而合作可更好地起推动产业技术进步的作用，却不必再付出竞争的代价。技术合作的展开体现共争原则，即这种合作的目的是促使合作者的生产技术进步的，是对合作的每一方都有利的。技术力量弱的或技术水平低的生产者可以与技术力量强的或技术水平高的生产者进行技术方面的紧密合作，由合作者帮助自身改进技术或增强技术力量，而合作者也可以此取得一定的收益，更有助于技术革新和技术进步。技术力量相当或技术水平相同的生产者之间也可展开技术合作，在新技术开发方面共同投入人力和财力，以更快地取得新的技术成果，增强各自的经济实力，达到强强合作后共同发展的目的。因而，技术合作有利于技术开发与传播，有助于充分发挥新技术在社会财富创造中的作用。

2. 市场性合作

这是指生产者之间为共同开发市场而进行的合作。相比竞争，这一类合作更具有典型意义。在市场经济条件下，市场是生产者的生命线，产品只有经过市场交换才能获得价值，成为社会财富。竞争的目的是生存，而生存就是生存在市场之中，有了足够的市场空间才能够生存。因而，市场历来都是生产者争夺的对象，不惜用一切手段竞争主要表现在市场的争夺上。但是，这种争夺市场的竞争可能是一胜一负，更可能是两败俱伤，因为每一方都可能由于投入大量的人力和财力去争夺而大伤元气。即使结果是一胜一负，胜者也会像战场上的胜者一样，伤痕累累，损失惨重。所以，人类劳动的发展不会任由激烈的市场竞争延续，而是在付出了相当的代价之后，在市场理性行为的导引下，逐步走向合作，即走向共同生存。这是历史在某种程度上告别愚昧的进步表现。市场合作的要义是生产者共同努力保持各自的市场占有率或产品的绝对销售量，在此前提下是合作者们进一步共同发展市场。无论是保持还是发展，不存在谁将谁挤出市场的问题，合作就意味着要共同提高，共同生存下去。在市场开发方面的合作可以是多种形式的，比如共同进行广告宣传、销售网络并网、统一提供售后服务等等。

3. 管理性合作

如果说技术性合作、市场性合作是生产者之间由竞争转为合作的最初表现方式，那么管理性合作就是生产者之间未来合作延伸的深层表现方式。管理性合作是指生产者之间在生产经营管理的内容和方式方法方面进行合作，以利于相互提高经营管理能力和水平。在市场经济条件下，竞争的核心是人才竞争，是智力竞争，也就是各个生产者之间的经营管理能力的竞争，只有经营管理水平相对高的生产者才能取得优胜地位。因而，走向合作，管理性合作也是核心的合作方式。生产者能不能做大做强，关键在于能不能相应提高经营管理能力，能不能达到相应的经营管理水平。进入共争时代，昔日生产者之间的暗斗明争统统转为今日的合作，其中让别人了解与让自己了解别人是管理性的合作，这将使所有的生产者都获得学习的机会，都能跟上时代的发展步伐。尺有所短，寸有所长，相互学习，才能共同提高。管理性合作的普及将会最大限度地减少生产者盲目发展的损失，并可积极地促进生产者管理工作水平的提高，从而有效促进社会经济发展。在生产者之间，可以相互派管理人员去对方考察或实习，也可互通情报、定期或不定期地交流管理经验，还可更紧密地在制度创新方面采取一致的行动，等等。这样的沟通与交流是新时代的特征，反映共争原则，是建立在生产者素质普遍达到较高水平的基础上的。

4. 全面的合作关系

综合实现技术性合作、市场性合作、管理性合作以及其他各方面的合作，是在生产者之间建立全面的合作关系。相比单项合作，全面合作更有利于维护生产者之间的共同利益。共争时代的到来，应该是生产者之间全面合作普及的实现。当人类劳动的发展终于可以使市场不必再依赖于竞争保持活力之时，所有的生产者都应自觉地去寻求外部的全面合作，以不断地提高自身的生存能力。这样建立合作关系，在过去是不可思议的，既不存在外部条件，也缺乏内在的素质。而进入共争时代之后，生产者之间展开全面合作，则不仅是最普通的现象，而且也具有现代的技术支撑条件，即现代网络技术的高度发达可为生产者之间的全面合作关系建立提供全方位的技术保障。不论是技术的开发，还是市场的开发；也不论是管理制度的创新，还是管理经验的交流；这一切都可以在网络空间实现沟通与联结，构成新型的相互依赖的经济关系，以全面提高生产者的素质和实力。所以，人类社会可以告别竞争时代，实现共争与共存，直观的背景就是网络技术导引下的网络经济的兴起，不管采取何种形式，全面的合作关系建立都必然是现代网络技术在经济领域应用的结果。①

四 文化观念的提升

共争时代有着不同于竞争时代的文化观念，或者说正是不同的文化观念造就出新的时代。虽然时代转变的决定力量源自于劳动的发展，但在日常的经济生活中却是文化观念决定人们的行为

---

① 参见王勉：《虚拟企业步入快速发展时期》，《光明日报》2003年6月23日，B2版。

准则。从竞争时代走向共争时代，是人类社会的文化观念的提升，即是人类对自身认识的重大转折和飞跃。

竞争的文化观念是视市场为战场，是以争市场求生存，不惜付出沉重的代价去与对方搏斗，认可失败，也要一拼到底。有这样坚定的文化观念的生产者往往能在竞争中取胜，因为他们是在市场上拼命，置自己于死地而后生，其勇无比，所以在和对手的较量中可能做到百折不挠，最终胜出；相反，缺乏这种竞争意识，不是敢于竞争，善于竞争，其文化观念不适应竞争要求，就可能在竞争中一败涂地。因而，有胜者为榜样，长期以来竞争的文化观念是历久弥新，广为传播的，成为市场竞争中的优胜者们的思想底蕴，无时无刻不贯彻于他们的生产经营活动之中。生产者们为了竞争取胜，在平日里要对内部实施严格的控制，要倾其全力避免管理上的漏洞，要毫不留情地惩罚一切有过失的人，这就如同打仗一般，是完完全全地绷紧每一根弦，永不懈怠。为了生存，人与人之间是高度防范的，在不同的生产组织之间是彼此抱有敌意的，在同一生产组织之内也是相互不信任的，至少要取得别人的信任是很不容易的。在这种文化观念下，似乎每一个进入市场的人都不能不产生某种焦虑感和紧迫感，而且这种感受在优秀的人身上是更为突出明显的，这样就将人们的理性和非理性行为都聚集为你死我活的搏斗，而后以社会的损失和弱者的失败为代价继续保持人类的生存。在竞争之中，生产者之间相互保守自己的秘密，谁也不想将生的希望留给别人，谁都想竭尽全力为自己打造生存空间。然而，自然的和社会的差别还是会落在相同文化观念的生产者之间，由此决定优胜劣汰，有的能生存下去，有的被迫死亡。于是，失败者的痛苦更加激发了人们竞争的斗志，竞争的文化观念更为深刻地影响着下一代人。所以，这种文化观念的延续，就是社会焦虑感和紧迫感的延续，就是市场竞争的延续。事实上，社会运动是具有强大惯性的，即使人类的理性已经从本质上认识到竞争时代是可以过去的，但在历史惯性的推动下，竞争还会很激烈，而这种具有强大推力的惯性就是存在于文化观念之中。在不再竞争便可以生存得更好的劳动时代，竞争的文化观念的留传可能会造成许多不必要的竞争，从而使这种观念成为社会进步的阻力。如果不能转变这种历史留传下来的文化观念，社会仍在潜意识之中鼓励人们竞争，仍在慷慨地容忍盲目竞争造成的损失，那是人类理性的失落，是经济文化发展的停滞。但劳动的发展终归会打破这种停滞的，人类生存的文化观念必定要在现实的经济生活中得到新的提升，由竞争的文化观念转向共争的文化观念。

共争的文化观念不再视市场为战场，而是将市场作为所有进入者的共同的生存空间，寻求合作伙伴和合作机会，以维护共同利益为前提牟取自身利益，以提高自身合作能力为前提保障自身的生存。与历史上传统的竞争文化观念不同，未来社会形成的共争文化观念可有以下提升：（1）恃强而不凌弱。在竞争中，不论是谁，必然恃强凌弱。如强强相遇，相互还会有所避让。若强与弱争，那是毫不留情的，必会置其于死地而后快。在这一点上，市场的残酷性甚至超过战场。而共争的要求是，自己要强，也希望别人强，自己强时不会去欺负弱者，自己弱时也不会受别人欺负，人人都有生存的权利。实现这种共争的文化观念，其基础是现代高智力复杂劳动的发展，是高科技创造的巨大生产力的存在。正是由于有发达的劳动保障，人们才会放弃在市场上要拼你死我活的文化观念，才能由相互间的争斗转为相互间合作，才能从心理上接受人人都有生存权力的新观念。（2）注重共同利益。无论何时，在有经济交往的生产者之间，都必然存在共同利益。但是，在竞争中，强者往往不惜损害共同利益来达到自己胜出的目的，实际上这样的结果会使胜者的自身利益也受到一定的损害。这是文化传统使然，竞争者们总是将盲目竞争的代价看做是避免不了的，将自身的利益置于共同利益之上。而共争的文化观念必然要抛弃这种盲目性，因为共争的理性是建立在维护共同利益基础上的，共争所强调的是共同生存，是要求以共同利益的保障来实现各自的自身利益。所以，共争的文化观念是注重共同利益的，这种观念的提升将会有力地促进社会经济的发展，最大限度地减少社会没有必要的损失。（3）提倡合作进取。竞争时代的合作是竞争的附属，不起主流作用。进入共争时代，文化观念的转化将明显表现在崇尚合作的精神上，这将成为社会经济生活中的主流趋势。这种新的文化观念是提倡合作，提倡人们相互依赖，提倡所有的人共同提高。合作是共争的时代主题，合作的文化内涵意味着人类的生存方式发生了根本性的转变。以合作求生存，以合作求发展，这是新的时代文化，新的生存观念。

从根本上说，从竞争的你死我活，到共争的共同生存，文化观念的提升是人类高智力复杂劳动创造的结晶。在时代的进步面前，政治经济学的研究需要从新的事实出发，审慎地对社会的文化观念和市场机制做出新的认识。

第二十六章　经济增长质量

　　不论是在竞争时代，还是进入共争时代，只要社会的经济生活在运转延续，各个国家或地区就要在劳动的创造和劳动成果的使用方面不断地做出新的选择和安排，保持一定的经济增长和经济增长质量。这是提高人民生活水平的基本要求和维护国民经济运行秩序的必要条件。

　　注重经济增长质量是政治经济学研究的新内容。在此之前，经济增长方面的研究只涉及方式及速度问题。各种经济增长模型的讨论从未在质量层面上进行过分析。而研究经济增长质量实质上就是研究经济增长，只不过这体现出经济实践的发展要求经济理论认识深化，从笼统地认识增长量进深到剖析不同性质的增长内容。因此，从没有质量意识，到提出质量问题，明显地反映出经济增长理论的应用价值和进步走向。

一　经济增长因素

　　经济增长是有相对时点限定的范畴。无论何地，经济增长总是一个时点相对另一个时点而言的。从逻辑上讲，经济增长是社会生产规模的扩大，凡社会生产因素全部是经济增长因素。但在现实之中，由于存在生产能力某种程度上的闲置和某些生产要素的浪费，社会不追加其他生产投入，仅改变管理因素，也可能形成新的经济增长。

"经济增长最普通的定义是以固定价格计算的人均国民收入的某种度量的变化率。"①

"作为经济增长研究基础的最广泛应用的概念，是以不变价格计算的国内生产总值，即实际的国内生产总值。从消费的方面看，它可以被看做是一国的居民为个人消费而在最终产品及服务上的总支出、在国内与国外的投资，以及政府在健康、教育、国防及其他服务上支出的总和。按照总的生产要素收入与按总产出（增加价值）来定义是等价的。因此，经济增长应当以实际国内生产总值的增长率来度量，或者如果愿意用人口变动的影响调整时，以人均国内生产总值度量。但是，如果所关心的中心问题是效率或生产率的增长率，则适当的度量应该是每个生产者的实际国内生产总值，或每单位投入的产出的等价估计量。"②

政治经济学的经济增长理论研究是由亚当·斯密、托马斯·马尔萨斯和大卫·李嘉图为主要代表的英国古典经济学家创始的。他们对影响经济增长的基本因素劳动力、资本和自然资源条件以及决定增长过程的机制做出了初步的认识。"人们经常认为，古典经济学家在对经济增长的预测方面是悲观的。据称，他们将经济学搞成'沉闷的科学'。虽然如此，在对他们的分析体系进行仔细的探索以后，仍可学到许多同当代有关的东西。从这样一种探索中可以找出一个复杂的思想结构，它显示了对于资本主义经济制度的性质的深刻理解，对它的扩张动

---

① 约翰·伊特韦尔等编：《新帕尔格雷夫经济学大辞典》，第 3 卷，经济科学出版社，1996，第 464 页。

② 同注①。

力学的深刻理解，以及对它的扩张所遇到的阻碍或限制的深刻理解。但是，他们的思想基本上局限于农业经济与其支配地位而生产方式没有重要变化的状况，在这种经济中，因为土地数量的有限和肥力的降低，农业商品生产成本的增加使增长受到抑制。他们的分析低估了技术变革作为一种强大和持续的力量，在改进农业和工业生产率方面具有的深远影响。虽然他们清楚地看到了由国际贸易和对外投资所带来的可能性，但他们没有将这些因素结合起来作为关于增长过程的系统性理论的不可缺少的部分。精确地指出古典经济学分析的某些主要局限性和不足，以对资本主义积累过程做出在许多方面超越古典经济学的分析，是由马克思完成的，但他也留下了许多没有解决的问题。此后的著作继续论述这些问题，但取得的成就都有限。直至今日，资本主义经济的增长理论依然是经济理论中最为迷人，但仍未获得解决的领域之一。"①

在这样的学术背景之下，在中国经济理论界，有一种观点认为："近年来，西方学者也开始对以 GDP 评价经济增长的科学性提出质疑，认为把 GDP 作为发展的惟一衡量尺度有很大的局限性。GDP 的增长既可能是高质量的，也可能是低质量的。要更准确更广泛地测算发展情况，至少应该包括'人类发展'、'收入变化'，'环境可持续性'等三个方面，而通常被确定为权威指标的 GDP 增长只相当于其中的'收入变化'。我国有学者提出的'生态生产力'概念，这也是从经济增长的完整性出发进行的研究。'生态生产力'是指把社会力量和自然力量有机协调起来的'完整生产力'，它强调经济增长与发展中人类与环境之间应当相互适应、相互制约、相互促进、相互服务，强调应在这样

---

① 约翰·伊特韦尔等编：《新帕尔格雷夫经济学大辞典》，第 1 卷，经济科学出版社，1996，第 488 页。

的自觉行为下来解放物质生产力。"① 但如此现实地认识问题，实际上是将经济增长与经济发展混同了，将经济增长质量问题等同于经济的可持续发展问题，即由讨论经济增长转向了分析经济发展，因而也就未能更准确更深入地认识经济增长范畴，这或多或少表现出经济理论研究的不周密和缺乏系统性与逻辑性。相比之下，经济发展是一个内涵更为丰富的范畴，其复杂性远远超过经济增长的概念，而经济增长具有单纯性的概括特征，即这个概念只表示社会劳动的成果量的增加，并只可用抽象的 GDP 表示。这也就是说，如果不讨论经济增长质量问题，那么不管是何种 GDP 增加，都要计入经济增长名下。使用经济增长这一范畴，也不需要说明太多的问题，只是表示社会生产能力发生了变化。

二　经济增长速度

在现代的政治经济学研究中，讨论经济增长而不是经济发展，原本表达的就是一个数量概念，包括用数字表述的速度。在对经济增长的量化研究中，至少可分析 3 个方面的问题：（1）经济增长与经济周期的关系。在经济危机时期，经济增长很难有高速度，甚至可能是零增长或负增长。所以，如果经济增长速度较快，那就证明国民经济的运行并未处于危机时期。如果连续若干年实现较高速度的高增长，那就意味着国民经济正处于经济周期中的繁荣阶段。而现时代的经济周期呈现微波化特征也是通过经济增长的平缓和稳定体现的。（2）经济增长与发展阶段的关系。一个国家或地区的经济发达之后，每年的经济增长的相对量是较低的，一般每年的国内生产总值的增长只在 1% ~ 2% 之间，

---

① 吕炜：《关注经济增长质量问题》，《人民日报》2002 年 10 月 31 日，第 9 版。

有时还可能低于 1%，尽管这一相对值所表示的增长绝对量是较大的。① 每年的经济增长可达到 5%、6%、7% 或 8%，甚至两位数以上，那通常是一个国家或地区进入工业化发展阶段的表现，一般在此之前和在此之后都不会有这样高的经济增长相对值。（3）经济增长与发展速度的关系。虽然经济发展比经济增长包含着更多的经济内容，然而讲到经济发展的速度，直观的解释或简单明快的表述，还是使用经济增长率表示。在这方面，单纯的数字可以涵盖复杂的经济变化。比如，连续 10 年的 8% 的经济增长即表明一个国家或地区的国内生产总值的创造在这期间翻了一番，而这种变化必然是由新的技术变化推动的。一般说，较高的经济增长率可以代表较快的经济发展速度，即经济增长速度可以是经济发展速度总体上的数字化表现。

经济增长率表示经济增长速度，保持一定的经济增长速度，这关系到一个国家或地区能否保持或提高人民的生活水平。特别是，如果人口增长的速度超过经济增长速度，那不论经济增长有多高的速度，一个国家或地区的人民生活水平总体上是要下降的。所以，一个国家或地区的经济增长速度的下限，是不得低于本国或本地区的人口增长速度，当然，这一下限的前提要求是本国或本地区必须保持合理的人口增长速度。从现实讲，目前一些发达国家需要努力适当提高人口增长速度，而大多数发展中国家需要通过计划生育努力降低人口增长速度。只要人口增长的速度高于理性的控制水平线，人口的出生率大大超过人口的自然死亡率，那无论是对哪一个国家或地区，在经济增长方面都会有沉重的压力，解决吃饭问题即解决人口的基本生存条件，就会成为其

① 若一个发达国家的国内生产总值是另一个发展中国家的国内生产总值的 10 倍，那么这个发达国家的 1% 的经济增长绝对量与那个发展中国家的 10% 的经济增长绝对量是相等的。

追求经济增长速度的主要目的。由此而言，发展中国家的经济增长在人口增长率总是居高不下的压力下，事实上是更难于取得较高速度的。也就是说，发展中国家必须先控制住人口的过高增长，才能提高经济增长速度。世界银行的专家们认为："经济增长一向与减轻贫困具有积极的联系。以前的评估报告曾预测，发展中国家在 1990 年代的经济增长率略高于 5%，或约为人均3.2%。它们预测穷人的数量将减少约 3 亿，即年减少率接近4%。但 1991~1998 年间的年增长率仅为预测的约 50%，人均为 1.6%。如不包括东欧和中亚国家，这些估测值中的年人均增长率接近于预测值，为 3.5%——穷人的数量不变，贫困的发生率一年下降 2%。中国则以 1978~1999 年度人均 GDP 8.1% 的增长率，以异乎寻常的速度实现了经济增长和减少贫困。"[1]

作为发展中大国，中国的经济增长具有典型示范意义。下面，我们列出中国改革开放之后历年的经济增长与人口增长数据。

表 26 - 1　中国改革开放之后经济增长及人口增长一览表

年　份	国内生产总值（亿元）	年增长率	人口总量（万人）	人均国内生产总值（元）
1978	3624.1	11.7%	96259	379
1979	4038.2	7.6%	97542	417
1980	4517.8	7.8%	98705	460
1981	4862.4	5.2%	100072	489
1982	5294.7	9.1%	101654	526
1983	5934.5	10.9%	103008	582
1984	7171.0	15.2%	104357	695

---

[1]　Vinod Thomas 等：《增长的质量》，中国财政经济出版社，2001，第 22 页。

年　份	国内生产总值(亿元)	年增长率	人口总量(万人)	人均国内生产总值(元)
1985	8964.4	13.5%	105851	855
1986	10202.2	8.8%	107507	956
1987	11962.5	11.6%	109300	1103
1988	14928.3	11.3%	111026	1355
1989	16909.2	4.1%	112704	1512
1990	18547.9	3.8%	114333	1638
1991	21617.8	9.2%	115823	1882
1992	26638.1	14.2%	117171	2288
1993	34634.4	13.5%	118517	2933
1994	46622.3	12.6%	119850	3901
1995	57733.7	10.2%	121121	4757
1996	67884.6	9.6%	122389	5576
1997	74462.6	8.8%	123626	6053
1998	78345.2	7.8%	124810	6307
1999	81910.9	7.1%	125909	6534
2000	89442.0	8%	126743	7078
2001	95933.0	7.3%	127627	7543
2002	102398.0	8%	128453	7971
2003	116694.0	9.1%	129227	9030

注：本表数值按当年价格计算。

资料来源：（历年）国家统计局编：《中国统计年鉴》，中国统计出版社。

由表 26-1 可以看出，改革开放以来，中国经济发生了前所未有的巨大变化。虽然在经济增长的统计中用于计算的币值单位价格不具有直接换算的可比性，但按现值计算的达 30 倍的增长量也是可以说明这 26 年间中国经济增长的速度是相当快的，是同时期其他发展中国家很少能达到的水平。特别是自 1998 年以来，在全世界范围中，中国经济增长的速度也许不是最快的，但却处于较高增长水平的稳定状态，是十分难得的。为了实现由发展中国家向中等发达国家的转变，完成中国的工业化过程，在2020年之前，或是还需要更长一些时间，中国必须继续稳定地保持较高的经济增长速度。

三　经济增长质量定义

与经济增长速度的研究已有较长的历史相比，经济增长质量是一个新的认识范畴，有关这方面的探讨是从20世纪末起始的。[①] 因而，截止2000年，所有的经济学教科书在讲到经济增长时都没有讨论其质量问题。或许可以说，这是一个属于21世纪的经济学研究领域，是现代政治经济学的理论拓展。

作为一个纯粹的数量化概念，经济增长只表示经济运行规模的扩大和速度的提高。对于这样一种单纯性的数量关系表示，怎样进行质量分析呢？显然，加入方方面面的衡量指标会使问题变得十分复杂而得不到任何的解决。经济学的研究不可能将抽象的数值衍化成可解释各种复杂经济关系的符号。从质量角度考察经济增长，只能把握一个最基本点，这就是由各种生产要素投入形成的经济增长是否能为市场接受。凡是能为市场接受的经济增长就属于有质量的，凡是不能为市场接受的经济增长都不属于有质量的。对此，无须更多的解释，即不能将经济增长质量概念与经济可持续发展问题、解决贫困的问题、发展教育，等等方面的问题联系起来，那是太重的负担，无法界定清楚什么是经济增长的质量。设定市场是否接受为质量的判断依据，是足以说明问题

---

① 参见钱津：《关于经济增长质量的系数分析》，《当代财经》1999年第6期。

的，是表现这一问题本质的深刻性的。需要特别强调，无论是经济增长，还是经济增长质量，都是单纯性的数量概念，增长量和其质量判定都有确指的内容，不能用这两个概念探讨过多的经济问题，泛指更多的经济内容。

为了能够从理念上确认经济增长是否为市场接受，我们先要界定投资概念。从严格的意义上讲，有关经济增长的投资是指能够形成新的生产能力的资金投入，即投资是表示形成经营性固定资产的。

由于在现实之中存在不用形成新的经营性固定资产就可增加产出的情况，所以，从国民经济整体运行角度考察，需将经济增长划分为投资性经济增长与非投资性经济增长。

投资性经济增长指通过投资而实现的经济增长。市场接受的投资性经济增长是有质量的经济增长，这包括投资形成的新的经营性固定资产值以及由新形成的生产能力创造的国内生产总值。有质量的投资性经济增长的实现是国民经济正常运行的保障，相应，良好的国民经济运行环境也是有质量的投资性经济增长实现的有利条件。投资性经济增长若不被市场接受，即只是投资创造了当年的国内生产总值，而投资形成的新的生产能力是闲置的，那么其经济增长就是没有质量的。比如，某地建设一座大型的水泥厂，相继投资几千万元，但建成后一直未能投入生产，长期闲置，这些投资表现的就是没有质量的经济增长。再如，市场对高密度合成板材的需求总量是 1000 万平方米，已有生产能力为 800 万平方米，而新投资建设的追加生产能力为 500 万平方米，这样，新投资推动的经济增长中，只有 40% 是有质量的经济增长，其余 60% 是没有质量的经济增长，因为新投资形成的生产能力中将有 60% 是闲置的，不被市场接受。

总的讲，没有质量的投资性经济增长主要分为两类：一类是重复建设闲置，一类是超前建设闲置。重复建设是指社会已有生产能力可以满足市场需求，在这样的状态下又进行同样的生产能力建设。超前建设是指建设走在了市场的前边，在市场尚未形成现实的需求之前就建成了生产某种产品的闲置生产能力。重复建设会引起市场恶性竞争，引起市场行为严重扭曲，除了造成社会损失，还会破坏正常的市场秩序。相比之下，超前建设的情况好一些，一般是闲置期不太长，等市场需求跟上来了，生产能力就不再闲置了。

剔除重复建设和超前建设，其余的投资性经济增长是有质量的经济增长，其质量确定的要点包括：（1）投资形成的生产能力可保证按时正常开工，不存在建成后闲置的情况。（2）生产设备有质量保证，具有先进的技术性能，能够在投资收回之前保持市场存在地位。（3）此项投资对于国民经济整体实力的增长有良好作用同时不会影响国民经济的正常运行，不会破坏市场正常秩序。

非投资性经济增长也是现实经济中存在的，是指无需投资形成新的经营性固定资产即可实现的经济增长。需要明确的是，非投资性经济增长的实现不是没有资金投入，非投资性只指不形成新的经营性固定资产，但产生经济增长，就是生产更多的产品，这需要生产原料、材料及人工方面的追加。非投资性经济增长分为良性的与劣性的。良性的非投资性经济增长是指依靠原先闲置的生产能力的转化利用实现的经济增长，或是对现有的生产能力进行合理挖潜改造实现的经济增长。劣性的非投资性经济增长是指衍生性的中间效用创造恶性膨胀造成严重的经济泡沫，或是通过拼设备、超生产能力开工，只图一时增效，损害长远利益的经济增长。若出现较高比重的劣性非投资性经济增长，则表明国民经济的运行混乱已达到相当高的程度。而良性的非投资性经济增长是有利于国民经济保持正常运行状态的。

不过，所有的非投资性经济增长都不属于有质量的经济增长，即不论是良性的非投资性经济增长，还是劣性的非投资性经济增长，均要排除在有质量的经济增长之外。有关经济增长的质量考察不涉及非投资性经济增长，因为经济增长是否有质量只是对新形成的生产能力是否为市场接受的界定。

区别投资性经济增长与非投资性经济增长是关于国民经济运行状态分析和经济增长质量考察的概念划分，这不同于一般的统计经济增长的动力来源的划分，即不同于投资拉动的经济增长与消费拉动的经济增长的区分。进行投资性与非投资性的划分，只是要研究经济增长是否形成的是市场接受的新的生产能力，经济增长是否对国民经济运行和经济发展有利。无论何种产品进入消费，无论社会消费的规模有多么大，所有为市场拉动的需求满足都是一定的生产能力的供给结果。所以，从生产能力考察经济增长是根本性的认识，也是政治经济学对经济增长的新的认识。

总之，通过界定投资性经济增长与非投资性经济增长这两个概念，我们可以对国民经济运行中的经济增长质量定义为：表现国民经济增长是能够形成新的被市场接受的生产能力的经济范畴。在这一定义中，含有两个要件：一是其增长表现为形成新的生产能力，这些生产能力与原来闲置的生产能力被利用不同，也与原来的生产能力经过挖潜改造新增的生产能力不同，表现为产生新的经营性固定资产。二是其增长的生产能力已是被市场接受的，不是被市场排斥，表现为这些增长的生产能力可进一步创造国内生产总值。从原则性讲，凡符合上述定义两个要件的经济增长，都属于有质量的经济增长，或是说凡具备这两个要件的经济增长都是有质量的。

四　经济增长质量系数

经济增长是否有质量，在一个国家或地区的一定时期内，存在多少有质量的经济增长，又有多少没有质量的经济增长，这需要实际进行测定。对于有质量的经济增长占整体国民经济增长的比重，通过测定，可以用经济增长质量系数表示。

经济增长质量系数是反映国民经济增长中有多大份额是新形成的被市场接受的生产能力的宏观经济分析指标。测定这一指标，需要先确定国民经济增长率，这一增长率是投资性经济增长率与非投资性经济增长率的总和，然后还要确定投资性经济增长中被市场接受的生产能力所占的增长率和未被市场接受的闲置生产能力所占的增长率。在确定这些数值之后，以有质量的经济增长率除以国民经济增长率，就可以得出经济增长质量系数。计算经济增长质量系数的方法可用下式表示：

$$经济增长质量系数 = \frac{有质量的经济增长率}{国民经济增长率}$$

假定：一个国家或地区的国民经济年增长率为 10%，其中非投资性经济增长率为 5%，投资性经济增长率为 5%；在投资性经济增长中，闲置建设的生产能力占 40%，被市场接受的生产能力占 60%；以此假定数值按上式计算，该国家或地区在这一时期内的经济增长质量系数为 0.3。

以上假定的国民经济增长率的构成，可见如下图 26-1 矩形图：

根据图 26-1，测定经济增长质量系数可用下式表示：

$$经济增长质量系数 = \frac{A - a}{A + B}$$

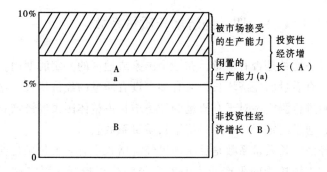

图 26 - 1　假定的国民经济增长率构成图

　　从逻辑上讲，经济增长质量系数可以是在 0 ～ 1 之间取值，即可以是 0，也可以是 1，还可以是 0 与 1 之间的任何数。

　　提高经济增长质量系数，表明国民经济增长的质量提高，这可通过减少 a 值实现，也可通过减少 B 值实现，即或是加大分子，或是减少分母，都可实现更大的系数取值。所以，若 a 值与 B 值同时减少，那就更表明是经济增长质量系数提高了。

　　经济增长质量系数的最大值是 1，这是一种最理想的状态。这一系数的计算可见下式：

$$经济增长质量系数 = \frac{A - 0}{A - 0} = \frac{A}{A} = 1$$

　　经济增长质量系数的最小值是 0，这是最差的情况，即毫无经济增长质量可言。这种情况分为两种结果，可分别用下式（1）、（2）表示：

　　（1）$经济增长质量系数 = \dfrac{0}{A + 5\%} = 0$

　　（2）$经济增长质量系数 = \dfrac{0}{A + 0} = 0$

　　以上两式的分子都为 0，说明 A = a，国民经济增长没有质量，经济增长质量系数是 0。但需要区分的是，在这种情况下，上式（1）表示还存在非投资性经济增长，上式（2）表示没有非投资性经济增长。

　　虽然计算上的经济增长质量系数的取值区间是从 0～1，但在现实之中，这一系数一般不会是 0，也不会是 1，而是还需进一步缩小取值区间。认识现实经济的这一系数的大体取值区间，需要待这一分析指标投入国民经济运行分析之后，经过一段时间，由经验实证的结果确定。

　　从现代政治经济学研究的角度来认识，确立经济增长质量系数这一宏观经济分析指标，具有以下理论意义和现实意义。

　　（1）进行经济增长质量系数的分析，可增强国民经济增长问题研究的自觉性，有力地提高这一领域的研究水平。可以说，从只研究经济增长速度到进而研究经济增长质量，这是一个大跨度的推进。这说明现代政治经济学对于经济增长理论已有了更为深刻的认识和更为全面的把握。经济增长质量系数是相对概念，是对既定的经济增长速度的质量考察，因而，10% 的经济增长率与 1% 的经济增长率可能会有同样的质量系数。通过分析经济增长质量系数，可以阐明，高质量的经济增长，不仅需要有投资实力，更需要有良好的宏观经济环境，需要从微观到宏观都具有较高的投资管理能力。

　　（2）由此确立了一种对于国民经济增长构成的新角度的划分，触及从宏观如何认识国民经济增长内容的一系列深层问题。这区分了经济增长的生产来源，提出如何认识闲置的生产能力的问题，说明不被市场接受的投资性经济增长形成了闲置的生产能力，而已经闲置的生产能力被开发利用又可提供非投资性经济增长贡献。正是由于有这样的深层认识的推进，政治经济学才能更进一步地研究资源配置与市场需求之间的内在联系，才能从生产能力的使用上把握经济运行的调控原则。因此，这一角度的分析可使各个国家或地区对自身的经济增长获得更自觉的认识。

（3）通过分析经济增长质量系数，可将微观经济运行中的投资质量概念与宏观经济运行中的投资性经济增长概念连接起来，使宏观经济的投资分析不架空，而是能够链接到微观的投资运作的项目之上，贴近微观经济实际，同时也使微观的投资分析不再游离于宏观的经济分析之外。宏观与微观的分析都可以在经济增长质量系数上找到认识的共同点，因为正是微观投资的失误才造成宏观上经济增长的没有质量。因此，利用经济增长质量系数这一分析工具，宏观投资的研究可以着实地置于微观投资研究的基础之上。

（4）对经济增长质量系数的考察，还可带动分析国民经济运行的现实情况。这是讲通过具体地分析闲置生产能力的情况，查明造成闲置的原因和找到解决闲置的办法，这样就可以更好地进行宏观调控，以保证国民经济更有效率地运行。

（5）目前，各个国家或地区对国民经济运行状况的监测，还缺少敏锐的分析指标，而经济增长质量系数这一概念的提出，可以起一定的填补这方面空白的作用。特别是对于非投资性经济增长中的劣性表现的概括，对于避免恶性的经济泡沫泛滥，是具有直接的监测意义的。而强调投资性经济增长形成的生产能力必须为市场接受，才是有质量的表现，更是可直接用于对各项投资的监测，具有直接应用于实践的现实意义。若经济增长质量系数低于正常值，出现明显下降，即可反映在投资性经济增长与非投资性经济增长中存在不良倾向问题，以避免对单纯的经济增长速度的满足。

第二十七章 经济发展方略

在现代经济理论体系中，对经济增长的研究不等同于对经济发展的研究。一般认为，经济增长是对国民经济统计的一种现实描述，是单纯的数量化的经济范畴，而经济发展则包含着全部的生产变化内容，国民经济的范围有多大，经济发展所涉及的内容范围就有多大，发展是针对内容变化的，是对内容质的水平提升的表述。研究经济发展并不只是发展经济学的任务，也不单是政治经济学的研究对象，而是经济学各分支学科共同的工作，只不过部门经济学仅限于研究本部门的经济发展问题，发展经济学主要是研究发展中国家的经济发展问题，作为基础理论学科存在的政治经济学则是要对各个国家历史的与现实的经济发展中基础的和共性的问题进行研究。如果政治经济学对经济发展理论能够有系统的科学研究，能够用科学的经济发展理论有力地指导经济发展实践，那么就是说现代政治经济学已经成为一门科学的学科，已经跟上了时代的要求，可以迎接各种现实问题的挑战，因为在发展的意义上，这将涉及一切基本经济问题。然而，比较遗憾的是，尽管已经进入了 21 世纪，发展经济学对发展中国家的经济发展研究却并没有取得重大的进展，至今还不能提供系统有效的理论指导发展中国家的经济实践，而政治经济学对经济发展的研究也仅仅是刚刚起步，只有少许新的认识，没有形成较为成熟的理论体系。在这种状态下，政治经济学无法为贫困的经济落后国家或地区的经济发展提供现实需要的理论，甚至对经济已经发达的国家或地区今后的发展也没有系统的明确的认识。因而，至少在近期内，有关经济发展的研究仍将是困扰现代经济学界研究者们的重要问题。

方略，是战略与政略的合称。但讲到经济发展方略，只表示对经济发展的长远性与全局性问题的概括认识，既无战略之说，也无政略之意。对经济发展涉及的具体问题的认识，不论是区域经济开发问题，还是产业结构升级问题，都不列为政治经济学的研究范围。政治经济学讨论的经济发展方略，不是具体的区域或产业发展，也不是具体的发展措施或手段问题，而是要从深层探讨经济发展的本质，从根本上认识经济发展的动力。

政治经济学自创立至今已有数百年的历史，但始终未能真正揭示经济发展的本质，已有的探讨基本上都是从社会经济关系的表层认识这一经济范畴的，而客观上这一经济范畴概括的范围又是无所不及的，缺乏本质性的认识是难以构建理论的，或许连科学地表述范畴的涵义都不易做到。所以，理论的推进表现在我们从劳动发展的角度认识经济发展，由此揭示经济发展的本质，并以这种新的本质认识为基础阐述现代政治经济学的经济发展理论。

一　经济发展的本质

美国经济学家约瑟夫·熊彼特认为："所谓经济发展，就其本质而言，在于对现存劳力及土地的服务以不同的方式加以利用；这一基本概念使我们得以声称：实现新的组合，是靠从原先的利用方式中把劳力及土地的服务抽调出来才得以成功的。"①

---

① 约瑟夫·熊彼特：《经济发展理论》，商务印书馆，2000，第106页。

显然，这一清楚的表述不同于其他人对经济发展涵义的认识。在一般的讨论中，比较有代表性的认识有两种：一种是结构角度的认识，即认为经济发展反映了一系列经济结构的变化，包括生产结构、产业结构、人口结构、就业结构、分配结构、消费结构等方面的变化。再一种认识是强调指标变化，即基本的必需品的消费指标、收入分配均衡程度指标、人口健康指标、失业率指标等方面的变化，认为经济发展的结果是必然导致社会及个人的福利增进。其实，相比之下，关于经济发展的这两种有代表性的认识并无太大差异，只是各有所侧重而已，都讲到的是结果，而不是经济发展的本质。虽然，结果未必不反映本质，但结果并不等于本质。认识经济发展，不仅要看结果，要看形成结果的各种条件，更重要的是认识本质。缺少对本质的了解与把握，对经济发展的认识是不可能深刻的。由此而言，可以说熊彼特的认识不是讲经济发展的表层结果状态，而是抓住了对于改变结果的条件认识。熊彼特在其专门论述经济发展的著作中没有分析某些结构的变化和指标的变化。因为在他看来那些结果的变化只是条件变化的逻辑结果，认识是什么条件促使这些结果发生变化是更深刻的。所以熊彼特才讲经济发展的本质在于对现存劳力及土地的服务以不同的方式利用，这是他不同于他人见解的深刻之处。但对熊彼特的认识加以分析，我们可以明确，他讲到的条件是对劳力和土地的利用方式的变化，没有提到资本，却是从资本的角度来认识问题的，即熊彼特所说的经济发展是指资本以不同的方式对劳力和土地加以利用。如果合乎逻辑的推断，那么不难指出，资本在以不同方式利用劳力和土地的同时也在改变着自身。因而，通过这样的比较分析，可以明确，熊彼特对于经济发展本质的认识，有自己的卓尔不群的立场，仍缺乏对更深层次的劳动的理解。

我们的研究表明：劳动是人与自然的物质变换的过程，具有整体性，是劳动主体与劳动客体的统一体。劳力是劳动主体，资本与土地是劳动的客体，人格化的资本即掌握资本的人也是劳动主体，只不过是变态的劳动主体。所以，从本质上认识经济发展，看到资本、劳力、土地之间的不同方式的组合变化，更准确地讲应是从劳动的整体的发展来认识。在经济发展中，资本能够以不同的方式利用劳力和土地，表明资本变化了，资本的作用提高了，但资本的这种变化并不是自变的，而是由劳动主体的智力因素作用提高引起的。这就是说，资本改变劳力的前提是劳力改变资本，能够建立这一前提的不是劳力的体力因素，而是劳力的智力因素，是具有创新能力的智力因素发挥作用的结果。正是由于有智力因素作用的增进，达到了一个新的水平，才能引起资本的变化，使资本可以不同的方式利用劳力和土地，改变经济结构和经济指标，才导致了经济发展。

因而，从本质讲，经济发展就是劳动整体的技能水平提高，亦可简称为劳动水平的提高。由劳动发展决定的经济发展在现阶段的表现是资本对劳力和土地的利用方式发生了具有创新意义的变化。

劳动水平的提高是指人与自然的物质变换达到了一个新的水平高度，其核心是劳动的技能水平提高，即智力提升了。没有劳动水平的提高，就没有经济发展；有了劳动水平的提高，才能表现出经济发展。经济发展的表现是社会生产能力的提高，这种提高不单纯是生产规模的扩大，更重要的是有技术创新与产品创新。从历史来看，石器时代的原始人只能简单地改变自然石块制成的石质工具的形状和品质，由打制石器发展到磨制石器；青铜器时代的工匠掌握了基本的冶炼技术，造出了许多精美的青铜器皿；铁器时代的农民使用铁制农具耕种土地，创造了封建社会繁荣的农业经济；工业革命时代的先驱者创造了前所未有的工作机和动力机，以机器的高效率对抗手工生产，超越了工业革命前的生产力，为人类社会带来了新的曙光；新技术革命时代的信息技术创造突破了人类劳动起源以来所有的延展人的肢体作用的劳动工具的局限，制造了延展人的脑力作用的劳动工具，极大地提升了人类劳动中的智力因素运用劳动工具的能力。在劳动技能水平的一个时代接一个时代的提高中，每一个时代都实现了新的经济发展。

不论年代的长短，每一时期的经济发展都是由劳动技能水平的提高决定的。几年的经济发展是几年内的劳动技能水平的提高决定的，几十年的经济发展是几十年来的劳动技能水平提高决定的。这种提高是劳动技能质的变化，而不单纯是同等技能水平劳动的量的扩大。单纯量的变化是经济增长，有了质的变化才是经济发展。

劳动的技能水平提高在多大的经济范围内实现，就意味着在多大范围实现了经济发展。没有经济发展的国家或地区，是指其在一定时期内没有劳动技能水平的提高。

由于劳动技能水平的提高在同一经济范围内也可能是不均衡的，因而各个国家或地区的经济发展都可能是不均衡的。而且，在各个国家或地区，不仅在各个时代的经济发展是不均衡的，而且在不同的时期经济发展也可能是不均衡的。

在某些国家或地区，由于有得天独厚的自然资源，当具备了开发这些资源的条件，可以迅速实现大跨度的经济发展。比如，中东地区的一些国家拥有丰富的石油资源，20世纪50年代之后，国际资本蜂拥而至，在油田大地上一座座井架高高立起，在阿拉伯海湾一艘艘油轮驶出开往世界各地，而同时，每天都有巨额的国际货币滚滚地流入这些国家，这使得其中有的国家一跃而成为当今世界上最富有的国家之一。毫无疑问，这些石油输出国的经济发展了，而且还在继续发展。从本质上认识这些国家的经济发展，并非是根据其货币拥有的富裕程度，而是要根据其劳动的变化，即劳动技能水平的提高，劳动复杂程度的提高。事实上，这些国家实现的经济发展是由于在自身的劳动中加入了外来的力量，提升了劳动整体发展水平，使自身劳动转变为高技能的复杂劳动，由此推动国家经济发生巨大变化。在这些国家，石油资源是作为优越的劳动客体条件进入高技能的劳动的石油生产过程的，其石油资源的占有者占有了这些劳动客体条件在生产过程中的作用，并依此致富。重要的是，这种致富依靠的是劳动整体水平的提高，而劳动整体水平的提高源自外来的资本和高智力的劳动主体的决定力量。体现劳动技能水平的高新技术是随着资本和高智力劳动主体进入的。若没有发生这种根本性的改变，即如果中东地区各个国家的劳动不发生变化，没有劳动技能水平的提高，那么，这些国家拥有的石油资源不会起到使它们致富的作用，也就是说这些国家是不会取得让世界瞩目的经济发展的。

　　无论是哪一个国家或地区，可以依靠外来力量提高劳动技能水平，实现经济发展，而重要的是自身必须从劳动主体方面努力保持劳动技能水平，不能单纯依靠自身的劳动客体条件优越。提高劳动技能水平是经济发展的本质，短期的劳动技能水平提高决定短期的经济发展。因而，从本质讲，不能保持劳动技能水平的不断提高就不能实现延续的经济发展，不能保持已达到的劳动技能水平就相应会发生经济衰退。如果一个国家或地区单纯依靠自身的优越劳动客体条件与外来的高智力的劳动主体包括变态的支配资本的劳动主体结合提高劳动技能水平，那么一旦自身的优越劳动客体条件丧失，而又没有足够的劳动主体力量继续保持劳动技能水平，必然要发生经济衰退或严重的经济衰退。经济发展的本质说明存在这样的经济机理，任何一个国家或地区对此都应有自觉的认识。

二　发展动力的客观性

准确地认识和把握经济发展的本质，才能准确地认识和保护经济发展的动力。经济是社会的基础，经济发展是社会发展的基础，社会发展的动力是劳动，作为基础存在的经济发展的动力是寓于劳动之中的。劳动具有整体性，在劳动整体之中，劳动客体是受动的因素，起被动的作用，劳动主体是施动的因素，起主动作用。因此，推动社会发展，表现经济发展的劳动发展的动力来自于劳动主体，而不取决于劳动客体。但需要进一步明确的是，并非劳动主体的任何变化都能起提高劳动技能水平，推动经济发展的作用，对劳动技能水平提高能起作用的只是劳动主体智力因素的功能，所以客观表明，经济发展的动力是劳动主体的智力因素。在现实之中，这种动力表现为以脑力劳动为主的复杂劳动者，尤其是拥有高智力的复杂劳动者。

如果一个国家或地区不是以脑力劳动为主的复杂劳动者作为经济发展的动力，而是以体力劳动为主的简单劳动者为经济发展的动力，那么除去其他条件不说，这个国家或地区很可能压制以脑力劳动为主的复杂劳动者的作用，无法实现经济发展或经济发展的水平很低。经济的发展取决于劳动的发展，而劳动技能水平的提高取决于劳动主体的智力因素作用的提高，并非在体力劳动中没有智力因素作用，但体力劳动中的智力因素作用一般不具有创造性，不能提高劳动技能水平，对提高劳动技能水平起决定作用的只能是脑力劳动中的智力因素作用，也就是说在现代主要是高智力的复杂劳动者发挥作用并不断地提高劳动技能水平，促进经济发展。不论是哪一个国家或地区，压制高智力的复杂劳动者，必然阻碍其经济发展。在历史与现实中，有一些从事体力劳动为主的人也有过重要的发明创造，可以明确指出的是，他们做出的这类创造性劳动均属于脑力劳动，并不是体力劳动。经济的发展必然要依靠脑力劳动的作用，体力劳动的存在是必要的，甚至在某些时期的规模相当大，但均不起决定性作用，体力劳动作用的提高也是随着脑力劳动作用的提高实现的，对这二者之间的关系是不能颠倒的。

若一个国家或地区承认高智力的复杂劳动者是经济发展的动力，就应采取有效措施保护这些动力。作为经济发展的动力，高智力复杂劳动者的贡献就是提高劳动技能水平，这是其他劳动者不可取代的，在这方面没有平等可言，社会必须承认这种不平等存在，必须尊重高智力复杂劳动者的突出贡献。如果社会不尊重高智力复杂劳动者，那就谈不上能够对他们进行有效的保护，他们的作用就难以发挥出来，社会的经济发展相应就迈不开步伐。在历史与现实中，有的国家或地区经济长期落后，是与此有直接关系的。

以往的政治经济学对经济发展的研究存在两种认识上的偏差：一种是过于强调经济发展中的物的作用，即资本作用，似乎经济发展与否，关键在于是否拥有足够的资本，将经济发展置于物的支配之下。再一种是笼统解释经济发展中人的作用，即劳动者作用，没有区分劳动者作用的不同，似乎有了人就什么经济奇迹都能创造出来，缺乏对高智力复杂劳动者提高劳动技能水平决定性作用的准确认识。总之，这两种理论认识上的偏差都是与客观的事实相悖的。

在同一个地球，同样的天，同样的地，有的国家经济发展很快，有的国家的经济发展很慢，原因是多方面的，人口差异是一方面，资源差异是又一方面，可是偏偏有的人口相对多的国家的

经济发展很快，偏偏有的资源缺乏的国家的经济发展很快，而有
的人口相对少和资源丰富的国家的经济发展很慢，除去其他原因
不讲，这与政治经济学对于经济发展动力已有的研究中认识模糊
是有关的，是政治经济学未能很好地指导社会经济实践的表现
之一。

　　事实上，哪个国家在哪个时期重视保护高智力的复杂劳动
者，哪个国家在哪个时期就具备了经济发展的最基本条件。经济
发展的动力存在是客观的，任何国家的经济发展都受这种客观性
的制约。抽象地准确地认识这一事实，就是科学地推进经济发展
理论的重要成果表现。科学的理论具有无穷的力量，客观地认识
经济发展的动力，有助于提高各个国家的经济发展的自觉性，有
利于缩小各个国家之间存在的经济发展差距。

三　发展路径的选择

　　诺贝尔经济学奖 1998 年获得者之一，美国经济学家道格拉
斯·诺思指出，在 17 世纪同样面临财政危机时，英国选择了议
会和民法体系，迎来了经济上的转机，而西班牙采取的措施是价
格管制、增加税收、没收商人财产，结果使经济更加不景气。就
此，诺思的研究做出了独到的解释，形成了路径依赖理论。这一
理论认为，一个国家经济发展的既定方向会不断地得到自我强
化，所以其历史的选择决定着现在可能的选择。

　　面对严峻的生存压力，每一个国家都会不断地更新自己的选
择，但其中有关经济发展的路径选择确实是受历史制约的。这种
路径的选择与社会的传递机制有着相同的原理，在社会的发展更
迭之中，每一代人均不能塑造自己，而只能是与前人一起塑造下
一代人。因为每一代人进入社会之时，都是没有经验的，他们在

此之后的理性积累也不足以支撑他们对面临的社会问题做出独立的选择，他们所具有的观念和思想其实都是由已有的社会文化历史塑成的，而他们在成长过程中得到的属于他们自己的人生体会和感受，上升为理性的认识，也只能留给下一代人去遵循了，自然的法则是不允许走向成熟的他们再改变自己了，从客观上讲很少能例外地有这种时间。经济发展的道理也是如此，任何国家或地区的经济发展都不能割断历史的联系，发展必然是历史的延续，前人的选择构成的历史总要影响和制约今人做出的选择，这就如同今人的选择会影响和制约后人的选择一样。不论是哪一个国家或地区的经济发展，都不可能摆脱历史的制约，即都不可能脱离历史的约束任意而为。对于这样一种客观存在的既定约束，就像每一个人不能选择自己的父母一样，每一个国家或地区的后一代人都不能对前代人造就的历史进行选择。生在一个贫穷家庭的孩子，不是不可以改变自己的境遇和前途，只是不能改变自己的家庭出身。一个经济落后的国家或地区也是一样，不是不可以改变自己国家或地区的经济状况，只是不能改变经济落后的历史，其经济发展的路径选择肯定要不同于经济发达国家或地区，只能是从自身的经济落后水平起步，历史的存在对于发展构成不可回避的路径选择约束。在一代人做出自己的选择时，他们对上一代人或上上一代人的任何指责都是毫无意义的，他们不能不承认他们的选择，与其说是这一代人的明智，不如说是上一代人的约定。

由于每一代人的生存过程都是理性与非理性的统一，过去有非理性，现在和将来也都有非理性，所以，历史制约下的经济发展的路径选择不可能是完全理性的，即任何选择都是不完全理性的选择。

如果一定的历史决定今后只有一种经济发展出路，那就没有选择的余地了，即那就不是可有路径选择了。而事实不是这样的，无论在哪里，历史都只是制约选择，而非取消选择。每一代人对经济发展的路径选择都只是受历史条件的制约，在制约之下，还是可以有能动的不同取向。当然，不论有多少取向，这些取向都是要受历史约束的，都与历史有割不断的联系，但不同的取向还会产生不同的发展前景，并非后果完全一致，即具体的选择仍然具有偶然性。而每一代人的路径选择的作用就体现在这种偶然性之中。这种选择的偶然性既孕育着必然的趋势，又洋溢着现实的活力。驾驭这种路径的选择需要有相当强的社会管理能力，但现实的选择实际上不用选择者完全负责，选择者也是不完全理性的，只是，能否做出合理的选择，即相对明智的选择，还是需要选择者有忠诚的社会责任感和较强的选择能力。

各个国家或地区在各个时期的经济发展的起点是各种各样的。大的战争结束之后，经济发展的路径选择权力往往握在取得战争胜利的军事家和政治家手中。这体现历史的制约性。但不论是战胜国还是战败国，都需要从战争的阴影中走出来，恢复正常的经济生活。迄今为止，第二次世界大战是人类历史上发生过的规模最大的战争，在二战后发生的朝鲜战争、越南战争、中东战争、海湾战争、阿富汗战争、波黑战争、伊拉克战争以及其他大大小小的战争都是局部战争，对人类的灾难性影响相对要小得多。第二次世界大战以后，各个国家都重新投入和平的经济建设之中。几十年之后，人们看到的事实是，两个二次大战的发起国也是战败国的经济重新发展起来，现在，德国的经济创造力是世界上没有哪个国家能比的，日本也成为世界上最强大的国家之一，并且是最具经济实力的亚洲国家。在战胜国方面：美国本来经济就十分强大，战后发展就更快了，至今保持着世界第一强国的地位。中国在战后的 35 年里经济发展历尽波折，先有国内战争，然后是参加朝鲜战争，接下来是一茬又一茬的政治运动，直至政治动乱几乎将国民经济拉向崩溃的边缘，只是在35年之后，才走上了较快的经济发展之路。前苏联在战后的经济发展速度尽管很快，但苏美争霸及其军备竞赛消耗和削弱苏联的经济实力，这不能不影响人民生活水平的提高，因而与一些发达市场经济国家相比，前苏联经济的发展也是水平相对低的，这也是20世纪90年代初前苏联解体的一个重要原因。以后俄罗斯的经济又重新奋起，继续着前代人的努力，只是在转轨时期人民承受了太多的磨难。英国和法国的战后经济恢复很快，虽然两个国家的经济发展各有特色，步伐并不一致，但基本上，一直处于同一水平线上。其他东欧国家在战后很长时间内大多是由苏联帮助进行经济建设，在经济上对前苏联有一定的依附性，柏林墙倒塌后，所有的东欧国家都发生了剧变，不再坚持原有的社会主义制度，并实行由计划经济体制向市场经济体制转轨，各国经济先后得到恢复和发展。对于这段历史的大略回顾，我们可以看出，既定的历史必然地制约着各个国家战后的经济发展，但也能看到不同国家的经济发展的路径选择不同的结果，其中有的经济条件和历史背景相同的国家只因经济发展的路径选择不同而在几十年后形成较大的经济发展水平差距。比较典型的对比是朝鲜与韩国的情况，这两个国家原本是一个国家，同为一个民族的人口，同是一种文化传统，同处一个半岛之上，并且是在同一时期恢复战后经济，但由于经济发展的路径选择不同，再加上政治及其他原因，造成50年之后经济发展的水平相差悬殊，一个还是经济落后的国家，一个已是亚洲强国，是世界上比较富裕的国家之一。

　　经济发展的路径在一定的历史条件的限定下是可以选择的，只是经济发展的动力在任何地方任何时期任何条件下都是客观既定的。因而，各个国家或地区在自身的历史约束下，实际的经济发展的路径选择在理性与非理性之间的把握并无太大的差别，正如社会发展的路径选择在人性与非人性之间没有太大的变动距离一般，历史铸就的劳动发展水平已内在地制约了具体的选择之间的联系，除非其选择是盲目地违背历史的客观约束的。如果对经济发展的动力认识是盲目的，那么很可能对经济发展的路径选择是不顾历史约束的空想或迷乱。如果出现这种情况，仍是表示选择者的管理劳动能力不足，是其没有足够的能力认识经济发展的本质与动力，没有足够的能力保证其对经济发展的路径选择不违背历史的客观约束。

四　社会决策

一个国家或地区的经济发展可能会遇到各种冲击和磨难，如遇到突发性的恐怖事件、战争、大地震、大旱灾、大水灾、大瘟疫等等，由此受到一定的阻碍，但其经济发展的水平在灾难过后会很快地恢复，这是因为决定经济发展水平的是劳动技能水平，只要劳动主体能够保持劳动技能水平，其已经达到的经济发展水平就是有保证的。也就是说，决定经济发展的不是外在的因素，不是劳动客体因素，更不是资本的力量，经济的发展不论在哪里都必然是由劳动主体的智力因素决定的，都必然要以从事脑力劳动的高智力复杂劳动者为动力。

无论是哪一个国家或地区的经济发展都一样，现今的路径选择受历史的制约，未来的路径选择受现今的制约。所以，现今的选择并不完全是被动的，不仅在历史的制约下有一定的主动选择权力，也在对未来选择的约束中表现出自身的主动性。这种主动性的具体存在表现为，保护经济发展的动力，选择经济发展的路径，不论在哪一个国家或地区，都需要经过社会决策。现代的社会决策是一个复杂的系统功能，是社会管理的重要内容。

应该说，认识社会需要保护经济发展的动力，并不属于社会决策的范围。如何保护和充分利用经济发展的动力，才是社会决策要解决的问题。有些国家或地区，经济的发展保持着一定的自发性，其经济发展的动力是受到自发保护的，符合客观，并不需要社会管理层在这个问题上争议或徘徊，不会将此列为认识上的禁区。有些国家或许是自觉地认识到经济发展的动力所在，因而，早就制定了详细的法律体现在这方面并已做出有效的保护，大众对此习以为常，高智力的复杂劳动者受到社会各方面的重视，其权益也能得到充分的保障。但是，在过去的年代，也有些国家既没有自发地认识到经济发展的动力，也没有对此有自觉的认识，其社会决策是压制客观动力，因而严重地阻碍了经济发展。这是要引以为教训的。

确定一定时期经济发展的总的方向和主要目标，是各个国家或地区的社会决策责任。经济发展体现微观上的努力与宏观上的控制的统一，社会决策是宏观控制的基础，是大计方针的制定。虽然经济发展的要求是社会能够提供超过以往的生存条件，技术创新和产品创新的任务是由各个微观经济组织实现的，整个社会的生产也是由各个部门或系统完成的，但是，宏观控制的作用对于一个国家或地区的经济整体存在而言是更为重要的，也就是说社会决策将要保障这一整体的发展达到更高的水平，将要为所有的微观经济组织创造良好的宏观生存环境，起根本性的统帅带动和整体服务作用。

从现代的政治经济学研究的角度来认识，关于经济发展的社会决策，各个国家或地区承担这一任务的组织系统应主要把握以下5个方面的工作要点。

1. 维护全民利益

经济发展的社会决策要从全民利益出发，不能只是从有产阶级的利益出发，忽略工薪阶层的利益要求，也不能只是考虑工薪阶层的利益要求，忽略有产阶级的利益保障，更不能只为城市人口服务，不为农村人口着想，社会决策的经济发展方略要照顾到一个国家或地区的所有人的利益，不能顾此失彼，在面向全社会服务中留有空缺。维护全民利益是社会决策的宗旨，体现经济发展的根本目的。社会决策所要维护的全民利益分为两个方面：一是全民的根本利益和整体利益。根本利益就是全民的生存利益，经济发展的核心是为了本国或本地区的人民生存延续下去。整体利益是关系所有的人的生活水平提高的要求，是每一个人都需要受到保护的共同利益，是人民全体一致的在经济方面的权益保障。二是全民中的各个阶级、阶层、群体及地域人口的利益。社会决策制定的经济发展方略要平衡各个阶级、阶层、群体的权益要求，在保证各个地域人口的利益的前提下推进经济整体的发展。并且，还要考虑区域平衡问题，作为一个国家或地区，经济发展必须平衡，不能是东部富、西部穷，因此，有关的方略制定必须有助于各个区域的经济发展能够走向平衡。

2. 尊重经济规律

经济运动是存在规律性的，是有客观性的。制定经济发展方略，在社会的决策中必须要尊重既有的经济规律，符合客观要求，不能在主观上任意而为，违背经济规律做出决策。尽管人类到现时代对于经济规律的认识和掌握还很不够，从理论上讲还难以全面地为社会决策提供指导，但是毕竟经济规律是客观存在的，并不因人们认识不到而消失，况且，有的基本经济规律是已经能够认识的，这就是说关于经济发展的社会决策在其现实性上一方面要遵守已认识的经济规律，再一方面也要明智地尊重那些尚未被认识的经济规律。就已被认识的经济规律讲，社会决策绝对不能逆其而行。比如，生产力决定生产关系是一个基本的经济规律，其客观性是得到验证和人们承认的，社会决策不能既承认生产力决定生产关系，又要求超越生产力的发展水平来改造和拔高生产关系。就尊重尚未被认识的经济规律而言，社会决策要从现实出发，以符合客观实际为工作原则，因为规律是存在于现实之中的，具有客观性，决策工作符合现实的客观要求，就是对客观的经济规律的尊重。

3. 服从历史约束

各个国家或地区都有各自的不可变更的历史，历史对现实的经济发展的约束也是客观的，社会决策要符合客观要求，就必须服从既定的历史约束。一个经济落后的国家不能幻想着在很短的时期内赶上经济发达国家，不能不顾历史的约束用空洞的发展口号欺骗自己。在这方面，不论是哪一个国家或地区，敢冒天下之大不韪，置历史约束于不顾，欲创奇迹，也只能是欺骗自己，不可能欺骗别人。服从历史约束，对于经济落后的国家，就只能是一步一步地打基础，培养高智力复杂劳动者，只有通过社会决策做好这方面的工作，真正地提高了劳动整体的技能水平，经济才能发展起来，才能摆脱落后，因为经济落后的根本原因是缺乏经济发展动力，而这并不是短时期内能解决的，尤其是对于大国经济更是如此。而就社会经济已经发达的国家来说，也要服从历史的约束，在没有新的科学技术大突破之前，也只能是平缓地发展经济，不可能总是处于激荡前进的状态。

4. 保证长远投入

无论是对哪一个国家或地区讲，实现经济的有长久活力的发展，都需要社会从整体上做出长远的投入。而保证这一要求，是社会决策的责任。基础科学研究投入、教育投入、社会公共设施投入、文化建设投入、防疫系统投入、抗灾系统投入、生态建设投入等等，都属于长远性的投入，解决这些方面的投入问题，是

对经济发展的重要保障。十年树木，百年树人，教育的长远投入
是必不可少的。哪一个国家能够保证培养出未来的高水平的复杂
劳动者，哪一个国家就能保证未来的经济发展目标的实现。从已
经进入 21 世纪的视角来看，现在许多国家已不再满足于保证一
般的长远投入之上，而是投入大量的人力和财力致力于开发外层
空间技术，积极地进行外层空间探索。这是符合人类生存延续的
根本要求的。中国已继美国、俄国之后成为世界上第 3 个掌握载
人航天技术的国家。美国、欧盟相继向火星发射了科学探测器，
并成功地发回了火星探测照片。在美国之后，又有数个国家在筹
备着登月计划，希望能用飞船将本国的宇航员送上月球。这方面
的高科技投入既是对人类未来生存空间的探索，也有力地推动了
各个投入国的现实经济繁荣，尤其是促进了现时代的技术发展。
这是十分有意义的社会决策效果。

5. 坚持和平立场

通过侵占他国之地、掠夺他国人口和财物，实现本国的经济
发展，或是为本国的经济发展创造物质条件，这在人类常态社会
的历史中并不乏见。而且，为此燃起的战火，也并不鲜见。19
世纪末，日本通过发动甲午战争从中国掠夺大量白银和割让我国
一部分领土，为其发展教育，促进经济发展，发动新的战争，奠
定了物质基础。在 20 世纪的战争中，各个军国主义国家仍然是
想依靠战争，成为世界上的政治、经济强国。暴力是人类历史抹
不去的壮举，无数的鲜血和生命为此而付出。在历史上暴力与经
济发展有着密切的关系。进入 21 世纪之后，不论是哪一个国家，
都不应该再用这一手段实现自己的经济发展，世界需要和平，各
个国家都需要和平。以战争推动人类常态社会发展的历史应该在
不久的将来结束。实现这一人类共同的根本利益要求，需要从
21 世纪做起，尽管在这个世纪之初已经发生了战争。现代的政

治经济学研究已表明，21 世纪是人类走向和平的世纪，各个国家在和平的环境中发展各自的经济。因为人类劳动的发展已经决定了人类具备了放弃战争而生存的劳动能力。只是由于历史的惯性存在，现阶段的各个国家还不得不保留军事劳动存在。在利用战争发展经济已不可能的历史前提下，各个国家的经济发展的社会决策需要坚持和平立场，做好社会理性和经济自觉性要求的两个方面工作：一是努力做到只保持最低限度的军队和军工生产。以自觉地减少军事劳动促进本国经济发展。二是坚决不进行国际间的军火贸易，保证不出口军火，也保证不进口军火。各个国家应理性地联合起来，坚决取缔世界军火市场，像国际联手缉毒那样，严厉打击国际军火交易，以此为世界和平做出贡献，为各个国家的经济发展做出特殊贡献。

第二十八章 经济结构平衡

  经济发展必然改变经济结构，经济结构也是政治经济学研究的一个重要的经济范畴。国民经济在发展的同时，客观上要求保持经济结构平衡。经济结构平衡是指体现国民经济主要消费品分类的供求结构保持平衡。从逻辑上讲，实现经济结构平衡就是实现供求总量平衡，但实现供求总量平衡并不一定能保证经济结构平衡。在现代经济中，即在已经高度信用化和对外开放的经济中，经济结构平衡包括信贷平衡和进出口贸易平衡，因为信贷关系和国际贸易都会影响国内市场的供求结构。研究经济结构平衡属于对国民经济运行关系的基础研究，有其高度抽象的理论认识难度，但这方面的研究是各个国家或地区进行宏观经济调控所需要的，具有指导现实经济运行的作用和意义。由于政治经济学的理论研究一直缺乏对基础范畴的认识统一，且思想僵化和体系混乱，因而长期以来，经济结构平衡的研究也始终缺乏应有的学术规范，存在基础性的认识分歧问题，尚未建立起完整的通畅的交流平台。在此，希望我们做出的探索能对推进 21 世纪的经济结构平衡理论研究起一定的作用。

一 生活消费品的供求结构平衡

不论是在过去，还是在现代，经济结构平衡都比供求总量平衡有更具体的进一步要求。供求总量平衡只指国民经济运行的总供给与总需求的价值量保持平衡，即这种总量上的平衡只要求国民经济运行的价值形态供求保持一致。由于经济结构平衡必然包括供求总量平衡，供求总量平衡是经济结构平衡的基本要求，因此，我们可以将供求总量平衡作为经济结构平衡的价值形态的基本表现，用下式表示。

总供给 = 总需求

供求总量平衡对于现代经济的宏观金融调控具有重要意义。价值形态上的供求在信用经济时代是很容易形成失衡的，因为若不是从产品形态上约束价值形态，而是存在价值的相对独立运动，并以此可以反过来约束产品形态的供求，那么这种反作用就可能产生与产品形态基础的供求不一致的情况，因此，在国民经济运行中，必须在宏观金融调控层面上保持供求总量平衡，以避免价值形态求与产品形态供求的背离。由此而言，宏观金融调控对于经济结构平衡，主要是控制价值形态上的供求总量平衡。在市场经济条件下，宏观金融运行是国民经济运行的中枢，所以，宏观调控供求总量，可以起间接调控国民经济运行的结构平衡作用。

除金融调控外，国民经济的运行调控还有其他方面。而且，金融领域的劳动创造有相当一部分属于中间效用，在保持社会生存的最基础的生产领域，人们不能仅从价值形态上认识经济结构平衡问题，即不能只关注价值总量的供求平衡，必须要求实现总供求的结构平衡。这是从社会生产与社会消费出发而不是从金融

— 282 —

关系出发表现的对国民经济运行调控的要求。对于经济结构平衡的这一层次要求，可用下式表示。

总供给结构 = 总需求结构

在经济结构平衡的这一层次涵义中，总供给与总需求的平衡既包括价值平衡，也包括产品平衡。因此，如果仅从价值角度讲经济结构平衡，上式也是成立的。这其中包含着价格对产品供求结构的约束。至少，从短期看，情况是这样的。问题在于，从长期讲，社会的需求有客观性，而且并非每一种产品的价格弹性都一致，人们对产品的需求是基础，是最本质的要求，价格只是实现市场交易的手段，不能代表人们对生产与生活的现实需要。所以，从根本上说，经济结构平衡要求价值形态与产品形态统一的结构平衡，即最终的结构平衡要落在产品结构平衡上。这是又进一步的经济结构平衡要求，可用下式表示。

总供给产品结构 = 总需求产品结构

长期以来，在经济研究中，人们似乎都认为产品的供求是由价格决定的，而不是由劳动生产能力与人们的生存需要决定的。这种认识清楚地表明以往人们在政治经济学的基本认识上的缺陷。而且，这一缺陷的延伸，又进一步表现出"需求向下倾斜规律"与"需求价格弹性"的矛盾。事实上，价格是人们创造的劳动成果效用的量化表现，从根本上讲，人们是需要劳动成果的效用，但并不能由此将价格理解为需求的决定因素。现在的经济发达国家是经济高度发达的，但即使在这些国家人们对于价格与需求关系的认识也并不正确，只是这些认识都被写进了教科书。直到今天，有些发展中国家还在大量引进这一类教科书，这对于下一代人的学习并不有利。在目前情况下，认真进行政治经济学研究的理论工作者应该知道现有的教科书关于这方面的解释是不妥的，应该知道现有的认识与经济实际是不符的。这就是说，以往的理论将价格的作用置于劳动与劳动成果作用之上，这是需要特别予以改正的。现时代研究经济结构平衡，不能再像过去那样单纯从市场表象出发，而必须从劳动出发，从劳动成果的效用供给出发，从社会的生存与发展需要出发，全面地认识问题。

在社会生产中，所有劳动分为生产生产消费品的劳动和生产生活消费品的劳动。社会最终需要的是生活消费品，即所有的生产消费品生产都是为生活消费品生产服务的，人们生产更多的生产消费品也只是为了生产更多的生活消费品，不存在单纯的生产消费品生产需要，因为没有对生活消费品的实际需求，不会有对生产消费品的市场需求。所以，国民经济范围内的经济结构平衡，应该包括两层要求：一是最终的生活消费品的供求结构平衡。二是生产消费品生产与生活消费品生产的结构平衡。笼统地讲供求总量与总供求结构实际上是对市场供求关系认识粗浅的表现，也是对社会劳动和社会生产的理解还缺乏全面性与准确性的反映。在现代经济学的各分支学科中，特别是在政治经济学中，不能再延续笼统地讲市场供求的历史了，即随着学科建设的科学化，必须对市场供求做两大类区分，分列生活消费品供求与生产消费品供求，必须将生活消费品供求作为经济学研究的基础的市场供求关系。这就是说，客观上社会总供给产品结构与总需求产品结构的平衡是建立在生活消费品供给结构与生活消费品需求结构的平衡基础之上的。准确地讲，生产消费品的供求结构平衡问题，是市场运行问题，更是生产运行问题，生产消费品的供求只是要与生活消费品的生产结构相对应，并不直接与人们的生活消费需求结构相联系。所以，在现代市场经济条件下，在社会经济的发展已经进入了高科技时代，我们对于经济结构平衡的认识，应当在政治经济学的理论创新中，明确地表述为，其核心的要求是生活消费品的供求结构平衡，这可用下式表示。

生活消费品的供给结构＝生活消费品的需求结构

实现经济结构平衡取决于社会生产能力与社会管理的控制能力。在现实中，人们对没有生产能力生产的产品不能有需求，而对有生产能力生产的产品不一定有需求，或是说不一定有与生产能力规模相一致的产品需求，这是市场供求复杂性存在的根本原因。在社会发展中，人类的表现是不断地提高劳动能力以能够生产前所未有的产品更好地满足自身生存的需要。这种机制在现实的市场中表现出一种引导性。另一方面，社会的存在也客观地要求各种已具有的生产能力适应人们对生活消费品的各种需求，即要求生产适应生活消费品需求。对于经济结构平衡的基础研究就体现在这两个方面。各个国家的历史都是通过一个个具体的时间段连接起来的，每一个具体的时间段内都有不同的市场表现的生活消费品的需求，而生产就是要满足生活需求的，历史就是在这种具体的时间段的联结中走过来的。政治经济学的研究不能虚化历史，更不能无视历史中的具体，相反，必须研究具体的历史，必须尊重历史，才能发展经济结构平衡理论，才能获得自觉调整经济结构平衡的新的经济思想认识。

二　两大部类生产内容的扩展

无论在哪一时期，要实现经济结构平衡，都必定要建立在生活消费品供求结构平衡的基础上。因而，研究经济结构平衡，就现实的需要讲，必须以研究生活消费品供求结构平衡为基础。但作为理论研究，在未能实证地认识这一基础之前，即在未能以准确的实证数据表现国民经济中生活消费品供求结构平衡的基础上展开系统的经济结构平衡理论研究，我们要先行假定对经济结构平衡的表述都是以生活消费品供求结构平衡为基础的。可以说，在我们的研究中，若缺少这一假定前提，是无法进行推理分析的。

从现代政治经济学的研究角度看，马克思在 19 世纪阐述的社会再生产理论表现的是朴素的经济结构平衡思想。这一思想的精髓是区分了社会生产的两大部类，即区分了生产资料生产与生活资料生产。这是对社会生产的最基础划分，马克思由此论证了两大部类生产的平衡是社会再生产的实现条件。在 21 世纪初，进一步认识马克思的社会再生产理论，我们认为有两个问题需要给予明确。第一个问题是必须明确在两大部类生产平衡之前，应实现生活消费品的供求结构平衡，或者说两大部类生产平衡的基础是生活消费品的供求结构平衡。第二个问题是必须明确马克思讲的两大部类社会生产未包括劳务生产，因此其概括是不完全的。在马克思时代，劳务生产占社会生产的比重较低，并且马克思一直认为生产劳务的劳动是不创造价值的，所以，在他的社会再生产理论中，没有抽象概括劳务生产内容，而是舍去了这一方面的生产。然而，时至今日，在现代经济中，不论在哪一个国家或地区，劳务生产都已占社会生产较高的比重，尤其是在发达国家的比重可达70% 以上，而且现在的经济理论工作者基本上都承认生产劳务的劳动也是创造价值的劳动，因此，21 世纪的社会再生产的研究必须对 19 世纪的理论概括进行内容扩展，即要从社会生产的实际出发，全面认识劳动的价值创造和社会生产的两大部类的划分。

关于第一个问题，我们已经做了一定的解释，并且，我们的研究假定的前提与其是一致的，因此可以不再讨论。下面，需要再着重谈一谈第二个问题。在中国经济理论界，关于这个问题早就引起了广泛的关注和讨论，只是至今尚未取得统一的认识，大体上存在 3 种主要观点：第一种观点是三大部类说。这是主张将劳务生产单独列为一大部类与生产资料生产部类和生活资料生产部类并列，构成整个社会再生产的三大部类划分。第二种观点是多部类说。基本的意见是对劳务生产做出多部类的划分，再加上原先划定的生产资料生产和生活资料生产，共计可合成五大部类或六大部类、七大部类，等等。这种观点与第一种观点存在的共同点是，都不触动原有的生产资料生产和生活资料生产的两大部类划分。其分歧只在于对劳务生产的部类划分不同，第一种观点要求统为一个部类，第二种观点要求再划分为多个部类。第三种观点是两大部类扩展说。仍然坚持社会再生产的两大部类划分，只是按这种基础的划分方法，又将劳务产品的生产也划分为生产消费品的生产与生活消费品的生产，分别归入两大部类生产之中，即第 I 部类是包括生产资料生产和生产劳务生产。第 II 部类包括生活资料生产和生活劳务生产。我们认为，在以上 3 种观点之中，前两种观点改变了社会总产品按生产和生活用途不同划分为两大部类的原则，对社会总产品的生产划分缺乏标准的一致性，所以从逻辑上讲是不可取的，只有第三种观点保持了对社会再生产两大部类划分的科学性，与以前的划分有合理的继承性，因此是可取的。我们的研究采用的就是第三种观点，这样处理不是增加新的部类，而只是从实际出发对社会再生产两大部类划分的内容进行扩展。

　　根据对两大部类内容的扩展，经济结构平衡要求的第 I 部类的供给包括生产资料供给与生产劳务供给，对第 I 部类的需求包括对生产资料的需求与对生产劳务的需求；第 II 部类的供给包括生活资料供给与生活劳务供给，对第 II 部类的需求包括对生活资料的需求与对生活劳务的需求。这两大部类中的 4 个方面的供求平衡可以表示国民经济运行中的最基本的经济结构平衡。为了表述简便,下面我们分别用符号表示两大部类中的 4 个方面的供给与需求。

设:

C	为生产资料供给	c	为对生产资料的需求
N	为生产劳务供给	n	为对生产劳务的需求
V	为生活资料供给	v	为对生活资料的需求
Z	为生活劳务供给	z	为对生活劳务的需求

所以,从确定国民经济的最简单的经济结构平衡目标而言,可用已设的符号列式表示经济结构平衡关系,见下式。

$$C\text{结构} = c\text{结构}$$
$$N\text{结构} = n\text{结构}$$
$$V\text{结构} = v\text{结构}$$
$$Z\text{结构} = z\text{结构}$$

在不能展开各种各样的具体的产品的供求结构分析之前,或是说在我们现时只能先做社会再生产两大部类之间的供求结构平衡分析之中,可使用以下符号表示一种需求引出相对应的一种供给或一种供给满足相对应的一种需求的关系。

设:

Cc 表示生产资料生产对生产资料生产的供给和生产资料生产对生产资料的需求。

Cn 表示生产资料生产对生产劳务生产的供给和生产资料生产对生产劳务的需求。

Cv 表示生产资料生产对生活资料生产的供给和生产资料生产对生活资料的需求。

Cz 表示生产资料生产对生活劳务生产的供给和生产资料生产对生活劳务的需求。

Nc 表示生产劳务生产对生产资料生产的供给和生产劳务生产对生产资料的需求。

Nn 表示生产劳务生产对生产劳务生产的供给和生产劳务生产对生产劳务的需求。

Nv 表示生产劳务生产对生活资料生产的供给和生产劳务生产对生活资料的需求。

Nz 表示生产劳务生产对生活劳务生产的供给和生产劳务生产对生活劳务的需求。

Vc 表示生活资料生产对生产资料生产的供给和生活资料生产对生产资料的需求。

Vn 表示生活资料生产对生产劳务生产的供给和生活资料生产对生产劳务的需求。

Vv 表示生活资料生产对生活资料生产的供给和生活资料生产对生活资料的需求。

Vz 表示生活资料生产对生活劳务生产的供给和生活资料生产对生活劳务的需求。

Zc 表示生活劳务生产对生产资料生产的供给和生活劳务生产对生产资料的需求。

Zn 表示生活劳务生产对生产劳务生产的供给和生活劳务生产对生产劳务的需求。

Zv 表示生活劳务生产对生活资料生产的供给和生活劳务生产对生活资料的需求。

Zz 表示生活劳务生产对生活劳务生产的供给和生活劳务生产对生活劳务的需求。

在对以上 16 个组合符号的表意做了说明之后，为进一步展开讨论，我们可将按社会再生产两大部类划分的经济结构平衡的基本要求用下式表示：

$$\text{供给} \qquad\qquad \text{需求}$$

$$\text{I}\begin{cases} C_c + C_n + C_v + C_z = C_c + N_c + V_c + Z_c \\ N_c + N_n + N_v + N_z = C_n + N_n + V_n + Z_n \end{cases}$$

$$\text{II}\begin{cases} V_c + V_n + V_v + V_z = C_v + N_v + V_v + Z_v \\ Z_c + Z_n + Z_v + Z_z = C_z + N_z + V_z + Z_z \end{cases}$$

这一公式表现了社会再生产的实现条件，也表示了经济结构平衡的最简单的基本要求。这种表示是概括性的，其中是假定各种具体的产品的供求结构都是平衡的。

三 经济结构平衡的信贷调节

在现代市场经济的国民经济运行中，商品的生产即市场供给与商品的消费即市场需求往往会有结构性的不平衡。而这种不平衡的基础仍然是在生活消费品的供求结构关系上。从现实来看，保持复杂的市场供求结构平衡，宏观调控的重要手段之一是信贷调节，即利用信贷消费方式将延期消费转为即期消费的同时，也将市场消费需求的结构实施了适应市场供给结构的调整，以达到实现经济结构平衡的目的。比如，房地产开发商建成一个又一个住宅小区，其中只有少部分购房者是全额现金付款入住的，大多数购房者是通过银行提供贷款才买上房产的，虽然这些贷款购房者中存在不必贷款也具有实力买房者，但那毕竟为数不多，对于多数人讲，以其仅有的积蓄只能依靠贷款才可购房。对于这些贷款购房者，不存在消费观念转变的决定性问题，也不是由于银行拓展业务而获得了信贷购房的机会，从经济原理分析，他们能够购房是因为有延期消费存在，即有别人将自己应用于生活消费的钱暂时不用而存入了银行。正是由于有人没有即期消费，进行了储蓄，准备延期消费，这才有银行为信贷购房者提供贷款的可能。在以商品交换为经济运行基础的社会，所有应用于生活消费的钱必须都用于生活消费，或者说，所有用于生活消费的产品都必须有人购买，如果做不到这一点，国民经济就无法正常运行，整个社会的生产规模就会萎缩。信贷的出现，可以使延期消费转为即期消费，将闲置的购买力变成现实的购买力，有利于已生产的生活消费品销售，避免供求失衡。但要明确，信贷不改变生活消费总量，只能改变消费结构，改变购买者的组成结构。由于有这样的调节功能，信贷消费生活消费品对于保持国民经济的运行正常是十分有益的，在市场供求不平稳时即供大于求时通过信贷调节生活消费结构有可能达到恢复供求平衡的目的。也可能久而久之，就形成了这样一种市场机制，延期消费与即期的信贷消费相互依赖，构成一种特殊的供求平衡关系，成为市场常态。总之，只要整个社会的生活消费规模能够与整个社会的生产能力保持一致或基本一致，社会再生产就不会因市场需求不足而受到影响。

重视并利用信贷手段调节经济结构，使市场供求结构保持在基本平衡状态，这在现代社会已可以做到。人类不会永远停留在市场行为完全自发的经济发展阶段，现代经济学的研究要有助于市场经济的运行逐步减少自发盲目的代价。在现代市场已高度复杂的状态下，社会需要建立一系列的制度和组织保障，通过信贷调节去努力平衡市场供求关系，使供给的结构能够大体上适应需求的结构，使信贷消费能够起到弥补市场需求缺口的作用。

作为一种金融调节手段，信贷调节对各个国家或地区的经济运行保持结构平衡可起一定的作用。在政治经济学的研究中，可将这种作用抽象出来，加入描述经济结构平衡的公式中。

设：

S 为延期消费需求

I 为信贷消费需求

因此，信贷平衡为延期消费需求量等于信贷消费需求量。即：

$$S = I$$

现代社会可以在保持信贷平衡的前提下，利用消费信贷进行供求结构调节。假定，在没有信贷的情况下，市场供给 A 商品，甲有购买能力不买，乙想买却没有购买能力，A 商品卖不出去，市场供求失衡。而有了信贷调节，甲的购买力可以转为延期消费需求，存入银行，银行又将钱贷给乙，成为乙现实的信贷消费买下 A 商品，市场上供求就平衡了，而且这种平衡也是一种结构平衡。

据此，我们可以将信贷平衡公式代入经济结构平衡公式，反映信贷消费可起的结构平衡调节作用。

由此假定：

$$TS = TI$$

注：T 代表总量

这样，在确定信贷总量平衡的前提下，存在信贷调节的经济结构平衡公式可做如下表示。

供给　　　　需求

$$\text{I} \begin{cases} C_c + C_n + C_v + C_z = C_c + N_c + V_c + Z_c + (I-S)^* \\ N_c + N_n + N_v + N_z = C_n + N_n + V_n + Z_n + (I-S)^* \end{cases}$$

$$\text{II} \begin{cases} V_c + V_n + V_v + V_z = C_v + N_v + V_v + Z_v + (I-S) \\ Z_c + Z_n + Z_v + Z_z = C_z + N_z + V_z + Z_z + (I-S) \end{cases}$$

---

* 表示第 I 部类中的生产延期消费与信贷消费需求。

加入信贷调节之后，经济结构平衡有了新的内容。需要注明的是：如果 I > S，或 S > I，那么公式中的等式关系就不成立，因为在此情况下，将是需求大于供给，或供给大于需求，所以，经济结构的平衡必然要求每一类供求的 I = S，即在市场上买家可以由信贷关系调节，但价值关系上延期消费需求在各类产品之中必须等于信贷消费需求。

四　经济结构平衡的进出口调节

现时代各个国家的经济都是对外开放的，整个世界正在走向经济全球化，每个国家都存在进出口贸易。① 活跃进出口贸易，除了具有促进国民经济发展的作用，同时还具有调节国内经济结构平衡的作用，即国内的供求结构不平衡可通过进出口调节达到基本平衡。在长期中，进出口的贸易结构已是国民经济结构的重要组成部分。

在 19 世纪，马克思的社会再生产理论没有将进出口调节加入再生产公式，尽管那时欧洲的对外贸易已经相当活跃了。一个多世纪之后，我们在这方面应做出具体的理论推进，即将封闭经济的社会再生产模型转变为开放经济的社会再生产模型。比如，在马克思的理论分析中，第 I 部类生产的产品如果不能满足本部类的需求和第 II 部类的需求，那就无法按原规模进行再生产了。这描述的是典型的封闭经济状态，即本国不能生产的，就不会有供给于市。因此，马克思讲的社会再生产条件只是封闭经济中的

---

① 2003 年，中国国内生产总值总量为 116694 亿元，按现行汇率计算相当于 1.4 万多亿美元。而当年中国进出口贸易总额为 8512 亿美元，其中进口为 4128 亿美元，出口为 4384 亿美元（参见中华人民共和国国家统计局：《中华人民共和国 2003 年国民经济和社会发展统计公报》，2004 年 2 月 26 日）。

再生产条件，也就是说，在封闭经济中必须要求本国生产的每一项供给项目等于本国市场的每一项需求。其实，这种封闭的状态只是农业经济时代的表现。人类社会一进入工业经济时代，各个国家的经济都逐步对外开放了。而一旦经济开放，国内市场必须连接国外市场，国内的经济结构就不再封闭，本国生产的商品可以运到国外去销售，本国需要的商品也可以去国外购买，因此，利用进出口，可以调节本国的经济结构。至于发展国际贸易可以促进国民经济发展，满足人民生活需要等等方面的作用，就不再一一陈述了。在此，我们只强调进出口对经济保持结构平衡的作用。

由此，为了清楚地表现开放经济条件下的经济结构平衡状态，我们可将进出口的调节作用抽象地融入经济结构平衡的分析中。

设：

X 为进口产品

x 为出口产品

因此：

CX 为进口生产资料　　xc 为出口生产资料

NX 为进口生产劳务　　xn 为出口生产劳务

VX 为进口生活资料　　xv 为出口生活资料

ZX 为进口生活劳务　　xz 为出口生活劳务

而且，在公式之中，允许：

$$CX \neq xc$$
$$NX \neq xn$$
$$VX \neq xv$$
$$ZX \neq xz$$

但一般要求：

$$TX = Tx$$

经过进出口的调节,一个国家或地区的经济结构更容易保持平衡,只是这种调节需要有高度的理性,不能是任意的行为。由此,开放经济条件下的经济结构平衡公式可做如下表示。

$$\begin{array}{cc} \text{供给} & \text{需求} \end{array}$$

$$\text{I}\begin{cases} C_c + C_n + C_v + C_z = C_c + N_c + V_c + Z_c + (\,xc - CX\,) \\ N_c + N_n + N_v + N_z = C_n + N_n + V_n + Z_n + (\,xn - NX\,) \end{cases}$$

$$\text{II}\begin{cases} V_c + V_n + V_v + V_z = C_v + N_v + V_v + Z_v + (\,xv - VX\,) \\ Z_c + Z_n + Z_v + Z_z = C_z + N_z + V_z + Z_z + (\,xz - ZX\,) \end{cases}$$

与封闭经济条件下的经济结构平衡不同,在进出口调节作用下,每一类的国内供给可以不等于国内需求。

即在封闭的条件下,经济结构平衡要求是:

$$\begin{array}{llll} C_c = C_c & N_n = N_n & V_v = V_v & Z_z = Z_z \\ C_n = N_c & N_v = V_n & Vz = Z_v & \\ C_v = V_c & N_z = Z_n & & \\ C_z = Z_c & & & \end{array}$$

而在经济开放条件下,由于有了 X、x 的介入,因而,每一类的国内供给可以不必等于国内需求。

即在开放经济中,在有进出口调节作用时,经济结构平衡的公式中允许:

$$\begin{array}{llll} C_c = C_c & N_n = N_n & V_v = V_v & Z_z = Z_z \\ C_n \neq N_c & N_v \neq V_n & V_z \neq Z_v & \\ C_v \neq V_c & N_z \neq Z_n & & \\ C_z \neq Zc & & & \end{array}$$

五 经济结构平衡总公式

1. 用假定数值表示封闭经济的经济结构平衡

供给　　　　　　　　需求

$$\text{I}\begin{cases} C_c1000 + C_n1000 + C_v500 + C_z500 = C_c1000 + N_c1000 \\ \quad + V_c500 + Z_c500 \\ N_c1000 + N_n1000 + N_v500 + N_z500 = C_n1000 + N_n1000 \\ \quad + V_n500 + Z_n500 \end{cases}$$

$$\text{II}\begin{cases} V_c500 + V_n500 + V_v1000 + Vz1000 = C_v500 + N_v500 \\ \quad + V_v1000 + Z_v1000 \\ Z_c500 + Z_n500 + Z_v1000 + Z_z1000 = C_z500 + N_z500 \\ \quad + V_z1000 + Z_z1000 \end{cases}$$

这其中强调每一类供求必须平衡，例如：

$$C_v500 = V_c500$$
$$N_z500 = Z_n500$$

2. 用假定数值表示开放经济的经济结构平衡

供给　　　　　　　　需求

$$\text{I}\begin{cases} C_c1000 + C_n1000 + C_v500 + C_z500 = C_c1000 + N_c1000 \\ \quad + V_c1000 + Z_c500 + (xc1000 - CX1500) \\ N_c1000 + N_n1000 + N_v500 + N_z500 = C_n1000 + N_n1000 \\ \quad + V_n500 + Z_n1000 + (xn1000 - NX1500) \end{cases}$$

$$\text{II}\begin{cases} V_c1000 + V_n500 + V_v1000 + V_z1000 = C_v500 + N_v500 \\ \quad + V_v1000 + Z_v1000 + (x_v1500 - VX1000) \\ Z_c500 + Z_n500 + Z_v1000 + Z_z1000 = C_z500 + N_z500 \\ \quad + V_z1000 + Z_z1000 + (x_z1500 - ZX1000) \end{cases}$$

这其中与封闭经济条件下的经济结构平衡不同的是：

$$C_v 500 \neq V_c 1000$$
$$N_z 500 \neq Z_n 1000$$

由此可体现出进口调节对于经济结构保持平衡的作用，这在上式中表现为每一类进出口额都是不等式。但从总的经济结构平衡要求讲，在正常的国民经济运行中，一般要求：

$$xc + xn + xv + xz = CX + NX + VX + IX$$

当然，进出口的调节可以是动态的，即可以是在不断的市场交易之中以一定的波动幅度实现进口与出口总量的大体平衡。

3. 一并代入信贷调节和进出口调节的经济结构平衡总公式

假定：TS = TI、TX = Tx。

总 公 式

供给　　　　　　　　　　　需求

$$I \begin{cases} C_c + C_n + C_v + Cz = C_c + N_c + V_c + Z_c + (xc - CX) + (I - S) \\ N_c + N_n + N_v + N_z = C_n + N_n + V_n + Z_n + (xn - NX) + (I - S) \end{cases}$$

$$II \begin{cases} V_c + V_n + V_v + V_z = C_v + N_v + V_v + Z_v + (xv - VX) + (I - S) \\ Z_c + Z_n + Z_v + Z_z = C_z + N_z + V_z + Z_z + (xz - ZX) + (I - S) \end{cases}$$

该公式表示：

其一，生产资料生产与生产劳务生产构成社会生产的第Ⅰ部类，生活资料生产与生活劳务生产构成社会生产的第Ⅱ部类，这两大部类概括了国民经济的全部内容，其划分是国民经济结构的最基础划分，因而，其平衡也是国民经济正常运行所要求的最基本的结构平衡。

其二，信贷调节是通过价值形态的延期消费需求向信贷消费需求的即期转换起市场供求结构调节的平衡作用。

其三，进出口调节是在开放经济条件下通过产品供求结构的调节促使经济结构实现产品形态与价值形态相统一的平衡。

六 结 语

（1）国民经济的经济结构平衡的基础是生活消费品的供求结构平衡。在现代政治经济学的理论研究中，不应只是分析笼统的社会总供求，而应确切地分析更为基础的生活消费品供求结构的平衡，以此为认识国民经济运行的起点。

（2）研究经济结构平衡需做两大部类划分，马克思提出的两大部类范围并没有全面概括国民经济运行范围，从事实出发，应将劳务生产也纳入两大部类的划分之中，即生产消费品的生产为第Ⅰ部类，包括生产生产资料与生产劳务，生活消费品的生产为第Ⅱ部类，包括生产生活资料与生活劳务。

（3）在现代市场经济条件下，经济结构平衡的分析应以国民经济对外开放为前提，并且还需加入信贷消费调节的作用。因此，概括地表现国民经济正常运行的经济结构平衡的总公式，是全面的包含有信贷调节作用和进出口调节作用的模型表现。我们的研究阐明：在信用高度发达和经济全球化时代，各个国家或地区都可以利用信贷消费调节的手段和通过国际贸易灵活地调节本国或本地区的国民经济运行，基本实现经济结构平衡。而政治经济学的理论研究应当从事实出发，跟上社会经济实践前进的步伐，在经济结构平衡理论的认识方面现实地进行创新，以使这一领域的研究能够切实起到指导各个国家或地区调控国民经济运行实践的作用。

第二十九章　终点效用优化

经济结构平衡表现的是社会生产总效用的供求结构平衡。在经济结构平衡之中，包括用于生活消费的劳动成果效用的供求结构平衡，也包括用于生产消费的劳动成果效用的供求结构平衡。而这种平衡的主干则是终点效用的供求结构平衡，即平衡的基本要求是用于生活消费的终点效用与用于生产消费的终点效用的供求结构都保持平衡。

在市场经济条件下，保持经济结构平衡是保证国民经济正常运行的基本条件之一。而在经济结构平衡之中做到中间效用优化和终点效用优化则是关系国民经济秩序稳定和国民经济发展的更深层次的问题。在前面，我们已经讨论了中间效用的优化问题，阐明降低衍生性中间效用的比重是中间效用优化目标。在此，即在经过对经济增长与经济发展以及经济结构平衡的分析之后，我们要再来讨论终点效用的优化问题。

终点效用优化是指在常态的国民经济中非生产劳动创造的劳动成果效用在社会总的终点效用中要保持历史限定的比重，不可盲目地提高或降低这一比重，以实现社会总的终点效用的常态结构合理。

因此，我们的讨论需要从分析非生产劳动成果效用开始。

一　非生产劳动的终点效用创造

生产劳动与非生产劳动是对人类社会化劳动的一种特定角度的划分。自 19 世纪以来，在政治经济学研究领域，持各种学术观点的人们始终就这一对劳动范畴的划分问题争论不休。我们关于劳动的研究表明：在生产劳动与非生产劳动的划分中，"生产"的涵义是指有益性，准确地讲在人类常态社会是指常态的有益性，因而，生产劳动是指对常态社会的存在与发展具有有益作用性的劳动，非生产劳动是指对常态社会的存在与发展起无益性作用的劳动。这就是说，生产劳动创造的劳动成果效用具有有益性，非生产劳动创造的劳动成果效用是无益性的。所以，概括地讲，生产劳动与非生产劳动的划分，既与价值的创造还是不创造无关，也与劳动的生产效率的大小无关，这是涉及社会的存在与发展的深层认识问题，是劳动的存在状况和创造作用的有益性与无益性的划分。在政治经济学的研究中，只有严格地界定劳动作用及劳动成果作用的有益性与无益性，才能对常态下的生产劳动与非生产劳动做出准确的划分。

根据对非生产劳动的研究，我们可将非生产劳动创造的无益性终点效用概括为以下 3 类。

1. 奢侈性效用

奢侈性非生产劳动创造的劳动成果的作用是奢侈性效用。人类生产和生活中的奢侈，有漫长的历史，从原始社会初期到科学技术高度发达的现代社会，在每个历史时期，都存在创造奢侈性消费品的劳动和奢侈性效用。只是，对奢侈的评判具有历史相对性，即是以人类劳动发展的历史水平衡量每一历史时期劳动及效用是否是奢侈的，并不是用不变的标准来认识。关于原始社会劳

动，至今未发现有文字记载，只有很少的文明遗留物，这使人无
法推测原始人的劳动创造中是否有奢侈性效用。但是，从近代残
存的原始部落的情况看，处于原始状态下的人的生活中，仍然是
存在相对的奢侈性消费的，具有表现特征的是他们身上佩戴的饰
物，有石制的，也有骨制的，还有编织的，其做工都是相当精巧
而费时的，这表明他们在可能的条件下也尽力地超出一般的生存
要求来美化自己的生活，这相对于他们的劳动能力是奢侈性消
费。在奴隶社会时代，大量生产的精美的青铜器，为后人留下了
那时非生产劳动兴盛的直接证据。通过近代出土的青铜器，人们
不得不佩服奴隶时代工匠们的智慧和辛劳，因为有许多青铜器即
使放在现代制造也都是十分不容易的。当然，当年那些精美的青
铜器主要是为奴隶主们提供了奢侈性享受。在封建社会，以农业
经济为主，人们几乎是靠天吃饭，很少水利工程，所以，一遇荒
年，饿殍遍地。但就是在这样的生产水平和生活条件下，从全社
会来讲，一方面是农民的艰难度日，另一方面又有达官贵人花天
酒地，非生产劳动的奢侈性创造从来没有停止过。那时皇家的铺
张，就是今日的富豪们也望尘莫及的。在封建时代，整个世界上
不知创造了多少精美绝伦的稀世珍宝，包括各个国家的皇宫的修
建。待到资本主义社会化大生产的时代到来，不论是哪一个国
家，在非生产劳动的奢侈性效用创造方面，都大大地向前迈进
了。就进入 21 世纪的情况而言，在发达国家，家庭拥有轿车已
不算是奢侈，只是家庭拥有极为豪华的轿车，拥有游艇，拥有气
度非凡的别墅，才算上是奢侈。相比之下，在发展中国家，全家
外出到餐馆吃一顿团圆饭，不算是奢侈，但吃一桌酒席要花费万
元，平均每人一餐饭要消费上千元，那不能说不是一种奢侈。由
于生活水平提高，国内旅游与国际旅游已较为普及，但人们在旅
途中住一般宾馆，还是住高档宾馆，是有区别的，不论是谁，住

在高档宾馆，都是一种奢侈性消费。

在现时代，人类的劳动能力大幅度提高了，而同时，在世界各个地方，奢侈性效用的创造，按相对标准衡量，也是大幅度提高的。有关这方面的创造需要强化，还是弱化，这是现代经济研究的重要内容。对于政治经济学的研究而言，需要进一步强调的是，从古到今，奢侈性效用的创造包括变态的创造，即包括军事效用中的奢侈性效用。在军事生活中，超出一般水平的消费，比如极其豪华的办公设施及疗养设施，都属非生产劳动的变态创造。

2. 娱乐性效用

娱乐性效用包括的范围很广，音乐、歌舞、曲艺、广播、影视、茶馆、咖啡屋、酒吧、网吧、游艺中心、野营活动，等等，都可提供娱乐性效用，而体育的产业化或商业化，也使其成为娱乐性效用的创造领域。可以明确地讲在人类的社会化劳动中，不论何时，凡是属于娱乐行业的劳动，一律是非生产劳动，其劳动成果对社会的存在与发展都不起有益性作用。娱乐性效用在人类社会生活中是不可少的，但这种效用都是非生产劳动创造的。本来，人生在世，就是"干"和"玩"这两件事，"干"就是劳动，"玩"就是娱乐。因而，将娱乐也变成为劳动，是对劳动的泛化，即非本质化的表现。所以，人类对娱乐是必须要有的，而对娱乐性劳动只能归于无益性劳动。比如，音乐是神圣的，有了音乐，人世间的声音才能有抒发情感的艺术作用。无论是谁，没有音乐的人生都是残缺的人生。但是，将音乐的创造劳动化，使音乐进入劳动成果效用之中，进入市场，成为一种叫卖的行业，它的娱乐功能就被商业化了，即使其艺术性不减，其劳动的非生产性质是十分突出的。同样，舞蹈也具有娱乐性，只是最初的舞蹈和最朴素的舞蹈是人们劳动取得收获之后的狂欢，舞蹈本来不是劳动，是劳动过后的情感激荡的表现，是对劳动幸福的感受，但曾几何时，跳舞也被劳动化了，舞蹈也成为了劳动成果，其娱乐性也与劳动性结合在一起了。凡有这样的结合，就劳动的本性而言，只能属于对社会的存在与发展起无益性作用的非生产劳动。在现代社会，每天都有大批的人为拍各种电视剧而忙碌着，这些电视剧主要是娱乐性的，所以，这些人的劳动都是非生产劳动中的娱乐性劳动。问题在于，这些劳动已成为这些人的求生之道，现代社会仍要接纳这些娱乐性劳动的创造。

体育是健身运动，也是娱乐活动，体育的商业化更突出的是其娱乐性。在商业化的体育中，人们从事的是体育劳动，是将体育作为一种职业。这与体育的性质是不符的，与劳动的性质也是不符的，所以，提供娱乐性效用的体育劳动也是非生产劳动。

同样，娱乐性效用也存在于变态的军事效用之中。这是因为军事劳动为一整体，凡属于军事系统的劳动，不论是哪一专业，都是为最终的军事目的服务的。而在军队之中，也有专门从事娱乐活动的组织。

3. 消极性效用

与地球的历史相比，人类的历史太短了。与人类的历史相比，每个人的生存时间太短了。从生到死，能活到 100 岁的人极少。人生短暂是使人产生消极避世思想的自然根源，更何况，在短暂的人生中，每个人都可能遇到令人感到自己力量渺小的挫折或打击。然而，越是这样，人们越是想在短暂的人生中与大自然沟通，以求得自己心灵上的安宁。所以，从古至今，在人类劳动中，满足这方面需要的劳动从未间断过，甚至在某些历史时期在某些地方的发展超过其他方面劳动。不管是使人消极避世，还是使人心灵安宁，从劳动的角度讲，为社会提供的都是消极性效用。概而言之，人类非生产劳动创造的消极性效用分为两个方面：一是精神劳动创造的消极性效用。再是物质劳动创造的消极性效用。

在人类精神劳动中，宗教劳动是非生产劳动，宗教劳动成果的作用是消极性效用。从逻辑上讲，宗教将长期存在于人类社会。宗教劳动是指专职从事宗教事业的人与自然之间的物质变换过程，宗教劳动的成果就是为人们提供宗教服务。在现代经济中，需要宗教服务仍占社会需求的较大比重。在许多国家，几乎人人都要从小参加宗教活动。在有的国家，为了宗教信仰，曾打过无数内战。当然，也有个别国家，宗教劳动占社会劳动的比重很小，宗教活动的规模和影响都很小。这是在宗教方面，国家与国家之间表现出的区别。但不论在世界的哪一角落，宗教都是有其特殊的社会作用的。就政治经济学的研究而言，应该看到现实社会对宗教的需要，应该像尊重其他精神劳动一样尊重宗教劳动，承认宗教劳动的创造性及其价值的积累作用。在各个国家，都应当为宗教的发展提供良好的社会条件。因为宗教劳动提供的消极性效用在现实的社会生活中是有其普遍作用的，只要是实事求是的认识，那么就应当承认，人们既有积极的思想主流，又有一些消极的理念，是社会发展正常而健康的表现。如果一个国家不能高度地重视宗教的作用，对宗教的发展缺乏应有支持和鼓励，那么可能造成的结果会是宗教受压抑而邪教横行。邪教不是宗教，而是宗教的敌人。邪教是以邪恶的思想看待人世的，与宗教宣扬的善是大大不相容的。所以，任何国家都不允许存在邪教，都必须支持宗教的发展，并要充分地利用宗教去反击邪教。

从物质劳动的创造讲，烟草行业的劳动成果属于非生产劳动创造的消极性效用。现代市场上，任何一盒香烟的包装盒上都写有这样一句话："吸烟有害健康"。这清楚地表明这种劳动成果对于社会的存在与发展是无益的。但人是肉体之躯，不是神灵，存在难以摆脱的欲念和惰性，于是才会有明知吸烟不好还要一代代吸下去的客观事实。当然，在现实生活中，还存在更严重的吸毒现象，那对社会的存在与发展更是无益而有害的。但吸烟与吸毒还是有严格区别的。对于吸毒，社会要给予严厉打击。而对于吸烟，社会一方面是劝阻，另一方面又是满足供应。人类社会的理性与非理性并存，在这一点上表现得非常明显。在一些国家或地区，经济的发展或财政税收，还离不开烟草行业的劳动贡献，这使得这些创造消极性效用的劳动极具活力。显然，这些劳动的贡献与其无益性是冲突的，但这是社会发展中的无奈，不能由此改变其非生产劳动性质。政治经济学对于这种消极性效用存在的认定是基础性的。

二　调控终点效用

如何有效地促进国民经济发展，是政治经济学理论研究的核心问题，也是政府经济管理部门关心的现实问题。在现时代，为了避免高度发达的市场经济发展由自发而引起盲目的损失，各个国家或地区的政府部门都有必要代表社会对劳动成果的供求总量和供求结构进行宏观调控。但在宏观调控中，日常的运行调控与基础性的终点效用优化的调控是有区别的。终点效用的优化是对社会生产趋势进行的调控，不求立竿见影，但要方针明确，掌握大局。

终点效用优化的基本目标不是用绝对的标准衡量，而是要求以历史的相对比重来界定，即只要在一定的历史条件下社会能够做到将非生产劳动创造的终点效用控制在可能的最低限度，就可以承认是实现了终点效用优化。

在市场经济的自发中，包含着理性行为，也包含着非理性行为。而对市场进行自觉调控，则只是理性的行为。当然，这种理性是常态下的理性，即人性与非人性统一下的理性。但只要是抛开感性成分，从单纯理性来认识，社会应不允许非生产劳动存在，也就是说，社会不需要这些劳动创造的无益效用。然而，单纯理性的社会不是历史，是不存在的，历史与现实的社会是常态的，是存在多方无奈的，其中包括人类无法根除自身的物质欲念和惰性，人类永远不可消除感性和非理性行为。在大自然之中，人类不得不服从客观的迫使，并由此产生某种程度上的消极心理。所以，无论何时，非生产劳动只能是被限制发展，而不能完全取消，其在一定程度上存在是客观的，甚至在某些时期还要鼓励其发展，至少对娱乐性效用的创造要给予空间，因而，终点效用优化的调控是要根据客观的历史情况定取舍，并非对非生产劳动的创造一概排斥。

就奢侈性效用而言，在客观地允许其存在的基础上限制其发展的历史原因是为了国家的生存。一个众所周知的道理是：一个国家落后了就要挨打，就要受到强国的侵略。而奢侈性的无益效用若充斥社会，将会严重影响国家的经济发展实力，致使国家经济落后而挨打。因而，一个国家要强大，就不能助长奢侈之风。

在社会经济发展落后的时期，劳动应主要满足基本的物质生活需要。在物质生活需要的吃、穿、住的条件都不能得到保证之前，社会不能允许过多的娱乐性效用创造。只有当经济发展达到一定水平，物质生活需要得到基本满足之后，才可逐步放开发展创造娱乐性效用的非生产劳动。这种无益效用的存在有其历史源流，已经是社会生活的重要组成部分，对其发展的严格限制只能是在经济发展落后时期。

消极性效用是无益效用，但也是不能取消的，而且还要有效地利用。从精神劳动方面讲，每个国家都应保持一定规模的宗教劳动。如果一个国家的宗教发展没有达到相应的水平，那么就不能相应限制宗教劳动的增加，而是要支持这方面的效用创造。从物质劳动方面讲，除了要坚决打击毒品制造外，许多国家或地区在近期内还要发展烟草行业，还需要利用这种无益效用的创造去带动有益效用的生产。所以，这方面的限制也是相对性的，不是绝对地压制这一类非生产劳动的发展。

三　终点效用优化曲线

在人类社会的经济发展水平较低的历史阶段，即劳动整体的发展还未达到资产条件起主要作用之前，非生产劳动的效用创造客观上被限制于较小的范围之内。奢侈品效用的创造主要是供皇家宫廷、王公贵族、富贾及大地主等少数人消费使用；娱乐性效用也只是少数富人能够享受的；消极性效用在各个国家或地区的存在也是不平衡的，有的大国是很少在这方面创造的。这也就是说，在农业经济为主的时代，非生产劳动的发展会受到社会自发的压制，无益效用在总的终点效用中所占的比重很小。这一阶段的终点效用结构，可用下图表示。

从历史的进程看，图29－1所示情况是随着近代工业革命的兴起而逐渐改变的。人们没有想到，工业革命强烈地改变了人类几千年来的生活方式，不仅奢侈性消费的阶层扩大了，而且音乐、舞蹈、体育活动也逐步走向了民间，奔向了商业化，有越来越多的人以娱乐劳动为终生职业。创造消极性效用的烟草行业更是得益于工业革命而成为一个迅速发展的行业，全世界有数亿烟民成为这一行业的消费者。这种工业革命的效应持续了几个世纪

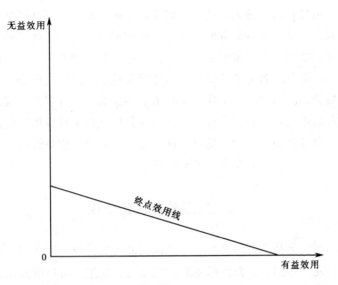

图 29 - 1　农业经济时代的社会终点效用结构示意图

之后，又进一步引起了新技术革命，而在这之后，更使人没有想到的是，非生产劳动也同现代科学技术一样，创造了迅速扩张的市场，即无益效用创造在总的终点效用创造中占据了越来越高的比重。对于这种状况，是可以做出精确统计的，但在此，我们只用图 29 - 2 做示意性的描述。问题在于，社会终点效用结构的这种状态不会永久地保持。现时代的无益效用的创造达到了高点，以后非生产劳动的创造在未来社会经济的发展中仍然会逐步减少比重的。其原因主要有以下方面：（1）为了保证可持续发展，社会将更理智地限制奢侈性效用的创造。这样做，才可以更好地节约能源和社会财力。社会的进步将表现为人们的生活重返朴素和简洁。人类将更好地保护大自然，尽可能避免对自然环境的破坏，不再向自然界过多地索取。奢侈性消费将是社会法律不允许的，

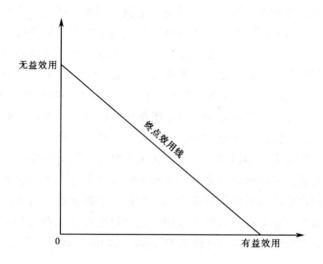

图 29 - 2　现时代终点效用结构示意图

至少将被限制在很小的范围之内。人们更多地追求的是个人的身心健康，而不是对物质财富的占有。（2）娱乐性劳动将逐步转化为娱乐性活动，不再具有劳动的性质。未来人类的娱乐生活将更加丰富多彩，但是不再有职业劳动的存在，任何人都可有条件和时间去从事娱乐活动，社会将提供最好的场所或舞台，只是这方面的所有活动都不再带有商业性质。人们去娱乐纯粹是兴趣使然，因为那时的人们的工作时间都很短，人们的大部分时间是去玩，是去娱乐活动中寻找人生乐趣。未来在这方面，最多是设立一些管理岗位，为人们的娱乐提供系统的安全的保障。社会生活中不再有职业的音乐家、舞蹈家、体育运动员等，所有的娱乐活动的参加者都是非职业化的人。随着娱乐性劳动的消失，商业性的无益效用比重必将大幅度下降。（3）烟草工业将消除，宗教生活将更加普。既然吸烟有害健康，那么烟草行业迟早会被淘汰的。

只要有一代人不吸烟，这一行业马上就会消失。毕竟在古代，人类是不吸烟的，那么今后人类也可以做到不吸烟。毕竟吸烟的人是少数，所以这少数人也一定是可以学多数人的样子做到不吸烟的。至于宗教活动，那是人类社会的产物，因而在未来也是不会消灭的，只是，未来宗教的发展并不一定都要采用组织化的形式，宗教可以进入人们的心中，以非组织化的活动形式表达人们对于自然恩惠于自己的生存的虔诚和感激。这样，从事专门的宗教劳动的人数也会逐步减少。总之，在未来时代，社会的娱乐活动将更加兴盛，宗教活动也将继续存在，但人们不会有更多的奢侈消费，而娱乐活动不再是劳动效用的创造，宗教活动中的劳动投入也将减少，整个社会的终点效用创造中仍会存在无益效用，但比重会大大地降低。对于这种未来趋势，我们用图29-3示意。

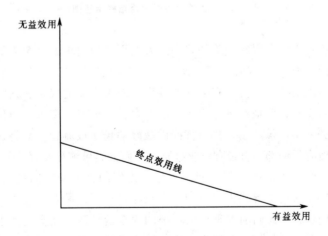

图 29-3 未来时代终点效用结构示意图

以上分析表明，近代工业革命之前的社会终点效用中很少无益效用，即无益效用的比重较低；随着资本主义社会化大生产的发展，现代科学技术的进步，非生产劳动比重逐步上升，尤其是娱乐业创造的无益效用成为人们日常生活消费中相当大的一部分内容；但是，未来社会的发展并非继续强化现时代无益效用大幅度增长的趋势，而是将在新的社会劳动结构形成之中，渐渐地重新将非生产劳动及其创造的效用比重回落到一个较低的水平上。从历史的进程看，无益效用在总的终点效用中的比重变化，可以在坐标图上呈现出一条两头低而中间高的曲线，我们将这条曲线称之为终点效用优化曲线。见图24－4。

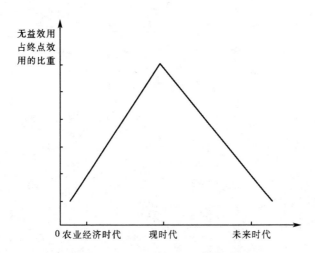

图 29－4　终点效用优化曲线示意图

　　将生产劳动与非生产劳动的划分，同有益效用与无益效用的创造联结起来认识，是政治经济学研究的新拓展。我们的分析结论是：从现时代到未来时代，人类社会的经济发展还会历经曲折，但非生产劳动创造的无益效用在总的终点效用中的比重必将由现在的高点回落到可以预见的低点。

因而，终点效用的优化具有历史性。现时代只能按照现代劳动的发展水平，对无益效用的创造做历史最低限度的控制。各个国家或地区，其国民经济中的无益效用占终点效用的比重，在现时代将会由经济不发达时的低点上升到经济发达时的高点。

第五篇

分配与消费

历史与现实的效用创造是常态劳动的创造。历史与现实的分配也是常态劳动下的分配。只不过，认识这种创造与分配的历史与现实，自政治经济学创立以来，从未对人类劳动的正态与变态的统一的常态给予理论上的明确。而且，同效用的创造与分配一样，历史与现实的消费也是常态性的。

在经过对劳动效用的创造与选择的研究之后，我们还要接下来对劳动效用的分配与消费进行研究。人类社会的基本经济问题不单是劳动创造的能力和劳动创造什么的问题，还要包括怎样发挥劳动成果作用的问题，即包括怎样分配劳动成果和怎样使用劳动成果的问题。我们的研究将按照既定的顺序进行，先研究分配，后研究消费，在阐述市场经济的常态分配原则等问题之后，再讨论历史与现实的消费，即研究商品的交换与使用。我们的研究重点是由常态劳动发展的历史决定的分配原则。由于人类社会发展至今仍是常态社会，所以，不论何人，切身接触到的社会分配都是依据常态原则的分配，于是在通常情况下，人们自然将常态分配原则视为一种历史的既定，或是说将此看做是天经地义的，而政治经济学的理论研究始终未能清楚地解答这一问题，某些改变历史与现实分配原则的理性探索，也从未得到实践的事实验证可行性的支持。因而，在政治经济学的研究中，长期以来对于从国家分配到个人分配的一系列分配理论问题，只有就事论事的解释与分析，尚缺乏全面系统的关于常态分配的理论认识。

关于消费的研究，在以往的政治经济学研究中也未能给予应有的地位。相对于生产，消费并不是次要的，消费是生产的目的，未能将消费研究置于重要的地位，说明过去这方面的认识还很不成熟。现在，经济学界已经认识到了消费研究的重要性和必要性，并开创了消费经济学这一分支学科，但是在政治经济学理论体系中关于消费的研究仍然还是欠缺的，很少有思想涉及关于经济活动目的的研究，也就是说，人们尚缺乏对消费理论的高度概括，一些最基本的消费思想还没有展开充分的讨论。在这方面，我们的研究重点是消费的一般性理论问题，要突出分析的是消费的功能作用，阐明社会消费的常态合理性，使劳动成果的效用范畴能够在消费理论领域得到比较概括的初步研究。

第三十章　常态分配原则

在远古时代，人们劳动之后，直接分配劳动成果。以后社会的发展，是渐渐地出现了用一部分金属货币取代直接的劳动成果进行分配。到了近代，随着商品经济的发展，劳动成果的分配逐步纸币化了。而现代经济中的分配，货币符号已可以概括分配内容了。但尽管如此，即尽管电子货币时代已经到来，社会分配的实质仍然是对劳动成果进行分配。除去劳动成果，事实上就不存在其他可分配物。而劳动成果的分配，既是对劳动创造的价值进行分配，更是对劳动成果的效用进行分配，因为毕竟人们最终需要的是效用。

长久以来，或是说自政治经济学创立以来，分配理论研究对于常态社会分配的基本认识是：分配是由所有制决定的，有什么样的所有制关系，就有什么样的分配原则，分配原则是对应所有制的，只要确定了所有制关系，就确定了分配原则。

迄今为止，从整体上讲，除社会主义国家外，人类社会还处于私有制社会发展阶段。在私有制社会，历史展现了不同的私有关系。奴隶主占有生产资料的私有制，是将奴隶的人身一同占有的。地主占有生产资料的私有制，是主要占有土地并剥削农民的私有制。资本家占有生产资料的私有制，是工业化时代的私有制，是资本起支配作用并剥削工人的私有制。而同时，在私有制发展的历史全过程中，始终存在农民劳动者或其他行业的劳动者占有与自己劳动相结合的生产资料的无剥削私有制。这些不同的所有制关系，决定着不同的分配，但概括地讲，私有制社会的分配只分两大类，即一类是有剥削存在的分配，一类是无剥削关系的分配。

农民劳动者或其他行业的劳动者占有自己劳动与之结合的生产资料的私有制分配，是无剥削关系的分配。这种私有制决定其分配是无剥削的，也就是说并非所有的私有制分配都是存在剥削的，私有制分配的范围与剥削的存在范围并不一致。这种无剥削的私有制分配，是将生产出来的劳动成果，除了社会扣除之外，完全分配给劳动者。劳动者占有生产资料，意味着生产资料的所有者在劳动过程中与生产资料是直接结合的。由此决定，劳动成果创造出来之后，没有其他权属关系进入分配，即劳动成果的分配对象就是劳动成果的创造者，生产资料的所有权与劳动成果的创造者没有分离，没有劳动成果的创造者以外的生产资料所有者介入分配中。在这种私有制的分配关系中，劳动主体的创造与分配是没有剥削劳动主体出现的，在劳动整体完成创造之后，劳动成果全部归属与劳动客体结合的劳动主体，变态的剥削劳动不进入劳动过程，也不参与分配。自古至今，这种私有制的分配关系一直是存在的，在现代经济中也仍然是存在的。

在人类常态社会，私有制的历史已经跨越了几千年。进入21世纪之后，我们依然要承认私有制仍是当今社会的所有制关系的基本内容。而且，我们更要明确，无剥削的私有制是少数，有剥削存在的私有制是主流，这种状况也一直是历史的延续。在分配中有剥削存在，意味着在劳动过程中与生产资料结合的劳动者不占有生产资料，生产资料的占有者是变态的剥削劳动主体，劳动整体创造的劳动成果并不能全部分配给劳动者，必须有一部分劳动成果分配给生产资料的占有者，即生产资料的占有者仅凭占有生产资料而获取劳动成果的一部分。从分配的机制讲，在这种私有制经济中，劳动主体与劳动客体在劳动整体中的作用要抽象地分开，按劳动主体作用相对应的比重将全部成果中的一部分归属于对劳动者的报酬分配，按劳动客体作用相对应的比重将全部劳动成果中的另一部分归属于全部劳动客体的占有者。而实际上，这种分配机制是市场化实现的。不将劳动成果完全分配给劳动者，承认生产资料占有者的收益权，这是对待生产资料占有与劳动者分离的市场原则。这一原则就是允许剥削存在的原则。关于剥削，在政治经济学研究中，是一种对经济关系或经济现象的反映，并不涉及意识形态问题。政治经济学并不能创造剥削行为，也不能取消历史的与现实的剥削行为，政治经济学所讲的剥削只是对一种事实的概括，即只是对仅凭占有生产资料而参与分配的事实做出的概括。这种事实的存在是客观的，只要政治经济学的认识是准确的，那么其概括也是具有客观性的，并不容人们随意改变，甚至不允许人们以感情代替理智对剥削的客观存在表示愤懑。对于有剥削存在的私有制分配，需要进一步明确的问题是，生产资料占有者对生产资料的占有作用并没有进入劳动过程，劳动成果的创造与生产资料的占有是无关的，在劳动过程中发挥作用的是生产资料作为劳动客体的作用，生产资料的占有者实质上是依据生产资料作为劳动客体在劳动过程中发挥的作用而参与最终劳动成果分配的。因此，在社会分配理论中，不能混同生产资料占有者对生产资料的占有作用与其占有的生产资料作为劳动客体在劳动过程中发挥的作用，即不能混同人对物的占有作用与物本身在劳动中的作用。在私有制的分配中，社会注重给予生产资料占有者参与分配的权力，客观上表明人类劳动的发展正处于劳动客体因素在内部起主要作用的历史阶段。假如劳动客体因素在劳动内部不起主要作用，或不起必要作用，那么社会就不可能特别强调对占有生产资料的收益权进行保护。允许通过占有生产资料而收益，既是对生产资料作为劳动客体存在的作用的承认，又是对作为劳动客体存在的生产资料的最好的保护。因为只有给予占有生产资料的收益权，人们才能特别重视生产资料的作用，才能尽可能不破坏不浪费生产资料，以图获得更多的收益。而保护生产资料，客观上就是保护人类的劳动条件，就是保护人类的生存条件。这是一种内在经济机制，具有自然的客观性，是不依人们主观意志为转移的。只要人类劳动整体的发展还未走出这一历史阶段，社会就必须尊重生产资料占有者的分配权，不能取消仅凭占有生产资料而获取一部分劳动成果的分配原则，即剥削的存在不是能够任意取消的，更不是能够依靠非经济的力量取消的，劳动发展的现状是剥削存在的客观依据，只有将来人类劳动发展到智力因素起内部主要作用的更高水平，这种生产资料被占有后的收益权即剥削的权力才会被淡出历史而改变市场的分配原则。人类劳动发展的每一个阶段决定每一个历史时期的分配原则，人类社会现行的分配原则不是自古有之，也不会永远不变，分配原则的变化必然源自劳动的变化，所有制关系的变化实质也反映的是劳动的变化，也是由劳动发展水平的变化决定的。

在私有制社会，剥削者也可以作为劳动者进入劳动过程，只是在劳动过程中只起劳动者作用，并不起剥削者作用。这也就是说，同一个人可以同时又起劳动者作用，又起剥削者作用，只不过，其劳动者作用体现在劳动过程中，也体现在分配之中，而剥削者作用只是存在于分配之中。马克思认为："在资本主义生产的基础上，资本家指挥生产过程和流通过程。对生产劳动的剥削也要花费气力，不管是他自己花费气力，还是让别人替他花费气力。因此，在他看来，与利息相反，他的企业主收入是某种同资本的所有权无关的东西，不如说是他作为非所有者，作为劳动者执行职能的结果。"① 就此，马克思的进一步阐述是："剥削的劳动和被剥削的劳动，二者作为劳动成了同一的东西。剥削的劳动，像被剥削的劳动一样，是劳动。利息成了资本的社会形式，不过表现在一种中立的、没有差别的形式上；企业主收入成了资本的经济职能，不过这个职能的一定的、资本主义的性质被抽掉了。"② 这就是说，生产资料占有者同时作为劳动者进入劳动过程，他的收入是劳动收入，不是剥削收入。他作为生产资料占有者取得的收入是剥削收入。但需要说明的是，生产资料占有权本身并不能提供剥削收入，取得剥削收入要依靠生产资料占有权，只是其依据的是生产资料在劳动过程的作用。一个可以公认的清楚的事实是，凡生产资料未投入劳动过程，或生产资料投入了劳动过程却未能发挥作用，那么，生产资料的占有者是不能凭借占有权取得任何收益的。所以，我们必须确认，单纯的占有权不会为生产资料占有者带来收益，剥削的实现，即仅凭占有生产资料而获取一部分劳动成果，从根本上说，是因为其占有的生产资料进入了劳动过程并发挥了一定的作用。在人类社会私有制经济的发展历史中，奉行这样一种分配原则，是所有进入市场的人都能直观地体察和认可，并能给予相应理解的。从表象看，这也许是一个复杂的市场问题，但本质是简单的，因为这只是与由劳动发展水平决定的人的生存方式有关。不必再叙说过长的历史，只就经济发达了的现代社会而言，一个人在能够工作的时期内即从20岁左右到60岁左右，他不仅要供养自己在这一时期的生活需要，而且还要获取足够的能补偿他参加工作前和退休之后的生活费用。因此，在这种经济状态下，若他能将工作时期积攒下来的

---

① 马克思：《资本论》，第 3 卷，人民出版社，1975，第 427 页。
② 马克思：《资本论》，第 3 卷，人民出版社，1975，第 430 页。

劳动成果转换为生产资料，在他不能工作时，依靠占有的生产资料获取收益，这在每个人都必须相对独立地保持自身生存能力的社会发展阶段，是很自然的经济行为，且并非不是理性的表现。在自然的生理条件约束下，正常的人不可能工作到去世的那一天，人到了老年，体力和脑力都不行了，他需要颐养天年，但他只能是依靠自己颐养天年。在社会还未能达到更高级的发展阶段，进入老年的人依靠自己一生工作的积蓄投入劳动过程中而获取一定的剥削收入养活自己，这似乎是合理、正常、无可指责的。这就是常态下的必然表现。就社会的进步而言，如果能为每一个人的生活从出生到去世都提供充分的保障，即让每一个人在其工作时期就能获得足够他一生消费的劳动成果，那也就不需要剥削的机制存在了。这是一个人们如何养活自己的问题。有剥削存在的社会，相对讲是低级的社会。没有剥削存在的社会，就其生产力高度发达而言，相应是高级社会。只是不论处于社会发展的哪一阶段，人几乎包括所有的人，都需要自己养活自己，自己小时候要靠父母养活实际上是与自己养活子女相抵的，自己老了也不能靠别人养活。所以，只有提高劳动能力，人类才能摆脱那种离不开剥削的生存方式，进入一种更高级的自己养活自己的社会发展阶段。

在政治经济学研究中，分配的公平从来都是相对分配原则而言的。公平的分配只是反映一定的所有制关系制约下的分配原则的实现。从不存在绝对公平分配，这如同社会从不存在绝对的正义一般。在没有市场交换且没有剥削的条件下，劳动者获得他的劳动创造的全部成果，这就没有讨论分配是否公平的必要。而在有剥削存在的分配中，公平的问题显得重要了。在相对的意义下，分配的公平是要求劳动因素的作用或者说贡献与占有劳动因素的分配权的索取相一致或基本一致。因此，贡献与索取不相一致就是不公平。比如，生产资料在劳动整体中发挥了 40% 比重的作用，而生产资料占有者在分配中得到了 60% 比重的劳动成果，这就是分配的不公平。其贡献与索取是不一致的，其超出贡献的索取部分不是剥削收入。而是因不公平分配获取的收入。按生产资料的贡献取得的剥削收入，在私有制的分配原则下是公平的收入，与不公平是不沾边的。但只要超出贡献取得收入就是不公平的。这也就是说，在公平分配的私有制原则下，生产资料占有者只能得剥削收入，不应超过生产资料的贡献获取收入。如果生产资料占有者不公平地多取了收入，即多分了劳动成果，那么相应劳动者的收入就要不公平地减少，劳动者就要少获得分配的劳动成果。所以，在常态劳动决定的常态社会发展阶段，关键的问题是，不能将历史既定的所有制决定下的剥削收入存在，视为分配不公，或更进一步视为社会不公。我们必须清楚，这是常态下的私有制分配，有剥削存在并按生产资料的作用取得剥削收入是公平的，任何人不能脱离常态社会的客观存在提出分配公平的判断标准。就此而言，如果生产资料在劳动过程中发挥了 60% 比重的作用，而生产资料的占有者在分配中只取得了 40% 比重的劳动成果，那也是一种分配不公平的表现。对此，既不能将取得剥削收入视为不公平，也不能将生产资料占有者未能取得应有的剥削收入视为公平。对于受剥削的劳动者来说，在既定的私有制分配原则下，若劳动主体在劳动整体中发挥 40% 比重的作用，相应他们得到 40% 比重的劳动成果；若劳动主体在劳动整体中发挥 60% 比重的作用，相应他们得到 60% 比重的劳动成果，这也是现实的社会公平分配的实现。私有制的分配原则不是针对个别人的，而是面对全社会的，即这种原则对任何人都一样。从社会的角度看，并不确定某人一定是剥削者，某人一定是被剥削者。但由于劳动的发展水平决定，在这特定的私有制时期，在社会之中是一定存在剥削者，也一定存在被剥削者的。从某种意义上说，承认占有生产资料的收益权的分配原则确立，恰恰是以大多数被剥削者的承认为基础的。这并不是说被剥削者愿意被剥削，而是说被剥削者也希望能够占有生产资料以获取劳动成果，社会的分配原则就是在这样的基础上自然形成的，这既是私有制的分配原则，也是人类劳动发展不完善的表现。这一分配原则，对生产资料的占有者是一致的，对劳动者也是一致的，生产资料的占有者依据生产资料作为劳动客体发挥作用获取相应比重的劳动成果，劳动者依据自身作为劳动主体发挥的作用获取相应比重的劳动成果，无论是哪一方，过高或过低地索取与自身依据的在劳动整体作用中的比重不相符的收益，都是常态社会私有制分配不公平的表现。

不公平的常态社会分配，在法治和理性的经济调控下是不允许存在的，一旦出现，社会就要采取措施治理，以维护常态的经济秩序。同时，在常态下，各个国家或地区都会严厉打击非法收入，不论是何种途径得到的非法收入，都不属于社会分配不公的范畴，因为讨论分配的公平问题仅限于社会承认的合法收入，所以，在社会经济秩序发生混乱的情况下，往往是非法收入与分配不公并存，每个国家或地区都要一方面打击和取缔非法收入，一方面治理社会分配的不公平问题。然而，在确切贯彻实行既定的分配原则下，在假定不存在任何非法收入的前提下，即在正常的常态经济秩序下，问题是在各个国家或地区的经济中，私有制的公平分配会形成人们收入之间的相当大的差距。从占有生产资料的收益讲，由于社会的客观存在是人们占有生产资料不均等，有的人则一无所有，有的人拥有亿万资产，那么公平分配的结果就是原来没有的还是没有，而原来有的则更富有，这必然要拉开人们收入之间的差距。从劳动者以自身的劳动主体作用获取的收益

而言，也是同样。由于社会的客观存在是人们的劳动能力有高有
低，有的人体力强壮，有的人体力不足，有的人智力高超，有的
人智力平平，那么劳动之后的公平分配结果也是有的人收入很
高，有的人收入很低，必然也会形成人们收入之间的相当大的差
距。比如，有的人出售自己的专利技术可以获得百万或千万元收
入，有的人只能打工得到最低的工资，这之间的差距可能是上百
倍的。仅就体力劳动说，有的人可以扛起400斤重的货物，有的
人连100斤的货物都扛不动，所以，假使他们一同去工作，公平
的分配只能是他们之间的收入差距在4倍以上。更何况，到了以
智力竞争为主的现时代，人们之间的智力差别就更为明显地体现
在收入的差距上，这不同于体力之间的简单倍数差别，其实在某
些方面高智能与普通智能之间是不具有可比性的，人们最多只能
直观地看到他们之间在收入上的巨大差距。总之，私有制下的公
平分配，无论是占有者公平地获得剥削收入，还是劳动者公平地
获得劳动收入，都会产生悬殊的收入差距。在劳动发展的整体水
平没有大的变化之前，这种差距的存在是无法改变的，社会只能
是尽力做好一些弥补差距的工作，对收入过于偏低的家庭给予一
定的救济。关键在于，对于这种长期以来的悬殊差距的存在，我
们不能认为是不公平的，不能认为这是为了保持效率而对公平的
放弃。事实上，在常态社会存在人们收入之间的悬殊差距是公平
的，只要人们各自依据分配的贡献与索取是同等比重的。有了这
种常态下的分配公平，才会有生产效率的保障。社会分配的公平
意味着经济秩序没有在分配领域被破坏，即公平代表秩序，有了
秩序才能有效率。所以，公平必须是摆在第一位的，没有公平不
可能有效率，只是不能将公平理解为平等。人们不可能设想在经
济秩序极为混乱的环境中可以取得经济发展的高效率。在常态
下，社会的分配只能是不平等的分配，因为人们之间占有的生产

资料是不平等的，人们之间的劳动能力是不平等的，在既定的分配原则下，若人们由生产资料占有的不平等取得不平等的收入，由劳动能力的不平等取得不平等的收入，那社会分配的结果是公平的，至少也是大体上公平的。相反，在常态的私有制社会发展阶段，若社会分配的结果大体上是平等的，那肯定是出现了社会分配不公的问题，即分配领域出现了人为的违背客观的扭曲现象。

社会主义社会发展阶段是人类常态社会发展的最后阶段。经过社会主义社会发展阶段，人类社会的发展将进入正态社会，即不再存在变态劳动的社会。决定人类社会由资本主义社会发展阶段进入社会主义社会发展阶段的，是人类劳动整体的发展水平，即只有当人类劳动内部的主要因素作用由资产条件作用转为智力因素作用，人类才能告别私有制社会，进入以公有制经济为主体的社会主义社会。从制度层次讲，社会主义制度建立的经济基础是社会主义公有制经济。从分配关系讲，社会主义公有制经济实行不同于资本主义私有制的分配原则。常态社会的公有制分配原则是：在生产资料归属社会所有的前提下，社会分配排斥占有生产资料的收益权，全部劳动成果在做完必要的社会扣除之后，按劳动者的劳动主体作用的贡献大小进行分配，即实行按劳分配原则。社会主义公有制经济的存在决定在其范围之内实行按劳分配原则。如果不存在社会主义公有制经济，那么就无法实行按劳分配，即无法排斥占有生产资料的收益权。如果社会主义公有制经济的存在具有不完全性，那么与其相应按劳分配的原则也是要有所变通的。所谓的变通可能主要表现在两个方面：一个方面是，若公有制经济的范围很小，只是集体性质的公有制，那么分配对于占有生产资料的收益权的排斥，仅仅是在公有的集体经济范围之内实行，而不是社会性的一概排斥，按劳动者的劳动主体作用的贡献大小的分配，也只是以本集体经济的劳动者范围确定，即在这一范围内分配集体创造的劳动成果，实行多劳多得、少劳少得的分配原则。再一方面是，若公有制经济的力量很小，仅仅是初生的萌芽，市场上通行的分配原则还是私有制的分配原则，这时公有制经济的按劳分配也不能是全社会的，公有制经济自身存在的不完全性决定按劳分配只能是在公有制经济的制度组织实现形式上原则性地贯彻，而在其市场经营层次上仍要遵循私有制的分配原则，即无法实现按劳分配。

　　不论是完全的按劳分配，还是有变通的按劳分配，在常态社会，凡是实行按劳分配，那么在保证分配原则实现的前提下，即保证按劳分配公平的前提下，都必然会产生相当大的收入差距。这就是说，并非只有私有制的分配会拉开人们之间的收入差距，在社会主义公有制的分配下，也会形成人们之间的收入差距。在常态社会，除非是不实行按劳分配，实行平均分配，那样才能避免人们之间的收入差距的产生，否则，只要是实行按劳分配，由于人们之间的劳动能力是有巨大差别的，在收入之间的差距甚至存在很大的差距就是不可避免的。只是，保持这种差距是常态社会发展的客观要求，决不能因为有收入差距存在而改变按劳分配原则，去实行平均分配。若要实行平均分配，其结果肯定是没有差距了，但没有差距的收入分配只能是低水平的，即不会有更多的劳动成果创造出来用于分配，因为分配的平均化在常态社会发展阶段必定会压制高技能的复杂劳动的创造，形成一种鼓励落后和取消动力的分配机制，窒息经济活力，使整个社会的经济发展陷入停滞，无法向前推进。

　　以上讨论说明，在常态社会，无论是实行私有制的分配原则，还是实行公有制的分配原则，都会存在人们收入之间的差距，有时这种差距的存在是相当大的。但需要澄清的是，尽管私有制下的分配可能会较为显著地拉开人们之间的收入差距及贫富差距，却不可以将这种状况概括为两极分化。历史的事实和现实都可以证明，两极分化在任何时期都不会出现。两极分化的涵义是，贫穷和富有向两个方向发展，贫穷的越来越贫穷，富有的越来越富有，二者之间背道而驰。这种状况并非事实。人类社会始终是在进步发展，贫穷的人口生活水平总体上是提高的，不是向越来越穷的方向发展，而是也向富的方向发展，所以，在常态的分配下，不论是富有的，还是贫困的，都是向一个方向发展，而不是分别向相反的方向发展，由于存在收入差距，其造成的后果准确地讲只可能是贫富差距悬殊，即贫穷的还很贫穷，富有的已经是特别的富有，这二者之间存在悬殊的差距。更进一步讲，社会的发展已经对贫穷的人口实施了各种保护措施，不会使其贫困状态越来越恶化，随着科学技术的进步，人类社会是可以在常态发展阶段解决贫困问题的。不存在两极分化的事实并不因存在两极分化的理论而改变，科学的政治经济学理论必须对历史的与现实的贫富差距问题做出准确的符合客观事实的认识。

在常态社会的经济中，各类经济组织的分配，都是在市场分配与国家分配之后进行的。市场分配是市场经济条件下基础的社会分配，同时也是国家分配的前提，因此，在阐释常态社会的分配原则之后，我们的分配理论研究要接着展开对市场经济条件下的市场分配的概括分析。

第三十一章　市　场　分　配

　　市场可表示交易场所，也可表示交易关系，市场的存在是常态的必然。在政治经济学研究中，从社会分配的角度认识，市场具有分配功能，而且是基础分配的功能。常态社会的存在表示的是人性与非人性的统一。而自古至今，世界上每一个国家的常态下的市场分配，又都是理性与非理性的统一，即在表现人性与非人性统一的市场之中，也不存在完全的理性与完全的非理性。自发的市场分配，有价格机制的作用，有契约组合的功能，还有其他方面的行为表现，其中既体现客观性，也可能存在着盲目性。在已不是完全自发的市场分配中，有些分配关系是经过修正的，有些分配关系是自然稳定或调节稳定的，还有些分配关系是需要调节而又难以做到的。以目前人类具有的组织能力看，可以发射探测器到火星着陆并发回高清晰度的照片，却还不能对市场分配的各个环节的细节关系都认识清楚，即现实之中社会管理的力量还无法完全控制整个市场分配。虽然社会的理性早已浸透于市场分配之中，并且随着理性的强化，现代的市场分配已经有了较多的社会控制内容，但这同时也使原本只具有朴素的自发性的市场分配变得十分复杂了。而且，在正常的市场分配中，国家整体利益是必须得到保证的。因此，现代的市场分配聚集了理性的与非理性的、自发的与非自发的方方面面的利益要求，其中最突出的是国家代表全社会施加的强制性的影响。

一　市场的法定分配

国家税收是有偿性质的征收，是市场的法定分配的内容。市场分配的实质是以市场交易的方式分配劳动成果，国家法律的强制性使税收分配成为市场必须遵从的社会指令。国家税收的规范性使市场的法定分配具有统一的尺度和一致的行动。将国家税收转为市场行为是现代经济的特征之一。但国家税收的有偿性质却是自古以来就具有的。

国家税收的本质是国家公务劳动即社会管理劳动创造的社会生产条件及生存条件与社会各行各业组织及各界人士对社会生产条件及生存条件需求的整体性交换。这种由国家法律保护的强制性交换表现了特殊的市场交易关系和市场分配关系。任何一位国民都需要接受国家的管理和保护，任何经济组织都需要社会生产条件，这些需求必须拿出相应的劳动成果与国家的创造性劳动成果进行交换，这是国家税收有偿性的市场依据，也是这种特殊的市场分配关系建立的基础。

国家税收的市场交换性质决定按税法征收的税额总量。由于放之四海而皆准的市场交换的基本原则是等价格交换，所以，毫无疑问，只要保持公平交易，国家公务劳动创造的社会生产条件及生存条件与各行各业组织及各界人士对社会生产条件及生存条件的需求之间的交换也必须是等价格交换。国家税收总额的货币量表示实质是国家公务劳动创造的社会生产条件及生存条件的交换价格。而这一通过市场确定的价格即国家税收总量，必然受市场交换关系客观限制。与国家公务劳动创造的劳动成果相交换的另一方的需求，客观上决定了以货币价格表现的税收总量的多少。若从社会经济活动的表层看，税制是国家立法机构制定的，征税是政府专职机构的职责，国家征收多少税是由税务的立法与执法的相关组织和参与者决定的。但从深层的经济关系看，国家税收总量是由市场交换的价格决定的。在古代社会，除了军事劳动之外，国家很少为社会各界提供服务。而到了近代，各个国家的社会管理内容逐渐增多，以致现代国家中从事公务劳动的人数远远超过古代社会，这同时也使得公务劳动成果与社会的交换量显著增加，但客观地讲，不论是古代，还是现代，国家税收总量都体现的是市场交换价格。这种总量的确定不是任意性的，是因为：（1）社会需要公务劳动创造的社会生产条件及生存条件是确定的，即公务劳动需为社会提供何种服务是确定的。（2）为此，国家设立多少公务劳动服务机关是可以随之确定的，包括军事劳动设置的多少也在这一确定的范围之内。（3）为完成各机关职责，各机关需要多少人员及办公设施也是能够确定的。（4）由于可以比较其他行业的工资及劳动成本，公务员的工资及公务劳动的工作费用也是大体上可以确定的。因此，每年国家税收总量就可依公务劳动与社会交换的成果的总量确定下来。在这其中，只是军事劳动设置多少即军费开支多少的规模可能存有较大的伸缩性，其他方面的公务劳动的创造基本上都可以保持必要性而不会有太大的出入。而军事劳动的设置一般应尊重历史继承关系，在社会没有大的变故时不应有大的变动，也就是说，是受历史客观制约的。因此，从市场的交换关系讲，市场的生活资料价格可以确定，市场的生产资料价格可以确定，同样也是进入市场交换的国家公务劳动创造的劳动成果的价格亦是可以确定的，这就表明各个国家的税收总量是可以较为准确而客观地确定的。

一般讲，在国民经济运行之中，国家税收分为三大类税进行不同税源和不同税负的征收。这三大类税分别是个人所得税类、公司税类及财产税类。

向公民个人征收工薪及其他收入的所得税，是市场经济国家税收的主要来源。这种税的征收涉及每一位有合法收入的人。从交换的意义上讲，这是每一位依靠个人收入生存的人为其需求的国家安全、社会管理等生存条件付酬，而国家也正是依据每个人的需求不同向其征收不等量的税。从市场分配讲，这是社会对公民个人收入最先做出的扣除，是刚性的，也是规范的。在个人所得税的征收上，对任何人都是一视同仁的，并不因人制宜，只是因收入制宜，除非有特殊的理由才可以例外。如果说每一位公民在其一生中都会有一定的收入，那么个人收入所得税类的税收就是针对每一位公民设立的，而且，这一类税收一般有属地征收的国际惯例，即在没有外交豁免的情况下，一个人在哪一个国家哪一个地区取得个人收入，就应当在哪一个国家哪一个地区交纳个人所得税。

向公司征收营业税和所得税等公司税类的税收，更是直接体现国家公务劳动创造的社会生产条件对企业生产经营所起的必要作用。每一个公司都必须在社会秩序良好的环境中才能生产经营，每一个公司都要为这种生产必需的外部条件付出代价。作为生产企业不论多么大，都不可能自己为自己创造外部条件，都只能依靠社会管理劳动对于社会生产条件即外部条件的创造，或者说这只能是由国家统一地为各个企业创造良好的生存环境。企业为此付出的代价就是交税，企业的生产规模越大，收入越高，所交纳的税收也越多。这表明，企业需求的社会生产条件越多，其付出的代价就必须越大。

向财产拥有者征税的主要原因是国家为私人财产提供了保护，同时，也起调节社会贫富差距的作用。因此，拥有的财产量越多，国家征收的税也就越多。基于人类理性，社会是不允许后人依赖前人的财产生存的，所以，社会对个人财产的拥有必须课以重税，不使其一代代地传下去，以求每一代都要为自己的生存奋斗，保持社会的活力。再有，社会的进步也体现在社会公共福利的增加上，对个人财产征税可以用于增加社会公共福利，这也是一种社会的调节作用。作为一种市场分配关系，国家税收体现出对社会分配的基本要求，这是法定的分配关系，是必须强制实行的。财产税类的设立，是国家税收总量之中的一个重要的具体部分。这一类税收更为具体地体现了社会管理的作用。

二 市场的价格分配

从某种意义上讲，市场就是价格关系。但价格不仅体现交换关系，而且具有分配的功能。商品交换的价格，是由买卖双方确定的，在这种确定中，买卖双方可能是地位平等的，也可能是地位不平等的。如果在商品交换中，是一个买家与一个卖家谈价格，谈妥了就成交，谈不妥就双方各自找别家再谈，这种状态下双方的地位是平等的，相互之间没有强迫，没有无奈，有的只是自愿。如果一个买家与一个卖家在交换商品中，买家一再压低价格，而卖家迫于找不到别的买家而被迫接受买家开出的价格，这时双方的地位就是不平等的，表现出卖家的无奈，买家的强势，市场的不自由，交换的不公平。如果卖家拥有市场垄断权，那买家就不得不屈服卖家给定的价格，这时又体现出另一种地位不平等，是买家无奈而卖家有优势。但不论发生哪一种情况，即不论是出现哪一方无奈，还是没有无奈，最终的成交价格还是由双方确定的，并不是买或卖单方面确定的。而一旦确定了双方要交换的商品价格，从分配的角度看，就是双方依据这一价格实现了双方在市场上的分配关系。

企业生存于市场，从最初的策划筹建，直至生产出商品到市场销售，最终的利益得取表现在价格上。如果没有买家愿意以最低的价格购买某企业的产品，那么这家企业只能是零收益。如果有买家按市场中等价格购买其产品，那么这家企业将获得一般水平的收益。如果这家企业的产品是市场上的抢手货，价格较高，那么这家企业会获得较好的经营收益。这就是说，在市场交换中，价格体现分配关系，企业能够在市场上取得多少收益，是直接由价格决定的。如果同样的劳动付出创造同样的产品在市场上得到不同的价格，那么，这不同的价格于不同的企业就意味着不同的市场分配，而这种情况在现实生活中并不是罕见的。这就体现价格分配的力量。即使价格体系是紊乱的，价格是扭曲的，仍不会改变价格的分配作用，即有什么样的价格，就会产生什么样的分配关系。

在企业的生产经营中，需要购买生产原料、燃料或其他材料，这些生产消费品的价格也直接影响企业的收益。若购买生产资料的价格偏高，那就会相应提高企业的生产成本，减少企业的利润。所以，不单是企业生产的产品的价格对企业的收益有影响，企业生产中的消耗品的价格对企业的收益也有影响。一般说来，企业只能是从市场上获取收益，所以，价格的分配功能对于企业的生存是非常重要或至关重要的市场分配的决定因素。因而，每一企业研究市场分配，其主要的研究内容都应是本企业产品在市场上形成的一系列的价格关系的变化。

一个成年人，只要不是在社会公职部门或企业就业，那么不论其从事何种职业，其个人的工作收入都是市场分配的直接结果。一个人，不论是成年人，还是未成年人，只要拥有一定的资本，那么在进入资本市场之后，其资本收入也都是市场分配的直接结果。因此，对于个人来说，只要取得的收入直接来自市场，只要市场的价格关系发生剧烈的变化，那么就必然要影响他们的个人收入状况。这也就是说，价格影响市场，价格的升降会影响市场供求的变化，价格的这种影响也是同时涉及分配关系的，其个人的收入变化无论是名义上的，还是实际的，都与价格变化的影响有关。

三 市场的契约分配

经济契约是一种市场关系的具体缔结，具有法律效力的经济契约同样具有市场分配的功能。从广义上讲，任何市场交易的双方或多方确定的经济关系都具有契约性质，因而也就都具有市场分配功能。但是，准确地讲，属于商品交换的经济关系的分配功能，是市场的价格分配功能，不是市场的契约分配功能。与价格分配不同，纯粹的契约分配是指狭义的市场契约关系决定的分配。在市场上，这主要是指生产要素组合之中的契约关系法定的与契约各方有关的分配关系。

市场的契约分配是由市场一直延伸到契约组织内部的。但从市场角度认识契约分配，主要是强调市场对资本收益权的承认与保护，特别是指出市场契约决定的对参与各方的利益索取的明确。

自然人和法人都可在市场经济条件下自主做出投资决定，与其他权益拥有者共同组成经济组织。同样，这些自然人和法人也可选择建立纯粹的资本运作关系，只形成契约组合，不形成经济组织。在契约组合中，即在非组织契约中，资本关系的形成主要是针对分配的，或者说，契约分配的功能作用是主要体现在这里的。如果一批投资者，比如社会养老基金、证券组合基金、保险组织及某些投资商，等等，并不看好一个项目，即这些投资者都看不到该项目能有良好的收益前景，那么这个项目就得不到投资者的支持，就不会与投资者发生契约关系。相反，如果这个投资项目对投资商非常有吸引力，各路投资高手均看好这个项目，那么这些投资商就都会为这个项目投资，与这个项目结成一种投资契约关系。在这种市场关系中，契约的建立取决于分配，只有认定有良好收益，才会有契约关系的存在。当然，这种对项目的认识，即建立契约关系的前提认识是预测性的，如果项目的实际运作是失败的，或是不怎么成功，那么投资方也可能得不到预期的收益，也要接受失败或不成功的后果，只是在建立契约关系时投资者必然是看好投资回报好的，而决不会投资预测投资效益不好的。即使投资失败了，各方投资者也要按照事先签署的契约规定承受损失，这种投资契约对责任的要求与利益的分配是一致的，即如果项目成功投资者可获取的利益与项目失败投资者应承受的损失是对等的。

契约分配的市场基础是社会承认资产收益权，即社会承认仅凭占有生产资料投入劳动过程便可获取一部分劳动成果，只不过资产收益权是既可在生产资料的实物形态占有上表现出来，又可在生产资料的价值形态占有上表现出来。生产资料的实物形态进入劳动过程是资产收益的基础，在这一基础之上才允许存在占有价值形态的资产收益。市场的契约分配就是只对进入社会生产的价值形态资产进行收益分配。每一投资契约都规定有详细的收益分配要求。契约分配不同于价格分配，即不同于交换关系的分配。在市场交换中，商品的所有权是相互让渡的，一方放弃自己用于交换的物品的所有权，才能取得另一方用于交换的物品的所有权。而在市场契约关系中，各方均不放弃其拥有的资产的所有权，并且都是凭借自己投入资产的所有权获取收益。市场交换的价格决定交换双方的利益获取，而契约关系则是事先规定资产投入后的收益。价格分配是在交换时兑现的，其分配的实现相对简单；而契约分配是要经过一个资本运作过程，才能兑现分配，相对比较复杂，甚至可能是很复杂的。

比起价格分配，市场的契约分配更需要相关法律的保障。每一项投资都需要制定完备的法律文件。凡属合法的契约关系，法律都要给予保护。参与契约的各方，是在遵守法律规定的前提下，自主决定投资收益的分配方案。由于从投资到收益，可能时间不长，也可能时间很长，在这一时间过程中，如果出现纠纷，都需要根据相关法律进行处理，有时还要直接借助于国家司法的力量予以强制解决。

四　市场的公益性分配

在社会常态之中，人们的市场交往，有非人性和非理性行为，也有人性的温情和理性的睿智。即使是在钱欲横流的时代，人性的善也会处处都有自身的表现。所以，从现实的情况讲，市场的分配也并不都是权益性的分配，而是事实上存在着一定的公益性的分配。

公益性的市场分配是指市场格局的改变是由于在人们之间出现了只求奉献不求索取的经济行为。如果没有公益性介入市场分配之中，那么决定市场需求格局的是购买力，决定市场利益格局的是各种经济权力。而加入公益性分配，就会对市场原有格局引起一定的变化。比如，一万套棉衣投放市场是用于货币交换的，棉衣的所有者卖掉棉衣得到货币，购买棉衣的人放弃货币得到棉衣，这是一种交换关系，也是一种分配关系。现在假定，这一万套棉衣全部无偿赠送给最需要棉衣的人，那么棉衣的所有者送出棉衣之后一无所得，只是做出了奉献，而得到棉衣的人没有支付货币，便可以用省下来的货币购买其他商品，市场的格局由此发生了变化，原有的交换关系发生了改变，原有的分配关系也发生了改变。这就是公益性分配所起的作用。但如果是一方面捐赠物资或资金，另一方面又从其他渠道索取更大的回报，比如，一方面捐助一笔教育资金，另一方面又无偿或低价从政府手中得到一大片可用于商业开发的土地，那就不是捐赠行为，不属于公益性分配，也产生不了公益性分配的效果。这就是说，以公益的名义，获取更大的收益，仍然是市场中的权益分配，与公益是无关的。无论在哪里，公益性的捐赠行为都是不要求经济回报的，其得到的只是社会荣誉。通过公益性捐赠，社会上有些人和机构可以得到无偿的救助，解决一些他们的现实困难。比如，地震发生之后，除了政府的救援外，社会上也有一些组织和个人伸出支援之手，捐钱捐物，帮助受灾人口解决生存上的困难。再如，由于家人有病，失去劳动能力或收入能力，使家庭陷入贫困，生活艰难，他们除了可得到政府发放的救济金之外，还可能得到慈善机构为他们募集的钱或物，对他们的生活有所补助。以社会名义实现的公益性捐赠产生之后，市场的公益性分配也相应随之实现，并由此改变市场格局。现时代，随着生产力的提高和社会的进步，公益性的分配将越来越多地出现在各个国家的市场经济之中。

能够做出公益性的捐赠的前提是捐赠者在能够养活自身及其承担的社会责任之后还有剩余的资财。如果一个人连自己都养活不了，一个企业连基本的创利能力都没有了，那么这样的人和企业是绝不可能成为捐赠者的。只有一个人的收入大大超过他的消费需要，一个企业的创利大大超过自身的支出，这样的人和企业才可能成为捐赠者，即成为市场公益性分配的支持者。将自身不使用的钱财或自身节约下来的钱财拿出来奉献给社会，去无偿地帮助别人，对于这样的经济行为，社会给予高度的评价是其次的问题，而首先是社会要承认这些捐赠者是有相当强的生存能力的人或组织。

在市场的公益性分配中，捐赠者具有高尚的道德情操，尤其是在金钱至上的年代，能够为社会做善事是十分可贵的，是受社会敬重的。但我们也应看到，产生这种经济行为，出现这种分配方式，也是具有自然基础的。这是因为无论一个人多么富有，实际上每个人都是生不带来，死不带走，任何人都要只身离开这个有生命的世界。因此，在人类文明的进化中，越来越多的人认识到这一点，并且还认识到每一个人都没有来世，人生在世应当回报社会。对于未成年子女，家庭负有养育责任；对于成年子女，父母相信他们自己会走出自己的人生道路，至少可以像父辈一样自己养活自己和养育后代。因而，有相当强的生存能力的人和组织才会做出将自己的资财捐赠给社会的选择，使社会可以通过公益性分配改变市场格局，以有利于社会进步，并表现自身的善心。这种社会现象的基础仍是自然界对于人的生存限制。所以，在这样的自然基础上，除了具有相当强的生存能力的人和组织之外，还有更多的生存能力并不太强的人和组织也参与市场的公益性分配中来，尽微薄之力向社会捐赠财物。所以，这种由人们自发的经济行为而形成的市场公益性分配，是具有自然基础的，也是相应具有广泛的社会基础的。

在现时代，公益性的市场分配在各个国家或地区都已纳入法制的轨道。社会救助机构和慈善机构均是在法律的框架之内实施公益性分配的。由于有充分的法律保障，现代的公益性分配能够发挥出更好的社会作用，达到更好的分配效果。而且，这种公益性分配的资财来源，在现时代也具有前所未有的普及性和自觉性，有越来越多的人和组织将向社会捐赠确定为自身的一种奋斗目标。

五 市场的投机性分配

常态社会之中，不可避免地存在市场的投机性分配。这种分配从形式上属于契约分配，而性质是投机的，所以，我们按其性质将其单列一类。

现代市场是充满投机性交易的，而且金融市场越是发达，投机交易也就越繁荣，并有一些投机性交易进一步转化为赌博性交易。而不论是投机，还是赌博，这一类交易的结果都是形成了一定的市场分配关系。有的人因投机性交易而发财，有的人因投机性交易而破产。与其他交易相比，市场的无情，更多的是体现在投机性或赌博性交易之上。而获取暴利，相比之下，也是更多的体现在由投机性或赌博性交易决定的分配关系中。

在市场经济条件下，投机性交易具有润滑市场运行的特殊作用，人们公认这是市场交易中不可缺少的一部分。因此，投机性交易在各行各业的市场中几乎无所不在，但主要是存在于金融市场，包括证券市场，外汇市场以及期货市场，等等。抱有投资目的的人购买股票，是为了做股东，取得股东权力和股金收益。而投机性地购买股票，是只想做股民，不想做股东，只是为了获取股票买卖之间的差额收益。这种投机者研究市场，只是为了能够获取更大的投机收入。

在现阶段，只要是合法的，不违反市场规则，社会就允许并保护投机性交易的市场存在。这也就是说，在常态社会，更注重的是收入的合法性，而不是收入的来源。因此，从分配关系上讲，只要人们的投机性收入是合法收入，就要纳入整个社会的分配之中，并无可指责。但是，如果市场上出现了过度的投机，虽然没有超出合法范围，也会对国民经济运行和发展造成一定的危害。在 20 世纪末的亚洲金融危机中，国际投机资本的恶性冲击，使得亚洲一些国家或地区的经济遭受严重损失，应该说这是留下了深刻而惨痛的历史教训的。即使是不过度的投机，其实在市场上也会起到一定的误导作用，使相当一部分人将精力和财力都放在投机之上，成为酿成过度投机的前奏曲。所以，现代社会对于投机性交易更需要有理性的认识，要有能力将投机性交易控制在必要的范围之内，要特别防止投机泛滥，更要极力避免出现赌博性交易。

在市场上投机很热的时期，投机性分配对于整个社会的分配格局的冲击很大。此时，投机的副作用是明显的。但即使出现这种情况，现实的市场也不能取消投机，而只能是给投机活动降温，投机作为合法的交易行为，相当长的时期内在市场的存在是必要的。同样，市场的投机性分配也会长期地在国民经济的分配中占有一定的份额。

第三十二章 国家与政府的分配

与价格分配，契约分配等市场分配不同，国家与政府的分配是非市场化的分配。在这一类分配中，国家分配是包括政府分配的，但政府分配是国家分配的主要内容并具有独立性，一般将政府分配称为财政分配。因此，在我们的研究中，需要明确区分国家分配与政府分配的不同涵义与层次，并还要进一步讨论中央财政与地方财政的不同的分配作用。

一 立法机构的分配职能

政府不等同于国家，国家与政府是两个相联系又有区别的范畴。国家是占据一定领土的人口共同建立的最高的社会组织，是其公民生存的整体屏障，在共和体制下，一般由立法机构、司法机构、执法机构组成社会管理的完整系统。而政府只是人们对国家执法机构的总的称谓。也就是说，政府只是国家三大社会管理系统之中的一个系统存在。政府可以在其执法过程中代表国家行使权力，但其本身的权力远远小于国家权力，由国家立法机构制定的法律的一项重要作用就是监督政府的权力，任何人在政府工作都不能使政府的权力运用超出法律赋予的权力之外，政府的执法必须遵从法律的规定，任何政府机构的工作都不得违背法律的规定。作为公民，无论何时都必须热爱自己的国家，但是，对于渎职的政府或滥用权力违法执政的政府，任何人都有依法批评的权力，而司法机构则可启动一定的程序对政府的组成班子提出弹劾。所以，在社会劳动创造的劳动成果的分配方面，国家分配与政府分配存在层次上的差别。国家分配是国家立法机构的分配职能、国家司法机构的分配职能以及作为国家执法机构存在的政府机构分配职能的统称。并且，国家分配最先并不是起始于政府分配的职能运用，而是体现在国家立法机构的分配职能的行使上。

市场的法定分配是由国家立法机构的分配职能作用决定的。在整个社会中，需要动用多少财力创造社会生产条件及生存条件，这不是由政府部门决定的，而是要由国家最高立法机构负责决策。如果需求量比上一年增加，那么国家最高立法机构就要在国家预算的审批中提高额度，即分配更多的资财于国家机构的控制之下。如果需求量少于上一年，那么国家最高立法机构就要削减国家预算总量，即减少分配到国家机构掌握的资财。更重要的是，每一项税法的制定，要经过国家立法机构的研究、讨论和批准，除去国家立法机构，其他国家机构是无权决定税法的，因此，在现代经济中，市场分配从整体上是由国家立法机构控制的。各行各业的经济组织和从事各种职业及市场交易的个人都必须依照国家立法机构制定的法律纳税，这是作为公民和合法的经济组织最基本的经济活动。

国家立法机构的分配职能表现国家职能的一般性，人类社会发展的每一个阶段都具有客观性，在每一个社会发展阶段，国家的管理都是社会的需要。所以，各个国家的立法机构的分配职能要为维护国家的生存和人民的生存的根本利益起作用。如果国家立法机构起不到合理分配的作用，那整个国家的基本经济秩序将是混乱的。在现代社会，必须防止国家立法机构以外的机构代替国家立法机构行使这一国家分配的重要职能，如果发生这种情况，说明国家立法机构的分配职能未发挥作用，这种职能的缺位与其他机构的职能越位，是一种社会危害。为防止出现这种危害，社会必须实行法治，必须使人民具有监督国家分配的权力。国家立法机构正常行使分配职能，对于保持国民经济正常运行，对于经济秩序的维护，对于社会分配合理公平，具有重要的基础作用。这种分配的权力是国家管理的基本权力，也是国家职能的一般权力表现。每一个国家都需要健全的立法机构，每一个国家的机构都必须在国家分配方面发挥应尽的代表法治的职能作用。

二　司法分配

国家司法系统是国家管理系统中的重要组成部分，在现代市场经济中，这一系统也具有分配的职能。司法做分配是指国家司法机构依据社会管理职能对公民和经济组织依法做出的具有法律效力必须强制执行的经济判罚以及关于权益认定、合同执行，财产分割等经济事务纠纷的判定。

一般说来，司法分配是由各级法院执行的。法院在刑事判案当中可以附加做出经济性处罚的决定。例如，法院对贪污犯除了判刑之外，还要宣判没收其贪污的款项或财产，还可判处没收其个人财产，或判处其交纳若干罚金。再如，对于刑事犯罪伤人案件，法院除了要判处罪犯有期徒刑外，一般还要判其赔偿受害者的医疗费及其他费用。法院的判决是代表国家或者说是代表社会进行的，是国家司法力量的体现。法院判处的赔偿金一般是直接交付给受害人的。法院因各种缘由判处的各式各样的大大小小的罚金，一般是统一上缴国库的。

法院执行最多的司法分配是在经济纠纷案件之中。在这种案件中，打官司的双方或多方只是依靠法律维护自身利益。法院只是对经济纠纷起裁判的作用。这要求法院的审判人员必须具有丰富的专业知识和工作经验。公正而准确地处理这一类案件，将充分体现司法分配的工作水准。一般情况下，法院总是希望打官司的各方能够庭外调解。但是，事实上总还是有许多的案件要靠法院判决，抽象地讲，不管法院是如何判决的，都是司法分配的决定，或者说是司法机构对社会分配实施的一种局部性干预。法院的这种分配干预，虽不影响社会大局，但却是对具体的经济纠纷的当事人起强制性的分配作用。

家庭中的经济纠纷也是法院审案的一部分内容。本来，家庭的财产归家庭成员们所有，外人是不能参与意见的。只是，社会的情况自古至今都是繁纷复杂的，越是在本家之内，越是直系的亲属关系，反倒越容易发生经济纠纷。过去出现这一类纠纷，有请乡邻做中间人解决的，也有到官府去解决的。现在这一类纠纷主要是到法院解决，这也是一种社会进步。一旦有法院介入，一般而言家庭的经济纠纷都不难解决，法院的判决代替了家庭成员的协商，可以对家庭经济纠纷起最后定夺的作用。在这一类案件中，最棘手的是关于遗产分配的纠纷案，在经过调解无效后，法院的判决就行使了最终分配的权力。

司法分配具有权威性，法院一经做出判决并生效后，有关当事人必须遵照执行。在现代社会，人们之间的经济交往频繁，因而相互之间的利害冲突也随之增加。对于物质利益方面的纠纷，法院可以做出分配性的判决。对于物质受损的方面，法院可以在分配中让造成损失的方面进行赔偿。对于诸如名誉、心理等方面的精神伤害，法院也能够判定损害方做出精神赔偿，而这种赔偿却又是有实际的物质内容的。这可能是世俗的社会心理认定的物质补偿安慰在司法方面的认可。例如，法院判某人精神赔偿某人几万元，等等。这种精神损害本来是与物质不沾边的，但做出的精神赔偿却是纯物质内容的，这也是社会常态的一种特殊表现。只是，无论如何，在法院的判决下，社会的分配又出现了新的调整。对于法院改判的冤假错案，司法机构也要做出赔偿性分配。

三 中央财政分配

中央政府的分配职能主要落实在中央财政分配上。由于中央政府肩负国家分配的主要职能，因而中央财政的分配在很大程度上是代表国家分配要求的。

中央财政代表国家行使的最重要的分配职能是拨付国防费用。批准国防费用是国家立法机构，执行这一分配任务的是中央财政。因此，安全、准时、全额地向军方拨付国防费用，是中央财政的重要工作。不论在哪一个国家，中央财政担负的这一工作本身都具有重要的国防意义，不论是平时，还是战时，都不允许有丝毫的差错。特别是在战时，中央财政更是要确保每一笔款项都能及时准确地到位。

在分级财政体制下，中央财政只负责中央政府部门的工作经费和人员开支。但一般地讲，政府部门的工作经费标准及公务人员的薪酬标准要统一由中央财政部门制定并经过国家立法机构确认。政府工作经费属于社会生产消费支出，公务人员的薪酬属于社会管理劳动收入，其中包括军人的薪酬也都属于社会管理劳动收入。社会管理劳动是社会复杂劳动的重要组成部分，社会管理劳动者是社会优秀的复杂劳动者。社会管理劳动者即公务人员的收入水平应与社会其他行业的复杂劳动者的收入水平相当，因而，市场化形成的社会其他行业的复杂劳动者的薪酬标准是参照制定国家公务人员和公职人员的薪酬标准的客观依据。在社会其他行业的复杂劳动者的薪酬标准大幅度提高的情况下，国家公务人员和公职人员的薪酬标准也需相应大幅度提高。这种薪酬标准的制定及其变动机制，并不涉及"高薪养廉"问题。并不是为了养廉和反腐败，才要给国家公务人员及公职人员开高薪，在市场经济体制下，是不存在这样的分配准则和分配机制的。要求国家公务人员及公职人员的薪酬达到社会较高收入标准，惟一的根据就是社会其他行业的同等复杂劳动能力的人由市场决定的薪酬标准达到了社会较高水平。如果社会其他行业的同等复杂劳动者的收入水平还较低，那么也就没有必要和可能为国家公务人员及公职人员加薪。但如果经过一段时间的经济发展，社会其他行业的同等复杂劳动者的收入水平都提高了，而此时还长期不提高国家公务人员及公职人员的薪酬，那么这就是一种社会分配不公的表现，甚至可能是比较严重的社会分配不公，并可能由此引起一连串的社会恶性反应，即促使心理不平衡的公务人员贪污腐败或公职人员在位不作为。若其出现恶劣后果，治理的重点还应是解决社会分配不公问题。总之，国家公务人员及公职人员薪酬标准并非没有客观依据，其享有同等复杂劳动者的收入水平，这是由市场经济关系制约的，是由市场分配关系决定的，不是可以任意压低或拔高的，凡属违背社会既定发展阶段的市场客观要求，都肯定是社会分配不公。我们必须明确，在现代市场经济条件下，社会分配公平的表现，是使国家公务人员及公职人员的薪酬与他们为社会做出的复杂管理劳动的贡献相对应。

中央财政在现代社会之中还担负着转移支付的分配功能。一个国家是一个整体，在本国之内，存在着各区域之间根本利益的一致性，但由于历史原因和其他原因，可能有的区域经济发展快一些，有的区域经济发展慢一些，对于国家来说，必须协调各区域之间的经济发展，既不能压制各区域经济发展的积极性，又要实现各区域经济发展的基本平衡。解决问题的出路当然不能是让发展快的区域慢下来，而只能是采取有力措施使发展相对慢的区域加快发展步伐。做这种平衡工作，即帮助落后区域加快经济发展，是国家的责任，是中央政府的责任，而具体地讲就是要求中央财政在坚持全国一盘棋的方针之下做好财政的转移支付工作，由中央财政按国家预算给予经济相对落后区域专项补贴，以适当改善其财政状况，促其加快发展。在实际工作中，如果这种财政的专项补贴量大，就是转移支付的力度大；如果这种财政的专项补贴量小，就是转移支付的力度小。进行转移支付是现时代国民经济发展区域不平衡的国家普遍采用的财政分配方式。

在教育、文体卫生事业、社会福利救济、科学研究和经济建设等方面，中央财政与地方财政相比，有责任范围的区别，没有实质的不同，因此，我们将其内容放在地方财政分析讨论中一同阐述。

中央财政是国家财政的支柱，也是国家分配的主要执行者。因此，巩固中央财政，保证中央财政收入稳定是十分必要的。中央财政的财权与事权需统一，在现代财政中，中央财政比地方财政担负了更多事权，相应需要有更多的财力支配权力。特别是在高福利国家，全国统一实行的福利是由中央财政承担费用支出的。高福利意味着高支出，仅此一项就需要中央财政必须备有足够多的财力。除了福利支出以外，有关国民经济发展的根本性投入，即教育投入、基础科学研究投入、社会保障体系投入等，一般也都是由中央财政负责的。一些经济发达的国家，无不是利用中央财政的这种财力保证，实现其政府促进国民经济突飞猛进作用的。如果中央财政缺乏控制力，只能调配少量的财政资金，那中央政府在基础性投入方面是难以发挥作用的。更现实的问题是，各个国家都无法避免发生突发事件，而一旦出现大的突发性灾难，中央财政必须拥有足够的财力，才能保证中央政府从容应对，稳定人心，渡过难关。

四 地方财政分配

地方财政是一个笼统的概念。有些国家的地方财政只有一级；而有些国家的地方财政分为二级、三级或四级的国家，也都存在。所以，讨论地方财政分配，只能是根据笼统的概念进行一般性阐述，不可能针对具体的多级地方财政做详细分级。就一般性而言，在分税制框架下，地方财政不宜分级过多。

地方财政要负责地方政府公务人员及公职人员的薪酬开支。就规范的要求讲，地方公务人员及公职人员的工薪水平应一致，即不允许经济条件好的地方工资水平高，经济条件差的地方工资水平低。如果要有差别的话，应该是经济条件差的地方的工资水平略高于经济条件好的地方的工资水平。因为公务人员不论在哪里都是为国家工作，待遇应当一致，而国家应鼓励公务人员去条件相对差一些的地方工作，适当提高他们的薪酬。若各地公务人员及公职人员的薪酬水平不一致，相差距离较大，那是一个国家的财政分配状况混乱的一种表现。

除去国防费支出和其他一些需由中央集中统一负责支出的项目外，地方财政与中央财政相比，在分配功能上基本是一致的，只不过表现出一定的局部性。

在国家管理之中，财政要负责这一系统的行政费用支出。与古代相比，现代的国家管理费用支出已是相当可观的，这一是因为现代国家提供社会服务内容增加，再是由于管理成本加大所致，表现在行政费用支出上，也是一笔不小的开支。但现代社会需要有这样的开销，包括修建气派的办公场所、使用先进的办公系统，等等，都是必要的。尤其是进入 21 世纪之后，已经出现了虚拟政府办公系统，这更是需要购置成套的电子设备，并且还要聘请专业技术人员进行系统的管理和维修，政府必须做到每个工作日都要部分地更新虚拟政府办公系统的内容，保证整个系统的运行通畅无阻。所有这些，都是由财政开支的。这比之古代，一个县官和几个衙役的办公方式，成本不知高出多少倍。即使与不开通虚拟政府办公系统时比，费用的支出也是加大的。只是，如此的费用增加，可以大大方便公民办事，所以才是值得的。对于财政分配而言，只要是将财政资金用于整个国家管理系统，至少在法律上允许，至于用多少，这是由国家预算及地方各级预算控制的。其分配的规范性在于，不得将财政资金用于国家管理系统之外的团体或机构的行政费用支出。

在教育、科研、文化卫生等方面，财政也要负担基础层面的费用支出。义务教育费用是财政的责任，即这表示由社会保障全体公民的最基本的受教育的权力。作为公民，不论生活在哪里，享受义务教育，都是要由财政支付费用的。各地财政不能以任何理由拒绝为生活在本地的公民提供义务教育费用。除此之外，财政还要为非义务教育，包括尖端人才的培养、派遣留学生、接受外国留学生或访问学者提供一定的费用。国家的基础科研项目经费也是由财政负责的，与此相应，建立在各地的基础科研机构，各地的财政也要保证其工作经费，财政的这方面支出，是文明社会发展的最基础保障。文物的发掘与保护、传统文化的研究及留传、现代艺术的扶植和交流，等等，也都需要财政拨付费用，而不能将这些事业推向市场，放弃社会管理的责任。公共卫生系统的建立也是财政支出的责任。社会应以防病为主，所以这就需要财政保证这一系统的基本费用。医院必须是非赢利性的，负有社会公益责任。如果医院全部变成了赢利单位，那么无论怎样制约，也是会带有反社会性质的。所以，由财政负责，至少保留一部分公立医院，对于维护正常的社会医疗秩序，是十分必要的。现在已有许多国家实行了财政支撑的全民免费医疗制度。其他公益性事业，除了由社会团体负责的之外，也都是要由财政给予经费支持的，这包括建立社会应急保障系统的全部费用在内。

在现代社会，各级财政还有一项重要的分配职责是，拨款进行经济建设并对其收益进行再分配。财政用于经济建设的资金，可以是财政信用资金，也可以是财政非信用资金。财政使用信用资金进行经济建设，是有偿的，不仅要收回本金，而且还要创利。财政使用非信用资金投入建设项目，一般公益性的都是无偿的，无须创利，只形成固定资产；若是非公益性项目，那么除了财政的投入要记入资本金以外，每年财政还要求收取资本利润。但在国家管理系统之内，财政作为政府的一个部门，不能自行决定经济建设的项目投资。一般说来，上哪些工程项目由财政拨款，或是设立哪些政府控制的企业让财政投资，这是由国家立法机构决定的，财政只是负责资金支付的政府部门，没有权力决定资金投向，实际只起执行的作用。如果不是这样，财政可以自行决定投资，其他政府部门也都有投资的决定权，那将是国家分配管理混乱的状态，是国民经济运行无序的一种表现。但作为执行者，财政部门也是负有重要职责的。各级财政都要对本级财政投入的资金实行有效控制，一是不准对其任意挪用，必须保证专款专用，有专职机构负责；再是要保证财政投入的资金安全，不能是由大变小，由小变无，造成国家财产损失。更重要的是，财政必须控制有收益的资产投入收益，保证其收益安全、准时、全额上缴财政，还要保证将这方面的收益纳入国家预算进行再分配。

第三十三章　契约组织分配

　　生产要素的契约组合建成的经济组织的形式主要是企业，也有少量的其他形式，而企业在现代经济中又主要是股份制企业，因此，对于契约组织的分配，我们主要讨论具有实业生产能力的股份制企业的分配关系。

一　可分配总量

　　契约组织，不论以何种形式存在，其劳动创造都具有整体性，即其所创造的劳动成果是其组织内的全部生产要素投入包括所有的劳动主体与劳动客体共同创造的。任何人的资产若不同劳动主体活动相结合，不同自己的也不同他人的劳动主体作用结合在一起发挥劳动整体中的劳动客体作用，只是死资产，不会起创造劳动成果的作用。而作为劳动者，如果缺少可结合的劳动客体，即自己没有资产，也不能同他人拥有的资产相结合，也不会发挥劳动主体作用，也根本不可能创造劳动成果。在企业中，有契约组合的资产投入存在，也有契约组合的劳动者存在，因而，才具备了生产条件，有了劳动主体与劳动客体的结合，有了创造劳动成果的能力。无论何时，企业的创造劳动成果的能力不是进入劳动过程的劳动者独有的，也不是进入劳动过程的劳动客体独有的，而必然是劳动者与劳动客体相结合共同发挥作用的表现。在企业中，每一份资产的作用和每一位劳动者的作用都是融会在企业劳动整体作用之中的，企业是依靠这种整体作用创造劳动成果的。

由于劳动具有整体性，劳动成果的创造需要整体作用，企业的命运同所有的与企业利益相关的人的命运是连接在一起的。一个人若将自己的全部资产投入一个企业，那他的命运就会随着他投入资产的企业的命运起伏。也许，在他投入之前，他可以有多种选择，而一旦投入，就没有选择了，只要他还坚持这种投入，至少他就要服从企业命运的安排了。于是，关键的问题还不是他投入企业的资产能取得多少收益，而是企业能不能创造劳动成果，企业创造的劳动成果能不能得到社会的承认。在市场经济条件下，并非所有企业都能生存与发展，也并非所有企业都有良好的效益，因而，资产投入之后血本无归的情况不是没有，资产投入之后只获得很少收益也是可能的。这就是说，资产投入之后能否安全存在，能否取得收益，能否取得较好的收益，这不取决于资产投入者的愿望，只取决于企业的生产经营状况。只有企业能取得好的效益，资产的投入者才能取得较好的收益。劳动者也是同样。如果劳动者选择了一个企业，在他坚持这一选择期间，他只能是与这个企业同命运。虽然在规则上他随时可以离开这个企业，但如果他的技能只与这个企业相关，至少在本地没有另一个企业需要他的这种专门技能，那他似乎只有留在这个企业才是最好的状态。假如他要离开本地，那还有家庭成员方面的其他拖累，不是不能离开，而是离开很困难，很麻烦。这也就是说，相比投资者，似乎劳动者与企业命运的联系更紧密。企业的效益好，劳动者的收入相对高；企业的效益不好，劳动者的收入只能是较低的。这对劳动者来说，除非他能做出离开这个企业的选

择，否则他毫无办法，只能与企业共荣辱。因而，同等技能水平
且同等认真工作的劳动者在不同的企业，可能收入会有所不同。
在效益好的企业工作的劳动者会比在效益差的企业工作的劳动者
的收入高。在市场经济条件下，劳动者可以选择企业，企业也可
以选择劳动者，问题在于每一位劳动者都不能总是处于选择之
中，而一旦他做出选择，他就必须与他所选择的企业共荣辱。更
何况在一般情况下，劳动者对企业选择的自由度不是很大，其自
身的选择能力总是有限的。所以，劳动者在实现选择之后，往往
要稳定下来，使自己尽快地投入企业之中，以发挥自己的作用，
并不能在工作之后又很快去选择别的企业，因为很少能有那样的
机会，此时的命运已经将其与这个企业联结在一起了。

在社会分配中，企业劳动整体创造的劳动成果并不是企业分
配的总量。首先，劳动成果要得到市场的承认，即要交换出去，
实现社会效用与价值，凡未能交换出去的劳动成果均不在企业分
配的总量之内。如果企业的劳动成果全部没有实现交换，那企业
就无法进行分配，至少在货币形态上是没有可供分配的。但这种
极端的情况较少，实际上较多的情况是企业创造的劳动成果大部
分都实现了交换，只有一小部分未能实现交换。当然，也有的企
业是100%实现劳动成果的交换的。只是，凡未能实现交换的劳
动成果就不能进入企业分配的总量。其次，企业实现交换的劳动
成果还要有一定的社会扣除。这就是说，要按照市场的法定分配
的要求以税收的形式扣除企业需求和使用社会生产条件及生存条
件的费用。企业自身能够掌握的分配量是不包括税收的，税收实
际上也是属于企业生产成本的，即成本是不能进入分配的。任何
企业都不能将应纳税款作为企业要分配劳动成果。企业能够正常
生产经营的前提条件之一就是不欠税不漏税。如果一个企业试图
以不纳税来维持企业分配，那么除非得到政府合法的批准免税，

否则，这个企业是要被处罚的，甚至可能会被吊销营业执照。总之，合法经营的企业必须自觉地接受社会扣除，不能以逃税的方式增加企业分配的总量。

二　生产再投入

在企业做完社会扣除的实现交换的劳动成果中，即在企业纳税之后的全部营业收入中，一般讲可分为两个部分，一部分是成本，一部分是利润。对于成本部分，企业是要收回的。对于利润部分，企业则要分配给所有的利益相关者。问题在于，如果企业停止生产了，那么成本收回后就不再投入了；如果企业继续生产，那么收回的成本还要再投入到生产中去，这种新的投入是在成本收回后进行的，与成本的回收不同，这是一种对企业资产新的分配，尤其是在企业转产时期，这种新的投入的分配性质就更为明显了。

生产再投入的分配分为两个方面：流动资产的再投入与固定资产的再投入。

流动资产的再投入必须及时到位。只要企业的生产按原规模进行，流动资产的补充就要源源不断，随时保证生产需要。这种补充包括物流的补充和资金流的补充，都是既不能中断，又不能延时的。物流补充的中断或延时，会导致生产的停工，不可避免地造成经济损失。资金流的中断或延时，会造成债务拖欠，增加财务管理成本。

固定资产的再投入是购置新的机器设备和修建新的厂房设施。这涉及两个方面的问题：一是在购置新的机器设备或修建新的厂房设施之前，用于再投入的资金如何保值增值。由于这笔资金是逐年折旧收回的，在使用前必然有一部分资金是闲置的，既不能挪用，也不能提前使用。这就要求管理者做出切实的安排，管好和用好这笔专用资金，争取平时增值，保证用时保值。二是选择新的设备设施要力求达到新的技术水平。固定资产的更新关系企业的命运，是事关生存的根本性的和全局性的大事，容不得保守，更不能轻率，一定要充分做好战略性的决策。在很多选择中，如果仍然选择原先同类型设备更新，即技术水平没有提高，往往会痛失企业发展的良机，使自身一下子陷入落后的图圄。求得技术进步是最重要的，这是在固定资产再投入中必须清醒地坚持的首要宗旨。

三　工薪的分配

企业的工薪分配即给劳动者付薪酬是企业契约组合的一部分。[1] 并不是待劳动成果创造出来之后，企业才研究工薪分配问题，而是在生产过程开始之前，即在企业的生产要素组合之时，企业就基本上已经确定了工薪分配方案。劳动者到企业就职，双方选择的一个重要条件就是薪酬待遇。这种事先的约定，在大多数情况下，是企业提出薪酬数额，求职者认可；在少数或个别情况下，是求职者提出薪酬数额，企业认可。也有的大企业，员工的薪酬是劳资双方谈判的结果。不管是哪种情况，工薪的确立都是一种契约关系。如果在契约的执行过程中，发生了纠纷，那要尽可能妥善处理。一般而言，员工若有新的要求，需要同企业重新订立契约。工薪的发放总是按正在执行的契约规定进行的。

工薪契约的确定，是企业决策的重要内容之一。这种决策要把握两个方面：一是合法性，即企业支付给员工的薪酬不能低于

---

[1] 从会计分析角度讲，员工的工薪也是生产成本。这里是强调契约分配的作用。

国家法定标准。只有符合国家法律规定的工薪契约，才是有效的。二是合理性，即企业给予员工的薪酬是大体上与员工将在企业发挥的作用相对等的。工薪的支付应起到对员工工作的激励作用，即要保证企业能够通过员工的努力工作而取得良好的经济效益。

企业在一般情况下，对工薪的分配分为3个部分，即一部分是普通员工，一部分是技术员工，还有一部分是管理人员。虽然普通员工与技术员工的工薪在各个企业也有较大的差别，但一般情况下，技术员工的工薪并不是企业里最高的，企业工薪的最高部分是管理人员群体，其中主要管理人员的工薪是占头位的。这种情况，在中国改革开放20年之后，也已经与其他市场经济国家基本一样了。在2002年，相比普通员工的月收入1000元～2000元的水平，"北京、上海、广州和深圳四地的经理人中，北京的经理人'薪情'最好，上海其次，深圳和广州分列三、四位。以电子行业销售经理一职为例，北京经理人的月平均收入为37667元，上海经理人则为13333元，深圳和广州的经理人只有7667元和7000元。"① 现在，发达市场经济国家的企业经理收入基本上是在年薪50万美元左右，而普通员工则年薪只有3万美元左右，差距大约是10多倍。

企业的工薪分配是随着企业的经营状况变化而变化的。企业效益好时，要给员工加薪。企业效益差时，可能会给员工减薪。这种分配方式虽然还很普遍，但也出现了局部性的变化。1984年，美国经济学家马丁·L.威茨曼出版了《分享经济》一书，提出了企业分配的分享经济思想，在发达市场经济国家引起了很大的反响。有人甚至认为威茨曼的分享经济思想是自凯恩斯的经

---

① 杨青：《北京经理人 薪情好过心情》，《北京青年报》2003年3月16日，A13版。

济理论问世之后最卓越的经济思想。这种新的企业分配理论的基本涵义是：让员工与股东共同分享企业利润，在完成生产再投入之后，剩余的收益在员工与股东之间按事先约定的比例分享。这样，在企业的工资契约中，关于员工的工薪规定就不再是绝对值，而是一种相对值，即总的比例确定，于是员工与企业就不必为加薪或减薪进行一轮又一轮的谈判，只要事先双方谈好分享比例，那么在企业效益好时，员工的收入自然增多，而在企业效益差时，员工的收入自然减少。至于每一位员工分配到多少工薪，这就成了员工内部的事情，与企业无关了，即不再是员工与企业的交涉了。这一思想的提出很有创见，但更重要的是反映了美国经济发展到现阶段，员工因自身劳动主体作用的力量加大而在企业中的地位提高的事实。这种认识的进步有助于推动股份制企业制度的完善，有助于企业的工薪分配向着更适于现代社会要求的方向发展。但是，对于目前大多数还处于发展之中的国家来说，在今后较长的时间内，还无法转向分享经济的企业分配方式，各个企业的工薪分配还将依然要沿着已有数百年历史的契约分配的路走下去。

四　股东的分配

企业的分配，除了支付员工薪酬之外，还要留下公益金和公积金，其余的是为股东分红的利润。股东的分红是股东凭借对企业股本的占有权而取得的收入，这种分红得到的收入是常态中的剥削收入，也是实行市场经济体制国家允许合法存在的资本收入。在现实中，股东分红的前提是企业经营取得的劳动成果在扣除生产成本之后还有净利润。如果没有净利润，即企业的收益等于或小于企业生产成本，那就没有股东的分红了。从这个意义上讲，股东是企业生产要素契约组合的支配者，也是这种组合之中最大的风险承受者。企业要先纳税，做完生产再投入，给员工支付工薪等等工作之后，才能一年一度地给股东分红。所以，企业赢利，净利润都是股东的红利，企业亏损，没有净利润，股东就得不到任何分红。在企业分配中，生产再投入是刚性的，员工的工薪也基本是刚性的，只有股东分红不是刚性的，有净利润则分，无净利润则不分，净利润多则多分，净利润少则少分。这也是企业的股权与债权的一种差别。

股东若得不到分红，可能采取抽逃资本、转让股权的方式规避风险和维护自身获得资本收入的权力。而股东还要保留其股权，那也要运用股东权力维护自身利益。在重新订立工薪契约的时候，股东会要求压低员工的工薪水平。在生产过程中，股东会要求加大员工的工作强度，努力降低生产成本。但是，在比较完善的市场经济条件下，市场比股东对企业有更大的约束力，有些事情并不能任由股东说了算。实际上，由于企业之间竞争加剧，工薪不容易脱离刚性，社会已经加大了对员工利益的保护力度，因而，现在股东利用股权压低员工的工薪水平，其可操作的空间已是有限的。股东利益的维护只能是依靠经理层的卓越工作而实现。从利益关系讲，经理层是员工利益的代表，这些企业生产与经营的控制者们对于股东利益的维护，是出自对企业整体利益角度考虑的，而并非单纯从股东利益的维护出发。

马丁·L.威茨曼的分享经济思想的提出，实质上是要在员工与股东之间贯彻"风险共担、利润分享"的分配机制。其股东改变原有的分配方式，将工薪范畴纳入利润范畴，不再对员工表示雇用关系，而是强调平等的契约关系，这种新的企业关系建立的核心是要求员工与股东共同承担企业风险。有了风险共担，才有利润分享，这不仅仅是对企业员工的工薪分配方式的改进，更是对发达市场经济条件下的企业经营机制的新探索。

美国经济学家默顿·米勒和佛朗科·莫迪利尼亚提出的MM定理指出，在具有确定性的市场经济中，资本的利润是资本未来的一系列收益流，根据这些收益流可以求出确定的资本收益率。如果资本收益率大于利息率，投资就有利可图；如果资本收益率小于利息率，那投资的结果等于亏损。但在具有不确定性的市场经济中，资本的收益是随机的变量，无法预先确定高低。因此，根据他们的分析，在美国市场经济条件下，企业使用借贷资本比扩大企业股本更有利于企业经营。这是又一种对现代经济演变情况的反映，说明政治经济学的考察已经不是完全站在股东的立场上考虑问题了。因此，MM定理的涵义与传统的企业经营理念是有冲突的，这一理论强调的是企业利益，而不是股东利益。这表明，股东分红的比例在未来的企业经营中有逐步减低的趋势，越来越多的企业将使用越来越多的借贷资本经营。在企业走上这样的经营道路之后，股东的分红相比以前将会是更有保证了。企业的经营水平会有大幅度提升。这实质上也是在现代经济条件下降低股东投资风险的做法。

在已有数百年历史的股份经济的运作中，企业给不给股东分红，从制度上讲，最终是由股东自身决定的。但是，在现代经济的具体实践中，企业的分配往往是由经理层操纵的，除非大股东能直接控制经理层，否则股东的分红在企业分配中是不会给予重点保证的，尤其是在股权分散的情况下，经理层更是比较容易控制向员工倾斜的企业分配的。而从理论层面讲，在企业经营中，如果经理层既不是单纯从股东利益出发，也不是单纯从员工利益出发，而是从企业利益出发考虑企业分配问题，那是一种理性的提升，是会更有利于股东，也更有利于员工的。所以，在未来的企业制度建设中，需要树立企业整体利益观念，不能仍是只强调股东分红的利益，也不能过于强调员工与股东的对立，而是应当站在员工与股东利益重新整合的立场上，即兼顾双方的利益，以维护企业利益为前提，实现企业的合理分配。这是调动双方积极性的做法，也是协调双方关系使之注重一致的利益前提的做法。因为只有在确保企业收益增加的前提下，员工的工薪才能提高，股东的分红才能增加。缺乏对企业利益的维护，企业的收益是难以突破既定水平的，若此，即使企业是公平的分配，不论是员工，还是股东，也都难以突破既定水平的收入。所以，在现代企业经营中，维护企业利益是第一位的，只有在制度上和实践中都能坚持这一经营思想，企业才能向员工和股东做出更多的分配，或是说这才能提升员工的工薪水平和股东的分红水平。

第三十四章　家庭与个人的分配

市场分配是社会分配的基础方式，国家分配是社会分配的最高层次。在国家分配之下，有契约组织分配存在，也有非契约的组织和个人的市场化的分配。劳动创造的财富是在经过各个层次的分配才进入消费过程的。而在社会分配之外，在个人消费之前，还存在非市场化的家庭分配及个人分配。但以往，在政治经济学的研究中，是将家庭及个人的经济生活内容置于消费环节并没有特别地展开对这方面的分配关系的研究。然而，家庭是社会的细胞，社会是由个人组成的，在分配理论的研究中，不应该不重视家庭及个人的分配，尽管这方面的分配关系是存在于市场之外的，不具有宏观经济的研究意义。社会经济生活中的分配关系是到个人分配为止的，而个人一般是以家庭的存在为其生存依托的，所以，我们讨论的重点是放在家庭的分配关系上，从对家庭的性质及构成的认识起始，分析家庭分配结构与内容。在此阐述现代经济中的分配关系在家庭经济中的具体表现，区别个人处于生产领域中的分配决策权力与个人财产的非市场化及非生产性分配实现的不同，只是对常态社会发展阶段中最为普遍的家庭及个人的分配关系的初步认识。

一 家庭基础是经济关系

作为社会细胞存在的家庭，在人类社会的发展中，已有漫长的历史了。最初的家庭产生于原始社会，从社会关系的角度讲，家庭出现之后，人类原始的社会关系就逐步解体了。在奴隶社会，奴隶只是会说话的工具，奴隶们是没有家庭的，只有奴隶主和平民才能建立人间的家庭关系。进入封建社会，奴隶获得了人身的自由，家庭关系也就成为了普遍的社会存在。贫苦的农民也有相依为命的亲人，封建的家庭之中也有至爱的亲情。封建时代的每一个家庭，不论是富有，还是贫穷，都主要是依赖于土地生存，农业经济的生产力使一代又一代的家庭得以延续。到了工业革命后的资本主义时代，家庭的发展与人口的发展成比例地大幅度推进，在短短的几百年间，实现了人类家庭生活方式的城市化变革，同时也使全世界的人口总量增长到了 60 亿以上。目前，在大多数发展中国家，似乎还只有人口增长而没有家庭生活及家庭人口关系的太大变化，农业经济时代的烙印还深深地留在各个家庭之中。但是，在已经进入现代化的发达国家，似乎与发展中国家正相反，其人口增长不大，而家庭生活的内容变化太大了，家庭人口之间的关系也绝不等同于封建社会时期和工业革命时代。家庭的分配关系在发达国家的家庭中已有十分突出的作用，并且也是十分复杂的，这一点实际上表现了社会的进步。

一般讲，家庭是以婚姻为基础的，尽管没有婚姻也可以存在家庭。但是，长期以来，人们似乎还认为感情是婚姻的基础，感情也是家庭的基础。这是一种混乱的认识。家庭是社会细胞，若这个细胞是建立在感情基础上，那恐怕就不会有封建社会的长期稳定和现代社会的经济繁荣了。因为感情是非常容易发生变化的，从无感情到有感情，或从有感情再到失去感情，或许用不了一瞬间，在特定的社会环境的刺激下，已有过感情甚至感情长期存在的男女双方，是很容易丢失感情的，且只要一方丢失，事实上双方之间的感情就不存在了。以感情为纽带维系家庭关系的存在，是古往今来多少才郎秀女的人生企盼，不能说没有做到的，然而，能做到的绝不可能是大多数。在常态社会的历史中，家庭是起延续人类生命和具体保护家庭成员生存的屏障作用的，没有家庭就没有个人生命诞生、养育和维护以及其他方面的成长条件，没有家庭也就没有原始社会之后的人类社会的存在与发展。因此，理性的社会和理性的人能将社会和每一个人都不可缺少的常态社会家庭关系建立在感情基础上吗？事实或者说历史已经有明确的答案，凡是尊重事实尊重历史的人都会明白这是不可能的。

从现实性而言，只有经济关系的存在才是家庭存在的基础。感情可能会随时变化，但经济关系不是能随意改变的，所有的男人与女人都以感情为基础组成家庭的时代还远远没有到来，我们不能排除今后人类社会能够发展到那个阶段，但是要明确在常态社会的历史与现实中是做不到的。在常态社会，家庭的存在与其说是男女自然的追求，不如说是男女保持物质生存条件的基本结构以及他们养育子女的需要。在男女之间，面对常态下的生存压力，可能男女之间的感情早就荡然无存了，但他们的家庭的经济关系维护却始终是紧密的。这可以解释为什么在农业经济时代对女人提倡从一而终，而在工业经济时代职业女性却强调个人经济的独立性。为了维护家庭的存在，为了能使子女们顺利地成长，夫妻之间即使感情已不存在，但都会考虑经济问题，不能以感情定取舍，只是熬到老年，经济的压力过去了，这时的老夫老妻才有可能考虑自己的感情问题，在这时才离婚。这种情况并不普遍，但也说明经济关系在维护家庭的存在方面比感情更重要。所以，在现代社会，家庭几乎可以说是一个经济组织概念，这样认识可能亵渎了无数家庭的美好情感，但却是一种更为基础更为准确的概括。

在农业经济时代直到现代，在农村，家庭都是作为一种生产组织存在的。一家一户的小农经济在数千年的历史中成为社会延续的经济基础。一家人的生活就是依赖一家人的农业劳作，这在现代也是比较普遍的，至少在发展中国家是这样。而在发达国家，至今家庭农场仍是农业生产的主力军。

在已实现工业化的市场经济国家，有众多的家庭工厂与大公司的生产直接结合，成为高度复杂化、现代化的生产流程中的一些不可缺少的环节或附属部分。家庭工厂精细的做工和良好的信誉使其在与现代化工业的链接之中极具竞争力，能够跟上技术进步的步伐而不掉队。在一些家庭工厂中，还始终保留着某些只有他们自己才知道的工艺秘密，这其中有的是他们的生存依赖，而更多的是他们由此而产生的职业荣耀。家庭的纽带在家庭工厂更多地表现为经济纽带。如果连少量的外人也不雇，那么家庭工厂或家庭商店的工作人员就全部都是家庭成员，其经营收入就是家庭收入，扣除税收和成本，就是家庭可分配的收入。

在古代社会，家庭收入主要是男人挣的，妇女主要从事家务劳动。而现代社会中，家庭收入一般都是夫妻双方的贡献。即使不存在以家庭为单位的生产关系，夫妻双方也要共同维持一个家庭的全部生活费用。这是一种更为普遍的家庭经济关系。更主要的是，在家庭经济关系之中，并不以家庭收入的来源为重，而是以家庭内部的分配关系为重。

二　家庭分配

家庭经济组织与其他经济组织不同，家庭分配也与其他经济组织的分配不同，有其自身特点。在其他经济组织的分配中，不论是按劳分配，还是按要素分配，总之都是不同原则的按贡献分配，没有贡献，就不予分配，可能实际分配中相比原则存有偏差，使某些人少贡献或无贡献也可能取得较多报酬，但是分配原则或宗旨是不允许的，公正的分配必然是按贡献分配。然而，在家庭分配中，并不贯彻这样或那样按贡献分配原则，不论家庭是生产组织还是非生产组织，其分配在原则上都是按家庭对家庭成员的需要能满足的程度分配的，即这一原则对有收入能力的家庭成员与没有收入能力的家庭成员是同样的，虽然有的家庭可能在分配上偏重于有收入能力的家庭成员，有的家庭可能偏重于没有收入能力的家庭成员，但原则性是一致的，就是说家庭中的每一个成员都可以依据自己的生活需要参与分配，在家庭的经济状况允许的条件下，享受家庭给予的物质待遇。就一对夫妇养育一双子女的典型 4 口之家而言，子女物质待遇的得取是无需贡献的。这种分配的性质是家庭分配的最基本特征。

家庭分配不同于家庭消费，这二者之间有紧密的联系，也有明确的区别。家庭消费是指家庭收入用于购买商品和劳务以及家庭所有成员或部分成员对这些购买的商品和劳务的使用过程。而家庭分配则是指对家庭收入用于家庭所有成员共同使用部分以及用于每一位家庭成员使用部分的确定。

家庭分配的实施者一般是家庭收入的主要贡献者，也可能是家中最年长的人，还可能是家中的某些主要成员。在各个具体家庭中，收入由谁分配，或是怎么分配，是各个家庭自己的事情，家庭以外的人是无权干预的，只是在特殊时期或特殊情况下才有例外。如果家庭工厂或家庭商店雇用少量外人，那么家庭对这些外人的分配是市场性质的分配，是家庭经济组织的分配，不属于家庭内部分配。家庭分配是只指家庭内部分配的，是只对家庭成员进行的分配。家庭分配主要分为两个方面。

1. 家庭共用品的分配

每个家庭的收入首先要满足家庭所有成员的共同需要。家庭分配用于家庭共用的费用主要由家庭所有成员的三大部分生活需要的支出构成：（1）家庭基本生活费用。不论家庭有多少成员，每个家庭成员都需要有衣、食、住、行等基本生活条件；家庭收入不论多少，都要先用在满足基本生活条件的费用上。这种分配一般是实物型的，表现在为每一个人提供住房、伙食、服装以及交通条件等方面。（2）家庭财产积存费用。在正常的家庭经济生活中，一定要有一部分财产积存，不能是年年吃光用净。在农业经济时代，为防备荒年，家庭要有存粮。在现代生活中，除了购买各种保险外，留有一定的积蓄，主要是金融资产，也是为了家庭及子女们能有更好的生活条件。这种积存也具有共用性。（3）家庭的经济发展费用。改善生活是每个家庭的生存中必不可少的要求。而改善生活是需要增加收入的。这就要求家庭为增加收入创造条件，留有用于发展的费用。家庭必须从小就培养每一个子女的发展意识。家庭有责任保证家庭各个成员在创业发展方面的基本需求。

2. 对家庭各个成员的分配

除去确定家庭所有成员共同使用的费用，在现代社会，正常的家庭理财，还要依据每一个成员的需要将一定的家庭收入或资财分配给各个人。这是家庭分配中的又一大类。这类分配也包含3个方面的主要内容：（1）对夫妻二人的分配。在现代典型家庭中，夫妻二人都是家庭收入的主要贡献者，甚至有的家庭以妻子的收入为主。从贡献讲，夫妻二人应多使用一些自己创造的收入，使他们多一些享受。可实际上，在他们尚未养育子女之前，除去储蓄，所有的收入都是归他们两人享用的，没有人与他们分享。不过，在他们有了子女之后，夫妻二人使用收入的比重就下降了，虽然有些家庭仍还是以夫妻二人使用家庭收入为主，但也有些家庭转为以子女的养育费为主了。（2）对子女的分配。子女在成年之前，是要靠家庭养育的。除去子女的基本生活费外，家庭分配中为子女的主要开支是教育费。在各个国家，现在都实行一定年限的义务教育，这是无需家庭支付费用的，只是有些富有的家庭不让子女接受政府提供的义务教育，自费送子女去私立学校读书。在各个国家都一样，政府并不普遍地提供高等教育费用，绝大多数的家庭要为子女接受高等教育付学费。这笔费用对于一般家庭，是最大的一笔开支。这项分配是由家庭决定的，法律并未规定各个家庭必须支付子女的高等教育费用。但是，对于有经济条件的家庭，父母都是愿意为子女提供高等教育费的。（3）对老一辈人的分配，一个人如果不出意外，总是有退休养老的时期，可享受国家给予的养老金待遇。但如果老人没有退休收入，家庭就要承担老人的全部生活费用。现时代，在经济落后国家或地区，这种情况还是普遍存在的。家庭供养老人，这是法律规定的责任。经济条件好的家庭，可以将老人的生活安排得相当好。经济条件比较差的家庭，除了基本生活需要，还要负担老人的医疗费用等支出。也许将来社会可以统一解决养老问题，但是现在还做不到，至少是在大多数国家做不到。现在，除了老人自己的积蓄外，家庭还要对老人的生活负责，还应尽可能为老人们创造出好一些的生活条件，让老人们晚年生活愉快。

三　个人分配

个人自己挣的钱不能完全归自己使用，这是家庭经济的特点。家庭分配可能将家庭少数成员挣的钱分配给全体家庭成员使用，除非个人自己是家庭惟一的成员，否则个人收入的创造与家庭收入的分配很可能是不对称的。

家庭分配或许就是个人分配，但如果家庭与个人不相等，那个人分配就是比家庭分配又低一个层次的分配，是最终极的分配。一般说来，个人分配分为两个主要部分。

1. 个人负责的生产性分配

这是指由个人的经济权力决定的市场化分配。只有在个人独立创办生产组织或个人有独立的投资行为以及包括直接雇用他人为自己提供生产性服务时，才会形成这样的分配关系。个人的生活消费，不属于个人分配的内容。个人的分配是个人将自己的资财分派用场，个人的生产性分配是指个人用于生产方面的投资或付酬。个人可以自己创办企业，也可以到别人办的企业去投资，或是到证券市场购买股票或债券，总之，个人的这些方面的支出都不是生活消费，而是一种市场化的运作，是生产行为，市场经济越发达，个人的这一类的生产行为越繁多。

2. 个人负责的非生产性分配

个人可以将自己的资财留给自己使用，包括生产投资和生活消费，也可以将自己的资财分给别人。个人负责的非生产性分配就是指在生产领域之外，个人将自己的资财包括生产资料和生活资料分配使用，或是用于生活消费，或是不再拥有其所有权。在货币的形态上也存在这样的个人分配。

家庭分配的结果，最终会有一部分资财归于个人掌握。除去生产性分配之外，个人掌握的这些资财在非生产性分配方面除去留给自己使用的以外可能还有以下几种表现：（1）将个人可支配的资财在日常生活中转移给家庭的其他成员。家庭虽然是家庭成员生活的共同体，但经过家庭分配之后，个人还是可以将家庭明确给予自己的资财再转让给别的家庭成员使用。比如，哥哥将自己的照相机送给了弟弟。（2）在平日里将个人资财转让给自己的亲友。物以类聚，人以群分，作为社会的人，每一个人都有自己的亲朋好友。在平日里，或许亲友需要帮助，或许自己有物品空置无用，都可能发生向亲友转让自己的资财的情况。比如，为朋友的旅游提供一定的资助。（3）将个人资财转让给非亲友。对于自己认识的或不认识的非亲友，在特定的情况下，也可能提供帮助。比如，给仅仅是自己的同事一定的资助，或在路上遇见病人为其支付医疗费用等。（4）将个人资财捐给社会。这种捐赠是无特定对象的。比如，向受灾地区捐赠个人衣物或资金。这种行为，从市场分配的角度讲是公益性分配，从个人分配的角度讲是个人的资财无偿地向其他需要求助的人转移。（5）将个人资财作为遗产分配。遗产可按法定程序进行分配，也可按个人生前意愿进行分配，即个人可以在自己的有生之年对自己可能留下的遗产进行分配。一旦个人生前做有遗产分配的法律认可的文件，那么在一个人去世之后就要按这一文件执行分配，不论是不是法定的遗产继承人，都可按这种分配得到该遗产的全部或其中的一部分。

概而言之，个人的分配有生产性与非生产性分配两个方面。在个人分配中，必要的社会调节仍然是存在的，即不论是个人的生产性分配，还是个人的非生产性分配，都可能要向国家交纳税收，尤其是个人的非生产性分配，在其数额超过一定限度，除了向社会或个人捐助以外，都需交纳国家规定的税收。

第三十五章 消费的常态性及一般性

在生存的意义上，政治经济学不仅要研究怎样组织劳动即怎样安排生产和生产什么，而且要研究怎样选择消费和怎样消费使用劳动成果。消费的研究在政治经济学中占有重要地位，同分配理论一样，消费理论也是政治经济学的一个重要的研究领域。在市场经济条件下，消费的涵义是对劳动成果效用的使用过程。如果劳动创造的全部劳动成果不能被全部消费，留有一定的缺口，那么就不仅是对劳动成果和对劳动的浪费，而且直接影响社会再生产无法按原规模进行。因此，对于消费的研究，从生产的角度讲，也是对社会再生产进行的一种前提条件的研究。更重要的是，对生产消费的研究，本身就是对劳动过程的研究。因而，既链接着分配与生活又链接着分配与生产的对劳动成果效用的消费，需要给予理论上的高度重视。

一 常 态 消 费

在常态社会中，一切人类活动包括政治、经济、文化等等方面，都具有常态性。其中经济活动更是比其他方面的活动明显地表现出常态的特征，生产是常态的，分配是常态的，消费也是常态的。常态的消费是正态消费与变态消费的统一，并受常态生产与常态分配的影响，在消费活动的总体上突出地呈现由变态消费制约的常态统一性。

政治经济学对于消费的研究，不能脱离社会现实，就是不能脱离消费的常态性。科学的研究必须从常态劳动的事实出发，认识社会经济生活中的一切消费活动。

消费的变态性主要表现在社会对军事劳动成果效用的使用上。即使不带有冷酷的血腥气也带有恐怖的威慑力的军事效用，一方面是军事劳动的创造成果，一方面是常态社会的变态消费对象。虽然人类社会的发展已经进入了高科技起点的 21 世纪，社会生活内容已是多姿多彩、相当丰富，劳动的创造力足以养活 60 亿人口丰衣足食，但是，这种整体上已经提高了的生存能力在国家与国家之间并不是分布得很均匀的，许多国家还处于贫困之中，而发达国家也并未满足，各个国家之间的生存利益划分（除个别区域外）还十分清楚，各个国家之间还仍在相互地防备，因此，几乎与古代同样，差不多所有国家在现代仍还保持有常备的国防军队，即没有几个国家不再有这方面的变态消费。对于现代的各个国家来说，消费军事效用，甚至是大量地消费军事效用，仍然是目前阶段不可缺少的经济行为，而且在伊拉克战争之后更没有迹象表明对于这方面的消费能在短期之内有减弱的趋势。特别是面对世界各地的恐怖活动，各个国家更是尽可能地加大国防实力，即加大军事效用的创造与消费。在世界各国经济中最发达的美国，似乎有很多的人对政府不断追加军费开支表示理解，甚至有人认为 21 世纪初的美国已经是一个极度恐怖的国家，其不安全感超过世界上任何一个国家。或许，当代的恐怖主义泛滥将带动新一轮的变态消费的高潮。这种形势的出现是变态劳动强劲发展的连锁反应，按照需求决定供给的说法，即按照市场的法则，需求的增加必定拉动供给，正是由于有了人们对军事效用比以往更强烈的消费需求，才会有美国等主要发达国家的军费支出的新的增长。

除变态消费外，由剥削劳动的存在而影响的常态下的消费是呈现相差极为悬殊的多层次的。在常态社会，具有剥削收入的人口群体形成一种常见的奢侈性消费，虽然这种奢侈性消费并不单为这一人口群体独有，但自古至今却都是由这一人口群体倡导和引起的。这一类的奢侈性消费包括：（1）食不厌精，穷凶极奢，山珍海味无所不吃。燕窝、鱼翅都不在话下，熊掌、猴脑也不鲜见。丰厚的剥削收入养就了美食美味的享受者，这一点古今中外都是一致的。一些极有钱的人家吃的饭食可能是一些贫苦人家一辈子都见不到的，悬殊之大，无可奈何。不用说古代的皇家御宴，就说现代社会中的高消费吃客，到高级饭店开一桌席，只要稍稍高档一些，恐怕没有1万元是买不了单的，几乎不是去吃饭，而是吃钱。但更昂贵的酒席也并不罕见，在一些国际大都市里，似乎每一天都有众多的高档食客。其实，按目前人们的一般生活要求，一个人一天吃饭用10元钱足矣，无需再多。如果是10个人，在外用餐，一顿饭每人20元，10个人共200元，已是很不错的了，即使在发达的城市里也是足够丰盛的。但这要是比上万元一桌的酒席，那还是要差50倍的消费距离。可以说，这种吃的悬殊就是常态消费中的一种由劳动的剥削变态性决定的制度性的表现。这是历史的存在，也是现实的存在，都是常态的存在，只是不会脱离常态社会而存在。（2）琼浆玉液，美酒佳酿，越喝越高档。酒是人类的一大发明创造，也是一种奢侈性的生活创造。从古至今，从酒的种类上，就分辨出人们消费的距离。好酒的名贵，不是普通酒能比的，只有达官贵人才喝得起。从现时代讲，酒有几元钱一瓶的，有几十元一瓶的，也有几百元甚至上千元一瓶的。大多数人是只能喝几元或几十元一瓶的酒，只有少数人喝得起上百元上千元一瓶的酒。这种消费的奢侈性和差距都是由社会常态决定的。也许人类会将吃酒的习惯带入正态社会，但由喝酒产生的消费距离却只可能是常态社会独有的。（3）娱乐消费，奢侈有加。娱乐不应是劳动成果效用，而应是人们的生活内容。将娱乐构成产业，将娱乐搞成社会的高消费，这也是只在常态社会才有的。所以，凡娱乐消费，都是一种常态下的奢侈消费行为，尽管现代不能不发展娱乐产业，但同时也不能不承认这一类消费是奢侈性的。而且，在这种消费上，更是表现出社会各阶层之间的消费距离。富有的人几乎天天娱乐，天天高消费，而贫穷的人一辈子也娱乐不了一次，这之间的差距，同吃、喝一样，都是悬殊的。现在，一些发达国家或地区，大众娱乐已经兴起，说明人们之间的娱乐消费距离正在缩小，这种奢侈性的消费也被越来越多的人接受。

博彩业与色情业的出现也是常态消费的极端表现。色情消费，在有的国家是合法的，在多数国家是非法的。但不从法律的角度讲，而从事实来看，似乎在各个国家，色情消费都是一种历史与现实的存在，对色情消费，屡禁不止的原因，恐怕不是经济学的研究能解释的，经济研究只能是面对现实，现实存在色情消费，就要研究这种消费对经济生活的影响，毕竟这也是一种市场交易关系。至于博彩业的出现，道理也是同样的，只能用常态的存在来解释，不能涉及更深的原因。只是从现代而言，赌博更倾向于一种娱乐。这或许可以说明为什么现代的博彩业比以往任何时期的赌博活动都更发达。就此而言，社会可以因势利导，导引博彩业逐步向娱乐业转变。

每年的 6 月 26 日是国际禁毒日。现时代的进步表现就在于，吸毒消费在世界上各个国家都是被严令禁止的，贩毒者都将被处以极刑。这种非法的消费也是常态社会人们生活中的一种无奈的存在，几乎是禁而不止的。并且，由于有这种常态消费需求的存在，鼓舞了一批又一批人甘冒风险贩毒，获取暴利。至于吸毒，对于生活无聊的人确实可以起到一种麻醉作用，使他们在短时间内能在幻觉中获得心理放松的身体享受。存在这种无聊的生活需求，在常态社会发展阶段是无法完全排除的，至少在现阶段还不能做到制止。尽管常态社会现实中的大多数人是健康向上的，不必使用毒品来麻醉自己，但是难免有少数人在生活不如意时去寻求那种吸毒的刺激，以至于使自己成为毒品的牺牲品。总之，对常态的消费不能按正态去理解，常态之中大部分消费也是正态的，只是常态下无法做到完全的正态。对于这种无奈的存在，政治经济学的研究不能回避，而应准确地认识其常态性及其对社会经济运行和发展所产生的影响。

二　消费过程

消费是一种过程。凡是消费，就其一般性而言，必然要表现为有时间可度量的过程，即使过程再短，也是存在的，消费过程分为两个阶段，这也表现消费的一般性。消费过程的前一阶段是取得消费劳动成果权力的阶段。消费过程的后一阶段是使用劳动成果的阶段。也可以说，前一阶段是对消费选择的确定，后一阶段是对消费目的的实现。或者说，前一阶段是社会意义上的消费，后一阶段是自然意义上的消费，两个阶段合为统一的过程才表现完整的社会意义与自然意义相统一的消费。若只讲前一段过程，因为其存在于统一过程之中，也可称之为消费；若只讲后一阶段过程，由于其既存在于统一过程中又表现消费目的，所以同样可称之为消费。于是，讨论消费，可以指全过程，也可以指前一阶段或后一阶段。不过，严格地讲，消费应是指全过程。政治经济学对消费的研究，必须是对全过程进行研究，不能只是研究前一阶段，也不能只是研究后一阶段，只有完整的包括两个阶段的研究才能对消费做出完整准确的认识。

消费的前一阶段是为了取得消费品的所有权，这可以通过市场购买的方式取得，也可能是通过非市场的方式取得，其中市场化的购买是市场经济条件下人们启动消费的主要方式。对这一阶段的认识，可以概括为以下4点：（1）必要性。这一阶段是消费过程的启动，若无这种启动，后一阶段就没有出现的可能，所以，前一阶段的完成是后一阶段实现的必要条件，并表现出前一阶段在整个消费过程中存在的必要性。如果不具备启动前一阶段的条件，那么纵使人们对后一阶段有无限的渴求也无济于事，即过程的启动是必要性的体现，启动在市场经济中是关键。（2）理性与非理性并存。消费表现在这一阶段上，既有理性的思考，也有非理性的表现。理性的消费主要是指社会生存必需品消费。非理性的消费一般不在社会生存必需品之内，但由于随着经济的发展，社会非必需品消费越来越多，因而非理性的消费行为从数量上讲是越来越多的。研究消费必须是既研究理性消费，又研究非理性消费，特别是要加强对非理性现代消费的研究。（3）选择性。在消费的后一阶段，几乎是没有选择的，一般只能是使用既定的消费品。而在消费的前一阶段，是存在消费的选择性的。不论是理性消费，还是非理性消费，都具有选择性。但这种选择并不是普遍的，不是对所有方面的消费都具有选择性，市场提供的某些必需品，可能就没有选择性。市场提供的非必需品，大部分具有选择性，人们不仅可以在启动消费什么上做出选择，而且还可以在消费或不消费之间做出选择。对于消费的选择，市场不能负责，经过选择启动的消费，只能是由选择者自身负责。（4）实现性。消费的前一阶段的完成，即表示在市场经济条件下的消费实现。对于市场来讲，无需再有后一阶段，已经是完成了满足消费的需求。这是市场经济的特点，也是常态社会生活中的现实。虽然对于人们来讲，消费的后一阶段更为重要，但市场对人们在后一阶段上使用消费品是不承担责任的，即使不存在后一阶段的使用，即人们没有完成整个消费过程，那也是与市场确认的消费无关的。

消费的后一阶段是以劳动成果的效用满足人们生产或生活上的需要。对于这种劳动成果效用的使用过程，政治经济学应投入比消费的前一阶段更多的研究。在此，对比前一阶段，我们对消费的后一阶段也做4点概括性认识：（1）目的性。消费的后一阶段是消费目的的实现。消费的实质不是为了购买，而是为了使用。如果只有购买，没有使用，那是对劳动成果效用的浪费，是人类的理性所不允许的。在简单商品生产时代，社会生产力低下，人们很少能只购买不使用劳动成果效用的，即很少存在对劳动成果效用的浪费。但在现时代，经济的发达也使得对劳动成果效用的浪费多了起来，只购买不使用的情况是或多或少地存在的。我们说，只要是不使用，就是消费的目的未达到，就是一种消费行为盲目的浪费。（2）受益性与受害性并存。对劳动成果效用的使用并不一定都受益，有时候也会身受其害。购买并不决定受益或受害，只有在使用的过程中，才能看到受益或受害的结果。有的时候，使用者是在不知情中受害的；也有的时候，使用者是由于自身使用不当而受害的。即使有这种并存，人们还是要使用各种劳动成果效用。比如开私家车，作为一种消费行为，当然是为了受益，但若发生交通事故，那就身受其害了。（3）方法性。这是指确定使用劳动成果效用的方法。有些劳动成果效用的使用，只有一种方法，那么人们只能确定这种方法。而更多的劳动成果效用的使用，不止一种方法，可能存在不同使用目的的不同方法，也可能存在同一使用目的的不同方法。只不过，不管客观上存在多少种不同方法，实际上对具体的劳动成果效用的使用只需要一种方法。（4）再创造性。这是指劳动成果效用在使用过程中又发挥了新的创造作用。这一性质并非是普遍的。但用于生产消费的劳动成果一般会直接起这种再创造作用，除非是发生意外事故。用于生活消费的劳动成果效用在这方面的表现往往是间接的，而且只有在使用者受益的情况下才能发挥这种再创造的作用。

三　消费教育

消费是人类经济生活中的重要环节，而进入这一环节的人，远远多于生产环节和分配环节上的人，因此，为了保证国民经济运行正常，减少运行损失，使经济运行在消费环节上的复杂性和重要性为全体国民所理解，在市场经济体制下，各个国家都有必要对全体国民展开普及性的消费教育，以使本国的经济生活中能更好地实现对劳动成果效用的消费。

消费教育是指对全社会所有成员进行的科学消费知识的教育。这种教育具有：（1）全民性。消费教育要普及全社会，不留死角。在一个国家之中，要对每一个社会成员进行教育，教育他们如何科学地对待消费，至少也要使其明确人类的理性是不允许将消费变成浪费的。消费教育的实施者是国家，国家可以责成各级政府具体落实这项教育工作。每个公民都有权利和义务接受消费教育，不论家庭收入多少，在特定的年龄段中，都应该主动接受以国家名义进行的消费教育。（2）基础性。消费教育是基础的消费知识教育，不是专门的劳动技能教育，也不是高深的经济理论教育，教育的目的只是普及必要的市场消费理论。一般讲，进行消费教育的主要时段是在小学和中学，而不是在大学。抓消费教育应从早期教育开始，不能等到青少年已经产生了不良消费行为再进行教育。这也就是说，基础性的消费教育应与基础性的义务教育结合起来，对每一个接受义务教育的学生进行消费教育。辅助性消费教育是社会教育，是利用广播、电视、报纸、宣传栏等媒体进行的教育，这主要是宣传一些新的消费思想和一些市场知识。(3)科学性。全民的消费教育必须是科学的，不能是任意性的。凡是现时还不能对某种消费行为做出准确的客观性认识，就不能将其纳入消费教育的内容。从科学的教育要求讲，消费教育不仅要对人们进行生活消费知识教育，而且还要对人们进行生产消费知识教育。

就现阶段讲，以政治经济学消费理论研究为基础，能够进入社会性的消费教育的内容是有限的。概括地认识这一点，现阶段可进行的消费教育主要体现在 3 个方面：(1) 常识性的消费知识教育。这包括对商品和劳务的基本概念知识的介绍，对市场价格知识的介绍，对消费者的权利和义务的解释，对有关消费方面的法律知识的讲解，对基本的生活日用品使用方法的介绍，对客观存在的消费过程的两个阶段专门知识介绍，等等。常识教育是最基本的消费教育，但常识的内容都是比较重要的，并非由于简单而不重要。(2) 科学的消费观念教育。对于各个社会成员来说，从小就要树立科学的消费观念，消费教育应对人们的科学的消费观念的树立起积极的促进作用。在科学的消费观念中，最重要的一点是节俭，是反对奢侈和浪费。从小培养节俭观念，长大了人们才会有节俭消费的自觉行动。消费教育的重点就在于，教育每一个人都要节俭消费，不浪费自然资源，不浪费劳动成果，尽可能提高消费的理性，做到物尽其用。(3) 市场经济的消费方式教育。由于在市场经济条件下，任何人的消费行为都与市场有着直接或间接的联系，因此，作为消费者或潜在的消费者，应当了解市场化的消费方式。这包括如何对市场进行选择，如何进行价格比较，如何利用信贷进行消费，等等。这种教育是关系每一个人的消费质量的教育，也是现代社会发展要求普通民众的消费知识积极跟进的教育。比如，信贷消费方式教育，对于人们信贷购房、信贷购车等消费需求是直接的知识启迪，这有助于人们更多地利用这种现代消费方式。从某种意义上讲，这种教育实质上是对潜在的市场的培育。

现代市场已不是完全自发的市场，现代社会已是具有高度理性的社会，现代消费也是相应要求具有相当高理性的消费。因此，为提高社会消费的理性程度，各个国家都应该自觉地组织力量实施消费教育。在这一前提之下，现阶段开展全民性的科学的基础性的消费教育，具有以下重要意义。

1. 消费教育有助于提高人口素质

人口素质关系到国家的存亡。一个人心涣散、一盘散沙的国家，是不堪一击的。历史上有过的事实证明，在人口素质普遍低下，政府无能的时期，一有外敌侵入，只有挨打，没有团结御敌的力量。所以，不论是哪一个国家，都要重视人口素质的提高，从生理上要使人民有健康的体魄，从教育上要使人民懂得更多的知识。而消费教育是各个国家实施的人口素质教育的一个重要方面，或者说，在人口素质教育中消费教育占有重要的地位和作用。通过消费教育，可以普及民众的基本消费知识，使人们的消费行为减少盲目性，使人们对于消费的环节具有全面性的理性认识升华，因而，在遇到市场波动时，能较好地保持稳定，不起盲目的推波助澜作用。在市场经济的发展中，人口素质起重要作用，具有一定自觉消费意识的人口对经济发展可起积极的正面作用，反之，人口素质低会起某种程度的负面作用。消费教育的贯彻，虽然只是对人口素质的提高起一个侧面的作用，但这种作用也是必不可少的和十分有益的。

2. 消费教育有助于提高人民的生活质量

不会花钱等于少挣一半。这个道理对于未经过消费教育的人来说，很少有人能懂。消费教育要教会人们许多市场知识和商品使用知识，这可使人学会花钱，学会更好地消费。在同等的收入水平上，会消费会花钱比不会花钱不会消费对生活质量是有很大影响的。在消费过程的两个阶段中，前一阶段会消费表现为会花钱，可以买到物美价廉的商品，后一阶段的会消费表现为不浪费效用，可以做到物尽其用。相反，如果不会消费，那么可能在前一阶段上什么东西贵买什么，不仅净买高价，而且还可能买了一些用不着的东西；而在后一阶段可能是使一半儿扔一半儿，甚至可能扔掉的比使用的还多，或是受益不多，受害不少。因此，不会消费，将会严重地损害生活质量；而会消费，则有助于提高人们的生活质量。消费教育就是要解决人们不会消费的问题，使人们学会少花冤枉钱、少浪费、少受害，由此可在收入水平不变的前提下提高人们的生活质量。

3. 消费教育可为社会经济发展奠定良好基础

社会经济发展的基础是劳动者的智力提升和自然资源得到良好的开发利用。如果劳动者的智力水平没有得到提升，还依然保持原有水平未变，那从主观方面就不具备社会经济发展的基本条件。在此前提下，人类对于自然资源的利用水平也不会有新的提高。特别是，在工业革命之后的较长的历史时期内，人类对于自然资源的开发没有进入良性循环状态，已经造成较大的自然资源的浪费和环境的恶化。从 21 世纪起，若各个国家普遍地开展消费教育，这将对各个国家的劳动者的智力提升和自然资源的开发利用起良好的促进作用。开展消费教育，并不是直接提升劳动的智力创造水平，而是提供一个有益于劳动智力提升的环境，通过提高人们的消费知识水平，而使社会经济生活中的理性程度提高，这样就有利于劳动整体的智力水平提升。再者，自然资源的合理开发利用也有赖于人们养成良好的消费习惯。如果人们通过消费教育更为自觉地做到不奢侈不浪费，这将有利于社会调整自然资源的开发速度与格局，由过度开发转入良性开发，使经济发展建立在与自然协调的基础之上。

第三十六章　生活消费

　　生活消费是社会经济活动的最终目的。人类的生存以自身的生活消费为直接依托，人类劳动的全部创造都是为了最终实现生活消费。在政治经济学中，若缺少对生活消费的研究，那就是缺少对劳动对社会经济活动的最终目的的研究。所以，不管以往的研究是否包括这种对目的的研究，在现时代，政治经济学必须既研究生产过程，又研究生活消费。从根本上说，研究生活消费，就是研究人类如何哺育自己。这其中包括研究生活消费过程的两个阶段，即研究生活消费的市场行为与使用过程。在现实中，生活消费的具体内容是无穷无尽的，也是时时更新的，但政治经济学的研究是抽象的，是概括性的分析人们的购买力与生活消费的关系，是从整体上讨论市场的消费行为中的理性与非理性的区别，是客观地认识生活消费中的自然与社会的约束。

一　收入水平与消费水平

　　生活消费是指劳动成果效用满足人们的生活需要。生活消费水平是指对人们生活消费劳动成果效用的数量与质量的程度的测定。根据测定对象范围的不同，可分为世界人口的生活消费水平，国家或地区的人口生活消费水平，家庭或个人的生活消费水平。根据测定的年代不同，可分为古代人口的生活消费水平，近代人口的生活消费水平，现代人口的生活消费水平等。从总体上说，生活消费水平与人口收入水平是相关的，二者对称，即达到多么高的收入水平，才会有多么高的生活消费水平。不论何时，脱离收入水平去追求更高的生活消费水平，从国家的角度讲，是不现实的。比如，低收入国家的人口生活消费水平不可能达到高收入国家的人口生活消费的水平高度。各个国家若要提高本国的人口生活消费水平，必须首先提高本国人口的收入水平。因而，在大体上，一个国家的收入水平基本上也可以代表一个国家的生活消费水平。

但是，就家庭消费讲，生活消费水平与收入水平有可能出现些许不对称的情况。这种不对称的产生取决于家庭消费，不取决于家庭收入。这就是说，在同等收入水平上，可能形成不同的家庭生活消费水平。这主要存在两种情况：一种情况是家庭的储蓄高，远远高于一般家庭的储蓄水平，因而影响家庭的生活消费水平，使其比同等收入水平的家庭的生活消费水平略低或低很多。再一种情况是家庭会过日子，能够少花钱多办事，能用同其他家庭一样多的生活费，过上明显水平高于其他家庭的生活。这两种情况都是存在的，但一般说过高储蓄并不值得提倡，而会过日子则是应该研究的。归纳这些家庭的会过日子，其生活消费不同于其他家庭的要点有：（1）购买同样质量的商品或劳务，选择价格最低的。在市场经济条件下，同样的商品，甚至可能是同一个厂家生产的同一批产品，在不同的商场购买，可能价格也会有较大的差别。这是因为各个商家由于自身的经营策略可对不同的商品实施不同的价格优惠，如果了解市场信息，就可以找到各种不同商品的最低价格出售商场，从而总是以最低的价格买到自己家庭生活需要的消费品。这样，会过日子的家庭就可能是用同其他家庭一样多的钱，买到比其他家庭更多的生活消费品，从而使自己家庭的生活状况明显好于同等收入水平的家庭。（2）不买用不着的商品。这样的家庭在消费的前一阶段上是十分理性的，只买需用的物品，从不乱花钱，不受商家打折等优惠的诱惑，只坚持一条，是自家需用的才买，不是自家需用的，再便宜也不买。仅此一点，就是一般家庭难以做到的。特别是一些已经进入小康的家庭难以做到的。购物尤其是去超级市场购物，带有很大的盲目性，商场一诱惑，自己就掏钱包购买。这样购物的结果，往往是买了一些很便宜但用不着的商品，等于无谓地增加了支出，而没有得到实际的用处。还有一些收入偏低生活不富裕的家庭，也是专爱买便宜货，不管是有用的还是没用的，总是见便宜就买，结果买回家就有用不上的，这使得日子过得更紧巴一些。这与人家会过日子的家庭相比，是存在很大差距的。也就是说，会过日子，就不能是见便宜就买，而必须坚持不买用不着的商品的原则。（3）奉行健康消费准则。在饮食上，一定要给全家人吃健康食品，不暴饮暴食。坚持将钱花在吃好喝好上，不花在看病上。一家人吃饭要讲求营养，一家人的生活环境要讲求卫生，不贪虚荣，讲求实惠，在保证家人身体健康上绝不省钱，这样才能使家庭的生活质量得到保障，不因忽略健康而更多地支出医药费。（4）杜绝对日用消费的浪费。凡会过日子的家庭都算得很清，一个月的日用消费品需要多少，并且可以做到用多少买多少，不会是买回许多，随便乱用，或过期扔掉。从吃的粮食、蔬菜、水果，到穿的衣服和日常的卫生用品，等等，都能做到有计划地消费，以适度为准，不贪多，也不图省事。这一方面有利于提高家庭生活质量。另一方面也有利于社会节省经济资源。（5）耐用消费品要保证长久耐用，要避免因使用不当而造成提前更换。会过日子的家庭，在购买耐用消费品时绝不凑合，一定讲求

质量，不图便宜。而在使用中，也会精心保养，以期延长其使用
寿命。这也是很精明的消费之道。如果对耐用消费品的购买和使
用都掉以轻心，不是买回的物品不耐用，就是使用中频频造成损
坏，那可是要大大影响家庭生活水平的。因为凡是耐用消费品，
都是价格较高的消费物品，经常更换这些物品，会减少其他方面
的消费支出，从而降低生活质量。然而，令人遗憾的是，在现实
生活中，家庭消费中不经济的行为似乎更具有一般性，也就是说
许多家庭在耐用消费品的购买和使用中不太注意精打细算，总是
造成自家的损失。所以，相比之下，会过日子的家庭在这方面颇
有心计，坚持保证耐用品的耐用，从购买到使用都格外注意，当
然这就会使在同等收入水平下这些会过日子的家庭可能过上高于
其他家庭生活消费水平的生活。

在历史与现实的常态社会，在各个时期内、各个国家、各个
地区、各个家庭，收入总体上总是不均等的，始终存在着相当大
的差距。因此，生活消费水平在不同时期，在各个国家、各个地
区、各个家庭之间也一直存在着高低悬殊的差别。所以，总的说
来，在不同时期，人们的生活消费水平是有高有低的；在同一时
期，人们的生活消费水平也是有高有低的。只不过在高水平的生
活消费与低水平的生活消费之间对比，有历史的相对性，也有国
家、地区的差别相对性，即古代有古代的高水平消费，现代有现
代的高水平消费，古代的低水平消费只能同古代的高消费相比，
不能同现代的高水平消费相比，同样，现代的低水平消费也只能
同现代的高水平消费相比，不能同古代的高水平消费相比。另一
方面，在同一时代，各个国家或地区之间都存在收入水平差距，
由此也决定了各个国家或地区之间的生活消费水平的差距同样具
有相对性。但是，无论是古代与现代之间相对性存在，还是国家
或地区之间的相对性存在，都不能妨碍我们对高水平生活消费或

低水平生活消费做出概括性的一般认识。下面，我们对不同水平的生活消费展开进一步分析，按照习惯分法，分别进行高水平、中水平和低水平生活消费的概括。

在农业经济时代，高水平的生活消费表现在吃上、在喝上、在穿上、在玩上，更表现在对人力劳务的作用上，八抬大轿是中国特色，而奴婢成群则是世界各国都有的，这种生活耗费是那时家庭富有的象征。而在现代市场经济中，高水平的生活消费更多地表现在对物质资源的占有和对高科技应用成果效用的享受上。在已实现了工业化的发达市场经济国家，家庭拥有轿车、拥有公寓住房，并不属于高水平生活消费阶层，尽管达到这样的生活水平在发展中国家已经是很高了。在发达国家，属于高水平生活消费的家庭，至少需要拥有豪华轿车和别墅。而在通常情况下，富有的家庭一般是拥有豪华别墅和游艇，更有一些富豪是拥有自己的私人飞机或古城堡。富人们可以在家里举办豪华宴会，招待他们的亲属、朋友和达官贵人。他们也可以做豪华的洲际旅游，享尽人间美食，遍游世界名胜。一般的吃、穿、住、行，对于他们不构成任何负担。他们是要在极为奢侈的物质条件下享受天下乐趣。在21世纪初看这个问题，可以说美国、德国、英国、法国、日本、加拿大等发达国家的商界富豪们均可以达到这一水平的生活消费，北欧的一些国家富豪也具有如此的消费能力，中东产油国的富豪可能是最为奢侈的，而发展中国家的少数富豪似乎在这方面比之发达国家的富豪也不逊色。这种高水平的生活消费不是杜撰的，而是现实生活中的事实。看一看世界各地的高档高尔夫球场，就会知道今日的富人们已经达到了什么样的生活水平。

但即使在发达国家，富豪阶层总是少数，大多数人还是过着中等水平的日子。这种中等的生活消费，也已是相当舒适了。凡是在这些国家能够达到中等生活消费水平的家庭，都普遍地拥有自己的轿车和宽敞的住房，也能够在假期去世界各地旅游，他们中可能有人工作压力比较大，但在生活上却是无忧无虑的。一般说来，在中等生活消费水平的家庭，子女都能受到良好的高等教育，从而也就能保障他们的家庭在下一代可以继续维护相同水平的生活。就这一水平而言，有一个比较明显的外在标志，那就是这一类家庭可以比较经常地在外就餐，而且比较讲究就餐环境。

从 21 世纪初的现实来看，在发达国家，低水平生活消费的家庭已很少了；但在发展中国家，低水平生活消费的家庭还占大多数。而更具差别的是，发达国家的低水平生活消费比之发展中国家的低水平生活消费，差距也很大。因为发达国家都有比较完善的社会保障，低水平生活消费的家庭生活不会低于国家规定的贫困线，而这种贫困线相对讲只是远远低于中等水平及高水平生活消费，本身的绝对值是足以保障一个家庭的比较体面的生活的。而发展中国家的情况是不一样的，那里的低水平是绝对的低水平，是衣食温饱都还比较困难的低水平。因此，当今世界，人类最需要付诸行动的是，集全球之力量，救助那些已是绝对贫穷的家庭走出困境，让他们也体会到高科技时代人类劳动创造的奇迹。

二 理性消费与非理性消费

凯恩斯提出的消费函数，准确地讲是生活消费函数。生活消费函数与生活消费水平是有不同涵义的。生活消费函数是人们的即期消费与收入之间存在的函数关系。有关生活消费函数的讨论是 20 世纪政治经济学研究中的一大热点。存在生活消费函数，即是说人们的消费支出与其收入是不等量的，消费支出总是按照一定的比值小于收入量的，在人们的家庭生活中总是存在一定的储蓄的。这就是说，生活消费函数表现的是消费总量的问题，是对应收入总量而确定的消费总量的存在。而要进一步讨论这个消费总量，我们需要指出的是，在这其中既包含理性的生活消费，也包含非理性的生活消费。

食品消费是最基本的生活消费。满足最基本的生存需要的食品消费，是理性消费组成部分。人们的食品消费支出占总的生活消费支出的比重，被称之为恩格尔系数，这一系数在高水平的生活消费中较低，在低水平的生活消费中较高。中国"城市居民恩格尔系数 1957 年降为 57%，1985 年降为 52.25%，1987 年为 53.47%，1988 年为 51.36%，1989 年为 54.5%，1992 年为 52.86%，30 多年来，城市居民收入翻了两三番，但恩格尔系数下降还不到 5%，而且不止一次出现反弹；农村居民恩格尔系数 1957 年为 65.8%，1985 年为 57.7%，1988 年为 53.4%，1990 年为 55.6%，1992 年为 56.8%，30 多年来只下降 9%，中间也出现过反弹。"① 这表明，直到 20 世纪末期，中国经济还是相当落后的，家庭生活消费水平总体上还比较低，恩格尔系数偏高就直接反映了中国在这一时期内家庭生活消费水平低的状况。因为在同一时期，美国、德国、英国、法国、日本、加拿大等发达市场经济国家的恩格尔系数普遍都已经低于 20%。

理性消费不仅要保障最基本的食品消费，还要保障人们的其他方面的生活消费。居无定所，是生活不安定的表现。安居才能乐业，人们对住房消费的需求不仅是要置于首要的大事考虑，而且住房支出也要占全部生活消费支出的较大比重。一般情况下，收入高的家庭对住房条件要求相对高，收入低的家庭的住房支出占生活支出的比重相对高。在理性消费的前提下，不论是租房、

---

① 尹世杰：《中国家庭消费的发展趋势》，《求索》1995 年第 3 期。

买房、还是个人盖房，总之人们必须解决自己住的问题。在这一消费领域，理性不仅体现在对住房的要求上，而且体现在对住房选择合理性的要求上，即人们选择的住房，既要方便与舒适，又要与自身的支付能力基本一致。一个低收入的家庭不便于购买高档住房，如果他们将自己有限的收入大部分用于住房支出，那会影响他们的其他生活消费支出的综合平衡。但这种理性的限制并不妨碍某些家庭对住房消费质量有明显的偏好，即他们可能愿意将自己的收入多多少少向住房消费方面倾斜。这种对住房条件的选择有较高一些的要求，应该说尚在理性消费的范围之内。

在低水平的生活消费中，服饰方面的消费支出是比较少的。穷苦的人们可能一年没有一件新衣服穿，身上的衣服穿破了总是补了又补。然而，对于中、高水平的生活消费而言，服饰方面的支出比重可能会仅次于住房消费。在富有的人的生活里，穿着打扮是重要的内容，添置新衣是经常的事情。尤其是比较富有的家庭中的女性，不分青年人还是中年人，不仅要买大量的化妆品，而且要买大量的衣服，一年到头地买衣服。从服饰的效用来讲，衣服是供人们穿的，不是供人们挂在那里看的，只要是有穿着的需要，多准备一些衣服是合情合理的，像现代白领女性似乎每天下班都要换穿一套衣服，更不能是一身衣服连着穿两天，不多准备一些衣服是不行的，所以，只要有支付能力，买好一些的衣服，多买一些衣服，使自己的穿着服饰很体面，更换衣服较方便，都是属于理性消费，无可厚非。但若过分地讲究，买大量的衣服放着不穿，使服装的效用得不到使用，那就是没有必要了，就不是理性消费了。在人们基本生活消费的范围之内，服饰方面的消费必须保持应有的理性。

除去最基本的生活消费，教育消费是最重要的理性消费。在现代社会，一个人只有接受足够的教育，才能跟上时代发展的步伐。一个家庭只有保证让子女接受良好的教育，才能保证子女未来的发展前途。所以，教育消费支出是社会重要的费用支出，也是家庭重要的费用支出。各个国家都要尽力办好基础的义务教育，办好高等教育。各个家庭都要保证让子女完成义务教育的学业，都应尽可能支持子女接受高等教育。

　　按照现代发达国家的生活消费一般标准衡量，旅游消费也是一种必要的生活消费。在收入有保障的前提下，不仅国内旅游是理性消费，国际旅游也是理性消费。据总部设在西班牙首都马德里的世界旅游组织于 2004 年 1 月 28 日发表的统计报告，2003 年全世界入境旅游的总人数达到 6.94 亿人次。[①] 而这一数值在 1970 年仅为 1.587 亿人次，也就是说，在 35 年之后数值翻了两番。这足以证明旅游消费已成为现代生活中的必要消费，成为一种普遍的消费内容。在现时代，发达国家的普通工人每年都享有固定的带薪休假期，利用假期出国旅游是每个家庭都要安排的活动。旅游具有增智健脑、开阔眼界、调整身心、缓解压力的综合健身作用，是时尚的消费，也是有益的消费。而且，国际旅游还有一种特殊的作用，这就是通过旅游可以加强各国人民之间的相互了解和友好交流，可借以沟通全世界人民的心灵，这对于人类消灭战争是一种积极的社会基础力量的准备。只是，到 21 世纪初，在全世界范围内，只有发达国家的人口才能比较普遍地进行国内旅游和国际旅游，而发展中国家还只有少部分人能进行国内旅游，更少的人才可以进行国际旅游。

　　高档的娱乐活动是高消费，是只有高水平生活消费的群体才能享受的生活内容。但在高科技普及的现代，大众化的娱乐消费已经在市场经济之中普及，即大众化娱乐已经进入普通家庭生活

---

① 参见《中国经营报》2004 年 2 月 9 日。

消费之中。在工作时间越来越少的年代，在比较枯燥的工作环境中劳累了一天之后，进行一些娱乐消费，放松一下身心，享受一点儿欢乐，是现代习以为常的生活方式了。所以，只要不涉及违法活动，不过度沉湎于娱乐之中，为了丰富自己的生活内容而参与娱乐活动，也是一种理性的消费。

家庭轿车的拥有和使用是最典型的现代家庭生活消费的内容。一辆高级轿车的价格与一套高档住宅的价格相等，所以，买一辆轿车似乎相当于买一套同等档次的住宅。不过，在现实之中，一般的人家都是先买房，后买车，即有了住宅再买轿车。由于现代城市的设计一直是在努力适应汽车时代的，因而，不仅家庭用车十分方便，更重要的是，在发达国家若家庭没有轿车则生活是十分不方便的。从这个角度讲，至少对于发达国家的人来说，购买家庭轿车，使之成为现代家庭生活的必备用品，不能不说是理性消费。但是，若换一个角度来认识，从人类现实生存的大环境来看，家庭轿车的普及，已经造成了严重的社会问题。不用说有多少人死于车祸，就说汽车普及造成的城市空气污染已不知使多少人死于不治之症。更严重的是，单单发达国家的轿车普及，就已经快使世界的石油资源耗尽了。如果世界上各个国家的人口都像目前发达国家人口那样拥有家庭轿车，那这个世界上的汽车马上就要使用别的能源，石油是绝不会再有了。当然替代石油的能源在高智力劳动的研究下，人类会找到的，而且肯定会更好用和更少污染。人们应当再理性地认识一下这个问题，是不是每一个家庭都必须拥有轿车，未来的家庭生活方式以及未来的城市设计是不是可以换一换模式，告别汽车时代，更加贴近大自然。

与理性消费相对应，非理性消费也是历史与现实的存在。从自然的角度而言，人类不可能完全消除非理性消费。过多地购买物品而买后不用，过多地进行娱乐消费，不论其买的是什么，也不论其娱乐的是什么，都属于非理性消费。但现实地讲，对非理性消费，一方面是不能消除的无奈，还有一方面是必须给予尊重的自然表现。这后一方面的非理性消费主要是指纯粹基于感情需要的消费，这是与失去理智的消费不同的。这属于非理性的感性消费，是人类丰富多彩生活中不可少的一类消费。比如，某人购某物，纯粹是出于一种感情的寄托，于物本身的效用无关，这种消费就是感性消费。

理性消费与非理性消费之间更重要的区别还在于对生活消费品的使用上。买了不用，不是非理性消费，而是浪费。非理性消费在使用过程中的表现是不会用或不太会用，也可能造成损坏，也可能产生不良效果。比如，吃饭吃太多了，喝酒过量了，吃了不洁净的瓜果，等等，都属于非理性消费。再如，炒菜放盐太多，电脑违反程序操作，电视机一会儿开一会儿关，电冰箱长久时间不清理，住房的装修破坏了房屋的结构，等等，也都属于非理性消费。

在现代经济生活中，理性消费是包括保险消费的。当然，过多的保险也是非理性的。强调保险消费是理性消费，只是说适当的保险是现代生活消费的必要内容。为了防备意外灾难造成损失，在市场经济条件下，家庭生活之中必须为住房、轿车、旅游等生活消费品购买保险，以防不测。如果不做保险，万一发生事故，比如发生火灾或交通事故等，家庭的损失就大了。现代社会已是保险社会，生产过程要保险，生活消费也需要保险。除了财产及活动需要保险，似乎每个人的健康也需要保险。在一些高福利的发达国家，医疗保险是由社会负责的。但在更多的国家，医疗保险还是由家庭负责，家庭可以通过保险来保证家庭成员的医疗费用，而不至于在没有保险的情况下陷入困境。主动地进行家庭必要的保险消费，是具有现代生活意识的理性行为，也是会当家理财的具体表现。相反，如果在现代生活方式下认为保险无用，保险是额外的支出，不是必需的消费，不愿对自己家庭的财产和经济活动做最基本的保险，在没有社会医疗保障下也不为家庭成员购买医疗保险，则是现代生活消费中的一种非理性的行为表现。

三　自然约束与社会约束

从 21 世纪初来看，现代社会生活消费发展趋势是物质至上。在发达市场经济国家，绝大多数的人每天都在合法地消费着大量的物资，包括清洁的自来水，廉价的水电或火电、不远万里运来的石油、优质的天燃气、建筑用钢材、汽车用钢材、天然纤维织物或人造纤维织物、精美的纸张、建筑用水泥、木材、沙石和其他材料等等。长期的生活富裕已使许多人习惯了这种现代化的物质享受，若生活之中没有随手可取的擦手纸张、没有空调机、没有汽车代步、没有可供直接饮用的自来水，人们会很不满意的，会认为生活一片混乱，失去了正常的秩序。可以说，高科技时代的到来在不知不觉之中已经养娇了发达国家的许多人。而更为严重的问题是，这些物质至上的人开创的现代生活方式仅仅是先导，在现实之中，还有更多的人正在向他们学习，也要努力过上与他们一样的生活。众所周知，目前一些正在加快发展步伐的发展中国家的发展目标就是也要让本国人民的生活方式同发达国家人民的生活水平和生活方式一样。从社会逻辑上讲，这些发展中国家要实现的目标是合情合理且公平的。在地球之上，既然发达国家人民有权力享受现代化的物质生活，那么其他国家的人民在其之后也应该同样有权力享受现代化的的物质生活。如果不允许发展中国家人民去追求发达国家人民已经实现的物质享受，那就是一种社会歧视，是国家与国家之间的不平等，而且也是对发展中国家社会发展的压制。在现时代，从全球范围看，在发达国家与发展中国家之间存在的矛盾是很尖锐的。对发达国家取得的成就的盲目赞许，包括对其人民物质至上的生活方式的赞许，已经引起了严重的后果。发达国家的成就实质上是人类的成就，意义深远而重大，只是不能对其盲目的消费方式也给予肯定。无论如何，人类的力量终究是有限的，人类是生活在自然之中的，只就现代的发达国家的人民生活方式讲，如果全世界的发展中国家都向发达国家看齐，像现在他们那样充裕地享受物质生活，那么，很显然，人类现在的生存空间内的自然资源是绝没有这样的支撑能力的。

人类社会的成长，在某种意义上，就像一个人的成长，年轻的时代是在没有经验的状态下走过来的，所以，已经被证明是理性不足的过去的经验，不能成为今后生活的样板。即使有更多的人欢喜那种物质挥霍和潇洒，但事实上后来者已经失去了模仿那些先行者的条件。自然界不允许人类过度地索取，地球上可供60亿以上人口生存的自然资源毕竟是有限的。人们都知道，从现在起，石油资源将在几十年之后枯竭，煤炭资源在几百年之后告罄，淡水的稀缺足以引起国家与国家之间的争斗，富有的铁矿、铜矿、锌矿、铝矿等各种矿山差不多都已经在开采中或正准备开采中，而人们赖以生存的农田，面积也在一年比一年缩小，且肥力也在不断地下降，凡是有人居住的地方尤其是大中小城市的空气或多或少都已被污染了，如果形象地讲，养育人类的地球早已不堪重负，早已在痛苦地呻吟。今天，用理性的头脑来认识，不是大自然不慷慨，也不是地球不养活更多的人，实在是人类太无知，太缺少对自身的认识，实在是政治经济学的研究太落后，没有意识到发达国家在发展高科技的同时，也在过度地消耗着和破坏着人类的生存条件。目前发达国家人民的现代化生活水平和生活方式根本不能成为未来世界各国发展的目标模式，太多的物质消耗已经是地球承受不起的，更不可能全球普遍化，这是来自大自然的本能约束。而且，人类更是没有必要反自然状态地生存下去，物质至上的现代生活是不可取的。政治经济学的理论研究必须客观地认识和反映这种自然对人类的约束，不能脱离自然的根本约束肯定已有的物质生活消费方式。

另一方面，人类生活消费之中也存在着社会理性的约束。社会通过法律、行政、经济等各种手段指导和引领人们理性消费，就是社会约束的体现。

国家实施义务教育是社会进步的重要表现。这说明，社会已对消费中的基础部分进行了有效控制，由社会统一完成基础教育消费的任务，不再将这方面的消费责任放在各个家庭的自主之上，这就构铸了现代社会发展的基本条件。任何家庭不能阻止子女接受义务教育，这是现代社会的约束。

在现代娱乐消费中，社会也要在某些方面做出约束的规定。比如，限制未成年人观看表现恐怖和性生活内容的影视片。这不是歧视，而是理性的规范。常态社会中的约束只是为了尽可能地减少一些负面作用。

规定未成年人不得饮酒，将未成年人饮酒列入违法行为，也是社会对人们的生活消费做出的一项重要约束。但是，目前这项约束并不普遍，并不是每个国家都这样做。值得庆幸的是，有些国家对此不仅法律规定很严格，而且执法也是很严格的，起到了表率作用。关于这一约束，应当是普遍性的，即应当是贯彻于每个国家的。并且，这种约束还应当进一步发展为对成年人饮酒量的限制上。现在，各国只严禁驾驶机动车辆和飞行器的人饮酒。

在发展中国家，社会还需要对一些奢侈性消费做出约束。比如，征收高档宴席税、提高高档商品的消费税率，等等。

为了保护野生动物，世界各国都制定了相关法律，禁止人们随意捕食野生动物，禁止人们为获取野生动物皮毛或器官而滥杀野生动物。这也是对人们的生活消费的一种社会约束。

为了保护耕地，各国都严令禁止破坏耕地，不许用耕地建造住宅或其他场所。这既是对农业粮食生产的保护，也是对人们住宅消费的一种限制，这是社会理性在人类基本生活消费方面做出的必要约束。

为了人民的健康，各国都对各种食品的售卖做出法律法规的约束。比如，要求香烟包装盒上必须注明"吸烟有害健康"。要求食品必须注明生产日期及保质期或保鲜期。要求保健品必须经政府有关部门批准才能出售，并且必须附有详细的说明书。

总之，现代社会还处于常态之下，还存在许多的不文明乃至荒谬和野蛮的地方，但是，社会的理性仍是进步的，已经能够在相当高的程度上对全社会的生活消费实施多方面的有力度的约束。这种建立在自然约束基础上的社会约束，有利于人类的生活消费健康地发展，也有助于人类更好地与自然界的一切生物和非生物和谐地相处。

第三十七章　生　产　消　费

生活消费不等同于生活，生活比生活消费有更多的内容。同样，生产消费也不等同于生产，生产比生产消费有更多的内容。生产是劳动整体作用的发挥，而生产消费只指劳动整体中的资产条件作用的发挥，即只是生产过程中对作为生产要素的劳动成果效用的购买和使用，不包括劳动主体和劳动客体中的自然条件在劳动整体中发挥作用。研究生产消费，即是对作为生产要素的劳动成果效用的购买和使用的研究，也是生产和再生产理论研究的组成部分。

一　生产消费函数

生产消费是生产过程中对作为生产要素的劳动成果的购买和使用，是劳动客体中的资产条件部分在劳动整体的活动过程中发挥作用。生产消费过程也包括两个阶段，前一阶段是取得使用作为生产要素的劳动成果效用权力的阶段，后一阶段是对这一部分劳动成果效用的使用阶段。作为生产要素存在的劳动成果是生产消费品。在企业，生产消费品是企业资本投入中的一个组成部分，并不等于企业的全部资本投入。在国民经济中，生产消费品一方面是社会总的劳动成果创造的一部分，一方面又是社会总的资本投入中一个组成部分，也并不等于社会的全部资本投入。

生产消费品在不同时期的资本投入中占有的比例可称之为生产消费倾向，即不同时期会有不同的生产消费倾向。一般情况下，生产消费倾向是指平均生产消费倾向，即指社会总的生产消费品占社会总资本投入量的比例。除去平均生产消费倾向，生产消费倾向还包括边际生产消费倾向，边际生产消费倾向是指一定时点上的生产消费品增量占资本投入增量的比例。

假定，以 PC 表示生产消费品的价格总量，K 表示资本投入，△表示增量，那么可将平均生产消费倾向与边际生产消费倾向分别用以下公式表示。

$$平均生产消费倾向（APPC）= \frac{PC}{K}$$

$$边际生产消费倾向（MPPC）= \frac{\Delta PC}{\Delta K}$$

不论是平均生产消费倾向，还是边际生产消费倾向，也不论是企业资本，还是社会资本，在资本的总投入与资本的生产消费之间都表现为一种函数关系，这种函数关系可称之为生产消费函数。

生产消费函数是指表示生产消费与资本投入之间依赖关系的函数。

对生产消费函数，可用下式表示。

$$PC = f(K)$$

预测 21 世纪社会经济发展走势，我们提出一个将来可以验证的假说，即现阶段的平均生产消费倾向是呈下降趋势的。这一假说是指，在今后一段时期内，社会生产中不断增加的资本投入的边际生产消费倾向是逐步下降的，由此决定整个社会的平均生产消费倾向呈现下降势态。

根据上述假说，即假定 21 世纪期间平均生产消费倾向是下降的，我们用下图表示一组不同的平均生产消费倾向。

我们用图 37 - 1 中的 a1、a2、a3、a4、a5 各线分别表示 2001、2025、2050、2075 年及 2100 年的平均生产消费倾向，则可再用图 37 - 1 示意这一时间段内的平均生产消费倾向下降的趋势。

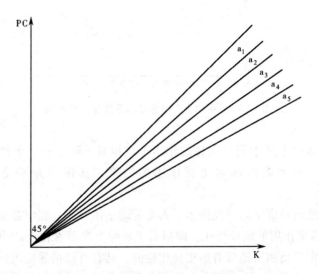

图 37 - 1 不同的平均生产消费倾向示意图

在确定相关的统计数据之后，21 世纪的平均生产消费倾向的变化情况是可以验证的。我们提出的平均生产消费倾向下降的假说，是根据人类劳动整体的发展趋势对现阶段经济发展趋势的认识。如果我们提出的假说得到验证，是大体符合 21 世纪主要国家的经济发展的事实，将可说明在同时期内人类劳

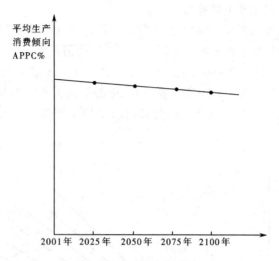

图 37 - 2　平均生产消费倾向下降趋势示意图

动整体的发展中资产条件的作用正在相对下降，资产条件在现阶段作为劳动内部起主要作用的因素，其作用并不是相对强化。

　　政治经济学的研究揭示了人类劳动整体发展进程中劳动内部4 种因素作用的地位变化，即揭示了各种生产要素在生产中所发挥的作用是相对地带有历史变化性的，具有直接指导应用经济理论研究的意义。在客观上，生产要素在生产中的作用相对变化将直接影响投入生产要素的人与人之间的关系变化，影响社会财富的分配与再分配，影响生产的组织形式与再生产的进行，因而，政治经济学的这方面研究，不论是对宏观经济调控，还是对微观经济管理，都是有着新的理论指导作用的。其中对于微观经济研究最重要的是，这将促使现代企业生产经营理论更进一步地讨论有关制度变迁等深层次问题。

二 生产必需消费系数

在现代市场经济中，可将生产消费分为生产必需消费与生产非必需消费。关于这种划分，我们做如下界定：生产必需消费只限于生产过程中对厂房建筑、机器设备、原料、材料、能源及技术服务等方面的消耗。其余的生产消费，如金融服务、保险服务、通讯服务、广告服务、法律服务、运输服务、业务培训、员工素质教育等等，都属于生产非必需消费。

无论是国家或地区，还是企业或个人，只具备生产必需消费条件，不具备生产非必需消费条件，在其他生产条件完备的前提下，可以进行生产，创造新的劳动成果；相反，只具备生产非必需消费条件，不具备生产必需消费条件，在其他生产条件也是完备的前提下，却不能进行生产，不能创造出任何劳动成果。生产必需消费是生产的基础，是生产消费的核心，是劳动成果创造中的重要的物质保障条件。区分生产必需消费与生产非必需消费，是生产与生产消费研究的重要理论问题。这是对生产消费的进一步细化，由此可以揭示生产消费的基本结构及其历史变化。

生产必需消费占生产消费总量中的比例，可称之为生产必需消费系数。这一概念可用下式表示。

$$\text{生产必需消费系数} = \frac{\text{生产必需消费量}}{\text{生产消费总量}}$$

生产必需消费系数不可以是零，但可以是1。在实际生产中，生产必需消费系数应该是 >0 和 ≤1 的。生产必需消费系数越接近1，说明生产必需消费在生产消费总量中所占的比例越大；反之，生产必需消费系数越小，说明生产必需消费在生产消费总量中所占的比例越小。

在工业革命时代，生产消费基本上均为生产必需消费，即那时刚刚开始大工业生产，各种生产非必需消费条件还没有出现。许多工厂生产出来的产品，不用包装，就地销售，甚至连社会化的运输服务也不需要。在初始的工业文明中，没有人卖广告，也没有专门的培训机构，金融服务也是很有限的。

但随着历史的推进，在生产中，生产非必需消费逐步增多。待到新技术革命之后，生产非必需消费的比例进一步加大。这也就是说，自工业革命之后，生产必需消费系数一直是下降的。

生产必需消费系数的下降说明，现代市场经济的特征之一是，生产中的非必需消费已占有一定的比例。这主要表现在以下方面：（1）生产消费的金融服务增加。从没有金融服务介入生产之中，没有证券市场为企业服务，到有借贷资本大量涌进生产企业，到世界各地都建立了庞大的证券融资市场，这是几个世纪以来，人类社会经济运动发生的巨大变化。这种变化影响每一个生产企业的生产消费，使其依靠金融服务进一步提高了企业的生产效率。（2）生产之中需要的保险服务增加。在工业革命时代，保险业还未产生。但到了新技术革命之后，保险业已是无所不在地提供各项服务了。每一个生产企业都要为生产购买各式保险。比如，航空公司要为每一架执行航班任务的飞机购买保险，无一家公司例外。保险费用的支出已是各类企业正常的生产成本。（3）广告服务的增加。现代社会已经是一个广告社会。户外有数不清的广告，电视里有没完没了的广告。现在，几乎没有不做广告的企业，只有广告的方式及投入量大小的区别。因此，广告服务的消费量增加，也大比例地提升了生产非必需消费。（4）其他方面的生产非必需消费的增加。如运输服务、法律服务等等，这在目前各个企业的生产中也都占有相当大的消耗比例。

由于在现代市场经济中，生产必需消费系数比工业革命时代降低了许多，因而，以生产实践的结果衡量，可将生产必需消费系数的高低作为判断社会经济发展程度的一种测定指标。这就是说，与同期相比，经济发达国家或地区的生产必需消费系数低，经济落后国家或地区的生产必需消费系数高。

根据生产必需消费系数的高低，可将现阶段各个国家或地区的社会生产消费基本结构分为 4 种类型：（1）起步型。这是指刚刚由农业经济向工业经济转化时的社会生产消费基本结构。其生产必需消费系数较高。（2）粗放型。这是指工业经济已经发展到一定规模时的状况。其生产必需消费系数较前期已有下降。（3）集约型。这时的工业经济发展已有了相当的基础。其生产必需消费系数又有了进一步的下降。（4）发达型。这是指完成了工业化之后的状况。其生产必需消费系数可依美国、德国、日本等发达国家的实际生产必需消费系数的测算而定。

三 生产消费与人力使用

生产消费是劳动客体中的资产条件发挥作用，其性质是受动的，不是施动的，施动的一方是劳动主体，即劳动者是从事生产消费的主导和主动方面。在生产过程中，或是说在进行生产消费时，有 3 类劳动者即人力要与生产消费的劳动成果作用相结合：一类是生产线上的操作工人，再一类是负责生产技术工作的技术人员，还有一类是负责企业经营与管理包括管理生产车间的管理人员。

操作工人与生产消费的关系是最直接的劳动者与用于生产消费的劳动成果作用相结合的关系，操作工人的数量，工种及工种级别都是由生产消费本身的技术决定的。假定，投入一条生产线，这条生产线的技术要求是配备 20 名操作工人，其中要求 14

名装配工、2 名搬运工、2 名维修工、2 名打包工，并相应要求
各工种工人必须达到的操作级别。在任何生产组织中，人们都应
遵守这种技术性的规定，按技术要求配置操作工人不能多，也不
能少，其工种级别也要符合要求。

为生产消费提供技术支持的技术人员的数量，自有生产规模
决定的低限，一般企业应满足最低限配置的数量和质量的要求。
只是，实际上每个企业具体配置多少技术人员，配置了什么样的
技术人员，不是由技术人员决定的，而是由管理人员决定的。有
魄力的管理人员往往会适当多配置技术人员，远远超过最低限数
量，并且还要在质量上保证所配置的技术人员的水平。一般有实
力的企业的实力就体现在它所配置的技术人员发挥的相应作用
上。也可以说，这是少投入多产出的人力资源配置的经验。

管理人员对生产消费的实现起决定作用。操作工人和技术人
员的配置都是由管理人员决定的。选择什么样的生产消费方式，
消费什么样的劳动成果，消费要达到多少量以及怎样进行生产消
费，这些事情也都是由管理人员决定的。而且，一共配置多少管
理人员，这也要由管理人员中的高层决策者决定。在生产企业，
管理人员是灵魂，也是主干，他们肩负着最重要的生产使命。在
生产消费中的管理人员的作用，也是其他劳动者的作用无法与之
相比的，他们在各个环节上都起统领的作用。

一般讲，管理人员对生产消费的选择有技术系数要求，即要
求其消费的整体构架必须达到一定的技术水平。如果生产某类产
品已经确定，那么管理人员的第二步工作就是选择怎样的生产设
备和工艺。这时，有最先进的设备和工艺，一般就应该选择最先
进的设备和工艺，否则，企业就难以获得市场竞争力。但实际情
况并不一定是这样，事实上管理人员的选择要从企业的状况出
发，从市场出发，来做出适当的决策。如果次先进的设备和工艺

更适合他们企业使用，比如由此可降低生产成本，也可安排4班生产来弥补次优设备的效率，那管理人员选择次先进的设备和工艺可以说是更为明智的。在现实条件下，只要企业制度能有效地控制管理人员，并可以让管理人员放手工作，那么从总体上讲，关于生产消费技术系数的选择，企业的管理人员大都能够根据企业的情况和市场的走势做出比较正确的决定。这项管理工作是复杂的，也是关键性的，就具体企业而言，不可能存在现成答案，必须要经过管理人员的艰苦工作之后才能做出最终选择。

　　管理人员对具体的生产消费品的选择可灵活把握，根据价格、品质、服务以及交货方式等方面的比较，做出最终的购买决定。就机器设备的具体购置讲，在确认了技术系数要求之后，也可有不同的产品选择，即选择哪一个厂家生产的设备也还要做具体的分析才能决定。再有，市场上出售的设备，有全值设备，减值设备和残值设备，俗称一手货、二手货、破烂货，一般发达国家的企业都选择一手货，而发展中国家的企业并非全都选择一手货，也有一部分企业会选择二手货，甚至破烂货，例如，中国改革开放10多年之后，北方的一家著名的纺织企业买了日本一家企业拆下来的一套针织服装生产设备，性能比较先进，价格相当便宜，结果取得的经济效益相当好。再如，中国南方的一家钢铁企业在20世纪末期到德国买了一套二手的轧钢设备，虽说不是新产品，但其技术性能与同期国内的已有设备相比还是比较先进的，这家企业依靠这套相对先进的二手设备在中国钢铁市场低潮时保住了自身的经济效益。更需要说明的是，市场经济潮起潮落十分复杂，在有些时候，购买别人淘汰下来的残值设备进行策略性的生产经营也未必不可，只要残值设备可以用，企业在创业阶段使用这样的设备也是明智的选择。当然，除了特殊时期和特殊情况，企业管理人员决策购买机器设备，主要是全值设备，是新产品或最新产品。在同等质量和性能的产品中，选择价格最低和服务最好的。在同等价格和服务的产品中，选择质量和性能最好的。如果生产消费品的质量、性能、价格、服务等各个方面都比较适合，那管理人员还要就其付款方式、运输费用、供货时间及技术保障等方面的情况进行比较。

由于管理人员在企业承担的责任是最重要的，因此，对于管理人员的选择相对说来也是最重要的。尤其是对主要管理人员的聘用，无疑是做好管理工作的关键。一支好的管理人员队伍不可缺少优秀的带头人，带头人的作用是企业内部的最高智力作用的体现，因而也是决定企业劳动整体水平高低的作用。而对企业一般管理人员的选择，同样也是不可掉以轻心的。企业的各个管理岗位，一环套一环，一环出了问题，就会影响整体的工作。因此，对于一般管理人员，一方面是要慎重选择，一方面是要认真培训。企业只有保证管理人员队伍的优秀性，才能保证生产经营取得优秀的业绩。在管理规范和严谨的企业，生产消费之中会处处洋溢着与作为生产要素的劳动成果作用相结合的劳动者的卓越的理性光彩。

四　智力作用与技术进步

星移斗转，生产消费的历史性变化，直接地显示出技术进步的力量。美国经济学家罗伯特·M. 索洛分析了美国 1909~1949 年的统计资料，证明"生产函数中累计的技术变化约为 80%。于是有理由认为在产出总增长中，约有 1/8 是由每人小时资本的增长带来的。而其余 7/8 则是技术变化的结果。"[①] 他还指出：

---

① 罗伯特·M. 索洛等：《经济增长因素分析》，商务印书馆，1999，第 12 页。

"所罗门·法布雷坎特曾经估算过 1871～1951 年期间劳动生产率的增长中约 90% 可归功于技术进步。"① 而这种对劳动生产率的提高起主要作用的技术进步，是与生产消费有着密切联系的。事实上，所有的技术变化或技术进步都是在生产消费中实现的，生产消费的变化也主要是由技术变化或技术进步引起的。

在生产消费中表现出来的技术进步，是政治经济学需要概括性地讨论的问题。在现实生产中，人们对技术进步的认识可能有多种角度的表述差别，但认识的基本点是一致的，即技术进步表现为新的具有更高生产效率的技术对旧的技术的取代。这种不断实现的多层次大范围的各种各样的取代，主要可归纳为以下几个方面：（1）新的产品提供。包括生产消费新产品和生活消费新产品，由于技术进步，实现了新的样式或品质的开发，从无到有，突出表现了新技术带来的新变化。如在 20 世纪末期才风靡世界的手机通讯，是前所未有的，可现在是做到了全球移动通讯，用手机在瞬间内可与世界各地通话。（2）新工具的使用。电子计算机既是新产品也是新工具，电子计算机的普及开创了人类劳动工具发展的新纪元。而在更广阔的领域，由普通机床向数控机床发展，由手工焊接发展到机控焊接，由手扶犁向拖拉机的发展，等等，都是在 20 世纪中出现的新工具的变化。（3）新工艺的使用。在炼钢、炼铝、炼油、建筑等行业，目前使用的新工艺的技术性能大大地改进了，因此大幅度地提高了生产效率和产品质量。（4）新材料的开发和使用。如塑料是 20 世纪才开发的新材料，现在已广泛地应用于各个生产领域。（5）新能源开发与使用。水能资源的利用是 20 世纪的最辉煌的成就之一，这是既洁净又便宜的能源使用。而由煤炼油技术的应用也使日益紧迫

---

① 罗伯特·M.索洛等：《经济增长因素分析》，商务印书馆，1999，第 12 页。

的石油资源的枯竭得到了技术性的缓解。（6）操作方法的创新。改进工具的操作方法也可提高生产效率。所以，在生产实践中，人们总是在不断地摸索改进操作方法，以革新技术。（7）新的软件设计，自从电子计算机问世之后，软件技术就成为一个重要的技术领域，软件技术的改进可极大地提高电子计算机的工作效率。（8）技术应用领域的扩展。将一项新技术由一个领域扩展到另一个领域使用，这也是技术进步的表现。

在以往的研究中，分析经济增长与经济发展，讲到技术进步的作用，就不再往下分析了，这种分析方法对于解释现实的经济运行关系是足矣了，但对于政治经济学的理论探讨是不够的。从经济基础理论来认识，技术进步并不是物质的自然运动，而是人与自然交流取得的新的成果，是由劳动者的智力提高促使的劳动整体技能提高的物化结果。因而，只从物质角度，从生产消费的劳动成果效用的角度，认识技术进步，不能揭示技术进步的实质原因，也不能解释经济运动的提升力量。在运行的分析中，一种普遍的认识是，技术进步是投资的结果。这种认识固然没错，没有投资，就没有技术的研发。但是，从逻辑上讲，有了投资，却不是投资在做技术研究工作。实质上，不论是哪一方面的技术进步，都是在劳动主体的施动下完成的，即都是劳动者工作的结果。这就是说，全面地看，生产消费是由管理劳动者控制的，如何进行生产消费是管理劳动者的选择，生产消费中的技术进步是投资的结果，投资也是由管理劳动者决定的，而技术的提升即新技术的创造是科技劳动者努力的结果。在政治经济学的研究中，不能只见物，不见人，单纯用货币和资本的运动来解释经济是不可取的。对于最简单的技术进步，在政治经济学的认识上，也要确定这是劳动主体的作用决定的，而不能单纯只讲劳动客体改变的结果。

　　技术进步是生产消费中最关键的部位。对促进技术进步的管理劳动者和科技劳动者的作用再进一步抽象，就是人类劳动整体发展中的智力因素作用的提升。正是由于产生了这一主体性的作用提升，才可得到客体性的具有更高生产效率的技术提升。

　　管理劳动者对生产消费的理性决策产生的技术进步，是人类的自觉创造力在企业生产中的体现。管理劳动者的头脑是在生产环境之中不断地受到新刺激才获得智力水平提升的。没有运动的存在和刺激，管理劳动者的头脑不会具有更高的能力产生。一名管理劳动者一生从事管理工作，他的一生实质上就是一种智力提升的过程。一代又一代管理劳动者在企业历练打磨，不断的工作刺激和不断的新老交替，使管理的智慧具有了越来越高的实践水平，这一点实质上是现代市场经济繁荣的基点，也是现代生产消费技术进步的主体性作用保障。

　　技术进步的具体实施是科技劳动者的使命。科技劳动者的智力作用决定了生产技术由低级向高级发展，由高级向更高级发展，越来越复杂化，即技术的复杂程度越来越高。没有科技劳动者的智力奉献，只有管理劳动者的英明决策，也不能推动技术进步。在生产消费的发展变化之中，科技劳动者的智力创造作用是管理劳动者无法取代的，对于专业的技术，只有钻研到最前沿，在确有物质条件的保障下，才可能取得创新。就此而言，真正能起创造作用的技术人员在科技劳动者之中也不是普遍性的，事实上这种技术人员只是少数，只有尊重并保护这些优秀的科技劳动者，才能在投资的保证下，具体地实现技术进步。

第三十八章 乏值效用

劳动生产的目的在于消费，消费不光是购买，更重要的是使用。购买劳动成果之后，不使用这些劳动成果，只以购买为乐趣享受，是消费目的未实现的扭曲的消费行为，其实质是浪费，是对劳动和劳动成果的浪费。世界上，无论在哪里，都不乏存在有意或无意造成这种浪费的人。政治经济学的研究并不能以此事实为依据将这样的非理性行为视为必须接受应该尊重的客观认识基础，从已经丢失了消费目的的行为出发进行理论研究，去认识市场运行和经济发展。若赞赏扭曲的消费行为造成的浪费，那是违背人类最基本的生存逻辑的。人类是渺小的，人类在自然界生存绝不能有如此浪费的狂妄行为。政治经济学的研究必须揭示人与自然和谐交流的劳动生存本质，必然批判人类自身对自然不尊重和对自身也不尊重的愚蠢行为，而绝不能鼓励和放纵任何组织和个人的任何方式的浪费。只有无视大自然对人类的约束的人，才会在经济理论的研究中将所谓的心理满足与人的生存需要相混淆，做出本末倒置的理性认识。科学的认识必须是研究消费全过程的，必须是研究劳动成果效用的使用的。因此，在杜绝不使用造成浪费的前提下，在讨论了生活消费与生产消费之后，我们还需要专门对劳动成果使用过程中的乏值效用问题加以阐释。有关这方面的研究是自 20 世纪 90 年代初开始的。[①]

一 实用效用与乏值效用

实用效用是指劳动成果实现了社会效用与自然效用的统一之后在使用过程中自然效用实际发挥了满足消费目的作用的效用。实用效用的多少不表示效用的使用率，只表示效用在消费的实际使用中所起的作用量。

乏值效用是指劳动成果实现了社会效用与自然效用的统一之后在使用过程中自然效用未能起到满足消费目的作用的效用。乏值效用的存在是一种损失，但与购买了劳动成果又不使用的浪费不同，也不等同于劳动成果在使用过程中的浪费。在消费的过程中，出现乏值效用，包含在使用过程中的浪费情况，但其更表现为一种在一定的自然和社会条件下不得不付出的无奈的损失。将这种在效用的使用过程中出现的浪费和无奈的损失称之为乏值效用，源于对物理学中的电学概念的借用。

电厂发出的电与实际作功的电是不等量的，其中的差额被称之为"乏"（var），即 voltampere reactive 无功功率。从政治经济学研究的角度看，"乏"就是在使用过程中未能起满足消费目的作用的电效用。以此情况类推到其他所有实现了社会效用与自然效用统一的劳动成果，我们就会发现，似乎每类劳动成果的效用在使用过程中都或多或少存在这种"乏"值情况。因此，借用电学概念"乏"，我们将劳动成果效用消费的使用过程中存在的这种普遍情况，称之为乏值效用的存在。事实上，乏值效用不同于未进入使用过程中的

---

① 参见钱津：《论乏值效用》，《中南财经大学学报》1990 年第 6 期。

闲置效用，也不同于进入了使用过程起破坏作用的负效用。简单地讲，乏值效用就是进入了使用过程却没有实现消费目的的效用。

电学中的"乏"值存在见下图 38 – 1。

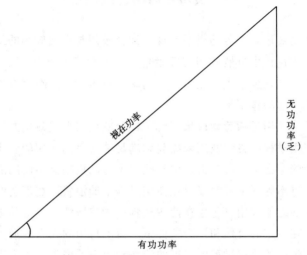

无功功率（乏）

视在功率

有功功率

图 38 – 1　电学中表现的无功功率存在

　　对此，政治经济学的研究可以借用电学概念"乏"值的图形表示，对国民经济运行中的乏值效用的存在以图 38 – 2 表示。

　　在图 38 – 2 中，直观地表现了进入使用过程的劳动成果效用、实用效用与乏值效用之间的关系。在上述三角图形中，斜边线的倾斜度越小，乏值效用就越少，实用效用就越多；反之，斜边线的倾斜度越大，乏值效用就越多，实用效用就越少。诚然，斜边线的倾斜度极限是 90°，若此，实用效用为零，劳动成果的效用全部都成为乏值效用。这种情况是有的，比如，一瓶油全洒了，就没有实用效用，全是乏值效用。另一种极端的情况是，斜边线的倾斜度为 0°，此时，乏值效用为零，劳动成果的效用全部为实用效用。

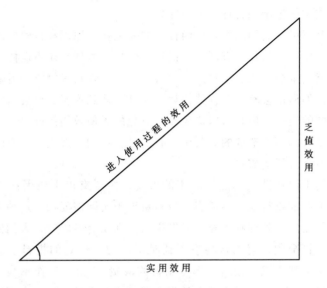

图 38 - 2 使用过程中的乏值效用存在

乏值效用的产生，有些是不可避免的，有些则是可以避免的。就乏值效用讲，可以避免却没有避免的损失是浪费，不可避免的损失是无奈。人类使用自身创造的劳动成果，完全做到物尽其用，全部都实现实用效用，没有任何浪费和无奈的损失，这在人类历史上过去做不到，在今天的现实中也做不到，到了未来更高级的社会也还是不能完全做到。只是在不同的历史时期，受人类劳动整体发展水平的制约，因技术的原因，不可避免的乏值效用的相对量是有所不同的。人类劳动整体的发展水平越高，技术越进步，不可避免的乏值效用的相对量应越少。就目前来说，经济发达国家的不可避免的乏值效用的相对量较少，经济落后国家的不可避免的乏值效用的相对量较多。降低乏值效用的相对量，包括降低可避免的乏值效用和不可避免的乏值效用，都需要依靠科学技术的进步和管理水平的提高。

就不可避免的乏值效用而言，主要是技术原因和自然原因决定的。比如，从技术方面讲，锅炉的燃烧技术现在还不能使燃料的热能完全被利用。从自然方面讲，水泥、煤炭等物资的运输过程无论如何都会有一些自然损耗。而且，遇到灾害，也会造成各种各样的损失。但是可以避免却未避免的乏值效用的产生，绝大多数是人为因素造成的。其中，有的是管理问题造成的，有的是工作不负责任造成的。

属于浪费性质的乏值效用的出现，主要有以下原因：（1）投入生产的物料配比不适当，投料量大于实际需要量。这种情况往往是在生产管理缺乏经验时发生的。在没有经验时，人们做事往往宽打窄用，就怕备料少了到时不够用，计划的投料多多益善，结果就造成了相当一部分用料的浪费。（2）操作不当，费时费料。这是由于操作工人的作业存在应改进的地方，在不适当的操作完成后，造成损失。比如，掘进岩石巷道，工人打炮眼的角度不对，没有将掏槽眼打好，结果掏槽眼放炮起不到掏槽作用，一茬炮白放了，没有炸开洞，既费了炮药，又费了工时，还得重新再打眼放炮。（3）发生事故造成损失。不管是意外事故，还是责任事故，反正发生了事故就可能造成损失。比如，用电炉炼钢，突然停电，结果报废了整炉的钢。用计算机处理数据，突然停电，也要造成大量的数据丢失。人为造成的火灾事故，也是屡屡地造成损失。（4）不按规定使用设备，造成设备提前报废。一台设备本应使用 10 年，由于乱用，不到 5 年就报废了，也是一种重大的损失。有的人工作责任心太差，缺乏正确操作的基本知识，往往是违章作业，这样天长日久，许多设备就毁在他们手里。（5）有使用没有效果。所投入的生产消费品都浪费了。比如，修水坝，投入了大量的人力物力，尽管物资都用了，水坝却没有修起来，材料都让大水冲走了。再有，有的人开着机器不干活，空耗机器，也耗电。（6）大马拉小车。用大设备生产小零件，用大提升机提升小物件，用大汽车运很少的货物，打开所有的照明灯只为一个角落的工作使用，用1支炮药就能炸开的炮眼被装进了5支炮药，等等，都属于这一类型的人为损失。（7）使用材料大手大脚，使一半扔一半。这也是管理上的问题。在缺乏有效的控制下，人们会养成浪费的习惯，从办公室到车间，到处都是随意性，对材料不是精打细算，而是怎么省事怎么用，这会造成相当大的材料浪费。（8）社会动乱造成的损失。这种损失的出现尽管不是很频繁，但一旦产生，损失巨大。比如，国内政局的混乱可能造成大量的企业无法正常生产。而恐怖分子发动的袭击，也可能造成极大的社会损失。

在生活消费之中，也处处存在乏值效用。许多生活消费品难以实现物尽其用。比如，用瓶给孩子喂奶，留在奶瓶中的残奶，是无法再用的。面包师粘在手上的面粉，只好洗去，无法再利用。吃饭剩下的饭菜被扔掉，这也是一种普遍的浪费。打电话说一半忙别的事，让电话线空占着。提前报废的家具。穿了没有几天或没有几次就扔掉的衣服。在这方面，也有举不完的例子。这些也都是乏值效用存在的表现。

二 实用效用率与效用因数

由于难以完全避免乏值效用，所以在任何时候，劳动成果在使用过程中也不可能100%都是实用效用。实际上，实用效用只能占投入使用的效用的大部分或绝大部分，其余的那一小部分或极小部分是乏值效用。实用效用占所投入使用的全部效用的比例，可称之为实用效用率。

实用效用率的计算方法，见下式。

$$实用效用率 = \frac{实用效用}{投入使用的全部效用}$$

实用效用率不同于效用使用率。效用使用率是指在消费过程中有多少劳动成果是购买了之后又投入使用的，即进入使用过程的劳动成果占购买劳动成果的比例。讨论效用使用率是研究消费过程第一阶段购买的劳动成果有多少是进入了第二阶段使用过程的问题。讨论实用效用率是专门研究消费的第二阶段的问题，即是看使用中实用效用实现了多少，乏值效用产生了多少。

实用效用率高，则乏值效用少；反之，实用效用率低，则乏值效用多。实用效用与乏值效用之和等于投入使用的全部效用。所以，在实用效用率与乏值效用量之间存在连带关系。从绝对值讲，投入使用的全部效用量减去乏值效用量就是实用效用量。从相对值讲，用前述图示的方法解释实用效用与乏值效用之间的此多彼少或彼多此少关系，关于实用效用的相对量计算，则应以效用因数概念表示。

效用因数是实用效用率的算术平方根。在图示中，这是指斜边线与底线之间的三角函数。假定，实用效用率为 0.81，那么效用因数就是 0.9，这时投入使用的全部效用与实用效用的关系用三角形表现大约两线相交是一个接近 26° 的锐角，效用因数 0.9 即为这个角的函数。这一假定，可见下图所示。

若设 x 为效用因数，设 y 为实用效用率，则二者之间换算公式如下。

$$x = \sqrt{y}$$

效用因数与实用效用率都可表示劳动成果使用过程中的实用效用的相对值。只不过，在用三角图形表示的投入使用过程的效

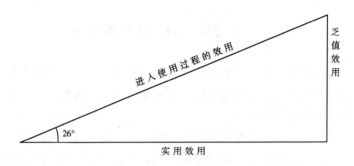

图 38 – 3 假定的效用因数示意图

用、实用效用与乏值效用的关系中，根据斜边线的斜度，直接计算出来的只能是效用因数，或者说，在这种三角图示中，用效用因数表述实用效用相对值是规范术语。诚然，在三角图示之外，通过实际统计结果直接计算出来的只能是实用效用率。

一般情况下，效用因数小于 1，大于零。效用因数的大小与乏值效用的大小息息相关。效用因数越高，乏值效用越少；反之，效用因数越低，乏值效用越多。提高效用因数的同时，就是减少乏值效用。

在现代市场经济条件下，建立效用因数或实用效用率统计指标体系具有重要的应用意义。这将对各个国家或地区的国民经济运行的预测、计划、统计、研究以及资产评估提供更为准确实用的分析依据。就目前各个国家或地区的现实情况看，不仅需要进行全社会资产的效用因数统计，而且需要分部门、分地区、分企业进行资产使用的效用因数测算；不仅需要建立全社会产值消费的效用因数分析体系，而且需要建立全社会公共消费和个人消费的效用因数统计体系。这应是现代社会需要投入一定力量做细做好的一项基础性的经济统计分析工作。

三 基础建设中的乏值效用问题

基础建设是国民经济中的长期投入和有关长期消费的重大劳动成果，因此，不论是何项目，在建设的可行性研究中，应更多地考虑乏值效用的问题。

电力建设应主要为本地用电需求服务，不应搞特远距离的输电。对于本地发电供外地用电的项目，在距离过于远的情况下，不应提倡。输电距离太长，会产生大量的无功功率的损耗，即产生用电中的大量的乏值效用。若不在意乏值效用过高，只以价格定取舍，是对自然资源的不珍惜。若是靠水力发电，还是可以考虑放远一些距离，毕竟水力是不能搬移的，只能送电，不易送发电的水能。而以煤为能源的火力发电，近距离送电可以，距离太远，还不如送煤建厂发电更经济。如果本地缺少煤炭、水能、那么应尝试用风力、核能发电，也要尽力避免过远距离地从外地输电，造成用电的乏值效用过高。从市场的角度看，只要价格能接受就可以；而从社会的角度讲，是必须考虑资源消耗的长远问题的，不能置经济生活的合理性于不顾。在石油、煤炭等资源越用越少的前提下，人类必须尽快找到可替代能源。风能、太阳能的开发是一个重要方面，尤其是太阳能，应是最重要的可直接利用的能源，若能简捷地利用太阳能，那人类的生活水平和质量又可大大提高一步。可燃冰等替代性的能源开发是另一个重要方面，人类的生活已很优裕了，新的能源开发是为直接保障人类目前已达到的生活享受可无忧虑地延续下去。在人类的现代生活中，应当限制用电量，不能放纵地用电，不能为了大量耗电而搞特远距离的输电，造成巨大的乏值效用。发达国家不应用电过度，平白地消耗地球上的宝贵资源；发展中国家更不能以此为学习榜样，在无视乏值效用的道路上走得更远。

在历史上，人类一直是在大江大河之滨建城市，这是由于生活用水的必然性决定的。不论是哪一个国家，人们的生活习惯都表现出对于江河的亲近，城市与水是分不开的。但是，到了现在，有的国家已实施了为城市调水的计划，将自然的江河水用人工水道调运数百里乃至上千里为缺水的城市送水。从经济运行的角度看，这是一种可以实现的结果。只不过，调水的距离越远，如同输电一样，在半途中损耗的水量越大，即乏值效用越大。而且，这种调水也可能破坏自然的生态平衡。所以，在这方面，不论是哪一个国家，都应极为慎重地对待调水这件事。应该是尽量不搞大的调水工程项目。在没有把握的前提下，不要做冒险的尝试。只从避免乏值效用这一点上讲，就不应该远距离调水。现代人肯定比古代人聪明，但也可能相比古代人有失策的地方。古代人都是逐水草而居，哪有水在哪盖房子，建城市，为什么现代人偏偏让水动，调水保城市，不能像古代人那样，去有水的地方增加人口。如果一个城市的自然供水极限是仅够1000万人口使用，那么这个城市的发展规模就不应超过1000万居住人口，不能是搞成2000万人口的城市，然后再从别的地方为缺水的1000万人口调水。调水养人恐怕是现代人做愚蠢事的典型。没有哪个人一定要生活在哪里，从自然的本性上讲，人生活在哪里都可以，只要有水。所以，在现代社会，在高科技时代，人类也应该逐水草而居，不能以城市在哪里就在哪里发展人口。其实，让人动很容易，调水却是很难的，尤其是长期调水，风险实在太大，成本也实在太高，用水的乏值效用会长期有巨大量的存在，这并不显示现代人聪明，而只能反映现代人在心智上的一种退化。像这样的基础建设，最好是一项也不搞，这对哪一个国家都一样。智慧应体现在人口向水源充足的地区转移，而不能是让水向人口集中的地区输送，古代人贴近自然生活，才有现代人发达的今天，而若现代人不能顺应自然的水势生存，一定要长途调水，改变自然状态，恐怕这种愚蠢的行动会危害后代人基本的生存条件。总之，调水供养城市人口会产生巨大的乏值效用损失，会破坏生态平衡，现代人不应当在这方面显示愚蠢。

就某些城市的现状而言，市政建设的许多内容是大马拉小车，即设施的利用率过低。这种情况是以中小城市为甚的，尤其是小城市往往在这方面存在的问题更严重。比如，城市建一套自来水供水系统，确有一定的规模要求，太小了不够规模经济，可是，按规模建下来，由于人口不足，又会有很高的闲置率，也就是说存在乏值效用过大的问题。道路的情况也是同样，如果通车率很低，那也是很大的乏值效用的表现。通讯设备落后不适应现代生活需要，而先进的设备换上之后，又可能以其高效率而闲置，这是一种矛盾。如果没有乏值效用方面的考虑，那么也就无所谓矛盾，只有认识乏值效用的存在，才会对这方面的建设做出更为慎重更为妥当的安排，才能保证市政的建设不至于出现过多的乏值效用，能保持较高的实用效用率。

在现实生活中，人们会发现有的地方机场修建得很大，而利用率很低，整个机场每天起落的航班极少，整个候机楼里冷冷清清，见不到几个人。这其实也是一种乏值效用大的表现。如果这个地方将来会有很大的发展，人口会很快地多起来，机场的利用率会很快上去，那么提前几年建了大机场，走在其他方面建设的前面，似乎也还是无可厚非的。但要是情况一直没有变化，确实是小城市建了大机场，没有很多常住人口，也没有大批的旅游者来访，那就只能是判定其属于基础建设项目规模过大的情况，是产生较大乏值效用的项目，是应当引以为教训的，绝不能在这方面缺乏敏感的理性和自觉的控制力。

第六篇

经济秩序与社会调控

分配公平代表着一种经济秩序的存在。为维持生产消费和生活消费而进行的公平的市场交易也分别表示的是各自领域中的经济秩序的实现。经济秩序既指全部的市场交易中的秩序，也包括对人们全部的非市场性的经济行为的秩序要求。在政治经济学的研究中，需要对经济秩序做出客观的准确的符合实际的认识，而不能脱离客观实际去构想所谓的理想秩序。倘若理论的研究不是从人类起源时起考察人类社会经济活动的历史，即对于原始社会时期的人类经济生活没有给予应有的认识起点的重视，那么是无法认识人类社会发展到现时代仍然是常态社会性质的，无法对社会的经济秩序做出历史的与现实的常态分析，即从根本上缺失对常态社会和常态经济秩序的认识。常态是人类社会自始至今的存在与发展的状态，只有从常态实际出发，政治经济学的研究才能准确地认识常态经济秩序。

常态的秩序要求存在于常态经济生活的各个领域。但我们无法展开对各个领域秩序的具体分析，只能是以常态的历史性和发展性的一般要求为基础，概括地阐释秩序的保障对常态国民经济运行与发展的重要性。我们要强调的是，秩序是公平的体现，常态的秩序是常态公平的体现，在现实的经济生活中，不可以没有公平，但这种公平只能是常态的公平，而不能是脱离常态实际的公平界定。

现代社会的经济运动是十分复杂的，因而不论是哪一个国家或地区，都需要相应地建立复杂的国民经济运行调控系统。本篇在分析常态社会经济秩序的基础上，继续探讨现代社会经济调控的基本原理。我们的讨论并没有涉及社会调控的各个侧面和各个层面，但都是基础性的问题，是政治经济学的理论研究必须认识的主要侧面和基本层面。只不过，政治经济学关于社会调控的研究并不等同于现实国民经济运行调控的具体工作方案。要求理论研究直接提供可供具体操作的调控方案，是对理论探讨与工作实践的混淆，也是对社会管理具体工作部门的责任的无视。各个国家或地区的经济调控是其各个国家或地区的社会管理责任，而理论研究的责任只在于探讨这种调控的共性的原理。

第三十九章　常态经济秩序

　　常态是正态与变态的统一。人类社会自起源时起就是常态社会，人类社会的经济秩序自古至今也统统都是常态经济秩序。在历史与现实的常态经济秩序之中，正态经济秩序的存在是基础，但它不决定整个社会经济秩序为正态经济秩序，变态经济秩序是普遍的存在，但它也不决定整个社会经济秩序为变态经济秩序。现代政治经济学对于常态的理论界定是，正态是人性的表现，变态是非人性的表现，常态是人性与非人性的统一存在。由此解释现实经济秩序，存在非人性的秩序并不可怕，怕的是人们对于非人性的秩序存在缺乏全面的理解和准确的认识。常态下的变态非人性是指动物性，其流传至今是动物的生存方式在人类社会的延续，由此决定人类社会的发展尚未达到完全的正态。而这种动物性的留存在漫长的历史中不断呈现越来越复杂的变化，以至人们现在很难将其与远古时期原生的动物的生存方式相联系。因此，这造成了经济理论研究中的迷失，使人对社会的常态性缺乏必要的认识，对人性与非人性产生混淆，或将社会制度对非人性秩序的维护视为永恒，或批判维护非人性秩序的社会制度，只有认识的片面深刻性，而未能辩证地看待非人性的客观存在。21世纪政治经济学理论的发展要求走出这种认识的局限性。

　　常态的经济秩序是复杂的。其复杂性的根源在于起社会约束作用的经济秩序并非完全是人性的，亦并非完全是非人性的，而且，受约束的人类经济行为无论何时都是理性与非理性并存的。

一 正态秩序与变态秩序

政治经济学研究的最基础范畴是劳动，即人类经济生活的实质内容是劳动，一切经济关系从根本上说都是劳动关系，因而，常态经济秩序的存在及其变化是由常态劳动的存在及其变化决定的。正态劳动的发展决定正态秩序的发展，变态劳动的发展决定变态秩序的发展。

在人类已走过的历史与今天面对的现实中，非军事劳动和非剥削劳动是正态劳动，即表现军事对抗性的劳动不是正态劳动，表现剥削寄生性的劳动也不是正态劳动，除这两方面变态劳动之外，其余所有的人类劳动组成部分都是正态劳动。具体地说，在社会管理之中，劳动不具有剥削性质，除军事系统之外，其他社会管理劳动都是正态劳动；在农业、工业、服务业之中，既存在剥削劳动，也存在军事劳动，其正态劳动是排除了有资产收益权的剥削劳动和军工生产之后的所有劳动。在各个国家或地区，维护正态劳动的生产经营、利益分配以及劳动成果效用消费等各个环节经济运行的秩序，是正态经济秩序。

变态经济秩序是对常态社会允许存在的变态劳动过程及其主体利益保障的经济运行秩序。这也就是说，一方面变态秩序要维护剥削劳动的合法存在与发展，保护一切合法的剥削收入；另一方面要保证国家既定的军事劳动包括军工生产劳动发挥应有的社会作用。

因此，维护本国的国防费支出和本国的军工生产是变态经济秩序的重要内容。在人类社会，最基本的常态规则是对这种经济秩序的认可，从现实的情况看，各个国家每年要拨付国防费是不必讨论的问题，这种变态性质的支出具有与国家的存在同样长久的历史，需要立法机构讨论的只是每年支出国防费用的具体数额，而政府要负责安排具体的军工生产计划。据斯德哥尔摩国际和平研究所报告：由于美国加大对国际恐怖主义的打击，世界军费开支在 2002 年实际增加了 6%，达到了 7940 亿美元，占世界各国总的国内生产总值的 2.5%，人均约 128 美元，其中美国的军费开支占全世界的 43%。[①] 在常态社会的历史进程中，这种基本的变态经济秩序的表现除了具有军事劳动性质之外，还具有十分典型的博弈性，即各个国家之间没有哪一个国家敢于破坏这种历史留传下来的秩序，各个国家都防备他国的侵犯而巩固国防、支持军费、训练军队、生产武器弹药。这种变态的经济秩序的存在与发展，从根本上说，是在常态下各个国家的存在与发展的一种理性保障。

变态经济秩序的再一方面的主要内容是维护资产收益权。在现代社会，这种资产收益权包括所有的对劳动客体占有的收益权。产生这种收益权力的依据是劳动客体在劳动整体中发挥的作用以及劳动客体的使用权与占有权的相对分离。如果劳动客体在劳动整体的创造中不起作用，那么无论是谁占有劳动客体也不能得到收益。如果劳动客体的使用权与占有权没有相对分离，而是都掌握在与劳动客体结合的劳动者手中，那么劳动者凭借自身的劳动主体作用就可以直接地获取全部的劳动成果，没有必要再分出占有权的收益。正是由于在常态社会之中，存在剥削变态劳动，劳动客体的使用权与占有权发生一定的相对分离，有一部分

---

① 参见《参考消息》2003 年 6 月 19 日。

使用劳动客体的劳动者不拥有占有权，占有劳动客体的人又不与劳动客体直接结合，所以，才出现占有劳动客体的人要求维护其资产收益权实现的经济秩序。这种在私有制社会的历史中长久留传下来的变态经济秩序的存在，客观上是对人类生存的特定历史时期的劳动客体的一种保护，也是劳动客体在劳动整体的创造之中发挥主要作用的外在表现，是常态社会的人们为了自身的生存延续对社会经济秩序的必然要求。总之，这种维护资产收益权的秩序是由劳动发展的整体水平内在地决定的，是一种特殊的经济关系的表现，不是依靠暴力能消灭的，在常态社会的私有制经济发展阶段，各个国家都必须有效地维护这一经济秩序。从根本上说，这种维护资产收益权的经济秩序，同维护军费支出和军工生产的经济秩序一样，在历史与现实的社会中，都是最基本的保护国民经济正常运行的秩序。

在现代市场经济条件下，出于对变态经济秩序维护的需要以及这种秩序与整个国民经济活动存在的内在联系，事实上，社会设立的所有的经济秩序都表现出常态性，即都或多或少地渗透着变态经济秩序对于现实的经济活动的影响。这种颇有力度的影响涵盖了社会劳动各个领域的方方面面，体现在国民经济运行的各个环节之中。现实之中的金融秩序、生产秩序、证券市场秩序、土地市场秩序、保险市场秩序、劳动力市场秩序、生产消费品市场秩序、生活消费品市场秩序以及社会经济管理的工作秩序，等等，并不都单纯是变态经济秩序，但其中都含有变态经济秩序内容，所以，所有的这些经济秩序都明显地是常态经济秩序。在这其中，正态经济秩序永远是底色，人类社会的发展将会越来越加重底色，而绝不会改变底色的。只有待常态劳动整体地向正态劳动转化，常态经济秩序才能整体地向正态经济秩序转化。

二　理性的张扬与非理性的沉淀

人类常态社会的存在与发展的历史是漫长而复杂的。在正态经济秩序中，并非没有非理性的成分。在变态经济秩序中，也同样可能存在变态的理性。人类的理性与非理性在常态社会是同时贯穿于正态经济秩序与变态经济秩序的。

构成常态经济秩序规范的主要是理性的力量，其中有正态理性的力量，也有变态理性的力量。因而，可以说是由常态劳动的理性不断地推动常态经济秩序发展的，由简单到复杂，由不规范到规范。能够做出直观比较的是：在劳动发展水平高且理性强的国家或地区，经济秩序越稳定，越规范，经济发展越迅速；相反，在劳动发展水平低且理性未受到应有重视的国家或地区，经济秩序越不稳定，越容易发生市场混乱和人们的经济行为扭曲，其经济发展也是比较困难的。

就劳动的决定作用而言，理性的进步就是社会的进步，就是常态经济秩序的发展。在整个社会的经济运动过程中，生产环节、交换环节、分配环节、消费环节，每一个环节都需要有效秩序的保障。社会生产是由各个经济组织分别进行的，每一个经济组织的生产资料供应、劳动力的调整、资金的周转、劳动成果的销售，等等，都需有稳定的社会经济秩序保障，一旦发生经济秩序混乱，生产就无法正常进行下去，劳动成果的创造就要受到影响。交换是最普遍的市场行为，市场秩序的稳定是每一项交换顺利进行的条件。如果市场秩序紊乱，交换就难以顺利进行，国民经济的运行就要受到影响。分配是经济利益的划归，人们从事经济活动的动力和活力都体现在这一环节上，只要社会分配秩序混乱，整个社会的经济关系都将是混乱的。消费是生产的目的，在市场经济条件下，没有消费就没有生产，消费不足就不能使生产按原规模进行。因此，社会经济秩序对于消费的保护，就是对于再生产的保护。劳动理性的光辉要始终不断地闪烁在常态经济秩序的维护之中，这不仅仅是一种制度的体现，更重要的是这必须落实于每日每时的经济生活之中，发挥其应有的对于规范秩序的促进作用。每一个环节的秩序都不可缺少理性，在常态之下，即使是变态的理性，也是必不可少的，理性的提升是各个环节经济秩序走向规范的必要条件。

经济生活中的非理性行为是伴随着理性行为产生的。在常态社会经济发展的历史与现实之中，经济秩序建立中的理性张扬，同时也为非理性的作用沉淀创造了条件。人类不可等待自身成熟才启动社会历史的进程，人类的历史就是从自发和盲目中走过来的，所以，在人类生存的历史中留有无数的非理性行为，包括人性的非理性行为与非人性的非理性行为。这些非理性的实践沉淀在经济秩序之中，也是构成历史形成的常态经济秩序的一部分。当今，国债制度已成为现代市场经济中的经济秩序的重要组成部分，国债市场已成为国民经济的晴雨表，国债本身是联结财政信用和银行信用这两大信用体系的信用工具。可是，如果回顾历史，人们可清楚地知道，国债制度的初始建立仅仅是为了弥补入不敷出的财政赤字，是让财政困难逼迫出来的。而且，就今天的信用关系发展讲，也未必不可以建立新的更好的信用机制取代国债信用体系。但习惯是有惰性的，国债制度既已建立并已留传了数百年，也就只能是延续下去了。若要改变传统的秩序，不管这种改变的意义有多大，其改变本身付出的代价都将会是很大的。因而，这会使许多原本想改变传统秩序的人望而却步，只能接受既定制度的延续。证券市场的设立在现时代更是被置于举足轻重的地位，但严格地讲，这一市场的运行是变态经济秩序的极端表现，有其利，也有其弊，并且还形成很高的运作成本，人类社会也只能是在人们的经济头脑还比较简单的时代才能接受这种非理性的秩序建立。可是，同样的道理，对从历史中走过来的证券市场，现代社会不仅不能取消它，还要在其历史的基础上进一步地发展这一市场，维护其市场秩序，并且还要在金融衍生品的交易中不断地制造出更大的经济疯狂。而就现代的股份制企业制度讲，也许有人会认为拥有几百年历史的股份制度已经发展得很成熟了，现在的人们只需要学习掌握这种企业制度，遵守现有制度规定的一切秩序，就可以很好地管理和经营股份制企业了。然而，事实上股份制企业制度创建于资本主义生产方式产生的初期，当时由于理性不足而留下了严重的制度缺陷，结果这种缺陷伴随着制度的传播一直也留传至今没有改变。其实这种很明显的缺陷竟然在现时代仍未被许多研究者发现，他们没有看到现行的股份制企业制度是以股东利益取代企业利益，在逻辑上混淆了股东利益与企业利益的不同，并且在现实经济中始终维护着这种扭曲了的利益关系。由此可知，在人们熟悉的股份制企业制度之中，历史已经留下了长久的非理性的秩序安排了，而现时代要弥补这种历史沉淀下来的制度缺陷，是需要付出相当大的代阶和努力的。

三　秩序的立法与社会的代价

在现代市场经济条件下，形成规范的常态经济秩序是需要有立法支持的，或者说，适用于经济生活领域的各项法律规定了基本的常态经济秩序。因而，无论是哪一个国家或地区，缺少完备的经济立法，就等于表示其社会经济秩序在一定的范围或程度上缺乏有效的维护能力。

《公司法》规定了各类股份公司组建及经营的基本运作秩序，违反其规定就是对这种经济秩序的破坏。

《银行法》规定了国家银行业的金融活动的基本秩序。

《证券法》规定了国家对证券市场的管理以及证券业务活动的基本秩序。

《税收管理法》规定了国家税收活动的基本秩序。

《预算法》规定了国家各级财政工作的基本秩序。

《劳动法》规定了社会保障劳动者在经济领域拥有的权力和义务等基本秩序。

……

就经济秩序的建设讲，必须依靠法治的力量进行法制的建设和对法制进行贯彻落实。法制的健全和法治的到位是经济秩序的存在和发挥作用的保障。在经济领域，哪里缺乏法律力量，哪里就无法实现正常的经济秩序。

在法律面前人人平等，这是针对个人而言的。至于法律与法律之间是不是协调，法律与情理之间有没有出入，这是遵守法律的人一般不能问及的。虽然存在法律自身需要完善和发展的问题，但离开法律，即使是离开不完善的法律，在现代社会，都无法维护最基本的常态经济秩序。

常态经济秩序上升到法律高度，就具有了社会强制性，而不再是一般的人际关系的体现了。然而，事实上来自经济运动的客观强制可能更深于或更甚于法律对常态经济秩序维护的强制。由常态劳动的存在与发展决定的变态经济秩序的产生，从本源上讲，不是一个法律维护的问题，而是社会经济运动自然形成的秩序。但是，常态的社会法律必然也要理性地维护这种客观的存在要求。因而，在经济的客观性与法律的共同强制下，社会越发达，经济秩序就越具有约束力。既定的约束力不是个人能摆脱的，也不是各个经济组织能摆脱的。

　　总之，常态经济秩序一方面表现出对个人和各种经济组织的自身经济权益的保障，使人们能够在社会的保障下创造劳动成果和获取合法的收入，使越来越多的人可以实现衣食无忧，甚至现在就可以使一部分人奢侈地享受现代化的生活；另一方面也同时表现出常态的冷酷，维护着贫富悬殊的生活差距，维护着有产者对劳动者的剥削，维护着军事劳动变态的疯狂，维护着对困苦家庭和战争受害者们的有限的物质救助。

　　我们认为，认识由常态劳动决定的常态经济秩序的关键在于，要认识迄今为止人类一切经济活动都要遵从常态下的社会必然，包括生产过程的必然和市场交易的必然，也包括社会成员之间获取经济利益差距悬殊的必然。常态社会在生存的意义上必须维护的分配秩序只能是按人们作为劳动主体的贡献或占有劳动客体的贡献进行分配，不能是按人们的需要进行分配，更不能是平均分配。在生存的压力和法律的强制下，现阶段的常态社会体现，不论是在哪一个国家或地区，都必须坚定地维护最基本的变态经济秩序。而这种秩序的存在及其强化，必然要使社会为此付出沉重的代价。人们都希望社会进步，没有人愿意为社会进步付出沉重的代价；人们也都希望社会能够强有力地维护常态经济秩序，没有人愿意为社会维护常态经济秩序付出巨大的代价；但是，常态社会的进步和常态经济秩序的维护却必然要使某些弱者为社会不得不付出其代价，这种矛盾始终是尖锐地存在着，历史和现实都无法解决这一矛盾；而更重要的是，面对这种长久存在的痛苦的矛盾，已经进入 21 世纪的人类应该能够自觉地认识到这种代价的付出对于保持常态社会生存延续的作用以及在现阶段仍要继续维护常态经济秩序的必要性。

第四十章 人口、教育与就业

在政治经济学的研究走向科学之前，存在由于缺失劳动主体意识而严重地脱离生活实际的认识倾向。政治经济学创立乃至发展的时代，是资本主义生产方式产生和发展的年代，这一特定的历史时期正是由人类劳动内部资产条件起主要作用决定的，资本客观具有的强大的支配力量使得人们对于现代社会经济运动的一切认识都有意或无意地服从于资本的支配性。在现代经济理论的研究中，人口生产成为满足某种消费需求的投资，接受教育是为了得取未来相对高收入的投资，劳动就业要根据资本 扩张或收缩的需要安排，等等，都是从资本的角度归纳的对现实生活的概括性认识。从表面上看，这样的经济理论研究颇具有现实性，切实是一种或某些现实的社会经济现象的反映，但实质上，这样得到的认识是严重脱离自然决定的社会经济生活的客观实际的，或者说，像这样只就资本讲人口、讲教育、讲就业，无异于盲人摸象，与自欺欺人没有什么区别。进入 21 世纪之后，政治经济学的研究不能再延续那种只见局部不看全局，只看现象不见基础的认识方法了，必须在理论的建设上高度重视和全力贯彻把握基础性和全局性的探索方向。这也就是说，超出以往认识巢臼的政治经济学研究，再也不能是单纯从劳动客体出发讲对劳动主体的制约，而必须是掉转过来，重新做到一切研究都是从劳动主体出发的，而将劳动客体置于受动的位置进行研究。这样的劳动主客体关系是由自然决定的，政治经济学的研究要具有客观性，不能违背自然的决定。

一 以人为本

1999 年 9 月，联合国宣布，当年 10 月 12 日为"世界人口60 亿日"。这是因为，据联合国统计，1999 年 9 月 22 日的世界人口达到 5997863611 人，按每分钟新增 177 人推算，到 10 月 12 日的某时某刻世界人口将突破 60 亿大关。仅仅用了不到 12 年的时间，全世界的总人口新增长了 10 亿，历史记载的世界人口通过 50 亿大关的时间定格是 1987 年 7 月 11 日。据统计报导，到1990 年全世界的总人口数量已达到了 52.7 亿人。世界人口专家认为，即使实行严格的人口控制，到 2050 年，全世界的总人口也将达到 89 亿人，其中在 2020 ~ 2025 年间全世界年增加人口量为 6400 万人，到 2045 ~ 2050 年间全世界年增加人口量为 3300 万人。[①]

早在政治经济学创立时期，英国经济学家托马斯·罗伯特·马尔萨斯提出了著名的人口理论。他指出：自然灾害、瘟疫、战争等都是对人口增长的一种遏制，人类自身也应积极地采取控制人口增长的措施。但是，他说自己不是"人口的敌人"，他本人是赞成人口增长的，并认为人口增长是经济增长的一个必要理由，他只是说人口的增长要同食物的供给保持一定的比例。马尔萨斯关于供求关系等理论认识直接影响了 20 世纪的凯恩斯经济学，而他的人口理论显然对后世有着更大的影响。

---

① 参见《青年参考》1999 年 10 月 8 日。

马尔萨斯提出的人口增长要与食物供给保持比例的思想，并不仅仅是一种人口理论的认识，而是重要的经济学思想。用现代的意识讲，这就是两个生产的比例要适当，即人口生产与物质生产的比例要适当。人口生产应是政治经济学研究的重要前提，物质生产是为人口服务的，脱离人口生产的物质生产研究是无的放矢。如果只就投资讲投资，就建设讲建设，就市场讲市场，没有人口生产这个大前提，那政治经济学的认识能力似乎就还没有超过马尔萨斯时代。物质生产表现的是人与自然的关系，人口生产表现的是人与人的关系，在对人与自然加以划分的前提下，人类的历史表明，保持生存延续的规律是，人与自然的关系决定人与人的关系。因此，在物质生产与人口生产问题上，只能是人口生产服从于物质生产，即人类有多么大的物质生产能力，才能相应允许和保持多么大的人口生产规模。事实证明：凡人口生产适应于物质生产的国家或地区，人口的生活质量可以得到保证，社会的文明可以得到很好的提高和进一步的发展。凡人口生产规模超过物质生产能力的国家或地区，不仅人口生活质量低，有的甚至生活十分困苦，而且社会局势动荡不安，经济发展缓慢，社会文明的进展远远落后于人口生产与物质生产相适应的国家或地区。

地球上到底能容纳多少人口，这是一个政治经济学研究的最基础的认识点。如果不讲求精细的数字，那我们现在至少可以认为有100亿人同时生存在地球上应该是没有问题的。达到这样一个世界人口数字，相应需要将目前人类的生产能力提高1倍以上。而这种生产能力的提高，从各个国家或地区的现有能力推算，是有把握达到的。只是问题在于，人类需不需要有100亿人口，我们这一代人及我们的下一代人和下下一代人，即每一代人是否有权力或是根据什么来决定下一代人的数量。关于这个问题，我们可从两个方面对应，一是让人口生产自然地服从于物质生产，再是对人口生产进行刻意控制。历史表明，在人类劳动发展水平很低的时期，人口的增长是十分艰难的，人丁兴旺甚至是整个社会经济繁荣的标志，然而，在人类劳动发展的水平较高之后，即人类进入现代化的时代之后，在发达国家，人们的生活水平提高了，开始对人口生产进行自发的或自觉的控制。现在的情况是，发达国家的人口自然增长率是下降的，而发展中国家的人口自然增长率则居高不下。在许多经济落后国家，人口的增长却十分迅速。对于人口增长过快的经济落后国家来说，除去其他原因，从根本上讲是违背了人口生产必须服从于物质生产规律。现在看来，对于世界人口的增长，如果是讲人口生产自然服从于物质生产，那就只能是对发达国家这样要求。世界人口增长的压力是在发展中国家，对这些国家来讲，是必须进行人口生产的刻意控制的，至少在其人口的自然增长率降为正常之前是必须这样做的。

人口的数量与人类的生存延续是密切相关的，但更相关的还在于人口的质量。事实上，每一代人都没有决定自己出生的权力，甚至每一代人都没有能力塑造自己这一代人的思想，人们只能是与自己的前辈共同养育下一代人。所以，在人口生产问题上，每一代人都应为生存的延续保持两点清醒的认识：一是人口的数量与质量都要满足人类发展的要求，不能使全世界的总人口数量过低，更不能使人口质量下降。二是人口的数量与质量必须匹配于生存空间和生产能力，不能在生存空间有限和生产能力低下时过多地增加人口，更不允许低质量地发展人口。

控制人口生产并不等于不尊重人类，不尊重我们自身。在自觉的人口生产控制之中，更体现出人类自身整体生存意识的强化，更体现出人类对自身的尊重和保护。这是常态社会中的人性表现。这是人类区别于动物的地方。每一代人都要生活在人类特有的尊严之中。每一代人都要养育下一代人，每一代人都要得到上一代人的养育。从人与动物的区别来讲，人口的生产和养育是人类尊严的生产和养育，不是养着玩的，不是现代的一些经济学家所说的养育下一代人只是为了一种消费心理上的满足。人口生产除两性之必然外，还有母性的必然，这都不是用消费心理能解释的。更重要的是，人来到自然界，也不是由自身决定的，人口生产是一种自然的驱使，人类的控制只是在自然的驱使之上的控制。忽视人与自然的关系，忽视自然对人类的约束，都不是客观地对待人口生产的正确态度。

更进一步地讲，人类不同于动物界的一切生物，尽管人类还处于常态之下，即还保留了一定的动物的生存方式的延续，但毕竟常态人也超越了动物界的范围，人类具有自身独有的精神境界。讲人口生产必须与食物供给保持一定比例，其实只是从生物学的角度认识人类生存问题。而严格地讲，如果人类只需要有食物吃，有地方睡，那与动物相比，有多大的区别，难道说区别仅仅是人类吃得好一些，住得好一些，吃和住都比较有保障吗？对此，与政治经济学创立时期的思想不同，现时代的人类更认识到自身是有精神追求的生物群体，人类的情感与精神境界是动物界任何物种都不可相比的，人类源于动物界，但已经超出动物界了，已经不属于动物界了，人类对精神比对物质有更多的本质需要。人非草木，孰能无情。人非动物，更需要有精神的享受。人类劳动创造的最高收获是精神劳动成果。现代的政治经济学对于人口生产的研究，更要强调人与动物不同的精神需求，这是社会的进步，是人类对自身认识的进步。

劳动是人类的本质，劳动的目的是为了人类的生存，所以，在政治经济学的研究中，以劳动范畴为最基础的范畴，就是以人为本进行理论研究。劳动是人的劳动，一切经济活动都是为人服务的。即使是处在资本起支配作用的时代，政治经济学的研究也不能背离以人为本的研究宗旨。然而，学说史表明，自学科创立以来，理论的研究一直是缺失主体意识的，这一点到了20世纪60年代可谓达到了登峰造极的地步。其时，是经过了多年的思想徘徊之后，经济学界的有识之士终于认识到了劳动主体的智力作用对经济发展的重要性，却又非常遗憾地将其归纳为人力资本，即将其又表述为一种资本的形态，更直接地将劳动内部的主体作用转换为客体存在的形式。本来，将资本的研究置于支配地位，已经是对以人为本宗旨的背离，再将人力的重要作用又划归资本，且不讲这是人与物的不分，更有违逻辑的是这仍然表现为重物不重人。如果政治经济学的研究如此发展下去，那恐怕只能是不断地为自身的理性进步制造障碍。在对待人口生产和人在劳动中的地位问题上，在21世纪之初，政治经济学的认识应该有新的转机，即应重新回到以人为本的研究上来，一切的研究都应是为了人，一切的研究之中都应以人的作用为中心。这就是说，作为研究对象，劳动主体永远都是政治经济学研究的核心，不能将劳动主体转换成劳动客体，不能将施动方与受动方相混淆。劳动主体在劳动整体中的作用，就是一切经济活动中的人本作用。劳动主体的作用分为体力作用与智力作用，在现实经济中，就相应存在体力人本作用与智力人本作用。在政治经济学的研究中，人本应是与资本相对应的范畴。社会的存在是以人为本的，经济的运动也是以人为本的，人口生产应是一切研究的前提和基础。只有做到以人为本，政治经济学的研究才能走向科学。

二　教育力量

人类生存延续的力量来自教育，教育起连接一代又一代人劳动的作用。人类社会经济发展的水平是与教育发展的水平相一致的。一个国家如果停止了教育，那后果是灾难性的。即使停止10年，也会造成严重的文化断代。因此，除非是社会动乱达到了极点，任何国家都是绝对不敢停止教育的。教育的落后总是从根本上制约着一些国家或地区的经济发展水平。仅此而言，一个最简单的道理就是，一个国家或地区要提高经济发展水平，必须发展教育，提高教育水平，只要教育发挥了应有的作用，其经济必然发展起来。没有教育的发展，就没有经济的发展，这就是教育力量的体现。教育的作用是保证劳动者的基本素质。劳动者是通过教育才获得基本的生产知识和工作技能的。而经济的发展只能是依靠劳动主体的能力提高，单纯的劳动客体优势若不与劳动主体结合，是起不到任何作用的。在此，我们不能对教育的作用展开全面的研究，而只从政治经济学的角度对有关的教育问题做出一些概括性的探讨。

1. 基础教育函数

基础教育函数是指表示基础教育效果与基础教育投入之间对应关系的函数。在现代社会，每一位公民都必须接受国家法律规定的基础教育。这是国家的政治、经济、文化、宗教等各个方面发展的基本保障。这也就是说，每一个劳动者都是受过基础教育的，没有经过基础教育的人是不能进入就业领域的。在国民经济之中，教育是一个重要部门，基础教育就是这个部门的基础部分。基础教育工作的质量和效率关系国家基础教育任务完成的质量和效率。下面，我们用函数式表示，在确保质量的前提下，一个国家或地区的基础教育的效率实现。

设：

Q 为质量合格的接受基础教育的人口数量

F 为财政拨款的基础教育经费数量

T 为从事基础教育的工作者数量

于是，基础教育函数式可如下表示。

$$Q = f(F, T)$$

在此式中，合格的接受基础教育的人口数量取决于教育经费的保障和教育工作者的投入。国家负有基础教育的经费保障的责任，这一点在各个国家都是有立法规定的。同时，国家法律还要对从事基础教育的工作者就职有相应的资格规定，不合格者不能上岗执教。在一定的人力和经费的保障下，可以保证一定的接受基础教育的合格人数。反之，如果要求必须保证一定数量的人口接受合格的基础教育，那就相应要保证一定的教育经费和人力的投入。事实上，培养一名合格的受教育者，必然要消耗某种数量的基础教育经费和教育师资力量。这也就是说，在受教育者与教育投入之间存在一定的比量关系。据此，我们进一步将受基础教育的合格人数与教育投入的两个方面的关系用图 40 − 1 表示。

在图 40 − 1 中，F 与 T 的投入是既定的，因此，这时的 Q 的数量也是既定的。在这种投入与产出的函数关系的约束下，若想提高 Q 的数量，即使 Q 线向右移，加大其量，那么必须同时增加 F 与 T 的投入。

如果提高基础教育的效率，那么可有两个方面的表现。一个方面是，合格的受教育人数不变，同时减少教育经费和教育人力的投入。再一个方面是，教育经费和教育人力的投入不变，增加合格的受教育人数。

同生产函数一样，在基础教育函数的表现中，如果教育投入按固定比例增加，合格的受教育人数也按相同比例增加，是为效率不变，函数为线性齐次函数；如果合格的受教育人数增加比例高于教育投入增加的比例，那意味着教育的经济效率提高；如果合格的受教育人数增加比例低于教育投入增加的比例，那意味着

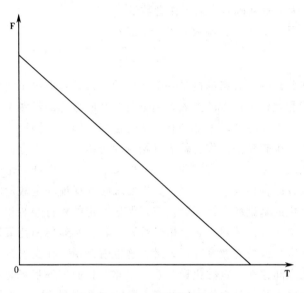

图 40 - 1   基础教育的函数关系

教育的经济效率在递减。

　　在实际工作中，一个国家在一定时期内接受基础教育的人数是既定的，不允许有人逃脱基础教育，必须保证适龄人口的基础教育率为100%。在这样的要求下，基础教育的变量只能是教育投入和教育质量。若教育质量和受教育的人数既定，那似乎提高效率只能是减少教育投入。而在既定的受教育人数和教育投入下，效率提高的表现是教育质量的提高。如果教育投入的效率不变，那么在既定的受教育人数下，可以通过提高教育投入来保证提高教育质量。如上分析说明，基础教育函数式可以比较接近实际地将国民经济之中的合格的受基础教育人数、基础教育经费投入、基础教育人力投入以及基础教育质量之间的关系表示出来。

2. 高等教育乘数

高等教育乘数是指一定时期内增加高等教育经费投入与增加国内生产总值之间的倍数关系。十年树木，百年树人。高等教育乘数表示的一定时期是一个较长跨度的时间段。具体的确定时间可据统计的需要而定，但一般不应低于 10 年。

一个国家或地区的经济发展水平与其教育发展水平是基本一致的，其中起决定作用具有水平代表性的是高等教育。经过高等教育培养的是复杂劳动者，社会经济的发展主要是由复杂劳动者推动的，高等教育的决定作用就体现在对于经济发展的主要动力的培养上。各个国家或地区的经济发展实践已经证明，最优秀的复杂劳动者对促进经济发展是起关键作用的。复杂劳动者接受高等教育需用的经费只是简单劳动者接受基础教育需用经费的数倍，但其在社会财富创造中发挥的作用可以是简单劳动者作用的 10 多倍乃至数十倍。这就是高等教育乘数效应的来源。

假定，高等教育乘数为 GEK，高等教育经费为 GEF，国内生产总值为 GDP，Δ 表示增量，高等教育乘数的公式表示如下。

$$GEK = \frac{\Delta GDP}{\Delta GEF}$$

确立高等教育乘数概念的意义在于突出高等教育在国民经济发展中的关键性决定作用。这种乘数效应表现的是复杂劳动者高于简单劳动者的创造作用，即复杂智力作用对于经济发展的重要性。关于这种乘数效应，在电子计算机尚未得到市场化应用之前，人们似乎还难以直观地认识到，但随着网络经济的兴起，现在关于智力作用的重要性已经没有人怀疑了。因而，对于高等教育乘数概念的确立，是从现代经济的实际出发，运用逻辑推理的结果，具有现实的依据和逻辑的必然性。只不过若将此应用于实践分析，还需要经过实际统计数据的验证来支持。

3. 国民教育曲线

国民教育曲线是一条描述国民人口接受国民教育平等程度的曲线。我们可以借鉴洛伦茨曲线，对一个国家或地区的人口受教育不均等的状况做出国民教育曲线的描述。毫无疑问，现在不论是哪一个国家或地区，其国民人口受教育的程度都是不均等的。而其均等程度应是国民教育发展水平的一种标志。因此，国民教育曲线的描述是有理论意义的。在国民教育曲线的分析之中，我们将只接受过9年基础教育的人口称之为低等程度的受教育者，并抽象地确定这一群体使用国民教育经费的比重；将接受过12年教育的人口称之为中等程度的受教育者，并也相应抽象地确定这一群体使用国民教育经费的比重；将接受过15年教育的人口称之为中上等程度的受教育者，也相应抽象地确定这一群体使用国民教育经费的比重；将接受16年以上教育的人口称之为高等程度的受教育者，也相应抽象地确定这一群体使用国民教育经费的比重。做出4类受教育者的区分之后，下面我们就借鉴洛伦茨曲线的形式对国民教育曲线加以描述。

在图40-2中，OI表示全部国民教育经费使用的百分比，OP表示全部国民人口的百分比，联结两对角的OF线是国民教育绝对平等线，线上任何一点到纵轴和横轴的距离都是相等的。这一绝对平均曲线上的任何一点都表示，国民人口中每一定百分比人口所接受的教育程度，在总的教育经费使用中也占同样一定的百分比（前提是一定的教育程度必用一定的教育经费）。如果国民教育的情况正是这样，则说明一个国家或地区的国民人口接受国民教育的程度是绝对平等的。

而OPF线则是绝对不平等线。这条线表示，在一个国家或地区，只有一个人享受国民教育，而其他所有人都未受过任何的国民教育。

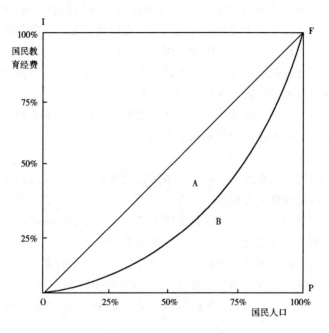

图 40 − 2　国民教育曲线

在实际中，绝对平等线与绝对不平等线都不会存在。实际的国民教育曲线是介乎于绝对平等线与绝对不平等线之间，表现为一条向下弯的曲线。其弯曲度越大，国民教育的不平等程度就越高。在这条曲线上，除去起点和终点，任何一点到纵轴和横轴的距离都是不相等的，每一点都表示国民人口中一定比例的人口使用国民教育经费的百分比。

实际国民教育曲线与绝对平等线越接近，国民人口接受国民教育的平等程度越高。反之，实际国民教育曲线与绝对平等线越远，即越向右，则表明国民人口接受国民教育的平等程度越低。一般来说，这一曲线的分析是对国民教育平等程度的测定，同时也表示国民教育的发展水平。因为在较高的国民教育发展水平上，国民教育的平等程度相应较高。而教育的发展水平与经济的发展水平具有一致性，因此，国民教育的平等程度越高，说明国民经济的发展水平越高，国民教育曲线的描述可以表现国民教育的发展与国民经济的发展之间的相对应关系。

国民教育的曲线的涵义，如同洛伦茨曲线同基尼系数的关系一样，也可用国民教育系数来表现。

4. 国民教育系数

国民教育系数是表示一个国家或地区在一定时期内国民人口接受国民教育平等程度的概念。

根据图 40 - 2 国民教育曲线的描述，A 表示实际国民教育曲线与绝对平等线之间的面积，B 表示实际国民教育曲线与绝对不平等线之间的面积。依此图示，要计算用国民教育系数表现的国民教育平等程度，则应比较 A 的面积在 OFP 三角形（A + B）面积中的比例，即 A 的面积与 A + B 的面积之比就是国民教育系数。

因此，根据图 40 - 2，国民教育系数的计算公式如下。

$$国民教育系数 = \frac{A}{A + B}$$

在这公式中，如果 A = 0，那么国民教育系数为零，即国民人口接受国民教育的程度绝对平等。如果 B = 0，那么国民教育系数为 1，即国民人口接受国民教育的程度是绝对不平等的。

从理论逻辑上讲，在国民经济之中，国民教育系数应介于 1 与零之间。国民教育系数的数值越小，则表示国民人口接受国民教育的平等程度越高；反之，国民教育系数的数值越靠近 1，则表示国民人口接受国民教育的平等程度越低，即越是不平等的。一般说来，在经济发达和比较发达的国家或地区，国民教育系数的数值较小；在发展中国家，国民教育系数的数值相对较高。

三　天赋人权

在很大的程度上，社会理性的高低体现在政治经济学对就业问题的研究上。研究政治经济学是为人类生存延续服务的。在自然界对人类的生存允许之下，在人与自然的关系之中，每一个成年人在其一生中都应有一个参加劳动的过程，包括正态劳动与变态劳动，即每一个成年人都应有劳动就业养活自己的责任和权力，这是天赋人权，是由自然决定的，是任何人也不能剥夺的，是每一个国家都必须给予保障的。

然而，若政治经济学的研究只从资本运营的需要出发认识就业问题，则是将人类生存延续的基本条件局限于资本的作用之上，即局限于劳动客体的资产条件作用之上，这也是一种对社会经济运动的极为片面的认识。这种对劳动者就业不讲天赋人权的认识，是非理性的。现代的政治经济学研究，是从根本上讲必须保障人口就业，还是从现实出发去解释就业问题，这是在认识观念上有区别的，也是能否有理性地对待每一个人的天赋人权的不同表现。

1. 人口生产与就业权力

如果常态理性的普及能使每一个人都懂得就业是天赋人权，都尊重这种天赋人权，那么也许可以说，常态下的失业问题就不会出现。在生活的实际中，理性永远是社会存在的源头，只有理性缺失了或是被严重扭曲了才会造成社会问题，甚至是严重的社会问题。所以，在政治经济学的研究中，面对现实存在的失业问题，从根本上讲，是要从源头上解决理性的缺失问题。

一个必须明确的前提就是，只有并非完全理性的社会才会存在失业。理性与失业是不相容的,天赋人权是由理性捍卫并实现的,非理性的作为是不会实现天赋的任何权力。如果一个人对于人口生产是理性负责的,即他对抚养下一代的责任是认真落实的,那么他的下一代就不会有失业之虞,他会保障他的下一代成年之后成为社会劳动中的成员,这可以有多种的选择,也会有最终的底线,即最后的保障是用家中的积蓄满足下一代创业自立的需要。这是从社会的微观基础上来认识就业的理性保障问题,这在常态社会之中,是由家庭理性地承担责任的,即理性的人口生产必然是与人口的劳动就业权力联在一起的。在农业经济时代,有的人家仅仅是为了需要有接班的劳动力才渴望生养儿子的。在现代社会,父母可以不需要子女养老,也不需要子女接替他们的工作,但是父母也要对子女的就业负责。如果不能使子女自立,父母是有责任的,理性地认识这一问题,是必须强调父母的责任,是必须强调他们应对自己的家庭负责。因为就天赋人权讲,每一代人都不可能对自己负责,必然是上一代人对下一代人负责。社会的理性要认识到这种权利的安排,这样理解天赋人权是符合自然决定的客观实际的。如果每一个人的出生都是有人负责的,负责将其养大成人,负责让其实现天赋人权,即获得劳动就业权力,那么这个社会还可能出现失业问题吗?所以,失业问题的存在不仅仅是国民经济运行中的问题,更重要的是一个基础上的人口非理性生产的问题。这种非理性的表现,既是社会宏观管理上的理性不足,更是微观基础上在个人的生育行为上体现的。天赋人权不是自己保障的,必须是上一代人给予保障。自己只应是保障自己的下一代的天赋人权。从自然的客观基础事实出发,政治经济学的研究必须要确认劳动就业是每一个人的天赋人权,并且还要理性地认识这种天赋人权的社会保障机制,不能仅从资本的立场出发认识人口就业问题,不能是讲为了资本的需要而形成庞大的失业大军，缺失天赋人权的认识是割断了人口就业与自然的联系的，是不能全面深刻地认识人口生产的责任与权力的。而推进政治经济学的认识，就必须改变对于人口生产存在的非理性认识，以自然规定的天赋人权为基础，明确地解释每一代人都要对下一代人负责的理性要求。失业问题现在是困扰许多国家的国民经济运行的棘手问题，理性的解决方案只能是以人为本安排就业，即使降低资本的效率也要使每一个人都获得生存的权利。而更进一步讲，政治经济学的研究任务是要从根本上取消失业问题，而不是如何安排对策解决失业问题。常态社会必然存在变态行为，但却不必然阻碍天赋人权的实现。在常态社会之中，人口生产可以依赖于常态理性保持社会的有效控制，而每一个人的劳动就业权利则应在这种社会有效控制的基础上得到确认和保障。

2. 边际经济增长就业率下降

在现代市场经济中，由于社会理性不足，减少失业仍是许多国家或地区的社会经济管理要解决的重大问题。这也就是说，除去自然失业率，许多国家或地区还无法实现经济学意义上的充分就业。

就业率是指一个国家或地区一定时期内实际就业人口与应就业人口之间的比例。这是宏观经济主要调控指标之一。

就业增长率是指一个国家或地区一定时期内新就业人口在当期总就业人口中的比例。这一指标表现一个国家或地区的就业增长情况。

经济增长就业率是指一个国家或地区一定时期内每增长1%的国内生产总值相应实现的就业增长率。这一指标的计算公式如下。

$$经济增长就业率 = \frac{当期就业增长率}{当期国内生产总值的增长百分点}$$

假定：当期就业增长率为 1% ，当期国内生产总值增长为
5% 。按上式计算的结果如下。

$$0.2\% = \frac{1\%}{5}$$

即假定的经济增长就业率为 0.2% ，也就是说当期每增长国
民生产总值 1% ，就可以实现 0.2% 的就业增长率。

如果当期就业增长率高，国内生产总值增长率低，则经济增
长就业率相对高。如果当期就业增长率低，国内生产总值增长率
高，则经济增长就业率相对低。

国内生产总值的增长与就业的增长并不是相对应的正比关
系，即不是每增长 1% 的国内生产总值，就能相应增加 1% 的就
业人口。如果这两者之间存在相对应的正比关系，那么，若国内
生产总值每年递增 8% ，大约 10 年内国内生产总值将翻一番，
而 10 年内的就业人口在任何国家或地区的 8% 经济增长持续下
也不可能翻一番。以中国为例，预计从 2000～2020 年每年平均
保持 7.18% 的国内生产总值的增长速度，大约 20 年内国内生产
总值可以接近翻两番，但是，在这期间，即使按充分就业计算，
中国的劳动人口也只能是由 8.6 亿人增长到 10 亿人左右。[①] 这
说明，加快经济增长速度并不对应加快就业增长速度，对就业增
长的要求并不能直接地对应体现在国内生产总值的增长上。从逻
辑上讲，根据经济增长就业率的概括反映，存在着边际经济增长
就业率递减的趋势。

边际经济增长就业率是指一个国家或地区在最新统计时期内
每增长 1% 的国内生产总值相应实现的就业增长率。或者说，边

---

① 参见蔡昉、王德文：《开发人力资源 增加就业机会》，《中国社会科学院
院报》2003 年 3 月 4 日，第 3 版。

际经济增长就业率就是最新实现的经济增长就业率。这一指标的
计算公式如下。

$$边际经济增长就业率 = \frac{边际就业增长率}{边际国内生产总值的增长百分点}$$

假定：边际就业增长率即最新实现的就业增长率为 1.2%，
边际国内生产总值增长为 8%。按上式计算结果如下。

$$0.15\% = \frac{1.2\%}{8}$$

即假定的边际经济增长就业率为 0.15%。这就是说，在最
新的国民经济运行时期，国内生产总值每增长 1%，在总的就业
人口中就有 0.15% 是相应的新增就业人口量。

除非边际就业增长率与边际国内生产总值增长率相同，否
则，每 1% 的国内生产总值增长率不可能有相对应的 1% 经济增
长就业率。

如果国内生产总值增长率稳定，而就业增长率年年下降，那
么边际经济增长就业率是下降的。

如果国内生产总值增长率下降，而就业增长率也趋向下降，
那么边际经济增长就业率也是下降的。

从逻辑上讲，在现代经济中，边际经济增长就业率是呈下降
趋势的。解释这一趋势，就是说是什么原因造成了一定的国内生
产总值的增长对就业增长的贡献越来越小。

第一个原因：资本有机构成的提高阻止了新增国内生产总值
的生产容纳与先前同等比例的就业。

第二个原因：收入水平的不断提高使得新增加的国内生产总
值的生产不能像以前一样吸收就业。

假定：国内生产总值增长 11%，而同期收入水平提高 10%，
那么减去收入水平提高的报酬要求，实际能够吸纳新就业的国内

生产总值仅为1%左右，而且，这1%的国内生产总值的生产对就业的吸纳也要按照收入水平提高之后的国内生产总值与就业量之间的比值计算。显然，在保证收入水平不断提高的前提下，边际的经济增长就业率只能是趋于下降的。

在收入水平的提高中，一般讲，投资者收入与劳动者收入是共同提高的，只是投资者的收入是有弹性的，而劳动者收入的提高是刚性的。所以，在边际经济增长就业率下降趋势之中，劳动者的收入提高是起主要影响作用的。

分析边际经济增长就业率下降的原因表明：收入水平的提高是对增加就业有直接影响的。加快经济增长并不一定能有效加快就业增长。但是，在加快经济增长的同时若能有效控制收入水平的提高，则是肯定能有效加快就业增长的。因此，如何保持一定的收入水平提高和一定的就业增长，在这两者之间权衡取舍，就是现代市场经济条件下，深受失业问题困扰的各个国家或地区的社会管理决策层不得不做出的现实选择。

3. 就业保障与失业保障

常态社会的现实是存在失业问题，甚至有的国家或地区在某些时期存在严重的失业问题，并以此为代价刺激和保持社会的活力。正是在这一前提下，人们看到的历史是，不论环境多么艰难，不论饿死多少人，人类社会终于走过来了。直到今天，恐怕还不能肯定人类已有足够的理性可以保持社会永久地延续。但是，在现有理性的水平上，解决现实的人类生存问题，还不能说是做不到。这也就是说，在常态社会发展的现阶段，人类应当是有能力解决每一个人的劳动就业的。

从现实来讲，不论是哪一个国家或地区，要保障人口充分就业，都必须保持国民经济的稳定和发展。在社会发生动乱的环境中，一切正常的经济秩序都被打乱，市场一片萧条，生产勉强维持，就业的增长是无从谈起的。即使是社会稳定时期，若经济不发展，生产只保持原规模，市场交易量不增加，那也是没有增加就业可能的。只有强劲地推动社会经济发展，始终保持经济的繁荣昌盛，才能使一个国家或地区的适龄劳动人口全部或基本上全都转为就业人口，才能在全社会范围内有效地解决失业问题。

但是，毕竟常态下的国民经济是很难达到理想状态的，失业的问题或多或少在许多国家或地区存在。[①] 如何解决现实的失业问题，还是需要经济理论界提供可行的治理方案。我们认为，根据目前的现实情况，有效地解决或减缓失业问题的理论方案至少应包括以下 3 方面内容：（1）在企业组织制度建设方面，尽力推行分享经济模式，将刚性工资制度变为柔性工资制度，以确保在经济萧条时期企业不裁人，即不集中造成大量的失业人口。这是当代最富有挑战性的企业制度改革，推广开来，对于解决失业问题是有积极作用的。以美国的一般企业为例，资方取 25% 利益，劳方取 75% 利益，劳方的收入为主，若采取利润分享制度，风险共担，利益共享，由企业经营状态决定收入，在企业困难时，劳方工薪自动减少，企业可以不减员，这有利于企业发展，也有利于稳定员工就业。（2）试行模拟企业经营的职业岗位培训制度。现行的职业培训都是教学式的，不是工作式的，一方面政府要拿出大量的经费支持办班，一方面受训者的工作技能仍是纸上谈兵，缺少具体的实践过程。若能改变传统，试行政府办模拟企业的方式为企业培训短缺人才，效果会大大不同于以前办班式的培训。推行这种准市场化的培训制度，可有效地解决一部分结构性失业问题。况且，在模拟企业之中，受训者形同就业，无需政府补助，他们完全可以依靠自己的工薪生活。模拟企业就好

---

① 2003 年，中国的失业率将控制在 4.5% 以内（参见《北京青年报》2003 年 2 月 9 日）。

像是一种员工流动性很强的公司，始终处于送旧迎新的转换之中，只要运营正常，就可起劳动中介作用，有效地帮助人们获取新的就业机会。（3）强制性地提高公共消费品比重。政府出面组织新的公共消费品生产，可直接提高就业率，减少失业人口。在现代市场经济条件下，社会对于公共消费品的需求是比较有伸缩性的。在这样的前提下，政府可以通过有效地提高公共消费品比重的做法，来强制性地增加就业。比如，政府可以在规划中修建更多的公园、绿地、广场、道路，可以较大幅度提高社会治安管理人员的数量，可以组织更多的公益性文化活动，以此扩大公共消费，形成更多的就业机会。

在常态的现实中，社会一方面要促进就业，另一方面还要提供失业保障。这就是要为登记失业的人员提供必要的生活费保障。但社会理性应有能力将失业率控制在自然失业率以内，依此，社会对于失业人员的生活保障可只限于自然失业率之内的人员范围。这也就是说，一个理性的社会最重要的是为人们提供就业保障，而不是失业生活保障。如果在一定的范围内，社会做不到为人们提供完全的就业保障，即只允许存在自然失业率，那就是说其社会的管理是失职的，应当让有关人员自动离开管理岗位。因为就此而言，能做到是正常的，做不到是不正常的。社会管理的责任必须落实在具体的人员身上，他们要负社会责任，这不是他们个人的问题。

一般情况下，各个国家或地区对于失业人员提供的生活费保障都有明确的法律规定，只要政府严格参照执行就可尽到责任。从规范的角度抽象地讲，我们认为有两点需要引起注意：一是政府给予失业者的生活费保障时，要考虑支持失业者子女接受高等教育的需要。二是政府给予失业者的生活费保障时，要有利于失业者尽快地实现就业。

第四十一章　社会经济管理

生存于现代社会之中的个人，以国家为自己的整体生存屏障，以经济组织为自己劳动价值实现的依托，以家庭为生存基础条件，每个人都是现实社会的组成部分，每个人都融入在社会整体之中，与社会整体有着密不可分的联系。在现代市场经济条件下，社会管理机构并不游离于市场之外，而是市场主体之中当然的成员，并且是最主要的成员之一。市场的社会性与社会的管理要求是直接相联的。尊重社会管理机构，从市场的角度来认识，就是尊重社会管理机构在市场中的主体地位及作用。因此，现代的政治经济学研究也必须对社会管理机构的市场主体资格给予确认，必须对社会管理机构在社会经济管理方面的市场作用与非市场作用都给予明确的阐述。在现时代，国家的整体经济管理职能主要分为两个方面：一个方面是社会经济管理职能，再一个方面是公营经济运作职能。前一职能体现国家在经济领域的社会管理的普遍性与间接性，后一职能体现国家对经济干预的市场性与直接性。而确保这两个职能都发挥出应有的作用，是现代社会管理在市场经济条件下的规范与完善。在此，我们先讨论国家的社会经济管理职能的客观性及其在现代社会中的组织实施等问题。

一 "囚徒困境"的启示

在现代经济理论研究中，博弈论得到了广泛的应用，其中对著名的纳什均衡的通俗而典型的解释是"囚徒困境"。这个用以阐述博弈论思想的举例是说：警察抓到两个合谋盗窃的犯罪嫌疑人，将他们两人分别关在不同的囚室里。警察对每一个犯罪嫌疑人都约定（并告之对另一个人也做了同样的约定），如果一个犯罪嫌疑人坦白，而另一个犯罪嫌疑人抵赖，则法庭可以允许坦白者申诉减轻处分只判其 6 个月刑期，其同伙则将被判 10 年刑期。而两个犯罪嫌疑人也都知道，如果他们两人都坦白，则法庭将判处他们每人 8 年刑期。如果他们两人都抵赖，因证据不充分，两个人将被各判 2 年刑期。警察给他们 1 个小时的时间考虑。结果1 个小时之后，两个犯罪嫌疑人都选择了坦白。于是，他们两个将被法庭分别判处 8 年刑期。

博弈论的分析是：如果两个犯罪嫌疑人中一个人坦白，另一个人抵赖，则坦白者最有利，只有 6 个月刑期，而抵赖者最不利，将被判处 10 年刑期。而两个人若都抵赖，每个人只会被判2 年刑期；两个人若都坦白，每个人要被判 8 年刑期。在这样的对峙中，每个犯罪嫌疑人都希望自己坦白，而同伙抵赖，使自己得到最有利的 6 个月刑期。结果必然是两个人都选择坦白，得到他们都不想得到的 8 年刑期。[①]

现代经济理论认为，博弈论提出的"囚徒困境"是对传统政治经济学的理性基础提出了挑战，说明个人从维护自身利益出发是无法通过市场导致个人及社会的福利最优化的。

---

① 参见劳埃德·雷诺兹：《微观经济学》，商务印书馆，1982，第 217 页。

在博弈论的进一步推演中，表明当"囚徒困境"中的参与人超过两个人时，这一博弈就会转化为"公共地的悲剧"，即数位牧民共同拥有一块牧地且每个人的权利相等，都可以在这块地上自由放牧，结果每个牧民都从个人利益最大化出发增加放牧量，最终造成公共牧地被过度放牧而使每个人都不能达到自己预期的利益目标。这种博弈的结果与只有两个人的"囚徒困境"说明的道理是相同的。

由此，新制度经济学认为，如果社会经济的所有制基础对公有资源缺乏像个人拥有资源那样的产权明晰界定，则市场不能保证其配置合理，即市场存在外部性。这说明，在市场相关的活动中，每个人的经济行为都可能对他人或整体造成影响。

在博弈论的"囚徒困境"思想被广泛用于解释社会经济现象时，也有人持不同意见，认为在社会经济之中并不普遍地存在这种博弈关系。只不过，这种认识没有对博弈论持肯定观点的反映热烈。

我们的基本看法是：用囚徒作为例子来说明社会经济问题多少有些不太妥当，因为囚徒不同于市场自由人，是人身受到限制的，且对囚徒的判决也不是囚徒自主决定的，因而用其作为例证极为勉强，几乎没有说服力。但是，通过这个博弈论的著名例子，特别是通过这个例子的广泛传播（差不多所有的经济学或管理学教材中都讲到这个例子），我们可以从中得到一种重要的启示，而这种启示才是博弈论应用于经济理论研究的重要意义体现。

从现代理性达到的思想高度来认识，"囚徒困境"或"公共地的悲剧"给予政治经济学研究的重要启示是：不是理性的个人不应该考虑个人利益的最大化，而是对个人与个人之间的共同利益必须要有建立在社会理性基础之上的统一的或社会性的有效管理。对于公共利益中的个人利益的维护不同于单纯的个人利益，因其首先需要依据社会理性建立管理公共利益的责任和控制力。

因此，对于个人与个人之间存在的公共利益，包括集体利益、区域利益、国家利益以及全球人类的共同利益或全世界的共同事务，都是需要依据社会理性实施管理的。没有社会理性，没有管理，就无法保障公共利益，更无法维护公共利益之中的个人利益。这种管理不是依据个人理性及个人的利益要求能解决的，是要通过社会理性的力量实现，因此，客观逻辑的要求是，个人理性要服从社会理性，个人利益要服从公共利益，个人行为要服从社会管理。博弈论的例子其实是对社会管理的必要性和重要性的最好的解释。

以"囚徒困境"为例。只要在两个囚徒之间多少增加一点点管理，即在他们行窃之前考虑到被抓捕的可能并有共同的约定，那结果可能也会是两个人都选择抵赖，而不会都选择坦白，因为显然都选择抵赖比都选择坦白对他们两人更有利。只有在毫无管理的前提下，他们才可能没有任何默契，愚蠢地各做各的考虑，才会有对两个人都坦白的不利结局。囚徒是已经被限制了人身自由的人，当然不允许有人对他们两人都有利的选择进行管理，但他们两人是有共同行动的，在他们共同行动之前，有共同的约定，或有人对他们进行管理，这不是没有可能的，所以，即使是囚徒，也是可能得到管理的。那么，对于没有被限制人身自由的公民，不讲其他方面，单就他们存在公共利益下的个人经济行为讲，是不是更需要也更可能实施一定的管理。对于公共利益，需要有相应的组织和制度负责管理，否则，公共利益无法保障，个人在其中的利益更是要遭受损失的。关于这一点，即使是从个人理性对个人利益的保护讲，也是能够理解的。这就是说，"囚徒困境"的例子表明：不是个人的理性选择不能为其创造最优结果，两个囚徒都只能接受不是最优也不是最差的纳什均衡结果，而是在其可能达成的共同最优的选择之上缺乏必要的管理，且这一点对于囚徒不是不可能做到的，实际生活中就有一些犯罪嫌疑人是能够做到的，所以，对于不是特定例子的普通公民来讲，只要社会有相应的理性抵达，在他们的各种公共利益之中，就更是能够做到有管理的，这是毫无疑问的。

以"公共地的悲剧"为例。这可以更好地说明，对于公共利益需要有社会理性的公共管理。从政治经济学的角度来认识，公共产权是不同于个人产权的，公共产权具有不可分解的集合性，是不能像个人产权那样界定个人利益的权属的，对公共产权需实施公共管理，这与个人产权只归个人管理是有所不同的。如果一块公共牧地缺乏公共管理都可能造成相当大的经济损失，包括每一个人的损失，那么比公共牧地更大的公共利益所在，不就是更需要有公共管理的存在吗？像"囚徒困境"一样，"公共地的悲剧"的提示更好地说明了社会管理的必要性和重要性，揭示了在公共利益之中维护个人利益最优化的基本条件。其实，在社会生活的现实中，没有人担负着公共的利益的责任进行管理的牧地，不是公共牧地，充其量只是一块无主的草场，若是公共牧地，就一定会有相应的公共管理。对于有管理的公共牧地，不需用外人为他们做产权明晰，他们自己知道应该怎样管理自己的公共财产，也知道对破坏公共利益的人应当怎样处罚。例如，中国古老的村落里，都有同族人共有的族地，而哪一块族地也没有因产权是公共的而被破坏，相反，正因为这是同族人的地而不是个人的地，更受到同族所有人的监督和保护，比个人地的养护更严格。在常态社会，以个人的理性维护个人的利益，并非只知道个人的产权要维护，个人的利益要最大化，事实上同时也懂得什么叫共同利益的存在，什么叫公共利益关系，在公共利益中有个人利益，在个人利益之上还有公共利益，个人只有服从公共管理才能更好地得取公共利益之中的个人利益。对于现代的博弈论来说，进入经济领域应用，是不能在存在公共利益的前提下制造个人利益博弈的，或是说不能对公共利益之中的个人利益讲纳什均衡。作为高智能的博弈论，更应懂得在人类的社会经济生活中存在公共利益，对公共利益必须实施公共管理，不能将公共利益等同于个人利益相加而无视公共利益的集合性。博弈论已有的应用解释是将个人理性对于个人利益的维护人为假设地局限在了一个狭小的忽视社会理性和公共利益存在的视域之内，这是与社会的实际不符的，而事实上，其对囚徒的困境假设恰恰说明有公共利益的存在，更有公共管理的必要，否则，生活在公共利益之中的个人利益是得不到保障的，只能得到不经济的结果。

人类社会是由动物社会衍化而来的，人类社会的常态管理是在原始状态下一点一点发展起来的。直到现在，人类的理性还十分有限，社会的生活还有相当程度的愚昧和盲目，混沌与精明总是相对的和并存的，社会的管理仅仅是刚刚接触到一点点的自觉性，许多方面的工作还不能达到一个现代文明社会的要求。从逻辑上讲，如果在社会共同利益之中存在着最优的选择，而现实的人们却只能得到纳什均衡，那就是说社会的管理存在很大问题，至少是缺失社会管理应起的作用。这就是说，在完善到位的社会管理之下，社会的共同利益之中不会出现纳什均衡。如果表现出纳什均衡状态，那就是缺少必要的管理。现在，除了欧盟国家正在努力走向联合以外，世界上其他国家还没有这种趋向统一管理的意识，联合国组织只能是很有限地处理各国之间的纠纷事务，在人类根本的共同利益之下，国家与国家之间的利益还没有实现有效的管理，2003年的伊拉克战争是最新的证明。所以，正因为人类世界缺乏管理，在国家与国家之间才存在着最典型的纳什均衡，每个国家都必须装备自己的军队，甚至明知本国军费开支远远不及军事大国，但也要尽力支付军费，而在敌对国之间则不断地挑起激烈的军备竞赛。

国家与国家之间缺乏管理，这种情况表现了人类文明的历史局限性在现代社会中的无奈延续。但人类面对的这种尴尬却不同于各个国家或地区已经可以实施的社会管理。应该说，在各个国家或地区的有效管理之下，在涉及共同利益、公共利益或公众利益的社会问题选择上，都是不应产生纳什均衡的。社会管理的作用就是要依据社会理性从更高的层次和更大的范围维护整体之中的个人利益。社会管理的必要性和重要性就在于要为全社会的利益包括在这之内的个人利益更好地服务，提供这种服务是社会理性的责任，是人类社会发展中不断地在提高和完善的劳动基本功能。

二　社会理性

人类社会的生存与发展，从根本利益保障到现实问题的解决，都需要有社会理性。社会理性是常态社会中历史与现实的存在，只不过在不同的历史时期，社会理性的程度高低有所区别。依据个人理性管理社会是不合逻辑的，可能现实之中存在这种情况，那正是问题所在。与个人理性不同，社会理性是从社会利益出发认识事物或问题的理性。对社会的管理必须有社会理性。而个人理性仅仅是能够理性地认识个人利益。社会理性可以存在于群体之中，不同的群体范围可有不同表现的社会理性。作为社会管理者，在个人身上也需有社会理性，这是个人理性向社会理性的转化，是社会理性在社会管理之中对个人的制约和要求。从根本上讲，社会理性要解决生存问题，最低要求是应保障本代人、下一代人、下下一代人的生存。从现实而言，社会理性要解决社会利益的管理问题，要依靠理性的力量维护社会的根本利益和共同利益以及社会成员的既定利益，保持社会的稳定和发展。

在社会经济管理中，社会理性的管理必须起维护社会经济整体利益的作用。国家组织及其设立的各种机构担负着这方面理性管理的责任，主要包括：（1）国土资源管理。国土是一个国家或地区的人口共同生存的空间，是最重要的共同利益实体，社会理性必须要融入对每一寸国土的管理之中。对有限的国土必须进行合理的开发利用，为本国人民的生存服务。在这其中，尤其重要的是对耕地的管理。耕地是一个国家或地区人口食物的来源，过去每个国家或地区都要靠本国或本地区的耕地解决自身人口的吃饭问题，现在虽然有世界农产品市场存在，一些国家可以通过国际市场得到必需的粮食和副食品，但对于人口大国来说，对于仍处于农业经济发展阶段的发展中国家来说，还是一定要依靠本国的耕地保障本国人口的食物供应。社会理性的管理在这方面要切实地把好关，不能有任何差错，民以食为天，食物的绝大部分是来自耕地的，至少现代人类劳动的能力还不能改变这种状况。所以，国土管理是保护国家整体经济利益的至关重要的内容。再有，分布在国土范围之内的矿产资源、生物资源、水资源，等等，也都需要有社会的有效管理。从自然性讲，这些资源是繁衍生存在这片土地上的人口的共同利益所在，是根本的生存条件。从历史性讲，这些资源包括国土都是先人们用鲜血和生命换来的。（2）生态环境建设。每一个国家或地区的人口，现在都需要高度重视生态环境建设问题，这是直接关系每一个人生存的大事。一个人不论拥有多少财富，只要生活在污染的环境之中，就会活不下去的。现代社会并不是没有理性的社会，但已有的理性程度远远不够，这表现在生态的环境上，已经造成了严重的污染

和破坏。现在，亡羊补牢，犹未为晚。社会的管理要在这方面付
出最艰苦的努力，以保证不再继续发生人为破坏生态环境的情
况。退一万步讲，即使人们的生活水平低一些，也不能以生态环
境的破坏作为经济发展的代价。用牺牲生态环境换取物质利益是
最愚蠢的行为。个人在这方面蛮干，是个人的非理性行为。社会
在这方面管理失控，是社会理性的欠缺。（3）金融安全保护。
现代经济已是信用高度发达的经济，金融系统已成为全社会的经
济命脉，所以，从社会整体利益出发的经济管理，必须要绝对保
证国家的金融安全。这是现代经济的一大特征，也是社会理性在
经济领域的关键作用体现。从社会常态的现实来讲，每一个人的
经济利益都与金融安全密切相关，保卫国家金融安全，实质是保
护本国人口经济利益中的生命线。虽然这不同于国土资源管理，
不同于生态环境建设，但却有更为直接的广泛性影响，其抽象的
重要性就像每个人都需要呼吸空气的重要性一般，这是现代社会
经济管理每时每刻都要关注的大事。（4）社会保障体系的建立。
现代市场经济社会不同于自然经济时代和简单商品经济时代，已
经高度发达了，对于每一个人，都是既可感受到现代的文明，又
会感受到巨大的生存压力。而社会保障体系的建立是事关每一个
人利益的稳定社会的最重要的举措之一，这将有效地缓释每一个
现代人的生存压力，使每一个人都能得到来自社会整体的对他的
生存利益的保护。这也是常态下处于不平等的生存线上的各阶层
人口能够缓冲矛盾的共同的依托点。这一体系可为社会每一位成
员营造一个现代文明的生存空间，同时也可为社会最贫困的人口
提供基本的生存条件。现代的社会理性有责任建立完善的现代社
会保障体系，这可能为非理性的认识所不理解，但这一体系却是
社会生活实践要求的不可缺少的公共品。（5）国家物资的储备。
虽然现代已是信用经济时代，人们有了信用卡就可以走遍天下而

不愁，但那只不过是生活表层的变化，从根本上说，人们走到哪里都一样，还是要靠物质资料生存。所以，为防备万一，应对突发事件或自然灾害，从古至今，社会都必须高度理性地重视国家物资储备，以保证危难之际的人口生存需要。在古代，社会主要是储备粮食。在现代，粮食仍然是最主要的国家储备物资，只是除此之外，社会还需要对燃油、棉花、药品、抢险救灾物资进行储备，在这方面，社会理性的作用有着悠久的历史，并也是不断地在强化。

社会理性在社会经济管理中的另一个方面的作用体现是承担日常各项国民经济管理工作。这主要包括：（1）经济立法。理性的管理首先是法治的管理。没有法律，在现代社会，可以说等于没有管理。所以，在经济领域，社会理性的管理也是从最基础的立法开始的。为社会经济管理立法是保障社会经济秩序的重要前提。目前，越是经济发达的国家，在经济方面的立法越健全。（2）经济司法。这是国家司法的重要内容。在市场经济国家，从中央到地方，司法机关都设有专门的经济案件审判庭，为各种经济组织及个人的经济活动保驾护航，解决经济纠纷问题，保护个人或经济组织的合法利益。在现阶段，这方面的费用支出是较大的，但也是必不可少的。这是整个社会经济管理工作的重要性的体现。（3）财政管理。这是为全社会当家理财。在财政收入方面，要保证国家税收全部收缴国库，其他非税收入全都收之有据。在支出方面，要保证军费支出，保证整个国家的管理需要，保证所有公职人员的工薪收入。同时，财政管理还要负责公营经济的资本投入和财政信用工作。（4）经济计划。在高度发达的现时代，每一个国家或地区都需要制定详细的国民经济年度计划和长期计划。这种计划的制定是社会经济管理的必要内容，也是社会具有高度理性的表现。一个国家或地区，经济越发达，越需要认真地做好计划。现时代，不可能设想没有周密的计划而能做好社会经济管理工作的。（5）社会商务管理。这是社会经济管理直接面向市场的工作。这要求国家管理部门具体地为各经济组织提供社会服务。从国内贸易到国际贸易，从企业设立到产品登记，从市场管理到价格控制，这些商务活动之中都需要体现社会管理的力量和作用。（6）行业管理。在有序的市场经济之中，社会必须对每一个行业都进行必要的管理，不能允许任何行业脱离社会理性的控制。这种管理是市场自发性的要求，是有利于各行业的生产者和经营者的。在现代复杂的国民经济运行之中，如果缺少行业管理，那是难以保证行业生产有效率的。所以，从行业的角度，对社会生产进行规范的管理，这是现代市场经济所必需的。（7）商品检验检疫管理。这是现代经济中社会必须负责的一项重要的管理工作。特别是，经济的高度发达已使商品流通的速度加快和范围扩大，同时也为各种病虫害的传播创造了条件。所以，各个国家对于进出口物资必须进行检验检疫，以最大可能减少这方面的损失。（8）标准计量的管理。在现代市场经济中，对计量和标准的要求是十分规范的，容不得半点差错。而且，这方面的工作必须具有公正性和公信性，因此，这也就必然成为社会经济管理的一项内容。社会要在这方面为社会成员主要是相关科研机构和经济组织提供专门的技术和管理服务。（9）劳动人事管理。劳工问题是最重要的社会经济管理问题之一。各个国家或地区都不得对劳工问题有丝毫的懈怠。一般都是由政府专门部门配合社会劳工组织共同处理有关劳工方面的具体问题。而且，公务或公职人员的管理也是社会必须给予高度重视和妥善安排的。（10）市场中介管理。市场中介组织是市场经济各类组织中的重要组成部分，在市场交易活动中起重要作用，现代市场经济运行不可缺少市场中介组织。因此，对各类市场中介组织的管理也构成现代社会经济管理的理性服务内容之一。

三 社会经济管理的两大部类

从管理组织建立的性质角度讲，现代社会的经济管理组织划分为两大部类。其中，一大部类是国家组织系统的管理，还有一大部类是民间的社团组织系统的管理。在现代市场经济中，这两大部类社会经济管理组织共同承担着经济领域的社会理性管理工作。所以，必须明确的是，现代社会的经济管理，并不仅仅是政府部门的工作，也并不仅仅是国家公务系统组织的责任，在市场之中，有大量的社会经济管理职能是交由民间的社会团体组织承担的，也就是说，这些社会中介组织也是社会经济管理之中的重要力量。

国家组织系统的社会经济管理主要承担以下职能：（1）增强国家整体经济实力。常态社会之中国家的生存利益是放在第一位的。为了保证国家的生存，必须不断地增强国家整体的经济实力。战争的实质就是国家之间的整体经济实力的较量。现代战争虽已不具有侵犯他国国土的威力，但避免亡国的恐惧还是强烈地影响着每一个国家。并且，一个国家只有整体经济实力增强了，才能普遍地提高人民的生活水平。因此，致力于提高国家整体经济实力是社会经济管理的首要职能。国家要通过支持基础科技研究，大力发展教育、巩固国防力量、保护生态环境，加强法治建设等多种复合措施来达到整体增强经济实力的目的。在这其中，培养和造就大批优秀的自然科学人才和社会科学人才是所有保障措施中最为重要的成果要求。（2）保持良好的宏观经济环境。这包括对宏观金融环境、宏观生态环境、宏观就业环境、宏观消费环境等所有方面的宏观环境的治理和保护。微观经济组织内部的环境是由其自身负责的，国家的管理不能进入微观经济组织内部，国家只应负责宏观环境的保持。在现代市场经济条件下，已经不是国家干预还是不干预经济的问题，其实客观上国家本身就处在宏观经济的漩涡之中，做好宏观环境的保护工作是国家应尽的职责。为此，国家要在政府中设立各种宏观管理部门，以切实落实自身的各项管理职责。（3）调控社会劳动成果分配。国家是社会分配之中最强的决定力量。国家的决定是任何个人和组织都不可抗拒的。国家对于社会分配的调控：一是要调控国防费开支的大小。国家要根据国际和国内的政治情况做出增加国防费分配还是减少国防费分配的决策。近年来，除了美国之外，许多国家都在尽力减少本国的国防费开支。二是要调控国家行政管理费用。国家需要从为社会提供的服务质量和范围来控制行政管理的费用。随着国家承担的公共消费品责任的加大，就有必要加大行政管理费用。相反，若国家承担的相应责任减少了，比如将一部分责任交由社会团体去承担，那相应国家需支出的行政管理费用就要减少。每个国家的行政管理费用的多少，都是由国家组织中的立法机构决定的。三是要调控国家负责的经济建设费用。这包括由中央政府和各级地方政府承担的建设项目。国家要根据经济发展的需要决定政府的投资项目。一般在完成工业化之后，国家不需要有很大规模的政府投资；而在实现工业化的过程中，历史表明，各个国家都曾是比较重视政府投资的。四是要调控个人收入分配，避免个人收入之间差距过于悬殊。市场的分配是讲求合法性下的效率性，是要按照社会既定的分配原则进行分配的。但这样就难免造成收入差距的扩大，以至于造成社会的不安定。国家的责任就在于要调节人们之间的收入差距，通过个人收入所得税、遗产税或赠予税等方面的征收来避免过于悬殊的贫富差距，让低收入的人能保证基本的生活条件，高收入的人为社会多做贡献，不让后代人依赖上代人的遗产生活，从而保持社会的活力。五是要调控社会公益性支出，对于社会公益事业的发展，国家有不可推卸的责任。在可能的条件下，国家应尽力加大社会公益方面的支出，这是社会文明进步的体现。（4）全面维护市场经济秩序。这是国家对于社会经济活动的基础性管理工作。市场包括各类商品市场和非商品市场，国家组织系统的管理就是要统一维护各类市场的交易秩序。为此，国家要制定各种法律法规，要进行各项专门的工作管理。一方面国家要保护一切合法的交易活动，另一方面国家要打击一切非法的交易活动。国家的管理包括对少部分商品或劳务的价格实行必要的管制。

民间的社会团体组织系统的社会经济管理主要承担的职能是：（1）稳定各行各业的供求关系。社会团体组织的管理在各行各业是自律性质的。各个行业都是由本行业的社会团体组织实施这种自律性管理的。如果一个行业盲目扩大供给，那么不仅可能造成某些企业的损失，更重要的是可能会扰乱整个行业的经济秩序。所以，社会团体组织要从行业整体发展的角度对行业内的各个企业进行一定的约束。这种约束不是强制性的，但却是有利于稳定本行业的供求关系的，是有利于各个企业的生存与发展的。（2）规范各行各业的技术管理。技术指标对于行业管理是十分重要的。没有相应的技术标准，就不能保证生产经营的规范化和现代化。但这些方面的事情并不能由政府出面解决，仍是需要各个行业的自律组织负责的。各个行业成立的协会一类的社会团体，有责任承担这方面的管理工作。在行业自律的基础上，可以不断提高各个行业的技术管理水平。（3）树立行业信誉，在市场经济中，必须注重商业信誉。如果一个行业的信誉不佳，那这个行业内的所有企业都将受到影响。所以，各个行业的社会团体组织都要负责管理本行业的信誉，以避免行业信誉缺失而对各企业造成损失。这是各个行业的自律组织的一项重要的自律内容。信誉是关系行业生存的，也是关系企业生存的，从行业角度维护信誉，比之各个企业对于信誉的维护更为重要。并且，地方性的社会团体组织还有必要做好维护本地企业信誉的工作，有责任为本地企业树立良好的信誉而发挥自身的管理作用。（4）维护产品及服务的质量。在现代市场经济中，产品或劳务的质量是进入市场的准许证，并不是高标准的要求。没有基本质量保证的产品或劳务是不准许进入市场的。企业的竞争也不能体现在质量上，因为质量已经是对所有企业的共同性要求。现实地讲，解决产品或劳务的质量保证问题，要靠企业自身的质量管理，也要靠行业的自律组织负责的质量管理。行业的质量管理就是代表社会做出的质量管理，即这是非政府性质的社会团体负责的工作，不是政府部门的责任。在社会团体中，可有专门负责产品质量监督和管理的组织，也可有专门接受用户对产品或劳务质量进行投诉的机构，还要有专门的对产品或劳务质量进行评定的部门。总之，根据质量管理的各种需要，社会团体可以灵活地进行各个方面的质量管理。在这一方面，可以特别突出地体现社会团体组织对于社会经济管理与国家组织系统管理不同的作用。

第四十二章 公营经济

　　承担主要的社会经济管理工作和负责运作公营经济，是国家经济职能的两个主要方面。社会经济管理是直接行使国家组织的权力，公营经济的运作直接行使的是财政投资的所有权。在通常情况下，各个国家或地区的公营经济分为 3 个组成部分：第一部分是国家机关直接承办的生产服务和生活服务单位，如机关内部的印刷厂、机关食堂、托儿所等。第二部分是经过立法机构批准，由中央政府和地方政府分别依据产权直接市场化经营的公营企业。这些企业都是独立法人，但财政投资占控股地位。第三部分是财政在各类民营企业中的投资，这属于参股经营，财政投资不占控股地位。

　　在公营经济的 3 个组成部分之中，第一部分所占的比重极小，主要是机关内部服务性质的，对外没有业务经营。第三部分是投向民营经济的财政资金，其资金本身是公共资产，但资金的运作却是民营经济支配的。只有第二部分公营企业才是公营经济的主要存在形式和公营的性质体现。因此，国家有关运作公营经济的职能也主要是在公营企业的管理上体现的。我们对于公营经济的探讨也相应主要是落在对公营企业的研究上。

一 公营企业的特殊法人性质

公营企业是直接或间接归属政府控制的企业。在市场经济中，公营企业享有独立法人资格。由于创建历史、社会环境、特定作用、经济发展水平等方面存在差异，各个国家或地区对公营企业的设立及管理并不相同，对其法人性质的界定也有所区别。只是从市场经济体制的规范运作和发展趋势而言，世界上大多数国家从法律上界定公营企业是特殊法人性质的。国家的各级立法机构负有制定特殊法律确认并规制公营企业的责任，即公营企业的特殊法人性质是由特殊法律规定的。在法律的规制中，除去具体的对于各个企业的组织结构和经营范围的规定之外，作为对于特殊法人的共同性质的要求，公营企业的基本性质主要有以下方面。

1. 企业的股东资产全部或大部分归于政府所有

各级政府是公营企业股权的所有者或主要所有者。在公营企业中，政府所有的股权是财政出资形成的，政府不是代表其他主体拥有股权，而其本身就是一种特殊的市场主体。财政对于公营企业的出资来自政府的可支配收入，这种出资表明政府要求占有市场投资总量中的一定份额。可以成为特殊法人公营企业创办者的包括中央政府和地方各级政府，而地方政府能够出资创办公营企业的前提是财政实行分级预算，地方财政相对独立。因而，地方政府可以创办公营企业，是与国家的财政体制直接相关的。

2. 法人的界定是企业法人，政府只进行产权经营

公营企业是特殊企业法人，不是社团法人。这就是说公营企业是企业法人中的特殊一类。公营企业虽然是由政府控制，但必须是按企业的组织机构设立并按企业的性质经营。政府拥有公营企业的股权并不能使其成为政府的组成部分，政府作为投资主体

与公营企业作为生产经营主体是有严格区别的。不能将公营企业视为政府机构，必须明确公营企业是市场经济中的一类企业组织。只是由于公营企业的资产主要是来自政府的，因而不同于一般企业，公营企业与政府有直接的联系，是为政府的经济干预服务的，或是说要起一种政府干预经济的作用。从政府角度讲，对于公营企业的控制，在法律规制下，是一种产权的运作，不是行政权力的运用。特殊法人性质的公营企业具有法律赋予的企业独立地位，政府不能动用行政权力干预企业的经营，政府投资公营企业是其经济职能的体现，政府只能依据产权关系保持与公营企业的联系，政府是靠运作产权来使公营企业的经营服从于政府特定的经济目的。在公营企业与政府关系之中，政府的行政管理作用存在是因为公营企业属于企业范畴，政府需要同对待其他类型企业一样对公营企业进行社会管理。而在公营的意义上，政府的行政权力是不能延伸到企业的。政府一方面要切实分离与公营企业的行政隶属关系，一方面又要通过产权关系牢牢地控制和经营公营企业。这体现公营企业的特殊法人性质与其企业性质的统一。

3. 企业可享有法律赋予的一定特权

政府拥有的企业必然不同于其他企业。公营企业在法律上拥有某些特权，享受特殊待遇，处于优先地位，并可得到政府的特殊扶持和保护，也会起其他企业不可替代的作用。例如，在 20世纪 30 年代，美国开发田纳西河流域，专门组建了田纳西河流域管理局，这一机构是一个既能行使政府赋予的特殊权力又具有企业经营的灵活性和创造性的典型的特殊法人性质的公营企业。它的任务是完成马西尔斯的水电工程并统一负责田纳西河流域内的供水控制、土壤保护、生态环境治理、河水净化、河道通航以及各类小工业企业建造等事宜。这一企业的经营受美国国会通过的、总统签署的《田纳西河流域管理局法》规制。该法律规定，田纳西河流域管理局拥有独特的自主经营权，它有权在其经营范围内订立合同，购买和租赁不动产及个人财产，也可以行使政府对这一流域内的一切产业的支配权。田纳西河流域管理局的开发工作取得了很大成功，它不仅直接以低价格，高消费的观念开拓了这一流域的电力市场，推动并加快了该地区的电气化进程，而且还间接地改变了美国全国电力市场的格局，影响了美国公共电力政策的转变。在其经营的最初 10 年里，修建了 21 座水库，有效地控制了这一流域的洪水泛滥；并疏通河道，开凿运河，拓展了这一流域的航运事业；还规划土地，防止水土流失，有力地促进了流域内农业生产水平的提高；特别是多方面投资地方企业，使当地形成了具有相当规模的工业体系。在田纳西河流域管理局创业的过程中，曾两次得到法律上的重要支持。一次是当地私营电力公司为阻止公共电力市场扩展，控告流域管理局。1936 年美国联邦最高法院做出裁决：流经田纳西河流域管理局各座水库大坝的水力资源是美国政府的财产，政府有权出售它的财产，也有权获得对实现这些出售有益的输电线路和其他设备，因此，流域管理局拓展销售市场的经营是合法的。再一次是当地私营电力公司为彻底打垮流域管理局，诉讼《田纳西河流域管理局法》违宪。1939 年，美国联邦高等法院做出裁决：确定起诉方根本不具备质疑田纳西河流域管理局电力计划的有效性及《田纳西河流域管理局法》的合法性的法律地位。正是在法律的保护下，美国这一公营企业依据特权在当时取得了市场经营的成功。[①]

4. 政企不分，政府对企业经营拥有控制权

各级政府对投入公营企业的资产拥有所有权和经营权，为了

---

① 参见 R. K. 米什勒、S. 雷维森卡编：《世界各国的公营企业》，东北财经大学出版社，1991，第 29 页。

实现政府干预经济的目的，一般情况下，政府不会放弃对于公营企业经营的直接控制。这就意味着，实际上各个公营企业的经营都要遵循政府的旨意，始终处于政府的控制之下。这一点是公营企业与民营企业之间的显著区别。作为公营企业，其基本的特征之一就是政企不分，企业与政府之间有着密切的联系。但需明确的是，控制公营企业的政府，对于每一个具体的公营企业来说，都不是泛指的，而是特指作为它的股权所有者的政府，除了控股的政府之外，公营企业不受其他政府方面的控制。这就是说，一个公营企业若是地方政府控股的，那它就只受这一地方政府控制，就连中央政府对其也没有控制权。至于公营企业的经营方式，各控股的政府可分别做出不同的选择。在市场经济条件下，政府的这种经营上的灵活性，有利于公营企业的生存与发展。而公营企业与政府之间的政企不分的主要表现是，政府决定企业的经营范围及经营方式，并决定企业的主要管理人员的任职。

二 公营企业的经济地位

作为各级政府直接控制或间接控制的企业，特殊法人性质的公营企业在国民经济中具有其他经济成分不可替代的重要作用和不可相比的重要地位。

1. 公营企业创造的劳动成果在国民经济中占有的比重稳定

公营企业的生产能力是随国民经济的发展而增长的，公营企业的生产在国内生产总值中所占比重基本上是比较稳定的。有些国家是占20%左右，也有些国家是占10%左右。不论占有比重大小，在各个国家都有自身的稳定值。印度是一个相对说来比较重视发展公营企业的国家，在20世纪80年代，公营部门创造的国内生产总值达到25.5%，以后一直保持在这一水平上。在奥地利，公营企业创造的国内生产总值，所占的比重为：1976 年占 20.9%，1979 年占 21.3%，1980 年占 20.6%，1981 年占 19.4%，1982 年占 21.1%。[①]

2. 公营企业垄断军工生产

政府必须直接控制军工生产，所以，各个国家的公营企业几乎都垄断了军工生产。虽然现实之中也有一部分军用品的订单是民营企业拿到的，但其数量有限，亦不属于核心产品，不会打破公营企业对于军工生产的垄断地位。尤其是尖端的保密性特强的军工产品，一般都是由公营企业生产。军工生产的特殊性，决定政府不敢对其失控，因此，垄断军工生产，也是政府需要设立公营企业的一个重要的原因。在第二次世界大战期间，法西斯国家与反法西斯国家都利用公营企业大量地生产武器弹药，使公营企业直接为战争服务，这也成为公营企业存在的一个特点。而在战后，这些公营企业纷纷失去了那种生产上的繁忙景象，其中很大一部分转为了民营企业。但到 21 世纪，各个国家还都保留了数量不同的公营企业专门从事军工生产。从某种意义上讲，公营企业是必然要在军工生产领域发挥其特有作用的。

3. 公营企业在社会生产的上游部门中居于重要地位

社会生产分为上游、中游、下游阶段。这种划分不是绝对的，但有上下之分却是肯定的，且上游阶段的生产作用是很重要的，往往是决定中游、下游生产规模的。居上游阶段发挥作用的生产部门主要包括能源、交通、原材料生产以及勘测、通讯、国土整治、矿山开发等部门。而各个国家的政府投资主要是启动这些部门的建设。公营企业在这方面的活跃对于整个国民经济的发展是起重要作用的。

[①] 参见 R. K. 米什勒、S. 雷维森卡编：《世界各国的公营企业》，东北财经大学出版社，1991，第 80 页。

4. 公营企业主要承担着非竞争性领域的生产任务

在各个国家，公营企业一般不进入竞争性领域，主要是在非竞争性领域为社会提供产品。非竞争性领域包括自然垄断行业、军工生产、公共产业部门、基础设施建设等方面。在非竞争性经营中，一般不允许企业获取超额利润，公营企业要以维护经济秩序为目标，完成政府交给的任务，不能靠经营的垄断性赢利，也不能因非经营性亏损而退出。由于非竞争性领域提供的产品是现代人生活中的必需品，所以，只要设立公营企业，其经营的垄断地位是巩固的。每一家公营企业的存在，都应是必不可少的。这与竞争性领域的企业设立是有所不同的。

5. 公营企业是政府宏观调控的工具

公营企业是按政府的要求经过立法机构批准建立的，不以赢利为目的，而要执行政府调控经济的旨意。比如，日本开发北海道，计划的实施主要是利用组建公营企业完成的。港口的整备、机场的建设、道路的修建、森林的保护、市政的修整、文化设施（包括北海道开发纪念馆）的建立，都是公营企业做出的贡献。日本政府通过众多的公营企业的作用，很好地完成了北海道开发的目标，保持了北海道与国内其他地区的经济发展平衡，有力地维护了国民经济运行的秩序。在各个国家，更具典型作用的是公营金融企业肩负的任务。处于政府控制下的公营金融企业，是国家宏观经济的调控中枢，在保障国民经济运行秩序方面发挥重要作用。政府通过公营金融企业的作用，不仅可对国民经济发展的短期走势进行调控，而且对国民经济的长期发展也可发挥积极的促进作用。

三　公营企业的发展趋势

各个国家的公营企业设立，各有各的原因，但共同点都是社会经济发展的需要。近年来，在这一领域，既存在转化为民营企业的趋势，也存在着继续发展的趋势。

1. 民营化趋势

世界性的公营企业民营化趋势是由英国开始的，以后逐步影响世界上的许多国家。英国的大规模民营化始于 1979 年，到 1984 年掀起高潮，政府大批出售公营企业，降低公营企业生产在国内生产总值中的比重。其他一些国家在英国搞民营化之后，也纷纷效仿英国。如日本，一段时间之内也很热中于学习英国的民营化。在这些国家，将公营企业转化为民营企业，主要有以下方式：（1）企业整体出售。这包括整体拍卖，全部股权转为社会公众股出售，协议整体转让，整体被兼并等等。除了全部股权转为社会公众股之外，其他方式都是找一个私人买家或一个主要的私人买家，由这个买家将公营企业接过去，直接改为民营企业继续经营。（2）企业拆散出售。这是为了好卖，先将企业拆散了，然后一部分一部分卖出。（3）一次性出让控股权。这是通过企业股权结构的重大改造来改变企业的性质，将其由公营企业转化为民营企业。这是公营企业民营化中比较常用的做法，这种改变不涉及企业的实有资产，只是股权的变动。（4）逐步出让控股权。只要企业的控股权不在政府手中，企业就不是公营企业。为了实现民营化，对于难以一次性转让控股权的企业，也可以采用多次转让股权的方式，逐步达到政府不再控股的目的。（5）无偿赠送企业。这属于个别情况。因有的公营企业规模小，出售无效益，可能也找不到好的买家，于是，政府便可采取无偿赠送的办法，将企业送给企业在册职工，一人一份股权，实现企业的民营化。再有一种方式是，将要民营化的企业统统合并，定价拆股，然后向社会公众赠送，对有资格获赠的公民，一人一份。这种方式的民营化，政府只有人力和物力的付出，没有任何收益。

2. 主流发展趋势

在 20 世纪末和 21 世纪初, 世界各国公营企发展的主流趋势主要分两个方面: 一方面是中央公营企业形成一种控股经营趋势, 另一方面趋势是地方公营企业的发展成为公营企业发展的主流。

在许多国家, 最初建立的公营企业基本上都是实业公司, 如铁路公司、通讯公司、军工厂等等。而到了 20 世纪末和 21 世纪初, 许多国家由中央政府设立的公营企业主要形式是控股公司, 甚至是单纯性的控股公司, 只做资本运作, 不做实业经营。这种控股公司的活跃, 是以资本市场的发达为基础条件的。这一类的中央公营企业就是指由中央财政出资并由中央政府直接或间接控制的公营企业。

地方公营企业就是指由各级地方财政出资并由各级地方政府直接或间接控制的公营企业。在 20 世纪末和 21 世纪初, 世界各国的地方公营企业取得了长足的发展。在美国, 联邦政府似乎在第二次世界大战结束以后就有意地取消了一大批军工生产行业的中央公营企业, 也拍卖了一些非军工行业的中央公营企业, 但是, 地方公营企业的数量却不断增加。"地区、州和地方的公营企业修建并管理桥梁、隧道、堤坝、机场、公共建筑、住宅、体育场、市中心和工业区, 提供诸如供水、供气、电力、运输、保险等一系列范围广泛的服务, 以及为商业和工业提供各种形式的财政支持。"[①] 在日本, 地方公营企业的发展也一直处于上升趋势。据统计, 1961 年日本的地方公营企业的数量为 4771 家, 20 年之后, 1981 年发展到了 7508 家, 这其中, 由都道府县直接经

---

① R. K. 米什勒、S. 雷维森卡编:《世界各国的公营企业》, 东北财经大学出版社, 1991, 第 29 页。

营的有 379 家，由指定城市经营的有 109 家，由市町村经营的有 6686 家，还有其他一些形式的存在。这些企业都需接受日本国家的《地方公营企业法》管理。而到了 1988 年，日本的地方公营企业又发展到 8277 家，较之 60 年代几乎增加 3/4。[①] 而且，自 1990 年之后，日本的地方公营企业的数量又有了进一步的增加。同美国、日本的情况大体一样，其他国家的地方公营企业也都一直呈现增长趋势。因而，在现代市场经济之中，公营企业的发展已经转为以地方公营企业的发展为主了。

---

① 参见植草益：《微观规制经济学》，中国发展出版社，1992，第 246 页。

第四十三章　对外贸易与金融控制

　　进入高科技的现代社会之后，各个国家的政府承担的国民经济调控的重点均是对外贸易与宏观金融。经验表明，有些国家的政府在这两个重点调控方面的工作是卓有成效的。在某些时期，由于政府的调控措施得力，对促进国家经济的发展起到很好的作用。但同时，有更多的国家，尽管十分地谨慎小心，又很重视工作研究，而实际的效果很难说与政府的调控意图相一致，或者说仍是处于找不到可靠经验的状态。在国民经济运行比较顺利的时候，政府往往强调这是宏观调控的成果，而一旦国民经济的运行在宏观上出现问题，政府又只能是束手无策，并无好的调控办法。这就是世界各国之中的有经验型和没有经验型的宏观调控的两种不同的表现。至于对外贸易与宏观金融调控方面的理论，截止到目前，还很难为各国政府的调控提供服务。因为在这方面一直存在着理论上的认识分歧，各方意见争论不休。对此，人们有一定的睿智的见解，却缺乏能够完全把握经济运动中内在联系的成熟理论。因而，现实的情况是，理论与实际工作相脱节，政府的调控几乎是靠经验摸索的。为了改变这种理论上的落后状态，在对劳动效用的基础理论探讨中，我们将重点对市场经济条件下的对外贸易与金融调控两个方面的政治经济学研究做出一些思想性的分析。

一 对外贸易理论分析

在现代经济理论的研究中，对外贸易理论又称国际贸易理论的研究吸引了一大批才华横溢的莘莘学子。他们既研究这一理论产生和发展的历史，又探讨现代最新的研究成果，力求能用现时代人的智慧在现时代促使对外贸易理论走向成熟。在一份颇有分量的关于中国对外贸易发展情况的研究报告中，研究者们指出："重商主义被认为是国际贸易理论的最初萌芽，斯密在其著作《国富论》中有力地抨击了重商主义，他认为劳动生产率的差异是国际贸易的基础，在此基础上提出了绝对优势的国际贸易理论，李嘉图在斯密的绝对优势理论的基础上提出了比较优势理论。新古典一般经济理论创立后同样也没有忘记其理论在国际贸易领域内的扩展，新古典国际贸易理论就是在一般均衡模型中加入生产要素在各个国家间不流动的假设，通过贸易或商品交换实现生产要素国际间的合理配置，而且进一步提出各个国家应按照其资源禀赋实行专业化生产的规范性命题，只要能够实现自由贸易，则所有国家都能获利，并且最终实现由斯托尔伯和萨缪尔森提出的要素价格均等化。20 世纪初，瑞典的经济学家赫克歇尔和俄林打破了斯密和李嘉图以劳动作为惟一生产要素的假设，以要素禀赋的不同作为国际贸易的前提，提出了'要素禀赋理论'，也称'新古典贸易理论'。古典和新古典国际贸易理论都假设规模收益不变和完全竞争的市场结构，因此将它们归为'传统贸易理论'。传统贸易理论的假设前提与现实有很大差距，同时利用传统贸易理论中理论体系最完备的'要素禀赋理论'来解释国际贸易现实并不理想，美国著名经济学家列昂惕夫在50 年代发表了一篇著名的研究论文，他发现美国的出口产品的资本密集程度要低于其进口产品的资本密集程度，但是美国应该是一个资本密集型产品的出口国，这就是著名的'列昂惕夫之谜'。因此，在 20 世纪 70 年代后期，一部分经济学家开始利用新的方法来研究国际贸易的原因与结果、贸易结构和贸易政策，而这些新的研究成果被归结为'新贸易理论'。"①

新贸易理论的基础是规模经济和不完全竞争即垄断竞争的存在。在此基础上，提出产业内贸易概念和技术外溢概念。可以认为新贸易理论已经具有相当的复杂性，在这一点上不同于传统贸易论，其理论的复杂性实际是源于 20 世纪中期新技术革命之后的经济运行的复杂性。

但是，新贸易理论同传统贸易理论一样，对国际贸易的解释是不完全的。传统贸易理论并非完全不能解释国际贸易，只是其理论对某些方面的情况或问题不能做出解释。而且，从历史的角度来看，新贸易理论解释的是现代经济中国际贸易的复杂性，传统贸易理论解释的是以往年代中国际贸易并非复杂的情况。新贸易理论也未能解决传统贸易理论存在的基本问题。其中，关于技术是外生的还是内生的问题，不只是传统贸易理论的局限性，更是传统的政治经济学体系中存在的局限性。

新贸易理论批评传统贸易理论的假设前提与现实有很大差距。关于这一点，我们需展开分析。科学研究中提出假设即使与现实没有差距，也不等同于事实，即假设不是复制事实的，而是要抽象地反映事实与事实之间的联系。科学研究的抽象认识与事实本身是有区别的。而进一步讲，在正确概括事实的前提下，科学的理论分析也要保证分析过程中的逻辑不出问题。分析逻辑的问题是与假设前提的不准确无关的，其误导性和偏差性可能比假

---

① 南开大学政治经济学研究中心：《中国宏观经济运行与发展报告》，中国宏观经济研讨会论文，2002，第 318 页。

设前提存在缺陷的危害性影响更大。然而，新贸易理论也只是注意到传统贸易理论的假设前提有问题，并没有对传统贸易理论的分析逻辑进行深入的研究。

在传统贸易理论中，确实存在某种一致性，即斯密的绝对成本论、李嘉图的比较成本说、要素禀赋论、还有穆勒的相互需求原理，这些学说的思想基础是基本一致的。只不过，要素禀赋论修正了斯密的劳动生产率决定劳动成果创造的偏差，相互需求原理弥补了比较成本说的缺乏市场基础的不足。但要更进一步说，要素禀赋论对斯密的绝对成本论的修正不属于贸易理论本身的问题。而是一个价值理论问题，是斯密的劳动主体价值论遇到的现实障碍得到了要素禀赋论的变更。这种基础上的认识发展确实为国际贸易理论的发展扫清了一个方面的障碍。可是这方面的认识进展还不能解决国际贸易理论缺陷的根本性问题。并不是一个完全市场的假设前提就划分了新旧贸易理论的差别，因为比市场假设更重要的是传统贸易理论没有准确地讲清楚人们为什么要进行国际贸易。传统贸易理论只是笼统地讲人们需要追求更大利益，或者说人们需要在国际贸易的价格差异上寻找更大的收益。所以，除去价值理论方面的问题，特别是站在要素禀赋论的立场上看，传统贸易理论的不足正是在这一点上，其对于国际贸易成因的认识单一化了，由此造成理论对于国际贸易事实的抽象反映是不准确的。如果人们进行国际贸易的原因同传统贸易理论概括的一样，都是追求价格差异下的最大收益，那么传统贸易理论的认识永远是正确的。

新贸易理论的发展并没有击中传统贸易理论缺陷的要害。从根本上讲，新贸易理论强调的不完全竞争市场并不是重要的问题。在政治经济学的分析中，人们都知道完全竞争市场在现实之中是不存在的，但这并不妨碍其理论假设存在的价值。新贸易理论强调的规模经济，多少有一些牵强附会，因为人们都清楚，从有国际贸易的那一天起，小宗商品的交易就一直是活跃的，且在国际贸易中占相当的比重。新贸易理论提出的产业内贸易概念和技术外溢概念，也没有起向前推进国际贸易理论的作用。这两个概念基本上只是对贸易事实的描述，没有更多的理论认识深化的含义。这也就是说，新贸易理论也没有在解释国际贸易成因方面有所拓展，这使其同传统贸易理论一样没有走出认识上的困境。

从 21 世纪的经济思想发展来看，对于国际贸易理论的认识，我们的分析实质上与传统贸易理论没有根本上的分歧，也同新贸易理论存在着继承的关系，我们只是要对以往国际贸易理论缺陷的基本点讲清楚。

在新旧贸易理论的丰富著述中，其实早就讲到国际贸易有两个基本动因和一个根本限制，只是长期以来未能在准确的逻辑分析中做出明确的表述。

就 21 世纪国际贸易的现状来讲这个问题，我们强调的只是国际贸易存在两个基本的动因，不能将两个动因混为一个，也不能将其中的一个混淆为另一个，即国际贸易理论要改变过去对成因的模糊认识。这两个基本动因就是：（1）为稀缺的需求而贸易。（2）为寻求市场而贸易。

在这其中，虽然稀缺品供给也是通过市场供给的，对稀缺品的需求也是市场需求，但不能将此视为一般的市场需求与供给。为寻求市场而贸易也是与稀缺品的供求不一样的。我们可以将国际贸易的两个涵义不同的动因概括为稀缺性和市场性。对此，重要的是不能混淆这两种动因。

人们不会因苹果价格低，而桃子价格高，就光吃苹果，不吃桃子。想吃桃子而没有桃子，这就要为稀缺性而贸易。在贸易者需要的稀缺品面前，价格是一个次要考虑的因素，重要的问题是怎样才能得到稀缺品。

为寻求市场而贸易表现了人们对价格的敏感和对生存条件的追求。从买者的角度讲，只要货物都一样，而价格不一样，他肯定买价格便宜的，不管这货物来自国外，还是国内。对于卖者来讲，只要能将自己的货物卖出去，或是说只要有人能买自己的劳动成果，他就能获得生存条件，不管这购买力是来自国内市场，还是国外市场，对其没有差别。

在以往的贸易理论中，对稀缺性和市场性都讲到了，只不过是在不同的地方做不同的表述，基本上是将稀缺性也讲为市场性了，都以价格的高低为表现，而没有确切地区分为稀缺而贸易与为市场而贸易的不同，即没有明确为市场而贸易是寻求适当的买家或卖家，为稀缺而贸易是寻求或出手特定的货物。价格是为这两种目的服务的，前者交易可能使价格压得很低，后者交易可能将价格提得很高。用货币值表现的价格实际蕴涵着不同的要求。

要素禀赋论区分了不同的商品类型，即将商品分为了劳动密集型、资源密集型、资本密集型、技术密集型，无疑是按稀缺性进行分类的。然而，要素禀赋论的分析贸易的思路又是按市场性进行概括的，即贸易只取决于市场价格决定的收益大小。于是，矛盾便发生在对稀缺性和市场性的混淆上。为市场而贸易是讲价格选择的，为稀缺而贸易是不讲价格约束的。这也就是说，前者可以接受低价格，后者可以接受高价格。这是两种不同的贸易思路，可以出现在同一个贸易对象上，但两种贸易思路自身有不同标准，不是同一性的。所以，按要素禀赋论对商品稀缺性的划分，美国应进口劳动密集型或资源密集型产品，而不是资本密集型产品，问题是这一理论没有认识到，贸易并不是只受稀缺性的约束，从市场选择出发而不是从稀缺需求出发，美国又恰恰是吸收资本密集型产品最好的国家。因而，所谓的"列昂惕夫之谜"

只是人为制造的谜，是经济学研究中的理性逻辑认识不清才产生的谜。美国既定的国际贸易事实是没有逻辑错误的，错的只是以往经济学人对事实的认识。

要素禀赋论对国际贸易的理性分析实际上采取了双重标准，但却未能按双重标准解读不同的贸易动因，而是将两种标准相混淆，结果落入自相矛盾的陷阱之中。这是由分析逻辑不准确而产生的问题。

如果将为稀缺性而贸易排除，单纯只是讲为寻求市场而贸易，那么不分假设前提是什么，产业内贸易、绝对成本论、比较成本说、相互需求理论以及要素禀赋论的价格差异分析，都是正确的。谁的成本绝对低或相对低，谁的产品就能受到欢迎，谁就能得到生存条件。美国进口资本密集型产品是因为美国对这一类产品有市场需求，且交易价格在美国看来是低的，而在出口国看来价格是有市场接受的，所以，这就构成了国际贸易，而不是美国国内提供产品供给。对于这种情况，显然不能指责美国的国际贸易违背了要素禀赋论的概括，而只能是看一看要素禀赋论到底是哪一处逻辑的认识有问题。

美国经济学家迈克尔·波特提出的国家竞争优势理论是对比较成本理论的完善和发展。他认为，一国的竞争优势，就是企业、行业的竞争优势。这一理论仍然是以单一的为寻求市场的动因解释国际贸易的，因此其理论只是增加一定的对现代经济的理解，也没有超出传统贸易理论的认识局限性。

在为稀缺性而贸易中，理性的行为是尽可能取得生存必需的稀缺品，非理性的行为是对生活非必需的稀缺品也有很大的兴趣。作为买家，就是要通过国际贸易买到自己国家无法生产或生产量不能满足市场需求的商品或劳务。作为卖家，就是要通过国际贸易向别的国家出售他们无法生产的或有生产但供给量不能满足需求的稀缺性的商品或劳务。在这种国际贸易中，需求者要服从市场价格，即使市场价格较高，也没有办法，其购买只能是根据自己的购买能力而决定。除非买家没有足够的支付能力，否则价格高并不能取消交易。如果是对某一稀缺品有特殊的需求，那几乎是要不惜一切代价购买的。技术外溢就属于一种对稀缺品的需求。先进的技术对于现代经济中的生产者来说，是最重要的稀缺品。

更重要的是，不管是为寻求市场而贸易，还是为稀缺性而贸易，凡涉及国家安全的国际贸易，都是不可进行的。保障国家的安全，这是常态社会经济之中国际贸易或者说国家对外贸易的一个根本性的限制。

对于人口大国来说，需要在根本性的限制基础上，切实把握好对外贸易依赖度。不能过高地依赖国际贸易发展国民经济，必须自觉地理性控制本国的外贸规模。

如果能够清楚而肯定地明确安全性、稀缺性都是与市场性不能相混淆的抽象性质界定，那么我们对于国际贸易理论就可以做出比较全面而准确的认识了。

现时代，国家与国家之间存在货币差别，要在这种差别上进行研究国际贸易理论。但是，现在看来，关于这一差别的存在，也在发生着急剧的变化。美元一直是国际上的硬通货，有的国家已经干脆取消本国货币，直接用美元了。欧盟加入欧元区的国家已经统一使用欧元了。货币的差别存在对于国际贸易的影响变得越来越小。

如果不讲货币的差别问题，以及海关的控制问题，那么从今天来看，国际贸易正在变得与各个国家的区域间的国内贸易没有太大的差别了。从市场性讲，人们就是为了买而卖，为了卖而买，哪里能卖就会到哪里去卖，哪里的价格高到哪里卖的重要性不如有稳定的销售市场的重要性。反过来，当然也是哪里的价格便宜到哪里去买，一般认为价格能够接受就买了，只要交易方便，也并不一定非找到价格最便宜的才买。从稀缺性讲，并不完全是一个价格约束的问题，有价可能无货，有货可能价高，又有价又有货还要看自己国家的支付能力。而交易的目的是一方得到稀缺品，另一方得到较高的回报。得到回报的一方虽然也是寻求有利于自己的价格，但这与市场性的卖价高是有区别的，这是稀缺性的价格确定和稀缺性的回报。从安全性讲，只要有违安全性，国家必须中止一切国际贸易。这种做法是反市场的，但却是常态社会的现实。国际贸易理论是常态的，必须以安全性为国际贸易的根本性限制。在持续了几百年的贸易理论讨论之后，在21世纪的历史条件下，关于国际贸易的理论概括，必须清醒地认识以往的逻辑缺失之弊，重新做到实事求是地全面地认识问题，不能将稀缺性的要求理解为市场性表现，也不能将市场性的机制用稀缺性解释，更重要的是即使生产能力一致的国家对于同一价格也可能会有不同的反应，还有就是要对安全性作为根本性的限制有深刻的认识和系统的解释。政治经济学的研究不能主观地理想化地要求各国之间怎样进行国际贸易，而只能是客观地从事实出发对国际贸易的历史与现实做出合乎逻辑的全面系统的认识。

社会分工是商品经济的基础，是国内贸易的基础，也是国际贸易的基础。就像一个人什么活计都能干并都能干好却不必什么都干一样，任何国家也没有必要自我封闭，一切事情都自己干，不与外界交流。更何况，稀缺性对于每一个国家都是存在的，只是表现的领域可能不相同。所以，在现代社会，更需要以市场为纽带，理性地展开国际贸易，造福各个国家的人民。对于这一领域的理论认识，如果抽出货币问题和安全性问题，可以说用国内贸易的必要性是能够很清楚地同样解释国际贸易的必要性的。现代政治经济学的研究与以往的理论认识不同,主要是因现代经济的发展已经有了更为复杂的内容。一切正确的理论都是来自富有活力的社会实践的。

二 宏观金融调控理论分析

劳动成果的价值相对独立运动是人类经济生活中的创造,且经济生活越是现代化,这种相对独立的价值运动越是复杂化。所以,金融的复杂化是社会经济现代化的一个重要标志。更重要的是,金融活动已是现代经济的中枢神经系统,在某种程度上控制着全社会的生产与生活的现实状态。因而,在社会经济管理之中,国家负责的宏观金融调控具有至关重要的地位和作用。保持宏观金融秩序稳定是保障国民经济正常运行的基本条件。但是,常态社会之中,稳定总是相对的,不正常乃至混乱的情况是难免不发生的。造成国民经济出现宏观金融秩序紊乱的原因,一方面是金融系统本身出现了不规范运作或恶性违规,再一方面则可能是来自生产或生活中的不正常状态的影响。这也就是说,金融领域出现问题,可能是由于价值的相对独立运动发生故障,也可能是在价值的创造过程中和劳动成果的使用过程中产生障碍问题。因此,从逻辑上讲,金融调控不单是对金融运行本身进行调控,单纯的金融调控也不能取代全面的国民经济调控,将所有的经济运行问题的解决都压在金融调控之上并不是明智之举,对金融领域出现的问题都要求金融部门负责也是不妥当的。总之,在现代经济之中,宏观金融调控既具有统领全局的重要性,又带有自身系统存在的难以逾越的局限性。因为价值的相对独立运动不可能等同于经济的全面运动。对于宏观金融调控的作用不能不给予高度重视，也不能夸大其作用。

在此，我们不展开全面的宏观金融调控理论分析，只就若干关键性的基础问题谈一谈初步的认识。

1. "双因调控" 流通中的货币规模

流通中的货币规模大小是否适当，关系到宏观金融运行能否保持正常秩序。流通中的货币规模超过适当量，表现为通货膨胀；低于适当量，表现为通货紧缩。流通中的货币规模取决于两个因素：货币存量与货币流通速度，即：

流通中的货币规模＝货币存量×货币流通速度

如果货币存量增加，即发行更多的货币，货币流通速度不变，那么流通中的货币规模也要扩大；反之，货币存量减少，即收缩银根，货币流通速度不变，流通中的货币规模也要缩小。

如果货币存量不变，货币流通速度加快，那么流通中的货币规模也要扩大；反之，货币存量不变，货币流通速度减慢，流通中的货币规模也要缩小。

如果货币存量增加，货币流通速度也加快，那么流通中的货币规模更是要扩大；反之，货币存量减少，货币流通速度减慢，流通中的货币规模也就更要缩小。

如果货币存量增加而货币流通速度减慢，或货币存量减少而货币流通速度加快，那么，流通中的货币规模可能是不变，也可能是相应地扩大或缩小。

重要的问题是必须清楚，影响流通中的货币规模的因素是两个而不是一个。任何人都不能仅从一个因素去讨论流通中的货币规模。在计量中，流通中的货币规模只是一个抽象的数值，或者说是一个统计数值，而不是一个具体的可清点的货币数量。

无论是货币存量，还是货币流通速度，这两个因素中只要有一个因素发生变化，就会影响流通中的货币规模。如果两个因素都发生变化，那流通中的货币规模的变化就更为复杂了。反过来说，如果货币规模在流通中发生变化，那么可能是货币存量发生变化，也可能是货币流通速度发生变化，还可能是两个因素一起发生变化。

问题的关键在于，在影响流通中的货币规模的两个因素中，货币存量的变化是中央银行可以控制的，而货币流通速度的变化不是金融系统本身能约束的，即其可由多种原因引起变化，且有些变化是金融运行以外的原因引起的。

因此，在流通中的货币规模过大或过小时，改变货币存量未必能解决已形成的通货膨胀或通货紧缩问题。在这种情况下，可能产生变化的主要因素是货币流通速度，且货币流通速度的变化是由金融以外的原因引起的，所以，此时仅单纯调控货币存量可能是达不到治理目的的。

经济学教科书讲到的宏观金融运行中的货币政策调控手段主要有3点：（1）利息率调节，（2）准备金率调节，（3）公开市场业务调节。其中，准备金率调节和公开市场业务调节都是主要针对货币存量的调节。根据上面的分析，这3点之中的调节不论是针对货币存量，还是针对货币流通速度，都可能起到调节流通中的货币规模的作用。

但需要分清的是，未必货币存量加大，货币的流通速度就减慢；货币存量减少，货币流通速度就加快；即货币存量与货币流通速度之间不一定存在直接相关的联系。除了货币存量的大小之外，影响货币流通速度变化的还有其他方面的原因，在某些时候其原因是来自经济建设方面的，是金融调控无法介入影响的。因此，在特定的条件下，由于货币流通速度发生变化造成流通中的货币规模过大或过小时，金融调控的重点就不能是在货币存量上，而应是主要针对货币流通速度进行调控，通过有效的治理达到恢复宏观金融秩序的目的。

将对流通中的货币规模只进行货币存量的调控或只进行货币流通速度的调控，是"单因调控"。对流通中的货币规模同时进行货币存量调控，又进行货币流通速度的调控，是"双因控制"。现实的情况是流通中的货币规模不适当往往是与货币存量的大小和货币流通速度的快慢都有关的，这两个方面的因素是相互关联的，很难说一个因素变化而另一个因素没有变化，在二者之间肯定是动态关联的，所以，现实之中的货币调控一般应是"双因调控"，是通过既调控货币存量，又调控货币流通速度，才能取得调控效果，达到调控目的。在政治经济学的理论概括之中，也应从现代经济运行的实际需要出发，突出地强调对于流通中的货币规模的"双因调控"作用，还需要进一步研究如何才能有效地进行复杂的货币流通速度方面调控的手段，不能仍停留在只简单调整利息率的传统水平上。

2. 把握宏观金融调控焦点

在现代市场经济中，宏观金融调控的焦点是国债市场。国债市场也由此可以称得上是国民经济的晴雨表。作为宏观金融调控的焦点所在，国债市场具有其他金融市场不可替代的功能和作用。

国债是金边债券，是由国家信誉担保发行的债券，具有最大的安全系数保障和最灵活的变现性。相比企业债券，无论其信誉多么高，国债的信誉都是超出其上的。更为关键的是，国债市场是财政信用与银行信用这两大信用体系的连接点，既具有财政筹资的功能，又是中央银行开展公开市场业务的信用工具。国家财政可以通过国债市场筹集到大量的可用于进行基础经济建设的资金，这有利于国家调控国民经济，发挥国家的经济职能作用。中央银行开展公开市场业务的调节内容具体说就是买卖国债。中央银行是通过国债的买卖贯彻其既定的货币政策目标，达到灵活地微调货币市场与资本市场的目的。

对于货币存量的调控，宏观金融调控的焦点是聚在国债二级市场上。由于财政不可以直接向中央银行发行债券，中央银行持有的国债都是在国债二级市场上买进的，即主要是从商业银行手中买进的。而商业银行一般是用准备金购买国债的。中央银行在国债二级市场开展公开市场业务，买进国债，等于吐出货币，放松银根；卖出国债，等于收回货币，紧缩银根。由于中央银行的公开市场业务可以每日进行，因此，利用国债二级市场调控货币存量具有很高的灵活性和便捷性。

从"双因调控"的角度讲，关于货币流通速度的宏观金融焦点调控，国债市场的作用是体现在一级市场的国债发行上。若加快货币流通速度，可增加国债的发行数量，提高国债发行的频率，使国家筹集到更多的资金用于经济基础建设，即国家可强制扩大市场需求，由政府出面进行各项基础投资，带动市场交易的增加，提高市场的景气程度。若减慢货币流通速度，可减少国债的发行数量，降低国债发行频率，使国家筹集的经济建设资金减少，即国家可强制减少市场需求，减少政府投资，从而减少市场交易，给市场起降温作用。

总之，在国家信誉的担保下，国债市场可以起调节货币存量和货币流通速度的作用，这一市场将财政信用与银行信用连接在一起，以其巨大的资金流量和灵活的调控机制而成为宏观金融调控的焦点，发挥其他市场无法替代的基础作用。

3. 遏制金融衍生品市场的交易

人类社会的历史已经迈入了21世纪，新技术革命的辉煌成果大幅度地提升了工业化国家的发达水平。但是，时至今日，在许多的国家或地区，一直不开放金融衍生品市场，对发展这一特殊的金融市场，始终持有特别谨慎的态度。这些国家或地区的做法，从根本上杜绝了金融衍生品交易对国民经济运行可能造成的危害性。无论从哪一个角度来认识，都可以说，这些将金融衍生品市场拒之门外的做法是非常可取的，或者说是值得赞赏的。不开放金融衍生品市场，应该说是这些国家或地区自觉或不自觉地抵制了金融市场盲目发展的表现。相反，那些已经开放或高度开放金融衍生品市场的国家或地区，可以说是表现出了金融市场的现代性，却同时也在这种现代性的表现上显示出相当强烈的非理性信息，即其对于开放金融衍生品市场必要性的所有解释都是常态非理性的，都是只站在资本获利的立场上脱离社会物质生产基础的对金融活动的认识，都是没有对中间效用的扩展恶果持警惕的行为，更是无论如何也掩饰不了这一市场的交易赌博性质的。尽管许多人对开放金融衍生品市场津津乐道，并大发其财，但是没有人不知道从这一市场获利是寄生性的，在这一市场失败可能永世不得翻身。如果说常态社会的发展中必然会生出许多怪胎来，那么，金融衍生品市场就是所有怪胎中的一个小兄弟。所以，现代经济的复杂性就在于，在已经开放或高度开放金融衍生品市场的国家或地区，进行宏观金融调控，重点之一就是必须要采取强有力的措施和各种有效的手段遏制金融衍生品交易的恶性膨胀，防止其突发性的危害，尽力不使其影响国民经济的正常运行和金融市场的正常秩序。

现代的金融衍生品交易的种类繁多，交易方式也相当现代化或者说高科技化，但在这一领域之中，不论是何种交易，创造的都是衍生的中间效用。这种在金融衍生品交易中形成的效用，本身脱离社会的物质生产基础，也与人民的生活内容无关，是对社会不利的中间效用，是具有无奈的变态伸展性质的。只是从社会常态的角度出发认识，可以确定这种效用的创造是一种变态的合

法存在，与常态社会经济秩序的原则并无冲突之处，甚至还是富
有极高吸引力的经济行为。然而，若从尽力减少常态社会不必要
的代价付出的角度讲，实在是不可以发展金融衍生品交易这种赌
博性的经济活动。金融衍生品交易存在的全部意义就在于提供了
合法的高超的金融赌博机会，为一意追求资本增值效应的人们创
造了一种更可直接地拼搏赢钱的市场条件。如果集高超的智慧于
金融衍生品交易，通过精细的计算达到获胜的目的，那么这些成
功者是不理会整个社会将为此付出的损失，因为按照常态社会的
生存法则，他们的市场行为并没有超出社会规制的允许范围，他
们的获利是市场规则允许的合法收入。社会是存在无奈的，常态
社会更是存在常态的无奈。开放金融衍生品市场，并使社会为此
付出巨大的代价，是现实的常态无奈。许多聪明人正是在利用这
种常态的无奈而大发其财，他们不仅是敢做敢为，简直就是一往
无前。所以，对于这种变态行为，社会的理性是需要加以控
制的。

从现代宏观金融调控的角度讲，无论是哪一个国家或地区，
也无论其开放金融衍生品市场的程度如何，都应当对于这一市场
的存在采取低调的态度对待，不能大肆宣扬其市场的现代性。政
府不应以增加税收为目的鼓励金融衍生品交易活跃，相反，宏观
金融的调控应始终对这一市场进行严密监控，并采取有效措施使
其市场交易能够控制在一定的范围之内。特别是要防止这一市场
的交易发展到疯狂赌博的程度。在可能的条件下，已开放金融衍
生品市场的国家或地区，要向从未开放这一市场的国家或地区学
习，逐步减低其开放程度，或是尽力创造关闭市场的条件。这是
在常态的经济秩序下保持宏观金融运行正常的一种根本性的对策
措施。

第四十四章　国民经济的"魔方调控"

魔方是一种智力玩具，正立方形，有 6 个面，每个面上有 9 个小格，每个小格都可移动翻转，当每个面上的 9 个小格都转为同一颜色，游戏就成功了。借用这种玩具游戏概念，我们提出国民经济的"魔方调控"准则，即指国民经济的运行需要同时保持 6 个方面的协调一致，每个方面的调控都应达到客观要求的正常状态。这是关于国民经济整体运行质量的 6 个方面调控，其分别是：（1）经济结构平衡，（2）中间效用优化，（3）终点效用优化，（4）财政收支平衡，（5）信贷供求平衡，（6）外贸往来平衡。

在确定这 6 个方面的调控目标之前，我们要假定国民经济运行中的地区经济发展结构是平衡的，即在一个国家的经济中不存在地区之间的发展差距。这一假定与目前的发展中国家的现实情况存在一定距离，但却是与这些国家的经济发展目标相一致的，因为任何一个国家都不能允许长期存在地区之间的经济发展差距。所以，在我们提出的"魔方调控"准则中不包括地区经济结构平衡，而只是将其作为假定前提。在此前提下，我们依次讨论"魔方调控"中的基本调控面、长期调控面和短期调控面如何做到协调平衡等问题。

一 经济结构平衡是"魔方调控"的基本面

在国民经济运行6个方面调控中，经济结构平衡是最基本的调控面。经济结构平衡是指在生活消费品供求结构平衡基础上实现的社会生产两大部类的平衡。在现代市场经济中，社会生产的两大部类包括物质资料生产，也包括劳务生产。两大部类的平衡包括国民经济运行中所有的产业供给与市场需求之间的结构平衡。这种结构平衡并不仅是在价值层面上探讨的总量平衡关系，而是对实际的生产能力的结构适当的要求，并是在整个国民经济运行范围之内要求实现的结构平衡。这其中，所有的供求结构平衡都源自生活消费品的供求结构平衡要求。正是从满足生活消费的需求出发，才产生对整个国民经济运行的结构平衡要求。这就是说，为实现生活消费品的供求结构平衡，其他所有方面的产品供求结构都只是一种逻辑对应关系，即都是在生活消费品生产适当的基础上一层接一层展开的生产消费品的生产供给与市场需求之间的结构对称要求。由于生产生活消费品是生产的最终目的，生活消费品的供求结构平衡是社会最基础的供求结构平衡，所以，在调整社会生活消费品需求方面，对整个国民经济运行的结构平衡的影响是最为基础的和最有连锁反应效力的。

从宏观调控的目标讲，保持经济结构平衡，就是维护国民经济运行的基本秩序。虽然，在现代市场经济之中，金融领域的活动是国民经济运行的中枢神经，货币规模在流通中对各个方面的经济活动都有直接的影响，但是，整个社会生存的基础必然是实物的生产消费品与生活消费品的生产，因此，国民经济运行的最基本秩序必然是要建立在保证实物生产正常与稳定的经济结构平衡基础上的。对于国民经济而言，保持大的方面的秩序正常是首要的，社会生产的两大部类之中有一大部类出现不对称的供求关系，都必将使整个国民经济的运行陷入混乱之中。国民经济的调控必须防止出现产业之间的有供无求或有求无供的局面，否则，就将会出现某种程度的运行秩序紊乱，且供求结构不平衡的程度越高，运行秩序紊乱的程度也越高。在现实生活中，实物的生产与消费包括劳务的生产与消费，是覆盖全社会的无处不在的经济活动，控制这些经济活动的供求平衡是相当复杂的，但是，作为国民经济的最基本的调控，就只能是对全社会的无处不在的实物的生产与消费进行调节与控制。不将宏观调控的基础落在实物的生产消费品和生活消费品的生产上，只注重金融调控，是不能达到保持国民经济运行正常状态的目的的，或者说是不可能保证国民经济的稳定的。生产活动是最基本的社会实践活动，经济结构平衡是最基本的国民经济运行要求。现代经济理论研究中的极端货币主义观点认为，宏观调控的一切问题都是货币问题，只要能够有效地调控货币，就可以有效地调控国民经济。而事实上，经济运行中的实物生产活动直接影响金融活动，存在相对应的货币运动，但金融活动却未必能反向影响实物生产活动，至少也是不能全部地传递反向影响的。这就好比是，风可以将纸吹上天，吹到十几层楼高的地方，而从十几层楼高的地方扔出来的纸却带不起风来。也就是说，货币金融与实物生产之间不存在完全对应的反向影响关系。只有存在于社会实物生产之中的经济结构平衡才是国民经济运行始终需要保持的最基本秩序，这种基本秩序的保持与国民经济运行中的其他方面的秩序保持特别是金融秩序保持的位次关系不能颠倒。

反映国民经济结构平衡的两大部类的生产供给与市场需求之间结构平衡是国民经济运行正常的粗线条反映。国家承担的宏观经济调控职能只可贯彻于这种粗线条的调控之中。

　　无论是在大国还是小国，无论是发达国家还是发展中国家，宏观调控都不可做过细的要求，即只能要求做到经济结构平衡，而经济结构平衡是指大部类的生产供给与市场需求之间的平衡，不是指市场上的各种具体产品之间的供求结构平衡，在宏观调控方面不能将经济结构平衡的要求与产品供求结构平衡的要求混为一谈。产品供求结构平衡是市场调节的任务，不是国家经济职能抵达的调控层次。在国家负责的宏观经济调控中，只能是实现并保持粗线条的经济结构平衡。

　　从现实的调控效果讲，保持经济结构平衡是对国民经济运行的理性要求。实际的国民经济运行中，除了理性的经济行为之外，还存在着相当一部分非理性行为。宏观的调控是对理性行为的调控，以此实现经济结构平衡，而这种粗线条的大类结构平衡是将非理性的经济行为包容在其中的。这就是说，国民经济的运行在宏观的理性调控之下，是要以理性的经济行为带动非理性的经济行为，既允许非理性经济行为存在，又不使非理性的经济行为偏离理性要求的经济运行秩序之外。因此，在社会理性控制的国民经济运行之中，只允许小的方面存在非理性行为，甚至可以在某种程度上允许一定范围内的任意行为，但在大的运行方面必须是理性的，不断提高的国家对经济结构平衡的调控能力就是在不断地强化国民经济的理性运行。

　　国家对经济结构平衡的调控，既是从理性出发的，又是受既定的市场选择限制的，即平衡的要求是对既定的选择的维护，平衡不涉及选择何种供求，只要求已做市场选择的供求在结构上达到平衡。由此可见，国家在既定的微观市场选择的基础上进行的宏观调控，总是从属性的，并不因调控而主宰市场。在国家的经济职能作用之下，一方面是允许各类市场主体自主地进行市场选择，并以法律的力量保护各类市场主体做出的合法选择；另一方面又可通过其他方面的经济调控作用引导或调节各类市场主体的选择，使其自主的选择自觉地服从社会理性的约束，而并不在对经济结构平衡的调控中干扰各类市场主体的选择。经济结构平衡调控只针对供求关系，不考虑供给的内容，也不考虑需求是否合理，这是其局限性。但这种局限性是保障经济结构平衡调控目标完成的情况下产生的，并不妨碍经济结构平衡在"魔方调控"中的基本面地位。在对国民经济运行的调控中，从宏观上，必须以经济结构平衡调控为基本面，高度重视这个基本面的调控作用，但同时也不能对这个基本面的调控提出取代其他方面调控的要求，必须是在做好基本面调控的过程之中并行展开其他所有方面的宏观调控。

二 "魔方调控"的长期面是两个优化

在以往的国民经济运行调控中，还没有提到过中间效用优化和终点效用优化问题。我们的研究指出，这实际上是宏观经济调控的两个不可缺少的重要方面。我们的理论创新是表现在对这两个方面的调控要求上。对于中间效用优化的调控，是长期努力才能达到目的的，不是在短期之内能实现调控效果的；对于终点效用优化的调控，更是要经过长期的复杂工作才能取得效果的，也不是短期循环性质的调控；因此，我们将这两个方面的调控称之为"魔方调控"中的长期调控面。

作为国家实施的对国民经济运行的宏观调控，不可不重视劳动成果效用的中间与终点的区分。在现代市场经济之中，劳动的创造早已不是社会化大生产初期时那般尚可直观认识的复杂了，而是高度复杂化了，并不用于生产最终消费和生活最终消费的中间效用大量地涌现。这种中间效用的存在对国民经济运行产生不可忽视的影响。必要的中间效用是现代经济活动中不可缺少的，是有利于降低社会总的生产成本的。但不必要的中间效用产生却是对社会总的生产成本的无益增加，是不利于国民经济正常运行的。客观地讲，社会对于中间效用是有限量容纳的，其中包括理性的容纳和非理性的容纳，理性容纳的是必要的中间效用，非理性容纳的是不必要的中间效用，但这些容纳均表现为市场行为，不是市场以外的活动，其中非理性行为的冲击是自发的市场难以抗拒的，或者说是市场接受的。因此，在对国民经济运行实施宏观调控中，必须由国家代表社会对中间效用的创造进行规制，起到优化的调控作用，将非理性容纳的对社会有害无益的中间效用的量控制在最低限度。这种对中间效用的优化是市场自身无法完成的，只能由国家的调控来实现。这就要求在宏观调控中必须树立中间效用优化调控观念，并采取相应措施将这种调控置于国家宏观调控的整体运作机制之中。从"魔方调控"的角度讲，中间效用优化是6个调控面中的1个，与其他5个一样，是必不可少的调控内容。对于这种调控的重要性，是与其他方面的宏观调控要求一致的。如果不进行中间效用优化，任由中间效用的市场化盲目发展，高度现代化的复杂的国民经济运行就将在这方面发生严重的问题。金融衍生品市场创造的衍生的中间效用一旦泛滥，会对整个社会经济造成灾难性的损失。所以，现代的政治经济学研究必须强调，宏观调控之中要包含对中间效用优化的调控。现代的市场必须是国家干预的市场，在中间效用的优化调控中，要尽快消灭为奸宄性交易提供服务的中间效用，尽力遏制为赌博性交易提供服务的中间效用，尽量减少为投机性交易提供服务的中间效用，尤其是不能使投机性交易在中间效用的创造之中发生恶性膨胀。对中间效用的优化必须落实在现代市场产生衍生的中间效用的各个环节之上。这是长期调控的努力奋斗目标，也是国家宏观调控的具体日常工作。只要常态社会中还存在衍生的中间效用，就需要进行中间效用的优化。在社会经济的发展进程中，不能区分中间效用与终点效用的历史已经结束了，不对中间效用实施优化调控的历史也必将结束，国民经济的运行调控不能仍还处于没有中间效用优化调控的年代，现代经济的复杂性已经迫使人们对经济的运行以及对宏观调控的认识难度相对加大，由此将对中间效用优化的调控纳入社会理性对于社会经济的控制内容之内。

从实质上讲，优化终点效用是政治经济学的研究自学科创立以来，长期讨论未决的问题。然而，从现代社会的发展走势来看，这个问题必须走出书斋，结束讨论，尽快地付诸对国民经济运行的宏观调控之中。以政治经济学理论的研究，对于生产劳动与非生产劳动做出准确的划分，是实施终点效用优化调控的前提。这种优化就是要求尽力减少非生产劳动创造的劳动成果，从绝对量和相对量上保持生产劳动的优势。如果对生产劳动与非生产劳动的划分还存在争议，那么这种对劳动成果效用实施优化的国民经济运行调控就无法展开。在相当长的时期内，经济理论界对于这个问题的讨论呈现两种截然不同的态度。一种态度是不介入这方面的讨论，认为讨论生产劳动与非生产劳动的划分是毫无意义的。再一种态度是认为生产劳动与非生产劳动如何划分的研究意义十分重要，在政治经济学理论上有必要统一认识，所以，有关这个问题的讨论应一直进行下去。现在，从国民经济运行的实际要求讲，不讨论生产劳动与非生产劳动的划分就无法进行终点效用优化，所以，说这方面的讨论没有意义在逻辑上是讲不通的。而如果是热中于讨论却又久议不决，恐怕也是不符合现实要求的。在政治经济学的研究中，如果普遍地认为这个问题重要，那么就应该尽快解决，使之能够规范地进入国民经济的整体调控之中。

在 20 世纪末和 21 世纪初，我们在前人研究的基础上，已经对生产劳动与非生产劳动进行了充分的讨论，并已做出了明确的划分。我们的划分是经得起逻辑检验和事实印证的。因此，我们认为，在已经做出划分的基础上，是可以按照现代国民经济运行的要求，对终点效用优化从宏观上进行调控的。这样就是将理论问题的讨论与现实经济的要求结合起来，既解决理论问题，又解决现实问题。根据对现时代的生产劳动与非生产劳动的合乎逻辑的划分，我们明确地将非生产劳动创造的劳动成果效用归纳为奢侈性效用、娱乐性效用和消极性效用。在常态社会发展阶段，有限度地控制这 3 个方面非生产劳动成果效用在社会生产中的比重，是国民经济运行终点效用优化调控的基本要求。这也是"魔方调控"的 6 个面之一，具有重要的宏观意义。对于这种调控，在现阶段，并不是一概制止这 3 个方面的劳动成果进入市场交易，而只是要根据经济发展的程度和社会承受能力相对地做出控制，并有选择地保留一定程度的非生产劳动成果效用供社会消费。

从目前的情况看，在经济发达国家，出于社会既定的历史延续的习俗和非理性选择的需要，在不可抗拒的无奈之下，国民经济运行的调控可以保持比重相对较高的非生产劳动成果终点效用。但对于许多发展中国家，无论如何，不能相比发达国家，为了更快地摆脱贫困落后的状态，应该对终点效用实施强有力的优化，即一定要尽可能地减少社会对于非生产劳动创造的奢侈性效用、娱乐性效用和消极性效用的需求，将更多的人力、物力投入生产劳动之中。

三　"魔方调控"的短期面平衡

关于国民经济运行的"魔方调控"，我们已经阐述了 1 个基本面和 2 个长期面，接下来继续分析其余的 3 个短期面的调控问题。

在讨论国民经济运行的基本面调控即经济结构平衡的调控时，我们没有涉及"魔方调控"的其他 5 个方面的调控，单纯只就经济结构平衡调控的重要性与基础性做出分析。其中特别强调的是生活消费品的供求结构平衡是最为基础的平衡，说明这个基本面的调控是粗线条的，是大部类之间的供求结构平衡，即宏观调控的结构平衡不是具体的产品供求结构平衡。在讨论中间效用优化和终点效用优化时，我们对以往没有这两个方面的调控从理论上讲述了根源，又对其现实的必要性进行了分析。在这种讨论之中，我们既没有将这两个方面的调控融入基本面分析，也没有在其中牵涉其他宏观方面的调控问题。这样的讨论对于树立新的宏观调控目标是十分必要的。现在，我们要讨论其余的 3 个短期调控面，却是不能不涉及基本面和长期面的内容。"魔方调控"的要义就在于，每一个面的调整到位，都与其他面有着交叉和互动的联系。短期面的涵义是这 3 个方面都是要在每个年度进行调控效果分析的，也就是说其调控措施是可以在短期内见效的。从"魔方调控"的整体运作要求出发，短期面的调控具有更多的日常调控内容，不论是财政收支平衡的调控，还是信贷供求平衡的调控以及外贸往来平衡的调控，都是对其日常的具体工作内容进行宏观上的调控。

财政收支平衡的实质是国家财政利用行政权力调动的社会产品的供求在总量上实现平衡。这种平衡的要求包括公共品的供求平衡，也包括非公共品的供求平衡。在现代市场经济条件下，各个国家或地区的财政一般都能比较好地做到公共品的供求平衡，包括军费的支付和社会文教及科技卫生等事业方面的支付。这其中涉及供求的结构平衡问题，也涉及终点效用的优化问题。具体地讲,对公共品的生产也要防止奢侈性效用的过多,也要对娱乐性的效用加以限制,对消极性效用进行抵制。而公共品的结构平衡是一种特殊的自限性的表现,与整个国民经济中的其他方面的结构平衡是不相互交叉的,而是一个相对独立的组成部分,只要其自身取得结构平衡就会成为国民经济总的结构平衡中的有机组成部分。但在非公共品的支配上,财政要做到供求平衡,是需付出相当大的努力的。这主要是指财政信用资金的使用,并不是所有的财政投资都能取得预期的效果,投资失败或投资出现亏损对于财政信用资金的运用也是难免的。一般说来,在财政信用资金收回出现障碍时,可以缓冲地用多发行新债抵旧债,只在表面上扩大债务规模,由此掩饰收支的不平衡,即债务的滚动可以在某种程度上保持财政信用的平衡运作。从实践来看,各个国家对于财政收支平衡的控制都十分地严格,基本上不允许出现支大于收的状态,即不允许出现财政赤字。而在国民经济发展态势良好的前提下,各个国家一般是能够保证做到财政收支平衡的。这是一种由政府直接控制的平衡,是可以比较好地实现的平衡。

信贷供求平衡是宏观金融调控的基点。在国民经济运行中,宏观金融调控是整个宏观经济调控的中枢,其影响是覆盖全社会的,其调控的作用是十分敏感的,因此,在这种调控中,保持信贷供求的平衡是具有战略性和全局性意义的。而且,重要的是金融调控之中的信贷供求的平稳是与社会生产之中的经济结构平衡相联系和相对应的,因为任何实物产品的供求总是带有价值表现要求的,银行的信贷是现代社会生产的基本条件之一,是渗透于各个项目建设和企业运营之中的,所以,信贷的供求平衡也是保证经济结构平衡的一种宏观条件,而经济结构平衡更是信贷供求平衡的一种基础条件。在供求平衡的要求下,信贷资金不能过多地卷入衍生的中间效用创造之中,也不能去推动终点效用的创造不顾社会历史条件的限制向非生产劳动成果效用的创造倾斜，信贷关系的调整同样要高度重视中间效用优化和终点效用优化问题。而就信贷供求本身而言，其结构平衡首先表现为生产信贷平衡和生活信贷平衡。生产信贷的供求平衡是生产领域中正常的运行要求。生活信贷供求平衡是人民生活稳定的基本条件，有延期消费的存在，才有信贷消费的可能。若只有延期消费，没有信贷消费，那就是不平衡。反之，若没有延期消费，却有信贷消费，那也是不平衡。从宏观上讲，不能是自欺欺人的，不能是没有信贷供给，只有信贷需要；也不能只有信贷供给，没有信贷需求。如果信贷的供求不平衡，那是要引起国民经济的基本面及金融系统本身问题的。在信贷调控之中，对于生产信贷不能与生活信贷相混，对于供给的信贷资金要有量的控制，对于信贷需求一定要求与供给资金相平衡，以供量求，而不能一味地以求为准，盲目地扩大信贷规模。这也就是说，信贷供求平衡调控的要求，不仅仅是供求总量平衡，还要涉及生产信贷与生活信贷的结构平衡以及有利于中间效用优化和终点效用优化等问题。一般讲，信贷供求平衡的实现是保持流通中货币规模适量的一个基本条件。

在现代社会的经济开放之中，进行外贸往来平衡的调控是十分重要的。现在，各个国家或地区都是从积极的方面去发展对外贸易的。一方面开展对外贸易可以互通有无，解决稀缺性产品的市场需求问题和向外开拓市场促进本国或本地区经济发展；再一方面利用对外贸易也可以调整国内的经济结构，使得国民经济运行中的经济结构平衡能够更便于实现。比如，在国内生产某一种产品的能力大大高于国内的市场需求量时，如果没有对外贸易，就只能把超出的生产能力下马，形成既定的生产投资损失和设备的闲置；而如果存在对外贸易的可能性，在国外市场上为本国过剩的生产能力找到出路，那就不会形成投资损失，还会有丰厚的投资回报。从宏观上讲，这是有利于更好实现经济结构平衡的。虽然目前许多国家的市场已经高度国际化了。但是只要还存在国家组织，对外贸易的宗旨就只能是为国内市场服务。求得外贸往来的平衡，是有利于本国，也有利于他国的，而且归根结底是有利于本国经济的长期发展的。无论是进口大于出口，还是出口大于进口，都需要从宏观上采取措施治理。调控的目的就是要使进出口基本上保持价值平衡。而在这一基础上，国家的宏观调控还要注重进口产品的效用优化，即必须控制非生产劳动成果的进口。

第七篇

劳动的延续与人类的生存

自然的延续是必然的，而劳动的延续则取决于人类一代又一代人在自然允许下的努力。劳动是人类的本质，只有劳动延续下去，人类才能生存下去，人类社会才能继续保持存在。在社会面前，每一代人的生存都是短暂的，每一个人的存在都是渺小的；而在大自然的面前，地球的存在也是短暂的，整个人类的生命都是渺小的。但是，在永恒的生存意义上，渺小的人类要对抗大自然，既作为大自然的一部分存在，又作为有思想有灵魂的生物与大自然对峙，以此求得自身的生存空间和生存的延续。

在科学的考察中，已知人类起源

至今已有 400 多万年了。而对未来的延续，现代的人类还无确切的把握。我们现在仅仅知道，要一代一代地延续人类劳动，要一代比一代更好地发展人类劳动，人类的生存和人类社会的延续都是建立在人类劳动延续基础上的。大自然慷慨地给予了人类生存的物质条件，同时也以自然的形式表明，一旦人类劳动的发展终止了，人与自然的交流中断了，人类就要毁灭。地球是要毁灭的，即使不毁灭，也早晚有一天不再适于人类生存，人类正在用自然赋予自己的智力与生育养育自己的自然存在赛跑，人类不是要创造满足自己生活的物质条件，而是要创造满足人类生命延续的生存条件，人类不能随着地球的毁灭而毁灭，人类也不能在地球没有毁灭之前就自己走向毁灭，通过劳动复杂化发展来不断地执著地开拓自己的未来，这种努力是蕴涵在每一代人的生命光辉之中的，人类的前途不是黑暗的，也不是渺茫的，而是要靠人类自己去搏击的。

政治经济学的研究，不能只是图解具体的市场现象和具体的利益关系，而是必须站在人类生存的高度，即从维护人类的生存延续出发，深刻地研究人类劳动的现实发展问题和未来的延续问题。这样，现时代的政治经济学研究就不是要局限于以往的研究，而是要超越以往的认识。尊重过去的历史，面对真实的自然，我们必须强调劳动不是为人类所独有，人类劳动起源于动物劳动，人类劳动具有整体性，即不是单纯的主体活动，而必然是人与自然的交流过程，是主体与客体的统一。这种强调是 21 世纪政治经济学走向科学的起点。

政治经济学的研究是经济学研究的基础，经济学的研究是社会科学研究的基础，社会科学的研究是保障人类生存延续的理性力量，是人类对自身认识并控制的文化基础。因此，政治经济学的理论开拓对于人类的生存是十分重要的。理论的偏差可使社会走入迷谷，可造成多代人的生存悲剧。从根本上讲，人类是不能决定自己的，自然决定人类的生存，即人由天定。在这样的自然法则之下，人类并不是没有自身的生存空间和希望的。对这样的自然法则给予实事求是的确认，政治经济学的研究才是具有科学意义和社会意义的。我们的研究将进一步揭示：人类劳动的发展决定人类的生存延续，社会经济的可持续发展的核心是人类劳动的可持续发展，人类是靠自然赋予的智力不断地提高来推动人类劳动发展的，人类劳动的发展要解决现时代的贫困问题，也要解决未来的人类生存问题。

第四十五章 人类与自然的对抗

　　历史与现实的人类是常态的，常态劳动的存在决定了常态人类和常态人类社会的存在。在常态人类社会之中，还保持着历史存在意义上的动物的求生方式。常态人类社会与动物社会有着直接的延续、变革和衍化的渊源关系。在 21 世纪初，从人类已经达到的理性高度看，动物的社会运动是大自然中自然运动的组成部分，人类的常态社会运动也是大自然中自然运动的组成部分。历史与现实存在的常态性只是表示从动物社会的超出到完全正态的人类社会之间的过渡，而实现完全正态之后，人类的社会运动仍然是从属于大自然中自然运动的。人类是生存于自然之中的，人类是大自然的一部分。不是人类主宰大自然的运动，而是大自然主宰人类的命运。即使未来的人类表现出能够实现对自身命运的主宰，那也是大自然中的自然表现。在茫茫的宇宙之中，在并不无限存在的运动着的地球之上，人类要与其他生物不同，以自身生命保留的形式不断地繁衍延续，这是大自然赋予人类的永恒追求，是不能再探究这种生存运动原由的。在大自然之中，人类一代复一代的抗争，就是为了自身能够永远地生存。人类对抗自然的过程，就是人类与自然的交流过程，就是人类的劳动过程与人类的生存过程。这种与自然的对抗不能终止，从人类的立场讲，这是生存的需要。只要与自然的对抗不终止，人类就能够有生存的延续。明确地阐释这种人与自然之间的关系，是现代政治经济学研究的思想推进。

为了生存延续，每一代人都有责任链接生命的活力。现代政治经济学要从全人类的角度对这种自然而凝重的生存努力给予社会理性的认识。

一 人类为什么要探索火星

在 20 世纪中期新技术革命之后，人类终于有能力打破地球有限生存空间的封闭，开始了在太阳系之内的航天探索。这是人类历史上最伟大的跨越，是人类由自然生存向自觉生存进化的转折点。1957 年 10 月 4 日，前苏联成功地发射了人类第一颗人造卫星。1962 年 11 月，前苏联向火星发射了第一个探测器。1969 年 7 月 20 日，美国宇航员阿姆斯特朗代表人类第一个登上月球。在这之后，人类的航天探索行动越来越多，其中包括前苏联、美国、欧洲、日本共计划了 30 多次对火星的探索，光是美国就已进行了 10 多次火星探索，并有数次将火星探测器降落在火星表面。[①]

2003 年 6 月至 7 月，在相距不到 40 天之内，欧洲的火星探测器和美国的火星探测器相继升空奔向火星。而俄罗斯则宣布，将与美国、日本、加拿大和欧洲的航天部门合作，于 2014～2015 年向火星发射载人飞船和货运飞船，对火星进行实地考察。

在每天还有 24000 人死于饥饿，还有约 8 亿人吃不饱饭的时代，[②] 投入巨资探索火星，这是为什么呢？这是人类理性的光辉，还是非理性的挥霍？

① 参见《北京日报》2003 年 6 月 19 日。
② 参见《南方周末》2002 年 4 月 11 日。

欧洲宇航局称，寻找水和生命是其发射火星探测器的主要使命。① 这表述了具体的科研任务目标。而美国近期发射的火星探测器的科研任务目标与此是一致的。科学家们曾假定火星上有水和生命的痕迹。2004 年 3 月，"法国科学家 17 日宣布，欧洲宇航局'火星快车'探测器发回的光谱影像显示，火星南极区域存在大量的冰冻水。"② 而美国宇航局的科学家是在 2004 年 3 月 4 日宣布，已经抵达火星的"机遇"号火星车发现的证据表明，火星上曾经存在足以产生生命的液态水。③

中国科学院国家天文台李竞研究员认为，探测火星是否有水和生命，这对于人类保护即保护自身太有意义了。因为如果火星上曾经有过生命，其灭绝对地球来讲有很重要的借鉴意义；如果它没有过生命，那么肯定是因为缺少些什么，我们则应该更加珍惜地球的环境与宝贵的资源。④

可以肯定地讲，探索火星不是某一个人的需要，不是某一个组织的需要或某一个地区的需要，也不是某一个国家的需要，这是全世界各个国家的需要，是生存在地球上的所有人的需要，即是全人类的共同需要。人类具有的这种共同需要，是从生存的根本利益出发，在人类劳动的智力作用达到一定的高度时自然产生的。这属于现时代人类劳动高度复杂化之后的必然行为。将对火星的探索，类比于中世纪时人类对于美洲大陆的探索，是不恰当的和不准确的。欧洲人越洋进入美洲大陆是在常态的封闭下人类对于地球上新的生存空间的寻找，而现代奔赴火星考察却是人类

① 参见《人民日报》2003 年 6 月 12 日。
② 张欣：《人类在火星南极上发现了冰水》，《中国青年报》2004 年 3 月 19 日，第 6 版。
③ 参见《北京日报》2004 年 3 月 4 日。
④ 参见《中国青年报》2003 年 7 月 11 日。

要打破常态的封闭为通向地球以外的生存空间付出的努力。这二者之间不可相比，或者说不具有可比性，现代的努力是通向宇宙的，是要为全人类带来生存希望的，这不再是一种封闭状态下的生存努力了。能不能打破地球有限生存空间的封闭，对于人类而言，是不同的生存历史阶段，是劳动发展的截然有别的阶段。

探索火星是自然科学提出的研究目标，至今，火星探测器已经登陆火星了，然而，即使达到了这样的科学发展程度，关于火星探索还不是社会科学关注的问题。这一方面说明自然科学的发展永远要走在社会科学发展的前面，没有自然科学的认识推进，就没有社会科学视野更为开阔的认识。再一方面也说明在人类社会发展的现阶段，社会科学的发展大大地落后于自然科学的发展，在社会科学发展的主流中至今尚未有突破地球封闭空间认识人类社会运动的思想意识。这一点实际上严重地阻碍了20世纪社会科学的发展，使得这一个世纪的社会科学与自然科学拉开了较大的距离。仅此而言，这也使得众多的人对于人类探索火星的行为难以准确地理解。

目前人类对于火星的探索可以说只是一种象征。这象征着人类已经认识到了地球在宇宙中的位置，认识到了人类在地球上的处境。而在高科技发达之前的人类，纵有大机器的制造和繁华的大都市生活，但对于自然和自身的认识，若相比井底之蛙，在宇宙之中可能是更为闭塞自大的。人定胜天，好像并不是一种形象的夸张，而是代表了一种思维定势，勇气固然可嘉，但天有多大，至少信奉这种思想的人并不知晓。即使是天文科学家，在新技术革命之前，也只能是借助于一般的天文望远镜观天，缺乏对天的更直接体验和更深远的观察。直至宇宙飞船上天并登月，火星探测器经历近1年的时间到达火星，这才使得自然科学家们对于天有了更为具体的感受和更为深刻的认识。若人类不知自己生存在一个封闭的有限的地球生存空间之中，还在自相残杀和妄自尊大，那实际上人类社会的发展还处于一个很低级的阶段，人类本身还是很愚昧的。知道生存是封闭的，并要打破封闭的生存空间，这时的人类才脱离了劳动和认识水平低下的发展阶段，这样才能为人类的生存延续带来自然的希望。所以，探索火星是人类自觉地努力延续自身生存的起始，走在人类认识前沿的自然科学家们不是在说，而是用他们的行动向全社会表述着这种自觉的努力。相比之下，就当今时代的社会科学的发展而言，似乎在这方面应比自然科学有更自觉的系统认识。

火星未必是人类未来的栖身地。也许火星已经有过生命的喧闹而后来沉寂了。但这并不重要，人类对于火星的探索耗费巨资之后可能只得出这样一个结论。重要的是人类已经开始向宇宙进军了，人类已经打破了地球生存空间的封闭，人类已经在为自身的生存延续进行着卓绝的自觉努力。无论如何，对于火星的探索将为人类进入宇宙外层空间积累宝贵的经验和大幅度地提升人类的航天技术水平，促使人类在地球之外获取越来越大的活动空间，为人类寻找生存延续的星体奠定必要的认识基础。

打破地球的有限生存空间的封闭是人类在常态社会条件下实现的，也正因此，人类才有可能结束常态社会的历史，进入完全正态的社会。如果只能生存在地球有限的生存空间的封闭之中，只能随着地球的自然衰老而苟活下去，向地球以外传递不出去任何自身生命的信息，那么，人类的生存只能是常态的，即只能长久地保留着一定的动物的生存方式并最终也像所有的动物一样在失去地球的生存条件之后灭亡，或是不等地球毁灭就先行自我毁灭了。所以，对于火星的探索，在社会科学意义上，既象征着人类奔向正态社会所必须做出的努力，又表示人类具有宇宙生存能力的本质。现时代的努力并不仅仅对未来的人类生存延续具有至上的意义，而且对于现实人类社会由常态社会向正态社会转变也是强大的推动力。

面向外层空间进行高科技手段的探索，已是目前人类共睹的事实。在人与自然关系发展达到这样一种境界的状态下，人类现时在地球上的所有的打打杀杀应该是终止了。已经在火星上着陆的探测器事实上表明人类的智慧即人类的劳动能力已经抵达了那遥远的星球之上，而等到人类的智慧能够在宇宙之间更为自由地遨翔时，在地球上的各个国家的人民就能够理性地真切感受到人类将是一个生存的整体，人类要生存下去，就要走向正态，就要停止常态下的相互残杀，作为正态的人，不论在哪里，都只能依赖于人类整体才能生存下去。战争是常态的存在，火星的探索意义，最现实地讲，就是要求人类告别战争，告别常态，共同打造生存延续的宇宙空间。在 21 世纪之前，不懂得人类的起源是常态的，各个国家都要依据自己的军事实力才能生存，那是不懂得历史的白痴；而在人类已经能够大规模地进行火星探索的 21 世纪，还看不到人类共同的生存利益所在，还看不到人类劳动已经具有的高度复杂的创造力，还要依靠战争解决国家与国家之间的利益冲突，那只能说是比白痴更愚昧，更对人类社会的生存与发展具有危害性。

二　来自病毒的威胁

开拓宇宙生存空间是人类永恒的追求。浩瀚的宇观世界能否容纳人类永久地生存延续，至今在科学的视域里还是扑朔迷离的，但是，来自极微观世界的病毒对于人类生存的威胁却已经十分明显了。生活在 21 世纪高科技时代的人类，不论是哪一个国家或地区的人，在有志于探索宇宙外层空间的同时，都要采取严密的措施，小心翼翼地时刻提防各种可能出现的病毒对人类的攻击。

SARS（严重急性呼吸窘迫综合症）成为 21 世纪人类遇到的第一个具有强大攻击力的流行性传染病，根据医学科学家们的分析，这是由一种特殊的冠状病毒引起的侵害人体肺部的疾病。这突发到来的病毒危害引发了一场全球性的危机。在 2002 年底到 2003 年初短短的几个月里，SARS 病毒就击倒了 8400 多原本健康无恙的人，并夺去了其中约 1/10 的人的生命。[①]

没有战争，就没有人类的今天；不消灭战争，就没有人类的明天。在 1940 年，利用电子显微镜，人类第一次看清了病毒的原形，并进一步弄清了它的内部结构。后经科学证实，病毒是基本构造非常简单的微生物，是介于生物与非生物之间的物质，虽然很小却集中了很多原子，是分子量很大的、类似蛋白质的化合物，由遗传信息与包在外面的蛋白质外壳组成。从那以后，人类陆续弄清了引起天花、狂犬病、黄热病、流感等疾病的病毒。现在，"病毒学"这门学科正在深入研究病毒的本质、病毒如何引起人类疾病、病毒与宿主之间的依存关系等有关疾病控制和治疗等问题。[②]

截止目前，科学家们发现，"地球上有 4000 种以上的病毒，其中大约有 100 种会引起人类疾病。自史前时代以来，人类就一直受病毒的困扰。到了 20 世纪以后，许多科学家不断努力研究，开发出各种疫苗，感染病毒致死的几率就大为减少。在 1980 年，世界卫生组织（WHO）发布由天花病毒引起的天花已经绝迹的宣言。但是在此时，长期隐藏于密林中的病毒却陆续出现，如震惊全世界的艾滋病毒（HIV，人类免疫缺损病毒），以及埃博拉

---

① 参见《参考消息》2003 年 6 月 19 日。
② 参见《北京日报》2003 年 4 月 29 日。

病毒等。这些病毒总称为'新兴病毒'　（emerging virus），'emerge'的英文原义是'出现'的意思。这些新出现的病毒数量在 30 年内有 20 种以上。"[1]

　　正当 SARS 病毒肆虐全球之际，再度出现的西尼罗病毒以及还比较陌生的猴痘又将美国带入了新的恐惧之中，好在美国有比较完善的疾病控制系统和相当发达的设在亚特兰大的疾病控制中心（CDC）。美国 CDC 的员工总数约为 8500 人，研究领域多达 170 个。常驻亚特兰大的员工约有 1600 人，其余分布在美国各地工作。该中心拥有 120 名顶级科学家，他们可以随时开赴全球各地，开展病毒研究工作。埃博拉病毒疫苗是这里的科学家安东尼·桑切兹首先研制出来的，而首先发现艾滋病由性行为传染的科学家桂南也在这里工作。由于美国是世界上经济最发达的国家，每天都有世界各地的人进入美国，所以世界各地的病毒很容易被传入美国，这对美国疾病控制中心的工作是很大的压力。但是，1993 年在美国爆发的汉塔病毒、1994 年印度鼠疫、1995 年扎伊尔爆发的埃博拉病毒、尼加拉瓜的恶性肺部螺旋体病、1997 年香港地区的禽流感、1999 年马来西亚的尼帕病毒、2003 年的 SARS 病毒，还有中间几次大型的滤过性病毒性感冒的蔓延，每一次，美国疾病控制中心都发挥了关键的控制作用。现在，加上反恐怖的需要，美国政府对美国疾病控制中心的作用更加重视了。但这也从另一个角度说明，病毒对美国人的威胁正在加大。[2]

　　面对 2003 年 SARS 病毒造成的危害，中国疾病控制中心传染病控制研究所卢金星研究员认为：人类无限制的欲望膨胀才是祸害的根源。人类对自然环境的掠夺性开发，使其他物种失去生

---

① 引自《新兴病毒》台湾《牛顿》月刊编者按，《参考消息》2003 年 5 月 6 日，第 7 版。

② 参见《上海译报》2003 年 6 月 19 日。

存空间，迫使它们到人类的生活圈中来。比如，对原始森林的滥砍滥伐，逼迫野生动物不得不往别的地方转移，寻找新的平衡点和生存空间，所以也将动物体内所携带的微生物直接或间接地传播到人间。这些微生物在动物体内也许是正常不致病的，当它们转移到人体内情况就变了。比如，霍乱弧菌在螃蟹体内就是正常的，当人吃螃蟹时将霍乱弧菌带入体内就会引起霍乱。0157 大肠杆菌不但在非洲的波尔山羊身上分离出来，也发现有大约 7％的家禽、家畜身上携带这种细菌，它们在这些动物体内并不发病。人如果吃了它们的肉，以及它们的排泄物浇灌的蔬菜，就可能发病。从这种意义上说，世界上只有相对的致病微生物，本无绝对的病毒微生物。有些微生物在野生动物身上，如果不动它，可能永远不会传给人类。①

从现在来看，病毒对于人类的威胁还不是毁灭性的，即还没有达到威胁人类生存延续的程度。但是，病毒造成的疾病已经引起了人类极大的恐慌。不用说 2003 年的 SARS 病毒让人们防不胜防，甚至夺去了许多医务工作者的生命，就是传染渠道比较特殊的艾滋病毒的泛滥，也足以使全世界各个国家的人谈病毒色变。人们担心的是，如果有一天，病毒像横扫澳洲兔子那样对待人类，那人类现在已拥有的一切智慧和力量都将失去作用，所有的人的生命可能都要被中止。这种担心并不是多余的，因为这种情况是很有可能发生的，或者说谁也不能排除这种情况不发生。相对于自然界的和谐，人类也许一方面是智力越来越发达，另一方面可能失去理智以及难以理性把握的事务越来越多。仅仅从逻辑上讲，上千万人口挤在一个城市里就不是明智的，一旦发生瘟疫，那是很难防止蔓延的。再说，地球上的人口是不是一定要发

① 参见《北京青年报》2003 年 6 月 12 日。

展到 100 亿才断然遏制。这也许不是我们这一代人考虑的问题，但是下一代人或下下一代人总要做出回答。人类用去了许多的能源烧掉了大部分人的尸体是不是明智的，这也很难说。我们现在称火葬为丧葬文明，但这是否没有破坏生物循环圈，恐怕还缺少足够的理性支持。死去的人化为泥土碾作尘，继续与自然界做无生命的物质变换，大概更符合自然规律。最荒唐的是，21 世纪的人类还在打仗，还在研制生化武器，自然界的压力难道还不大，人类还在自我威胁，好像还不理会病毒正在威胁人类的生存。大千世界，人类也许是做足了神奇之举，已经可以飞往火星；也做足了蠢事，至今尚未找到与病毒和平共处之道，让病毒已经夺去了无数人的生命，并且每天都还在继续吞噬着人类，并且人类还正在帮助着病毒消灭自己同胞的生命，让他们死于战争的炮火之下。所以，SARS 猖獗过后，如果人类还不高度警惕起来，还在自相残杀而不共同对付病毒，似乎是很难逃脱被病毒灭亡的命运。

人类若要高度理性地抗御病毒的威胁，除去需要保护生态平衡、保护野生动物，以更和谐地与自然相处，还应考虑在人类劳动能力之中拿出一定的财力和人力专门研究如何防止病毒侵犯人类的问题，而不是仅仅做病毒学的研究。现在，每一个国家都有巨额军费投入装备军队用于防止他国侵略，事实上像欧盟国家一样，这种侵略的发生几乎是不可能的，而对于来自病毒的巨大威胁，每一个国家都应该给予这种现实的威胁以更大的防范。全世界应该联合起来加以防范。仅仅是为了抗御小小的病毒，全世界就应该联合起来，因为这是人类生存延续的需要。如果国家与国家打仗或对抗，有充足的变态军事劳动安排，而对于已经十分显性的病毒的威胁，却只有少数发达国家在研究控制办法，这对于全人类的生存而言是不是理性的，恐怕不是一个需要费心费力进

行争辩的问题。从理性的逻辑上讲，人类必须为防备病毒攻击付出巨大的代价，必须每日每时做出相应的劳动投入，就像军队把守国境线一样，时时刻刻要守护人类自身的体质安全。因此，在人们的生活消费之前，社会需要做整体性的劳动成果的扣除，以用于抵抗病毒。这是人类为了自身现实的生存延续，为了确保胜利地抗击病毒，而不得不付出的社会成本。毋庸置疑，单纯只讲个人福利最大化的政治经济学研究时代，随着来自病毒威胁的加大，随着人类理性的提高和政治经济学研究视野的扩大，已经历史性地结束了。

三　有限理性生存

政治经济学的研究，有理性的，也有非理性的，错误的认识迷误就是非理性的。而理性的政治经济学研究，又分理性程度高低的不同。现代人类理性的进步也表现在政治经济学研究的理性程度不断提高上。

自古至今，人类的生活都是常态的，常态的人类生活丰富多彩，随着劳动的发展，而不断地提高水平。在常态的人类生活之中，个人理性与社会理性都是始终在进步的，这就是常态理性的进步，其中既有正态的，也有变态的。而重要的是，在常态理性的进步之中，人类对于自然的认识即自然科学的认识是很少受到社会变态意识影响的，这归根结底是由于自然科学的理性认识具有客观性。具有客观性的自然科学理论是在常态社会下人类保障自身生存的最重要的知识基础。

然而，现代社会实践表明，在自然科学的劳动成果应用之中，人类的智慧也将劳动的变态推向了极致。核武器最先成为现代高科技的成功产品，并且研制成功之后随即用于了战争。电脑病毒也像病毒一样猖狂，每时每刻都对网络的运行构成威胁。用现代化的提纯手段制成的毒品，进入人的身体之后，几乎是难以戒掉的。更有极端的恐怖主义分子制造的惨绝人寰的飞机撞大楼的现代悲剧。种种让人不寒而栗的影响遍及全球的事件，实际上也都是人类智慧的结晶。在美好人世之中，存在着疯狂的恶魔，这是何等的对立。人类母亲的乳汁，哺育了文明，哺育了英雄，但同时也哺育丑恶，哺育了恶棍。在历史的与现实的常态社会之中，人类的智慧为人类带来了幸福和希望，也制造了恐怖和血腥。

从根本上说，出现或存在变态理性，是人类正态理性不足的一种表现。现在，这种正态理性的不足已经发出了这样的警告：如果人类正态理性不能在高科技时代有效遏制变态理性的猖獗，那么变态理性的再进一步发展将会毁掉人间的一切。1999 年 4 月 26 日，仅仅一次 CIA 病毒的袭击，就造成了全世界网络几亿美元的损失，造成许许多多人的电脑被刷空。如果有人恶意散布鼠疫、霍乱病菌，或是有意制造新的致命病毒感染人群，那么整个人类世界将成为阴森恐怖的地狱。如果有人一意孤行，一定要发动一场人类核战争，那么这场战争最终可以消灭地球上所有的人，就像自然界消灭恐龙一样。于是，真正的恐怖就在于，时至今日，人类的正态理性仍还没有明确意识到应承担的责任，或者说还不具有遏制变态理性疯狂的力量。一次战争之后，痛定思痛，毁掉了一代人，教育了一代人，然后，渐渐地恢复平静，对于过去的动乱恍如隔世，于是，又任由战争的因素积累和滋生。一次恐怖主义分子袭击之后，电视、广播、报纸先是铺天盖地的报导，然后，更是很快又趋于平静，不再有人忧天。毕竟每一代人只能生存几十年，最多不超过 100 年，去掉幼年、童年和少年，再去掉老年，青壮年的时间平均不超过 40 年，人们不愿让忧愁伴随自己的终生，人们需要欢乐。只是，社会的理性应自觉地向前推进正态对变态的遏制能力，而不能无视危险而使高科技时代的变态更加强盛。事实上现在做不到对变态理性有力地遏制，是正态理性严重的缺失。这不是一般的关乎利己还是利他的问题，而是关系人类生存延续的根本大事。在这个问题上缺失正态理性，是人类常态社会的悲哀。现实之中的人类正态理性的不足，没有表现在对自然的认识上，而是表现在对自身的认识上。对于人类自身而言，不论是哪一代人，都是绝对不能只想到自己这一代和自己下一代人的生存的，自然的规律不允许任何一代人这样做，而作为人类社会的正态理性力量是一定要在这种生存依赖的自然基础上体现的。

社会的运动是自然的过程。人类常态社会要延长至多久，不是宿命的定论，而是要依照人类的正态理性的具体发展情况而定，即是由正态理性决定社会存在的。在正态理性不足以遏制变态理性发展之前，常态社会是不可能进入向正态社会转化的质变过程的。这是一种客观的限制，不是任由人们主观评判的。所以，在整个常态社会，人类的正态理性的发展都是有限度的，在其限度之内，一定的变态理性和变态非理性是被常态社会所容纳的，人类正是在这有限的理性之下生存于常态社会的。

从人性的角度审视，变态的理性不属于人类理性，只是人类常态社会所容纳的非人性的理性。变态的根本性质是动物的生存方式在人类社会的延续，所以，变态的理性是动物生存方式的理性表现。自人类常态起源以来，是有限的正态理性下生存，常态社会是人性与非人性的统一，常态社会中的正态理性不能以完全的人性的求生方式保持人类的生存，而其不断地提升自身就是要在未来的某一时段中实现人类的完全正态生存，终止非人性的求生方式的延续。这也就是说，人类常态社会下的有限正态理性要承担完成人类社会生存完全人性化的责任。在自然的允许之下，人类的常态社会并不因正态理性有限而不能向完全的正态社会转化。

但是，我们应从逻辑上认识到，即使人类依靠有限的正态理性实现了对变态理性的遏制并促使人类社会进入完全正态的社会，在正态社会的继续发展之中，人类的理性将仍旧是有限的，不会具有无限性，无论是对自然界的认识，还是对自身的认识，人类都有理性不能抵达的领域或境地，人类的理性面对无垠的宇宙和复杂困厄的社会将永远是乏力的，无论在哪个方面都会有数不尽的秘密为人类理性所不知。人类，无论是在正态下还是在常态下，将永远是在有限的理性下生存。

全球无线通讯是当代高新技术的应用。人们拿出手机，轻轻一拨，就能同大洋彼岸的地球另一端的人清晰地通话，从拨号到接通，速度之快，可以用瞬间来描述。这项技术的应用别说对亚里士多德时代的智者们是绝对神奇的，就是在第二次世界大战时的人们看来也是不可思议的。更进一步讲，21 世纪初人类向火星发射的探测器，已能向地球发回清晰的火星地表照片，这种高智力的技术应用在不具备专门的科技知识的人看来似乎是称之为魔力更便于理解。但所有这些，并未改变人类的理性的有限性，而且，从逻辑上讲是永远都不会改变的。无论将来人类生存在哪里，即使是抵达外星球，理性的创造力是伟大的，而有限性也是必然的。

从人类常态社会已走过的历史来看，人类正态理性对于自身认识，是在有限性条件下的落后。尽管历史已迈入 21 世纪，人类已进入高科技时代，但是所有的社会科学对于人类社会进步的解释仍然还都是外部性的，即都还没有做到从社会内因的变化解释社会的变迁。仅就这一问题而言，政治经济学的研究要负主要责任。人类正态理性的欠缺恰恰是表现在这一学科的研究之中。在一个时代接一个时代的社会生活之中，不要说存在普遍地文过饰非，就是平日里每每出现的多少有一点点不实之词，也足以使代代相传的人类对自身的认识在某种程度上走偏。迄今，政治经济学还在讲市场有一只看不见的手，还不能认识到自身的研究就应该是去看到这只手。如此状态，只表明其落后。并不是理性有限就一定落后。现在人类对自身的认识落后，并不能由理性有限开脱。

承认人类的理性有限，是实事求是的。这如同中国古人言，人贵有自知之明。在对待自身理性的问题上，人类不可以不有这种自知之明。在历史与现实的常态下，人类的正态理性有限；在未来的正态下，人类的理性仍是有限的。这其中的限度，是有相对性要求的，即必须要能保障人类的生存延续。古代人类是以朴素的有限理性保障人类生存；现代人类是以发达的有限理性保障人类生存；未来人类要以更发达的有限理性保障人类生存。只要人类能够保持生存的延续，那么，不论是对自然的认识存有遗憾，还是对自身的认识留有缺欠，仍都是可以释怀的。这也就是说，在有限理性之下，人类劳动的滚滚智潮永远要澎湃在人类生存的保障线上。

四　政治经济学的研究对象与任务

在人类与自然的对抗之中，即在人类的生存延续之中，政治经济学的理论研究具有重要的思想意义和现实作用。作为社会科学中经济学的基础学科，政治经济学是从社会角度研究人类与自然的一般性对抗问题，即是研究人类生存条件的创造及其维护。只有确切地研究人类的生存，才能从基础上理清社会之中复杂的人与人之间的利益关系。经济是社会的基础，政治经济学的研究是经济学研究的基础，也是所有社会科学研究的基础。因而，如果政治经济学的研究滞后，那将影响或严重影响整个社会科学领域的发展。

人类劳动的实质是人类与自然之间的对抗，包括人类与人化的自然的对抗，也包括人类与人的自然化的对抗。人类与自然的对抗表现在人类各个领域的劳动之中。在天文学领域，人类研究天文现象及天体运动规律，取得对宇宙认识的一系列劳动成果。在物理学领域，人类历代投入的劳动揭示了力学、电学、光学、原子科学等各个学科的自然规律。在农业领域，人类自古至今在年复一年地生产着食粮和其他种植和养殖的产品。在工业领域，人类创造出现代的物质生产文明，将科学的理论付诸于实践，用机器生产机器，用高科技手段生产越来越丰富的工业品。在服务业领域，人类在科学文化教育、社会管理、生产服务和生活服务的各个方面都体现出不断增强的劳动能力。对于所有的表示人类与自然对抗的劳动，社会应如何合理地配置以及应如何合理地使用劳动成果，是应该由经济学研究的。而政治经济学是经济学的基础学科，则是从一般性上研究人类劳动及人类劳动成果的。也就是说，政治经济学不从自然方面去认识科学劳动、农业劳动、工业劳动、服务业劳动等各个部门劳动的具体内容，只是从社会生存的角度认识这所有方面劳动的一般性。人类的最基本的社会生活是经济生活，最基本的生产活动是劳动。人类只有通过劳动才能满足经济生活及其他生活的需要。所以，政治经济学研究的劳动范畴，体现人类与自然对抗的一般性关系，是最基础的经济学范畴。

从根本上讲，现代政治经济学研究的宗旨是为了人类生存的延续。在这一宗旨之下，政治经济学才能从劳动的一般性出发研究人与人之间的经济关系，才能准确地界定人与人之间的物质利益，才能概括性地认识人类劳动的创造作用以及人类劳动成果的各种效用。没有对生存的根本利益确定，其他所有的经济利益包括国家、企业、个人等各个层面的经济利益是无从进行合乎逻辑的具有准确性的抽象分析认识的。因此，政治经济学不仅仅是经济学的基础学科，需要在经济学的基础上对人类劳动的一般性的各个方面环节做出概括性的理论认识，而且对于整个人类社会的生存与发展也要起到基础的理论研究作用。

第四十六章　全球生态的
治理与保护

　　地球是人类的共同家园。身处宇宙之中，我们现在只能指着地球说，那是我们生存繁衍的地方。近代以来，地球上的绝大部分陆地都已被各个国家或地区分割，成为各个国家或地区人口的最根本的生存利益的组成部分。地球上海洋沿岸的水域也大部分被明确规定属于沿岸的国家或地区。相对领土与领海，各个国家还拥有自己的领空权。但是，大气层还没有被分割，公海也没有被分割，南极大陆也还是各个国家或地区共同拥有的疆域。在各个国家或地区的社会领袖和公民们的意识中，其拥有的领土、领海、领空是他们生存的依赖，却很少意识到，事实上大气层对于他们生存的重要性，远远超过他们自己拥有的领土、领海、领空。20 世纪以来，随着人口的剧增和经济的飞速发展，人类在地球上正加速地破坏着自己的生存环境，生态的恶化已经迫使各个国家或地区不得不下大力量治理本国或本地区的生态环境，只是全球生态的治理还尚未充分得到人类常态社会有限理性的应有支持。在社会的常态盲目之中，人类对大气层的破坏正在加剧，人类对于海洋的破坏也没有得到有效的遏制，人类对于森林和湿地的破坏已经造成了许多不可挽回的损失，虽然人类理性地保护了南极，使之仍还是一方净土，连登上南极的人的生活垃圾也不允许留在那块土地上，但是人类却在南极以外的全世界的土地上做出了无数的蠢事。每一个人都想幸福安稳地度过自己的一生，并且为自己的下一代创造更好的生存条件；每一个国家或地区都想保持经济的繁荣与发展，都想实现自己疆土之上的长治久安；但是，现代高度发达的自然科学研究已经表明，如果不能迅速地有效遏制全球生态的恶化，不能像保护每一个人的眼睛那样认真地保护地球的大气层，那么，用不了多久，人类将不能再生存下去，所有的对国家、企业、个人利益的维护都将是没有意义的了。所以，全球生态的治理与保护，不是哪一个人或哪一个组织的事情，也不是哪一个国家或地区的事情，而是需要全球之间各个国家或地区的人民共同关注和解决的根本生存大事。

在为延续人类生存的宗旨下，合乎逻辑地讲，治理与保护全球生态环境是政治经济学必须研究的基本问题。我们对于劳动的研究已经表明，人与人之间的关系是由人与自然之间的关系决定的，缺乏对人与自然之间关系的准确认识，就不可能正确认识人与人之间的关系存在与发展。所以，从人类要延续生存下去这一根本性的目的要求出发，在政治经济学的基础理论建设上，必须投入比研究市场关系更大的力量去研究全球生态的治理与保护问题。生态对于生存，比市场对于生存，更重要。这不是研究看不见的手，而是要建立一个看得见的脑。现代人类有限理性的提高已促使了人类社会大跨度地发展，人类生存的需要不断提出的问题正在推动着政治经济学研究的发展。政治经济学的任何理论认识都不能割断历史，但是任何人都不能用 18、19 世纪的古典经济学和 20 世纪的新古典经济学的认识基础框正 21 世纪人类生存需要的政治经济学研究。以往的政治经济学没有研究全球生态的治理与保护问题，可以对现在已经出现的全球生态恶化不承担任何责任，而 21 世纪的政治经济学研究却一定要负责任地对全球生态的治理与保护起基础性和前瞻性的理论指导作用。

政治经济学的研究将有助于现代人类树立全球生态治理与保护的意识。自古至今，人类一直是在肆意地享受着大自然的恩惠，逐水草而居，开采地下宝藏，越来越多地繁衍人口，从未认真地想过地球还有不堪重负的那一天。待新技术革命之后，人造卫星上了天，人们才知道赖以生存的地球上空，大气层已经被污染了。加上地面与水面的污染，整个地球的环境已经是恶化得很严重了。从政治经济学角度来认识，这是一个全球整体性问题，而不是局部性问题。全球对于生态的治理与保护必须要有一致的行动，不能是各个国家或地区各自为战。树立全球人类整体生存意识是治理与保护全球生态的必要的思想前提，政治经济学的研究将从理论认识上揭示全球人类生存的根本利益一致性，向各个国家或地区的人民晓之以人与自然的关系决定人与人的关系以及人类生存所需条件的客观道理，这将对巩固治理与保护全球生态的思想前提，对全世界各个国家或地区就这一根本性问题达成共识，起到直接的理论促进作用。

作为全球化理性行为的导引，政治经济学还需要深入地研究全球生态治理与保护的经费筹集与使用方面的问题。在人类总的劳动量中，现阶段每年拿出多大的量用于全球生态的治理与保护，这是需要从全球角度考虑的经济分析和研究的问题。现代人类的理性一定要在这一问题的研究中得到充分的体现。无疑，现代人类一方面要提高自己的生活水平，一方面还要治理全球生态。相比之下，可以肯定地讲，这后一个方面是更重要的。但是，现实是，各个国家或地区还是都将前一个方面摆在更重要的位置，即仍都是将提高生活水平放在前位，将全球生态的治理与保护放在次要的位置上。现实的复杂性和矛盾性就是这样交织着，政治经济学的研究只能是从现实出发分析问题，至多只能是对全球生态的治理与保护进行劳动一般的理论研究，为全球采取共同行动而呼吁。然而，即使是这样，现时代的政治经济学研究也是极宝贵的，也是对全球生态的治理与保护做出的贡献。政治经济学要研究这方面经费筹集的各种方式，研究经费的使用效率，这是要按全球人类的劳动能力进行核算的，并且还要考虑治理的投入要用在关键之处，总之是一项大系统的研究，具有复杂的内容和相当高的难度。这种研究是理论性的，但对各个国家或地区的社会管理者们付之行动将提供科学的认识基础。

目前，由于各个国家或地区之间存在利益的分割问题，在较高的程度上和较大的规模上组织全球生态的统一治理与保护还不太具有可行性。在现阶段，比较现实可行的方案也许是先行启动建立从属于联合国的全球生态治理与保护组织机构。但在这种机构中，并不能以技术性的研究为主，而是应以政治经济学的研究为主。准确地讲，现代人类应将全球的生态治理与保护作为一个经济问题对待。已经出现的全球生态恶化是生存选择的结果，以后进行的治理与保护也是生存选择的结果，政治经济学对于人类生存选择的研究是最基础的社会问题研究，这比之技术性的研究更重要。实际上，在全球生态的治理与保护之中，任何技术性的研究和技术成果的应用都是投资的结果，而缺乏全局性的经济研究，这方面的投资到位及投资效果的保证是难以实现的。在政治经济学深入研究的基础上，有关全球生态治理与保护的研究机构才可以进一步扩展为专门负责全球生态治理与保护的国际行动组织。这其间存在较大的距离，政治经济学的研究推进就是要逐步地缩小这个距离，为下一步的工作的全面展开创造条件。如果国际组织能够在经费上最先保障政治经济学的研究，使人类的正态理性至少在基础的经济理论研究的层次上对于全球生态的治理与保护得到必要的落实，那也是一种可贵的起步，必将产生深远的影响和起到积极的作用。在现阶段的复杂形势下，有关全球问题的讨论，任何一点点的认识进步和认识统一的实现都是十分不容易的，这是由人类常态社会的自身限制决定的，所以都是需要特别珍惜的。

　　问题就在于，在现时代，各个国家或地区都已经能够实现社会的法治，而整个国际社会还缺乏必要的法治。现行的国际法对各个国家或地区不具备有效的约束性，各种协议、条约在国家与国家之间没有冲突时尚有一些作用，一旦发生冲突或关系变得紧张就立刻失去了效力。所以，就目前的国际社会状态而言，这对于有效治理与保护全球生态环境是很不适应的。建立有效的国际法律约束机制的蓝图恐怕在近年内还难以实现，而全球生态的治理与保护又绝不能在一种无序的没有任何社会约束下进行。解决这一矛盾，需要建立一种全球性的制度规范，即统一地不使用法制约束各个国家或地区，只使用标准的国际制度规范各个国家或地区的行为。研究和制定这种国际制度并推动这种制度在全球范围内发挥权威作用，是政治经济学研究的时代责任。在现实的全球生态的治理与保护中，人类需要依靠正态理性建立社会规范，而不是依靠常态的权力去指挥具体的行动。真正的力量要来自理论，随着社会的进步和理论的发展，各个国家或地区的人民将越来越广泛和自觉地认识到全球一致行动治理生态环境的重要性，不论是哪里的人，都将会融入为人类生存延续的努力之中。现有的常态社会意识不可能适应未来社会发展的要求，在全球的治理之中，新的制度规范需要各个国家或地区自觉地严格遵守，虽然地球上的大气层破坏还没有达到很快就置全人类于死地的程度，但是这个问题的严重性也已经是容不得任何国家或地区的人民抱有侥幸心理了。惟有从现在起就认真地研究并严格地执行全世界共同制定的全球生态治理与保护的基本制度，我们所有的在地球上的人才能有共同的生路。

面对全球生态日渐恶化的严峻形势，政治经济学的研究肩负的使命是十分沉重的。没有科学的理论，就不会有实践的成功。所以，政治经济学的理论能否对全球生态的治理与保护做出科学的认识和起必要的指导作用，是人类能否重新获得无污染和无损坏的全球生态环境的关键。

一个重要的问题是，在近期之内，全世界的人口增长必须要得到有效的控制。政治经济学的研究就此揭示的客观规律是：在人类尚未能开拓新的地球以外的生存空间之前，地球上不能承载过多的人口，人口的增长与保持的基数必须以地球能提供的自然生存条件为底线。然而，在愚昧和无知之下，近代以来在地球之上，人口越来越多，而树木越来越少。到目前，全球只有20%原始森林保存完整。① 自然科学常识指出，地球大气中的氧气是植物生命运动的结果，若没有足够的植被，地球上就不会有足够的氧气供人们生存。如果树少人多，氧气不够用了，那么就不用打仗了，也不用同人类的天敌做斗争了，不论是穷人，还是富人，所有的人都会无声地死去，无一例外。如果人类能一下子变成乏氧生物，那也许可能躲过劫难，但谁都知道这种情况是几乎不可能发生的。真要是有了那样的一天，对人类来说，是怨自然无情，还是怨自己无知。好像既不是自然的过错，也不是人类不知道这种后果的严重性，可能就是在一种常态的理性与非理性的交织状态下，人类缺乏一种必要的清醒和决断终止了自身的生存延续。所以，政治经济学的研究必须要向全社会表明，并不是人类自身无端地要阻止更多人口出生，实在是自然的生存条件限制

---

① 参见孙丹平《全球森林资源告急》，《北京青年报》2004年4月1日，A22版。

了地球上的人口数量。生产粮食的多少相应还是次要问题，更重要的是地球上有没有足够的氧气供那么多的人口呼吸。如果现代人将地球上的森林再砍去一半，那恐怕别说 100 亿人口在地球上难以存活，就是现在的 60 亿人口也会遇到缺氧的危机。在一个池塘里，如果蝌蚪的数量过多，就会发生大量的死亡，自然界就是以这样的残酷性来维持自身的生态平衡。人类是有理性的生物，应当比其他生物更自觉地认识到自然平衡的必要性和重要性，即要自觉地避免自身发生池塘蝌蚪过多那样的悲剧。一切生存希望都应是在有限理性的控制之内，政治经济学的研究要体现进入 21 世纪之后人类新一代的理性光辉。降低人口增长率，保持适度人口数量，是扭转当前全球生态危机的一项根本性措施。这一原理已经在政治经济学的研究中讨论几个世纪了，而现在仍然还有深化认识的必要。政治经济学并不是要用宿命论的态度对待世界的人口生产，也不会用简单的方式解释物质生产与人口生产之间的关系。在以人与自然的关系决定人与人的关系的命题之下，人口的生产大概是最能直接反映这一命题的辩证关系的。在人世常态之中，亦有美好的心灵像甘露一样滋润着苦难的众生；而发展到正态社会，那人类更是纯美的化身；但是，让更多的生命涌流的理想却不能承受严酷的自然的无情，人类的理性应懂得，在大自然面前，人类的生存底线是服从。

全球生态的恶化是近几十年才突出地表露出来的。这说明，随着科学技术的进步，人类生产力水平的提高，人类的一部分已经是在过度地消耗地球上有限的资源。在复印机尚未问世之前，人们最多是靠复写纸来誊写文字，写起来很费劲，所以对纸的使用并不是很多。现在有了复印机，一会儿功夫就可以印下许多张纸的文字，于是并不是办公效率高了，而是复印成灾了。无论是什么文字，只要是能复印的，都有人在复印。所有的复印品，复印之后有没有用，就不太清楚了。可以说，绝大部分复印的文字是没有什么用的。学生查找资料，看着好就复印，实际能用上的很少。开会用的材料，也是一人一大包，很多人都是只翻一翻看看，随后就永远没有人动了。因为复印方便，不知浪费了多少纸张。当然，这并不是复印机的错误，错的只是人们在新的技术条件下缺乏自重，太能挥霍浪费了。地球上的树木一年比一年少，原因固然很多，但这与现代人对纸张的浪费不无关系。再有家庭轿车的使用，可能也是现代人的生活最为挥霍的事情。尽管许多人家已经有了自己心爱的轿车，更多的人还在梦想买到轿车为自己的生活带来更多的现代气息，但这并不能掩饰这种生活行为的挥霍性和不合理性。轿车为家庭生活增添了乐趣，可是人们应该想一想，在这乐趣的背后社会要为此付出多么大的生态恶化的代价。在世界经济中最发达的美国，几乎每个家庭都拥有 1 辆以上的轿车；有的家庭有 3 个子女，就 3 个子女各有一部自己的轿车；有的家庭有 10 多口人，就拥有 10 多部轿车。其实，这种生活是极其缺乏理性的，人类实在没有必要以这样的生活方式消耗那样多的物质材料。每个人都只有几十年的生命时间，应该拥有更多的平静，而不是更多的喧闹。现时代的工业化给人们带来的未必都是福音，汽车是有用的，但并不意味着必须人人都要有车。在美国，现在没有家庭轿车就无法生活的神话，是美国人自己造出来的。任何人都会相信，如果没有轿车，美国人一定会按照没有车的方式安排生活住宅区和其他活动。而且，没有那么多的车，也不会有那么多的人死于车轮底下。空调机的发明也不能说是罪过，在有限的范围内使用还是十分有益的。但是，现在滥用空调机却是十分有害的。本来，一年分 4 季，冬冷夏热这是自然的现象，也是人类应适应和服从的，然而，滥用空调机已经使相当一部分人分不清春夏秋冬了，全年都变成了一个样，坐在写字楼里，不冷也不热，回到家里，还是不冷也不热，坐在汽车里，也还是不冷也不热。人类这是在改变环境，还是在改变自己。环境是改变了，大量的热能被耗费了，地球上的温度更高了。相应，人也被改变了，都变成弱不禁风了，有一点点温差没有注意就会引起感冒，一个人动不动就生病，上医院都成了家常便饭。人们将这一类的病称之为空调病。从自然的角度讲，人生存在热带，就应该具有耐热能力；生存在寒带，就应该具有耐寒能力；生存在4季分明的温带，就应该夏天热一热，冬天冻一冻，绝不应搞成夏天不热，冬天不冷。许多空调机的使用其实是反自然的，既破坏了生态平衡，也破坏了人的适应环境的生存能力。还有洗衣机的费水，也是个极为严重的问题。过去人用手洗衣，用水量还是不太大的，而今普遍使用洗衣机，耗水量是剧增的，人们洗衣是省事了，但水的消耗太大了。而现在地球上已经在闹水荒。有的城市用水要从千里之外调水，有的国家因缺水而极度地贫困，甚至有人宣称人类将为用水而发动战争。所以，过度地用水，对于有水可用的人来说是太奢侈了。这不是一个用水的价格管理问题，因为水对于人的生存的重要性可能仅次于氧气。在破坏生态，过度消费的问题上，人类的行为不明智是有多方面表现的，归根结底，这是劳动智力整体水平决定的。如果将来人类掌握了更高的技术能够直接利用太阳能，那将会大大地改变地球的生态环境，不再像现在这样每天消耗巨量的地球上的能源，会使地球上的采集能源的污染程度有效地降下来。只是就现在而言，人类的劳动还没有发展到那一水平上，人类必须理智而自觉地尽一切可能减少对地球上的能源的耗费，尽一切可能去保持生态环境。

更重要的紧迫问题是，为保护全球生态环境，不造成环境的进一步恶化，在21世纪人类必须断然制止破坏性的生产活动。

比如，不能再进行破坏性的森林采伐了。现在，破坏森林在发展中国家和经济落后的地区还是比较普遍的现象。这些地方的人过度地采伐森林资源只是为了能解救他们眼下的贫困，或者说是为了吃饭，但实际上他们这样做的结果却是造成更大的贫困，使吃饭问题变得更难解决了。相比之下，经济发达的国家和地区对森林生态的保护是比较好的。发展中国家和经济落后地区砍伐森林并不主要是供自己国家或地区用的，其中的主要部分是为了向发达国家或地区出口，供给生产原料。所以，最终对森林资源慷慨消耗的不是发展中国家和经济落后的地区，而仍还是发达国家或地区。从全球的角度来看，虽然发达国家或地区没有破坏森林资源，对本国或本地区的森林环境给予了良好的保护，但现在地球上的森林环境终归是遭到了人为的破坏，这种表现在发展中国家和经济落后地区对森林破坏造成的威胁却是针对全球人类的，即是针对世界上所有的国家或地区的，并不仅仅是针对发展中国家和经济落后地区的，并不仅仅是使他们的生存陷入更大的贫困之中。因此，在全球的生态危机之下，必须在全球范围之内严厉制止任何破坏森林环境的生产活动，人类一定要用自身的正态理性自觉地保护地球上的绿色，保护地球之肺，保护我们每一个人的呼吸之源。政治经济学不能还是像 20 世纪那样只是教人们知道供求规律和价格关系，在新一个世纪必须要从全球的视角出发教育人们珍惜人类生存之本的生态环境，教育人们珍爱地球上还剩下的森林。这是比教人们认识价格更重要的经济理论教育。再有，毁掉农田建设城市也是一种破坏性的生产行为。城市化是现代生活的象征，但以牺牲农业耕地来换取城市化的高楼大厦并不明智。现代的人类已经知道；土壤是地球上所有的生命体在大气层下与岩石层的边界发生自然摩擦的产物，也就是说，每一捧土不知是用多少有机生命的运动换来的。现代的人类绝不能将地球上几十亿年的积累任意地挥霍，任何一代人都没有这种权力。如果某一代人胆大妄为，不珍惜土壤和耕地，那一定会遭到自然界的严厉惩罚。所以，这不是哪一个国家或地区需要保护耕地和土壤，而是全人类在全球范围内必须实施这种保护。在大自然赋予人类的生存条件之中，最普通的土壤实际是最珍贵的，只要人们树立全球生态保护意识，时刻不忘人类生存延续的根本利益追求，对于这一点是会有深刻体会的。现在，在缺乏全球生存意识和约束下，一些发达国家将污染严重的工业向发展中国家转移。其严重性在于，这并没有转到地球以外去，这些污染仍是在地球上对人类的生存造成威胁。当然，这种聪明过人的转移与掩耳盗铃还是多少有一些区别，但就当代人缺乏全球生态保护意识而言，这恐怕是太明显的表现了。事实上，在地球这个人类的共同家园，谁也无法以邻为壑，因为天是一个天，地是一块地，保护生态必须是全球性的，在这一根本性问题上，所有地球上的人只能是同生死、共存亡。

将全球生态的治理与保护问题纳入政治经济学的研究范围，并将其作为一个基本的理论认识问题给予高度的重视，这是21世纪初人类理性的又一推进。

第四十七章　劳动的可持续发展

　　治理与保护全球生态环境是为了人类的生存延续。因而，在21世纪，对于如何治理与保护全球生态环境是政治经济学重要的研究内容。在人类栖身的地球上，生态与生存已经发生了严重的冲突，经济发展破坏了生态环境，生态环境恶化制约经济发展。一些发达国家将污染产业转移到发展中国家，从全球的范围讲，这样做对于全球生态环境的治理是毫无意义的，甚至可能造成的危害更大。如果经济发展一定要以牺牲生态环境为代价，那么人类的生存延续在不久的将来注定是要被终止的。鉴于存在对人类生存的威胁，并且威胁越来越显性化，在全世界范围内，引起了理论界的关注和思考。其中最著名的是1968年成立的以研究全球化问题著称的"罗马俱乐部"活动和1972年出版的丹尼斯·麦多斯等人的著作《增长的极限》。① 这些科学家向当代人类发出了严重警告，说明人类必须与自然和谐相处。经过他们的努力，社会各界终于对可持续的经济发展有了一定的认识，并同时也引起了各个国家或地区对于生态环境保护的重视。

　　现在到了21世纪，保持经济可持续发展的观念早已深入人

---

　　① 参见 E. 费道洛夫：《人与自然——生态危机与社会进步》，中国环境科学出版社，1986，第11页。

心。作为一种社会进步的重大表现，各个国家或地区的经济规划之中都加入了可持续发展的思考。同其他国家一样，在 1992 年联合国召开环境与发展大会之后，中国组织制定了《中国 21 世纪议程——中国 21 世纪人口、环境与发展白皮书》，作为指导国民经济和社会发展的纲领性文件，开始了可持续发展的进程。经过 10 年的奋斗和探索之后，中国又更为鲜明地制定了《中国 21 世纪初可持续发展行动纲要》。作为一个发展中的大国，中国在可持续发展方面多年来的一贯努力是举世公认的，其取得的成就主要有以下方面：（1）经济发展态势良好。国民经济持续、快速、健康发展，综合国力明显增强，国内生产总值已超过 10 万亿元，成为发展中国家中吸引外国直接投资最多的国家和世界第六大贸易国，人民物质生活水平和生活质量有了较大幅度的提高，经济增长模式正在由粗放型向集约型转变，经济结构逐步优化。（2）社会各方面协调发展。人口增长过快的势头得到遏制，科技教育事业取得积极进展，社会保障体系建设、消除贫困、防灾减灾、医疗卫生、缩小地区发展差距等方面都取得了显著成效。（3）生态建设、环境保护和资源合理开发利用方面取得一定成绩。国家用于生态建设和环境治理的投入明显增加，能源消费结构逐步优化，重点江河水域的水污染综合治理得到加强，大气污染防治有所突破，资源综合利用水平明显提高，通过开展退耕还林、还湖、还草工作，生态环境的恢复与重建取得成效。（4）可持续发展能力增强。全国各地区、各部门已将可持续发展战略纳入了各级各类规划和计划之中，全民可持续发展意识有了明显提高，与可持续发展相关的法律法规相继出台并正在得到不断完善和落实，生产企业的可持续发展也得到相应的高度重视。①

---

① 　参见《中国 21 世纪初可持续发展行动纲要》，《人民日报》2003 年 7 月 25 日，第 6 版。

一个基本的事实是，在人类认识生态环境的治理与保护的重要性之后，关于经济与社会的可持续发展的重点是放在了生态建设与资源的更有效利用方面。可持续发展的涵义是指人类的生存要与自然和谐，通过积极的努力保持生态环境能够满足人类生存延续的要求。各个国家的实践都是关注于对自然环境和自然资源的保护，与没有建立可持续发展观念之前相比，如今都取得了较大成就，在局部的生态治理方面实现了生态环境的好转。问题在于，仅从自然的生态保护和自然资源有效利用方面来理解可持续发展要求，那恐怕是对人类的生存要求缺乏更深入全面的认识。

经济的实质是一般化的劳动，或者说劳动的一般化是经济实质内容的抽象。因而，依政治经济学的研究立场认识社会经济基本问题，可持续发展的确切内涵应是劳动的可持续发展。其中施动的方面是劳动主体方面的可持续发展，受动的方面是劳动客体方面的可持续发展。人类只有保持劳动的延续，才能够生存下去。因此，应将人们对经济的可持续发展的认识提升到对劳动的可持续发展的认识上。

劳动的可持续发展强调劳动整体的可持续发展。这就是说，不仅劳动客体作为自然的方面要可持续发展，劳动主体即人的方面更要可持续发展。劳动整体的可持续发展表现为劳动创造水平的不断提高和劳动成果效用的延续。只有从劳动出发，站在劳动整体的立场上，人们才能科学地认识可持续发展问题。

在劳动整体的视角下，做到可持续发展，完善社会生存环境和保护社会文化资源比治理自然生态环境和保护自然资源更重要。相比自然生态环境的恶化，社会生存环境的恶化更具有危险性。在一个充满人体炸弹的社会环境中，是谈不上任何经济发展的，任何人都不会有生存的安全感，由此决定社会无暇顾及任何有利于自然环境的保护问题，即无从解决人与自然的矛盾，无从做到人与自然的和谐相处。在充满对人的精神有很大的外在压力的社会环境中，人与自然的交流也会产生极大的障碍，会直接影响每一个人的创造力，会造成变态的势力横行，正态的理性被囚禁，整个社会的文明伦理一片混乱，社会的管理被素质不高的人群把持，造成经济发展长期徘徊或社会财富的占有极为不公平。相比保护自然资源，保护社会文化资源更具有紧迫性。没有文化的人，才会有对自然资源掠夺性地开采。文化是社会延续的纽带，人类一代比一代的进步是建立在文化愈加丰富基础上的。缺失了已有的宝贵的文化资源，对于人类的生存是一种退步表现。而许多文化资源的存在状态可能比自然资源的生存更脆弱，一旦毁灭，也是难以复现的。如果人类掌握了现代科学技术，却在文化方面倒退到原始社会时代，那么这个社会就肯定是一个怪异的社会，就会以高科技的手段做出比原始社会更加野蛮的事情来。从实质上讲，社会的发展必须落在人类的思想文化水平的提高上，这绝不单是一个物质生活水平的衡量问题。不重视社会文化资源保护，只重视自然资源保护，那对于自然资源保护的目的又何在呢？如果损害社会文化资源，那就是对于人类文明的损害，对于人类社会赖以生存的劳动成果效用延续的损害。人类保护自己，不仅要保持生存和生存的延续，而且要保证文明进步不能退步。所以，为了人类生存的进步和延续，在任何一个国家或地区，都必须是既重视保护自然资源，又重视保护社会文化资源。

在当代常态社会，为全面实现劳动的可持续发展，对于社会生存环境和社会文化资源的保护主要有以下方面：（1）强化政治规范。政治规范分为国家政治规范和国际政治规范。政治规范是对人的生存行为的最基本要求，即其生存必须受到的社会约束。政治规范是社会规范中最具基础性质的规范，比之法律规范、道德规范、市场规范更具有基础性。在文明的社会环境中，人们一般比较熟悉的是市场规范，其次对于道德规范、法律规范等社会约束也有一定的了解。只不过，现在看来，各个国家或地区对政治规范的约束存在忽略倾向，表现之一是常常以法律规范取代或混淆政治规范，因而很多社会动乱产生的原因是由于人们竟然不存在政治规范意识。而出现这种情况，就是对社会生存环境的破坏，或者说这种情况产生的社会生存环境是存在很大缺陷的。常见的表现是，在许多国家，现时代不是向公民灌输国家意识，而是一再强调弘扬民族精神。因此就淡化了真实的政治规范。每一个人具有国家意识，被自己国家精神约束，是政治规范的核心内容。这表明，每一个人都是以国家为自己生存的整体屏障的。而民族意识和民族精神是已经过去的了，民族这个范畴在有国家存在的前提下已不能为人们提供整体屏障了，社会若认识不到这一问题，仍在强调民族性而不是国家性，那就是对政治规范的丢失。这将产生社会内在无序的恶果，引发严重的社会问题。所以，保护社会生存环境必须要强化政治规范，包括在全球范围内强化国际政治规范，使各个国家或地区能够更自觉地接受国际社会的约束。（2）必须尊重人格与生命。尊重人格就是要保护每一个人的人格尊严，包括对罪犯的人格尊严都要实施有力的社会保护。尊重生命就是要珍惜每一个人的人生，不分社会地位的高低，不分人的贡献大小。一个现代社会赋予人们的良好的生存环境，这是最基本的要求。如果现代社会的公民只能被满足物质生活条件，而其人格得不到应有尊重，那是毫无人生乐趣的，社会的存在状态也必定是极不文明的，那只能是一种物质发达的野蛮社会。作为人活着与作为奴隶活着，是不一样的，对于常态社会来说，历史上是不将奴隶视为人的，而是将奴隶视为家畜和会说话的工具，所以，有的奴隶可能物质生活条件并不差，但却没有任何人的尊严。若将对人的尊重取消，实质就是将不受人格尊重的人视为了奴隶，出现这种状态就是重现人类社会的奴隶时代，就是文明的倒退和野蛮的社会关系再现。而尊重生命也是更高层次的社会文明体现。每个人的出生都是不由己的，每个人都有权力享受自然赋予他的生命。不能因为人的能力有高低，就区分出生命的贵贱。作为普通的一个人，他可能得不到任何社会荣誉，但却必须得到社会对他生命的尊重。如果社会对每一个人的生命的尊重程度能不断地提高，那么社会为此付出的代价必然会逐步地减少。只有尊重每一个人的生命，才会有社会发展的文明与稳定。（3）需要保存真实的历史面貌。历史是对人类社会发展过程的反映和记载。缺失真实性的历史会误导以后的社会发展，或者说会对社会的发展造成更大的曲折。真实的历史是后来者的前车之鉴，人类只有一代接一代地努力生存，避免重复性的错误，汲取教训，才能不断地推动社会进步。对每一代人来说，历史的教育必须是真实的，不真实的教育只会起相反的结果。在和平的年度里，历史不会有太大的波澜，但却会孕育劳动发展的力量。在战争的年代里，历史是由鲜血写成的。在人类的历史中，既有和平的宁静，又有战争的血腥。对于后代人，必须要了解历史之中的真实的和平和真实的战争。只有在认识真实的前提下，人类才能深刻地研究历史，即科学地认识自身的发展史。不懂历史，就没有社会文明。以真实的历史为鉴，社会才能进步。现代的社会高于以往社会，就在于熟知过去的社会历史。因此，社会文明存在的基础是要让所有的人都能真实地了解人类自身的历史，认识战争的发展历程，认识人类文明创造的艰辛。缺少对于自身历史的科学认识，是一种社会危机的存在，这比之生态的失衡的危害性只有过之而无不及。所以，保护人类自身，完善社会生存环境，是不能缺失对于历史的真实的了解的，不能使现代人都变成物质人而对自身的文明史只知皮毛。（4）注重保护伦理文化、婚典文化、丧葬文化等社会文化的文明延续。尊老爱幼、尊师敬长等伦理关系的文化表现是需要社会给予正确的引导和维护的。没有长幼之分，不敬老人，不尊师，社会的秩序就会乱为一团，文明就不会在人们的心目中体现。在这样的社会存在中，社会生产效率越高，其危险性就越大。那会使人忘记任何亲情而只重物质享受，而只讲物质享受的社会距离毁灭已不会太远了。有亲情伦理，才有社会文明；无亲情伦理，可能连野兽都不如，只能是现代迷失的社会造出来的怪物。而就婚典文化讲，这是表示一个家庭的组建的正式开始，必须给予应有的庄重和气氛的营造。在现代社会，家庭是社会的细胞，家庭的稳定是社会稳定的基础。如果建立家庭的开始没有文化氛围的烘托，没有庄重的承诺，那么这种细胞的存在就会缺失必要的责任感，更容易受到外部的影响而产生变异。家庭都是后生的，没有那一对夫妻是天生的一对，夫妻的结合都是异性之爱的具体表达，所以，没有社会的约束是难以保持稳定的，注重婚典是一种社会约束，这是从文化层面来对家庭关系的维护，是一夫一妻婚姻制度下必要的文化环境，社会必须认真对待这些文化活动而不能随意对待这种大事。更需要注意的是丧葬文化，这是人的尊严的延续。没有文化性的丧葬，会对整个社会的安定造成侵害。每一个活着的人，只有亲眼看到死去的人的体面，才会珍重自己生命存活的意义。否则的话，草率处理死人，会使任何生者感到人生毫无意义，因而会使人更草率地对待自己的人生。所以，丧葬文化不是可有可无的，对于人类社会的文明来讲，是必不可少的，是必须郑重对待的。在任何已故人的丧葬之中，不需要有迷信成分，但必须要有高尚的文化体现，体现对死者的尊重，体现人类社会的文明。

（5）要高度重视社会科学的研究和文献的保存。保护社会文化的资源的基础工作是推进社会科学的研究。社会科学是人类理性对自身的认识，若没有这方面的认识提高，在自然科学快速发展的社会中，会使人类丧失自我，用自己制造的高科技手段消灭自己。因此，社会科学在当代的作用是关系人类生存的，这方面的研究要立于全部的社会文化沉积的基础之上，要一方面理性地保护社会文化的已有内容的流传，另一方面要在对自身的认识方面进一步创新。不重视社会科学的研究就等于是不重视人类自身的存在，就会使任何自然科学的研究和对自然方面的保护失去意义。虽然社会科学的研究是建立在自然科学研究基础上的，但社会的进步却是直接由社会科学决定的，即是由人对自身的认识决定的。倘若人对自身的认识很落后，那么其对于自然的认识再先进也没有决定社会进步的意义。这就好比，一个拥有汽车和别墅的人，如果没有接受过良好的教育，自己也没有自学的经历，那么人们仍会将他看做是一个没有文化的人，客观上他也确实只是一个没有文化的人。在社会科学对于人自身的研究中，最为重视的就是保护社会文化资源，这种资源是现代文明的源泉，社会是历史存在的，对于社会的研究是需要历代的人对自身认识的积累的，这种积累对于创新的认识是必要条件。衡量一个国家或地区的社会文化资源保护的状况和有效程度，是看其社会科学的发展情况。只要其社会科学繁荣昌盛，规范地运行与发展，那就可以认定其社会文化资源得到了良好的保护。对于社会科学研究的文献成果，从广义上讲，需要投入大量的人力和财力进行保护，这是直接可以看到的社会文化资源，也是最为重要的社会文化资源。

在劳动整体的可持续发展中，决定的因素不是受动的劳动客体的可持续发展，而是施动的劳动主体的可持续发展。这也就是说，劳动主体决定劳动的可持续发展。人类社会的流传是以劳动主体的世代更迭为连接的，倘若在劳动主体的发展方面断了链，那么一切的发展或延续都将被终止。这是劳动的可持续发展观与

以往讲的经济可持续发展观的根本性不同。在人类社会的延续之
中，每一代劳动主体都要承受上一代的劳动技能，或是创造出一
些新的具有更高效能的劳动技能部分地替换上一代的劳动技能。
如果劳动主体的劳动技能不如上一代，那劳动就退化了；如果劳
动主体完全丧失了劳动技能，那劳动就终止了，任何经济的可持
续发展也都要被终止。所以，可持续发展的关键是劳动主体，而
不是劳动客体，是人的劳动技能的存在与提高，不是自然环境和
自然资源的保护。这并不是说劳动客体不重要，保护自然环境和
自然资源对于可持续发展不重要，而只是说，相对而言劳动主体
的劳动技能的代代延续和不断提高对于可持续发展是更重要的。
作为劳动主体，人都是学而知之，没有生而知之的。使一代劳动
主体从上一代劳动主体那里学会全部劳动技能是很不容易的，使
一代劳动主体的劳动技能超过上一代劳动主体的劳动技能就更不
容易了。但没有这种超越，就没有可持续发展，就没有人类生存
的延续。因此，一方面为了可持续发展，必须注重保护自然环
境，注重自然资源的节约；而另一方面为了可持续发展，则必须
保证劳动主体的受教育水平，不使主体性的劳动技能荒废，并要
尽一切努力提高劳动主体的创新能力，使其一代比一代做得更
好。如果滥用教育资源，浪费宝贵的学习时间，使劳动技能的学
习华而不实，只图形式，不讲实质的水平，那是一种比自然环境
被破坏更严重的对人类自身的生存条件的破坏。政治经济学从劳
动出发研究可持续发展，就是要从劳动整体出发认识这一关系人
类生存的现实问题，并由此说明劳动主体的可持续发展是更需要
给予高度重视的问题。

　　总之，从经济的可持续发展到劳动的可持续发展，是对人类
生存条件的更全面的认识。自然方面的危机是显性的，并且经过
近年来的努力，各个国家或地区已经有所警惕和重视；而社会方

面存在的问题，在以往还没有上升到可持续发展的高度来认识。我们的研究目的就在于强调，不仅可持续发展不是单纯的自然危机问题，而且社会方面的因素对于阻碍可持续发展的影响更需要现实的社会理性予以切实的解决，这对于每一个国家或地区也同样是没有例外的。

第四十八章　以最小的价格支配
　　　　　最大的财富

　　贫困问题是现时的世界性难题，也是当代人类劳动的可持续发展中需要紧迫解决的重要问题。具体地帮助贫困人口摆脱贫穷的困扰，是各个国家或地区的社会管理责任。而从经济理论的高度认识贫困问题并提出解决的根本性方案，是现代政治经济学研究的重要任务。

一　贫困的根本原因是劳动主体智力发展水平低

　　有两类贫困，需排除在政治经济学对于贫困问题的研究之外。

　　一类是由自然的地域性原因决定的贫困。在地球上，有些地域是不适于人口生存的。没有足够的水，也没有肥美的土壤，或是气候过于炎热或寒冷，人口生存在这些地方，必然是贫困的。这些地域是不能使人致富的，要摆脱贫困，惟一的出路就是离开这样的地域。

　　再一类是由盲目生育造成的人口贫困。如果一个家庭的养育能力有限，收入不多，却一定要生养许多孩子，那只能使家庭的生活全部陷入贫困。这是要由计划生育解决的问题。政治经济学的研究只能是将这些人口列为贫困人口，列为需要社会救济的对象。

政治经济学研究的贫困问题是指，人口生存地域的自然条件适合生存，自然资源与其他地方相比基本没有大的差别，甚至可能还要好一些，但经济发展落后，人口生活水平太低，解决不了穿衣吃饭问题或仅仅能够解决最低水平的穿衣吃饭问题。

从表象上看，沦为贫困人口是由于他们能生产出来用于交换的劳动成果太少。比如，一位贫困的农民种地的全部收获不够他的家庭食用，而他的全部劳动时间都用在了土地上，并没有精力再从事其他工作，这样的生活状态显然是很贫困的。相比之下，一位使用现代化机器进行农业生产的富裕农民，可能自家食用的食粮仅仅是他收获的粮食的1%，其余99%的粮食全部出售，因而他可以过上富裕的生活，享受他用自己的劳动成果交换来的别人创造的劳动成果的效用。

比较上述两位农民的生存状况，可以看出他们的劳动差别主要是：

其一，耕种土地的数量不同。贫困的农民只可能种几亩土地，而富裕的农民至少要种植上百亩土地，也可能是几百亩土地。

其二，使用的劳动工具不同。贫困的农民只使用简单的劳动工具，即只有犁、锄、镰刀等简单工具。而富裕的农民全部是机械化作业，从耕种到收割，具有很高的劳动生产率。

若只做这样的表象上的简单对比，那人们理解的差别都是外在的，即只是看到外部的耕种土地的差别和使用的劳动工具的差别，其土地耕种的差别是劳动客体中的自然条件差别，其劳动工具的差别是劳动客体中的资产条件差别。如果仅仅是这样的差别，那么似乎两位农民换一下位置，贫困的状态就会由一个人转向另一个人，至少在这一假设中会是这样的。

然而，对此我们是可以做出另一种并不极端的假设。比如，我们就假设那位贫困的农民得到了那位富裕农民的一切生产条件，而那位富裕农民还需要从几亩土地做起重新创业。如果贫困的农民富裕了，那么除了他获得了新的劳动客体之外，更重要的是他也改变了自身的劳动技能，即必须是劳动主体也发生变化，他必须学会使用新的劳动工具，必须懂得怎样经营几百亩土地，否则，作为劳动主体，他自身若不发生变化，他还是不会使用新的农机具，不会经营土地，他就还必然是贫困的而富裕不起来。而失去原先的生产条件的富裕农民并不会因此而贫困，因为他作为劳动主体已经有能力保障自己的生活水平不降低，他可以依靠自己的劳动技能重新创业致富。假设，这位有能力的农民可以采用以下办法来保持其收入的水平。

办法（1）：立刻着手租地，在能够租到的大片土地上继续保持原有的生产规模，即又得到几百亩耕地从事他的农业生产。

办法（2）：根据市场需求和土地的自然条件，将其仅有的几亩地全部改造为种植花卉的大棚，以经济作物的高收益弥补土地资源的不足，使种几亩花的收入与以前种几百亩粮食作物的收入基本持平。

办法（3）：根据市场需求和土地的自然条件，将其仅有的几亩地全部改造为种植蔬菜的大棚，同时发展家庭养殖业，养牛、养鹿、养鸟等，还开办农家旅店，请城里人来欣赏田园风光和品尝新鲜的蔬菜，以确保收入水平不降低。

办法（4）：既不改变土地用途，也不改造土地设施，而是改变自己的工作性质，脱离土地去另谋生路，绝不像贫困农民那样只守着几亩粮田过穷日子。

以上分析可以看出，贫困农民与富裕农民之间的根本差别是在劳动主体的技能上，而不是在劳动客体的方面，即不是在土地的使用和劳动工具的使用的差别上。在较高的劳动技能掌握下，失去生产条件的富裕农民也不会再贫困。所以，事实总是会证明贫困与富裕的差别关键在劳动主体的差别上。

因而，投资的多少、地理位置的优劣、交通状况的影响、自然资源的蕴藏情况等方面因素，在经济发展之中，或是说在决定经济的发展水平上，都是次要的。如果劳动主体的素质达到相应水平，一个国家或地区，缺少资金可以引来资金；地理位置不能变，但可以改变经济地位，成为区域经济中心；交通状况差可以在不长的时期内转为交通状况好；自然资源短缺也不是经济发展的障碍。中国在改革开放后，引来大批外国投资，已成为发展中国家引进外资最多的国家。新加坡的地理位置并不理想，但其却建成了国际性的大都市，成为新兴的国际经济中心。美国的交通是在几十年的时间内彻底改变的，待到20世纪初，美国已有了发达的铁路运输网。日本是一个资源极为贫乏的国家，但正是这个国家创造了亚洲奇迹，在二次世界大战失败以后的几十年内重新崛起，全靠从国外进口原料和燃料，一举成为当代世界经济大国。所以，纵观世界各个国家发展的轨迹，人们看到的都是劳动中的主体对经济发展起关键作用，而不是劳动客体因素决定贫困或富裕。

不论是个人，还是国家，贫困问题的存在都表现在劳动整体发展水平低，即劳动能力低方面，而这其中的根本原因只能是在劳动主体方面，即由劳动主体的智力发展水平低决定的。从理论上讲，解决贫困问题的关键就在于要提高贫困人口的劳动主体智力发展水平。

二　消灭贫困需要依靠外部力量

在现实之中，贫困人口要改变自身状态，只依靠自身的力量是无法实现的，即提高其作为劳动主体的智力发展水平只依靠他们自身是做不到的，必须要有外力帮助他们提高劳动主体智力发展水平。

进入 20 世纪以来，从整个人类劳动的发展讲，劳动主体的智力水平是迅猛提高的，这突出地表现在自然科学研究与工程技术应用的发展上。人类在这个属于自然科学辉煌创造的世纪里，劳动能力获得大幅度的提升。1903 年，美国的莱特兄弟成功地制造了第一架飞机。而到了 1949 年以后，喷气式飞机就接踵问世了。现在，天空上飞翔的许多是超音速或亚音速飞机。自 1909 年起，人类就制成了化肥，而今，世界农业是用化肥支撑的产业，无论是粮食生产，还是经济作物，都是依靠化肥实现高产的。在第二次世界大战快要结束之前，美国终于赶在德日法西斯国家的前面研制成功原子弹，并将其用于结束战争。而最重要的成就是实现了人类对外层宇宙空间的探索，这是人类第一次打破地球生存空间的封闭性。计算机的普及和互联网的出现，则标志着人类劳动的发展进入了一个新的纪元，因为人类的劳动工具由此而实现以延展人的肢体作用为主的工具向以延展属人的脑力作用为主的工具转变。

但是，在人类劳动整体突飞猛进地发展的同时，许多发展中国家的劳动发展水平还十分地落后，与 20 世纪人类劳动发展已达到的高度存在相当大的距离。发展中国家始终致力于解决的是贫困人口的温饱问题。所以，实事求是地讲，在现时代，发达国家与发展中国家之间的差距表现为，发达国家的劳动水平已经达到高智力平台之上，而发展中国家尤其是极为贫困落后的国家的劳动水平仍还处于传统农业经济时代的劳动智力发展水平上。就此而言，相互之间的差距存在，可用图 48 - 1 表示。

如图 48 - 1 所示，在发达国家与发展中国家之间有一道高

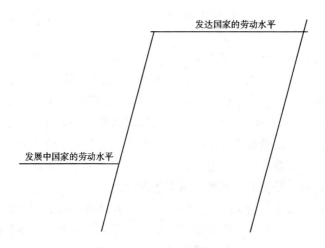

图 48 – 1 发达国家与发展中国家的劳动水平比较

槛，发展中国家的劳动水平是在这道槛下上不去，无法达到槛上的水平，才致使经济处于贫困落后之中。

就 21 世纪初的状况而言，以人类整体现有的劳动智力发展水平解决全世界的贫困问题是可以做到的。这也就是说，以人类劳动整体为范围，在人类共同的努力下，在并不久远的时间内，将发展中国家的劳动水平提升到目前发达国家的劳动水平，是可以做到的。消灭贫困，是现代人类的责任，需要紧迫地行动起来，不能再拖下去。在发达国家的劳动水平不再跃上新台阶的前提下，在全世界范围内就可以基本上解决贫困问题。如果在近期内发达国家的劳动水平又跃上一个新台阶，就人类整体的劳动能力讲，是更有条件逐步解决全世界存在的严重的贫困问题的。只要发展中国家的劳动水平都能达到目前发达国家的水平，所有的国家都将实现经济现代化，那全世界就有可能基本上解决贫困问题。但是，这种对于劳动水平的提升，对于发展中国家来讲，尤其是对于极为贫困的国家或地区，是完全无法依靠自身力量去实现的。

人们都要承认的基本事实是，在目前的发达国家与发展中国家之间存在着很大的差距。截止到 20 世纪末，许多发展中国家的年人均国内生产总值在 1000 美元以下，而极为贫困地区的年人均收入是在 100 美元以下。这相比同期发达国家的年人均国内生产总值已达到的 2 万美元以上的水平，存在几十倍乃至上百倍的差距。存在这么大的差距，单凭发展中国家自己向前奔，追赶发达国家，是不具备现实的基本条件的。

在年收入人均 100 美元的水平上，人口的贫困状态是十分严峻的。在一些极为贫困的地方，缺乏生存必需的食品，每天都有大量的人饿死。在这样的饥饿状态下，要求贫困人口干什么也不成，必须先解决他们的吃饭问题。也就是说，没有活命的可能，何以谈到发展。即使是一些经济条件相对比较好的国家或地区，也只是跟在发达国家后面走，保持经济的高度开放，引进先进的技术，否则，开放程度一下降，立时就会造成经济水平的下滑。就这些国家或地区自身的发展能力讲，也是十分有限的。

或许，经过漫长的岁月，发展中国家依靠自身的力量，也可以走出贫困，实现高水平的经济发展。但是，客观地讲，人类劳动是一个整体，在整体已达到的高智力的发展水平下，是不会允许那样慢慢地改变贫困的局面的，经济全球化的进程必然要带动发展中国家迅速跟上时代发展的步伐前进。

因而，现实的解决贫困的办法是通过依靠外部力量促使发展中国家的劳动水平迅速提高。这种外部的力量并不是直接输送物质资料给发展中国家的贫困人口，那样做只是解决贫困人口的吃饭穿衣问题，而不能从根本上解决贫困问题。帮助发展中国家的外部力量是要来自发达国家，但这种帮助主要是通过促使发展中国家劳动水平提高而实现的。这主要表现在两个方面：一是技术带动。通过直接投资，用新的先进生产设备带着高技术含量进入发展中国家，可直接改变发展中国家的劳动水平，经过一代人或两代人的努力，发展中国家就能培养出一批自己的应用技术人才，跟上发达国家的技术进步的步伐，为实现本国的工业化创造基本条件。二是知识教育。通过培养留学生或进修生，发达国家可帮助发展中国家大幅度提高劳动水平。这种教育主要是高等教育以及尖端的科学领域的教育，这是为发展中国家培养急需的高智能的复杂劳动者。事实上，发达国家与发展中国家之间，在简单劳动者的技能水平方面没有多大的差异，甚至在一般的复杂劳动者的技能水平方面也没有太大的差距，其经济水平差距的形成主要是在于发展中国家缺少高智能的复杂劳动者，因此整体劳动发展水平低。所以，发达国家为发展中国家培养高智能的复杂劳动者，是最基本的帮助，也是最关键的直接帮助。帮助发展中国家解决贫困问题的外部力量主要是体现在这种教育的功能上，这一点是现代政治经济学研究深刻地揭示的一个基本原理：依靠教育改变世界，是以最小的价格支配最大的财富。

三　教育改变世界

在政治经济学关于解决贫困问题的研究中，需要确立的前提是：市场是按等价格进行交换，而不是按等价值进行交换，即使价格恰好等于价值，市场也是按等价格交换而不是按等价值交换。这一前提是每日每时在全球各地市场发生的事实，从无例外。

如果市场交换是公平的，即是按等价格自愿交换的，而且价格接近或等同于价值，那么这样进行市场交换后，一个人不会减少自己拥有的财富，也不会增加自己拥有的财富。

如果市场交换可能是公平的，也可能是不公平的，那么这种市场是需要治理的，一个有序的社会不能允许市场交换不公平的情况长期存在。因此，任何人都不可能利用市场交换的不公平存在长期攫取他人财富。

一个人财富的增加要通过劳动生产过程，或依据劳动主体的作用参与财富的分配，或依据占有劳动客体的作用参与财富的分配。在市场的交换之中，不可能增加财富。商业活动的赢利也不是交换的增值，而是商业劳动的价值加入商业经营的商品之中，即经营性交换增加的是商业劳动价值与效用，交换本身并没有改变价值量和财富量，交换实现的是两部分价值，一部分是交换的商品的价值，再一部分是为商业交换而增加的商业劳动价值。社会财富的增加表现在商业劳动的创造上。如果没有劳动过程，没有劳动的创造，就没有任何财富的增加。

所以，一个国家或地区的劳动水平高，劳动能力强，劳动创造的财富才多，经济才能发达，生活才能富裕。而相反，劳动水平低，劳动能力弱，劳动创造的财富少，经济才落后，生活才贫困。若要解决贫困问题，根本的办法只能是通过提高劳动主体的智力发展水平而提高劳动水平。劳动水平提高了，才能创造更多的价值与效用。价值是劳动作用的凝结，效用是劳动成果作用的一般化。

在人类劳动整体之中，发达国家的劳动主体智力的发展是创造性的，而发展中国家的劳动主体智力的发展可以是跟进性的，这种跟进可加快发展中国家的发展步伐，不必再走创造道路。这种跟进能够实现，在于发达国家高智能劳动创造的知识性劳动成果经过一定的产权保护期之后成为现实社会中惟一的有价值而无价格的劳动成果。

有价值的存在，表明有效用存在，即这些知识性劳动成果的效用是延续的，并未消耗掉，也未失去存在的必要，而确切地讲，正是因为其有效用存在，这些知识性劳动成果才表现为价值积累。人类社会的文明进步就是建立在价值积累基础上的，现代社会的发达也是由于有现代的高智能知识的价值积累。

这些有效用、有价值的现代知识性劳动成果没有价格要求，任何市场主体不再对其拥有产权，它们是属于全人类的，是现代人类的共同财富。发达国家创造了这些财富，拥有这些财富，是发达国家经济实现腾飞的保障，也是发达国家与发展中国家拉开差距的根本所在。这些财富没有价格要求是基本的事实，最先进的科学理论和失去专利保护的应用技术都是无偿地供全人类使用的。这一点，是发达国家也是全世界的高智能复杂劳动的创造对于人类生存延续的贡献。

从效用的角度来衡量，在人类所有的劳动成果之中，能够保持效用延续和价值积累的知识性劳动成果是社会最大的财富，也是社会永不消失的财富。人类社会的文明进步就表现在这种财富积累的增多上。现在的发展中国家要从根本上解决贫困问题，跟上劳动整体的发展水平，实现经济现代化，从理论上讲，就是要将自身与发达国家之间的差距取消，也获得并拥有现代高智能复杂劳动创造的已无价格要求的知识性劳动成果的价值与效用，即必须要分享到现代社会人类创造的最大的财富。只要能够实现这种对于现代知识财富的获得和拥有，发展中国家就一样可以转变为发达国家。而实现这种跟进是完全可能的，因为这些最大的财富是没有价格的，发达国家可以创造性地拥有，发展中国家可以无偿地得到。

假如发达国家创造的知识性劳动成果向发展中国家传播是有偿的，即通过市场交换在一定的价格下才允许发展中国家拥有，那发展中国家是无法实现对发达国家跟进的，无论如何，发展中国家没有支付能力购买这些财富，因为交换是要与价格相等的，发展中国家拿不出相等价格的财富。但现实是没有价格要求，是无偿地供给，所以，发展中国家不必付出相等价格的财富就能获得和拥有可使自己国家实现经济现代化的知识财富。如果在这样的前提之下，发展中国家看不到这种无偿性，看不到获取和拥有这些知识财富的作用和意义，那肯定是理性的不足，是政治经济学的研究未能给予社会发展实践以正确的指导，是整个人类社会对于最大的财富缺乏明确的认识。

问题的复杂性在于，对于无偿性的知识是要有偿地获取，即获取是有一定成本的。这就好比午餐是免费的，但去吃午餐还是要自己走路或自己花钱乘车的。因而，人们不能将知识的无偿性与获取知识的有偿性相混淆，即不能将免费的午餐与去吃午餐花的车费相混淆。获得知识的成本只是学习的成本，而知识的本身并没有价格，只有价值与效用。正是由于存在这种有价值无价格的劳动成果效用，因而突出地显示了政治经济学基本理论对于价值范畴与价格范畴明确划分的必要性和重要性。

为学习现代高智能复杂劳动创造的无偿性的知识性劳动成果效用，发展中国家只需要付出的成本是教育费用。相比获得的价值，这方面教育费用的付出是相对很小的，即价格是很小的。这样相对小的价格付出是十分必要的，也是对发展中国家来说具有这样的支付能力的。这是创造成本与学习成本的区别，即发达国家创造这些知识时的成本是高昂的，是发展中国家支付不起的，而学习这些知识的成本是很有限的，是发展中国家基本上能够支付的，至少节衣缩食可以挤出这些费用或靠发达国家援助也可以保障这方面的成本付出的。

需要明确的是，发展中国家教育费用的付出，是其教育劳动创造的价值与效用的价格，是相比获得的最大财富的最小价格。这种价格不是购买知识性劳动成果的价格，也不是培养出的人才的价格，而是使本国人掌握现代高智能复杂劳动成果的付出价格，是去吃免费午餐的车费价格。由此，我们可以这样说，天下有免费的午餐，但是没有免费送到嘴里的午餐。认识到要获得最大的财富，需要付出一个相对小的价格，这是现代政治经济学与以往政治经济学的不同。这表明：（1）社会的最大财富是知识性劳动成果。（2）从长期讲，社会的最大财富是有价值而无价格要求的。（3）获取这种最大财富需一定成本，但这种成本是一种相对最小的价格，并不代表最大财富的价格。（4）最大的财富的效用在于可改变获得者的劳动主体智力发展水平从而提升其劳动整体发展水平。

如果发展中国家能够认识到解决其贫困问题或经济落后的根本措施是提高本国的劳动水平，培养本国的具有高智能创造力的复杂劳动者，那么任何一个发展中国家都应坚定不移地去获取发达国家创造的现代高智能知识性劳动成果，积极地发展本国教育，尤其是注重发展本国的高等教育，并且还要向发达国家派出大量的留学生，保证支付属于学习成本性质的最小价格。这种解决贫困问题的路径实质上也是落后国家赶上先进国家的惟一捷径，如果各个发展中国家的行动都能够一致地统一到这一路径或捷径上来，真实地享受当代人类智慧创造的高度复杂的劳动成果结晶，享受社会最大的财富，那么用不了多少年，至多经过几代人的努力，就可以将本国的劳动主体智力发展水平提升到目前发达国家的劳动主体智力发展的水平，将本国的劳动水平提升到目前发达国家的劳动水平，从而保证实现经济现代化，保证能够从根本上解决现在看来十分棘手难以解决的贫困问题。

问题在于，直至今天还有许多的发展中国家没有认识到解决其贫困的根本出路在于发展教育，或是还没有在发展教育上迈开大步。更有甚者是，在一些发展中国家，一方面是贫困人口忍饥挨饿，另一方面是将有限的财力用在了改善政府行政办公条件上而没有用在发展教育上。有的发展中国家还在期望现在通过工业建设就能改变贫困与落后面貌，全无战略性的长远谋划，抓不住发展的核心要求，或者说根本没有看透国家经济落后的原因是在劳动主体而不是在劳动客体，是在劳动发展水平而不是在自然条件或投资来源。在贫困的状态下，或是说在经济长期落后的情况下，急于改变国家的经济面貌是不可能的，越是着急，恐怕拖的时间会越长，可行的发展之路只能是，长期着眼，稳步前进，以人为本，依靠教育，彻底翻身。发展中国家与发达国家存在很大的差距并不可怕，可怕的是没有勇气去消灭这种差距，或是虽有勇气但没有走上消灭这种差距的正确之路。

教育是强国之本，是解决发展中国家贫困问题的根本之路。没有教育水平的提高，就不会有发展中国家经济状况的根本性改变。一个国家或地区的经济发展水平基本上是与其教育的发展水平相一致的。发展中国家通过教育的提升才能得到没有价格要求的无偿性的现代高智能复杂劳动创造的知识性效用，并由此改变本国的劳动水平和经济发展水平，将消灭贫困与实现经济现代化一同解决。所以，教育将改变发展中国家，并因改变发展中国家而改变整个世界。仅仅从解决贫困问题来讲，教育的力量就是十分强大的。更不用说，在整个人类劳动发展水平的提升中，教育也是永远地发挥着其他方面不可替代的基础作用的。从教育的功能和地位来讲，这一领域的劳动是人类生存延续的绝对必要的配置，以最小的价格支配最大的财富是政治经济学关于解决世界贫困问题阐述的基本原理，也是代代相传的各个层次各个层面各个领域的教育具有共同的最基本的社会功能的抽象体现。

但需要指出的是，依靠教育解决贫困问题，其教育的涵义既有泛指的内容，也有特指的要求。从泛指方面讲，这是说要求发展中国家必须高度重视发展教育事业，必须将有限的财力投入到教育事业上，节衣缩食地全国上下一致齐心协力发展基础教育和高等教育以及继续教育等各个层次的教育。从特指方面讲，就是说这种教育的实施必须使受教育者掌握现代的最先进的科学文化知识，包括自然科学的最新研究成果和社会科学的最新认识，也包括工程技术方面的最新知识和社会管理与企业经营管理方面的最新知识。若缺少这种特指内容，发展中国家的劳动主体智力发展水平是不会获得新的大幅度提升的，是不可能承担起推进本国劳动整体发展以达到彻底解决贫困问题要求水平的历史重任的。所以，在讨论贫困问题上，我们必然强调发展中国家发展教育以最小的价格支配最大的财富的特指性，并要依此说明发达国家与发展中国家之间的关系是先进与后进的关系，在人类劳动整体性存在的意义上，根本的生存利益是一致的，发达国家在前为人类生存的延续做出了推进劳动整体发展的巨大贡献。

还需要指出的是，解决一个国家内部的区域发展不平衡问题，与解决世界性的人口贫困问题，即解决发达国家与发展中国家之间的经济发展不平衡问题，基本道理是同样的。

第四十九章　走向科学的
政治经济学

　　政治经济学不是政府经济学，也不是为政治服务或根据与政治的联系而进行的经济学研究。政治经济学是经济学的基础学科，政治两个字的意义是基础性。政治经济学的名称是历史留传，现在和今后都没有必要改变，只是人们不能因为这门学科的名称中有政治两个字，就将这门学科划归政治理论学科，或是将这门学科看做政治学与经济学的交叉学科。事实上，不仅政治经济学不属于政治学的研究分支，与政治领域的研究没有直接关系，而且，从学术意义上讲，政治经济学的研究是最纯粹、最抽象、最基础的经济学理论研究。

　　在20世纪，相比19世纪，政治经济学的研究取得了重大的进展。致力于经济基础理论研究的人们，从马歇尔的经济学说到凯恩斯主义，又从凯恩斯主义到后凯恩斯主义，从制度学派走向新制度学派，相继提出了需求理论、一般均衡理论、局部均衡理论、经济增长理论、厂商理论、二元经济理论、乘数理论、产权理论、增长极理论、经济增长极限理论、经理革命理论、生产者剩余理论、消费者剩余理论、可持续发展理论、路径依赖理论、筱原基准理论、委托一代理理论、纳什均衡理论、人力资本理论、投入产出分析理论、货币主义理论、分享经济理论、实验经济学理论、行为经济学理论等等富有创新活力的经济理论。但是，尽管取得了如此成就，截止到 20 世纪末和 21 世纪初，政治经济学还不能从总体上说是一门科学的学科，至少这门学科的理论还不能全面地准确指导社会经济发展的实践，这门学科的理论也未能合乎逻辑地贯彻到经济学其他分支学科的研究中去。甚至直到 21 世纪初，人们对于政治经济学的学科定义还存在很大的争议，对于如何建立政治经济学体系更是相当迷惘的。人们之间长久的认识分歧还存在于对这门学科研究目的和任务的理解上。更有一些人缺乏基本的逻辑意识，将政治经济学仅仅限定为马克思主义经济学。而且，创建于 19 世纪的马克思主义政治经济学对于 18 世纪的古典政治经济学存在明确的批判与继承关系，但是，20 世纪以来的政治经济学发展在主流上对于 19 世纪的马克思主义政治经济学却只有批判，并没有任何的继承关系。关于这种没有继承关系的缺失，也许正是政治经济学的发展在 20 世纪为之付出沉痛代价的地方。正因此，针对 20 世纪政治经济学主流学派的表现，有人确实是比较偏激地认为："它除了建立在一系列形而上学的，从而非科学的公理基础上的一系列演绎推理而外，经济学几乎一无所有。"[1]

完全否定 20 世纪政治经济学的发展成就是不妥的。可以说，在这个 100 年中，仍然是政治经济学理论研究的活跃支撑了整个经济学各个分支学科的繁荣与发展。同样，对 20 世纪政治经济学的理论研究持完全肯定的态度也是不适宜的。历史的延续表明，这门学科存在的问题并不是自 20 世纪开始的，但在 20 世纪之中并没有对一些根本性的存在问题引起警惕，而是延续地将问

[1]　阿尔弗雷德·S. 艾克纳主编：《经济学为什么还不是一门科学》，北京大学出版社，1990，第 180 页。

题保留下来，进一步发展了这门学科总体上的不科学性。于是在21世纪初暴露出来的严重问题是，不仅政治经济学研究长期徘徊不前，缺乏总体意义上的理论创新，而且由此影响到整个经济学各分支学科的研究都难以取得科学性的突破进展。

20世纪政治经济学研究缺乏科学性是与20世纪整个社会科学发展滞后有关的。这种制约无疑是存在的。但是，经济学作为社会科学的基础学科，政治经济学作为经济学的基础学科，它的发展理应走在整个社会科学发展的最前头。在20世纪，自然科学取得了突飞猛进的发展，理论的应用也直接丰富了人民的生活和将人类的视野拓展到了宇宙外层空间。在这其中，最重要的是自然科学的自然观基础得到了转换，从事自然科学研究的人们是由牛顿的经典力学自然观提升到了爱因斯坦的相对论自然观，这种提升并不是对牛顿自然观的否定，而是超出，是由在封闭的地球上认识自然运动规律提升到广阔的宇宙中认识大自然的运动奥秘，打破了思维方式的封闭性，于是，这才有了20世纪一系列高智能的科技产品的创造，才有了今天我们这一代人不同以往的生活方式和水平。然而，对比自然科学，在20世纪，整个社会科学，包括政治经济学的研究，在主流上并没有认识到打破思维方式封闭的重要性，也没有意识到社会科学的研究随着自然科学的自然观的转换，也需要由牛顿的自然观转换到爱因斯坦的自然观，即也应进入宇宙认识社会，摆脱19世纪认识的局限性，随着20世纪的自然科学的发展建立新的认识基础。由于20世纪的社会科学没有实现这种认识上的突破，所以，一个世纪以来，自然科学与社会科学拉开了很大的距离，社会科学大大地落后了，政治经济学在这方面没有担当起应负的责任。对于科学研究来说，任何前人的努力，都是后人继续攀登的阶梯，而不能是障碍，并且，不论是自然科学，还是社会科学，后人的研究终归是要超越前人的，否则，人类就没有认识的进步，社会就没有理性的发展了。事实上，20 世纪社会科学的发展已给我们留下深刻的教训：在科学的认识进步面前，每一个学者都应当崇尚认真的严肃的学术精神，而绝不应当将前人神化或回避认识阻碍科学进步的根本性的问题，真正献身科学的人应当理直气壮地蔑视那些将科学作为神学对待的人。

在 21 世纪，科学地发展政治经济学，必须将人一般化的劳动范畴作为最基础的研究范畴。这是打破思维方式的封闭性之后学科发展的必然要求。将劳动作为政治经济学的最基础范畴，就是将劳动作为经济学的最基础范畴，作为贯穿经济学各个分支学科研究的范畴。对于经济学研究来讲，必须始于劳动，终于劳动，因为劳动是经济的实质内容。作为学科的最基础范畴，只能是反映经济内容的范畴，而不能是只表现经济形式的范畴。在传统的政治经济学研究中，始终是将商品及价值作为基础范畴，因而传统政治经济学研究的是一种商品经济学，其研究的视界是停留在表现经济形式的商品范畴之上，这样一来，不仅无法搞清价值与商品的关系，误解价值规律，而且还引起对商品经济本身的批判。这就是从经济形式出发而不是从经济内容出发研究政治经济学留下的重大缺憾之一。而一旦政治经济学的研究转换自然观，从劳动出发，以劳动范畴为最基础范畴，按照经济的实质内容要求构建政治经济学基础理论，人们自然就会沿着客观的内容映现认识到，人类的历史与现实的劳动是常态劳动，即在人类劳动无差别的性质同一的基础上存在着态势的区分。常态劳动分为正态劳动与变态劳动。正态劳动是人与自然之间进行物质变换的生产交流活动，是真正的人的本质的体现，是为人类获取物质生存资料和文明的社会生存条件而形成的人与自然之间的对抗关系。而变态劳动则是动物的求生方式在人类社会的延续。变态劳动分为军事变态劳动与剥削变态劳动。军事变态是最野蛮的劳动，也是最先产生并存在的变态劳动；剥削变态是寄生性的变态劳动，是后产生的较文明的变态劳动，是变态文明的体现。对劳动的辩证认识表明，不能颠倒军事变态与剥削变态的关系，更不能只用剥削关系来分析社会经济生活的历史发展与现实的存在，相比军事变态，剥削劳动的寄生性已经是一种社会进步的表现，不是剥削需要战争支持其疯狂，而是战争本身更直接地体现人类社会存在的变态性，即动物性的生存方式还现实地留存在人的身上。人类的战争史远远超过剥削史，人类不可能用军事变态去消灭剥削变态、剥削劳动的存在比军事劳动更宜于让常态社会的发展接受。

现代的政治经济学研究劳动，还需要深入认识劳动的内部矛盾。即认识劳动的整体性及其内在的主客体作用关系之间的矛盾。对于劳动的认识深化研究已经揭示，人类社会的发展是由劳动内部矛盾发展决定的。这就是说，在政治经济学的理论中，不能用商品经济发展的程度来解释社会生产方式的变迁，不能用外在的人与人之间的关系来认识社会经济形态的变化，现代理论的深刻性表现在以劳动的内部矛盾发展的变化反映人与自然的关系变化解释人类社会经济形态发展变化的进程。劳动的内部矛盾是劳动主体与劳动客体之间的矛盾，承认这一矛盾存在的前提是承认存在劳动的整体性，即承认单纯的人的活动不构成真实的劳动，凡是劳动必须体现为人与自然的交流，人是劳动主体，自然是劳动客体，劳动是劳动主体与劳动客体的统一，这种统一就是劳动的整体性，这种整体性是客观存在的，不是主观认定的，确认劳动具有整体性对于现代政治经济学的研究推进有重要的思想意义。现代的科学的政治经济学研究必须尊重客观事实，绝不能再将单纯的劳动主体活动界定为劳动，即在对这一最基础范畴的认识上绝不能存在片面性，不能有丝毫违反事实的界定。可以说，只有科学地认识劳动范畴，才能牢固地奠定政治经济学科学研究的基点。具有整体性的劳动作为科学的认识范畴，反映的是人类经济活动的实质内容，而不是经济形式的表现。

以劳动范畴为基础，科学的政治经济学研究还需要展开对人类劳动发展的历史全过程的认识，而不能是仍旧继续传统理论对于社会经济发展历史认识的局限性。在传统的政治经济学研究中，不论是 18 世纪的研究，还是 19 世纪、20 世纪的研究，侧重点都在于研究工业革命之后的社会经济，而缺乏对人类劳动自起源至今的全过程研究，这样做不仅不能把握人类社会经济发展的历史渊源，更重要的是不能准确认识现实的和未来的经济问题。作为经济学基础学科的研究，政治经济学的理论必须科学地揭示人类劳动的产生、发展、完善的全过程。对于每一位从事政治经济学研究的理论工作者来说，都应明确地认识到，人类劳动起源于 400 多万年前的动物劳动，所以至今还带有很强的表现为劳动变态的动物性，这是自然的进程表现，是自然的历史链接，不是人们的主观意志能变更的。人类劳动的发展取决于劳动内部矛盾的发展，取决于劳动主体智力发展水平的提高。所以，在人类社会经济发展的历史与现实中，不是人与人的关系变化或者说人与人的斗争推动社会进步，而是人与自然的关系变化引起人与人的关系变化，人对自然的认识水平提高从根本上决定了社会的进步。展开人类社会经济发展的历史全过程，政治经济学的研究成果为 21 世纪社会科学的理论发展提供了新的认识基础。这就是说，解释社会历史，不再用外部矛盾的变化做表象分析，而是用劳动的内部矛盾变化进行客观的阐述，即说明每一社会经济形态的更迭都是由劳动主体的智力发展水平提高决定的。因此，新的认识表明，在人类社会经过 400 多万年的原始社会、数千年的奴隶社会与封建社会发展之后，进入资本主义社会，是人类劳动内部矛盾发展的必然结果，这一阶段已有的数百年的历史是人类社会发展的必经阶段。在人类劳动的发展尚不能在劳动主体智力水平的提高下跨越这一阶段时，由资产条件起支配作用，对资产收益权必须给予保护是人类生存的客观需要，这不是依靠暴力能消灭的。所以，作为人类社会发展的一个必经阶段，不管其存在的变态劳动是多么地残酷，资本主义社会的存在与发展是具有历史必然性的，政治经济学的科学研究是不能批判历史必然性的。而且，从历史必然性出发，人们应当自然地或自觉地接受劳动内部资产条件起主要作用这一客观事实的约束，并且要科学地将资本主义社会发展阶段视为人类文明发展走向社会主义社会之前的必然的历史过程。

劳动主体是劳动整体之中的施动者和受益者。劳动是为劳动主体服务的，也是由劳动主体决定的。科学的政治经济学研究不可缺失对劳动主体的系统而准确认识，并且应始终将研究的重点置于劳动主体方面。历史地看，在传统的政治经济学研究中，关于这一点也是不自觉地被忽略了。长期以来，政治经济学的学科体系是围绕资本、土地、货币、工资、商品、经济增长等对象范畴进行研究的，很少直接研究劳动主体，没有将生产力发展的决定因素集中在劳动主体的智力水平提高上，几乎是见物不见人，假定人都是在不变的情况下进行研究。直到1960年以后，才有人强调以往对人的研究是被忽略的，阐述了对人的研究的重要性，但是，在一种思维惯性下，这些重视对人的研究的经济学家却又将对人的研究纳入认识资本作用的体系之中，这就是出现了由美国经济学家提出而现在已经风靡全球的人力资本理论。这一理论的创始者认为："经济学的理论传统是避而不谈技术变革；经济理论古典表述形式的基本假设之一就是技术保持不变。对于早期经济学家来说，这是一个创造性的简化，由此产生的理论通常与当时要考虑的问题有关。但是，既然我们必须应付现代经济增长问题，那么技术保持不变的假设显然早就与现代发展的事实完全相违背了。然而，尽管经验证据有力地证明，技术改进已经成为经济增长的主要根源，技术变革却仍没有成为经济理论的一个组成部分。"① 而技术变革的理论缺失是由于缺乏对人即劳动主体的研究，因为一切技术的变革都是由劳动主体的智力水平变化引起的。所以，若缺少对劳动主体的研究，政治经济学就只能是假设技术不变了。而更为根本的问题是，缺乏对人的研究与缺乏对劳动的研究是一致的，都是没有看到经济的实质内容，没有将理论认识切入经济问题的实质之上，而在不自觉之中将研究流于形式化了。

严格地讲，在 20 世纪的学科发展中，政治经济学的研究不仅没有做到总体上走向科学，而且还在某些局部的认识中存在着一种反科学的倾向。科学是对自然决定的事实的准确的抽象的认识。若是不科学的，那就是这种认识不太准确，甚至是错误的。若是伪科学的，那就是不经过对事实的抽象认识过程，直接将一种思想伪装成科学认识的结果。而反科学则是指不符合科学认识的目的和程序，与科学认识的目的和程序恰恰相反。作为科学的研究，目的是认识客观的事实，所以，如果研究的目的不是为了认识客观的事实，而是有意远离事实，那就肯定不是科学的研究，而只能是反科学的研究。而且，科学研究的程序是，先提出假说，然后验证假说，如果假说与事实不符，则要修改假说，直至假说与事实相符，这才形成科学理论，达到科学研究的目的。对于与事实完全不符的假说，或是对于不能修正改进的假说，在

① 西奥多·W. 舒尔茨：《人力资本投资——教育和研究的作用》，商务印书馆，1990，第 13 页。

科学研究的过程中只能抛弃，另换新的假说，而绝不能是有意使
假说越来越偏离事实，若此，那也肯定不是科学的研究，而只能
是反科学的研究。纵观 20 世纪的政治经济学状态，人们可以确
认，对外贸易理论尚不能解释各个国家的进出口贸易的实际情
况，货币调控理论的可应用性是或然的即有时对路有时又不对
路，至今关于通货膨胀的解释基本上是倒果为因的，一般均衡理
论与现实之间有什么关系没有人能讲清楚，等等，这些认识都没
达到科学的认识目的，也没有人进一步做修改假说的工作。更严
重的是，有些研究引向了纯粹的思维模式，只有自身的逻辑，而
没有与现实经济的联系，这从学术的角度讲，是看似有逻辑，其
实是不符合逻辑，因为其偏离研究目的这一大的逻辑前提。而特
别明显地表现出反科学的特征是，在一些研究成果中，其假设明
明是不符合事实的，却不修改假设，反而继续在不符事实的假设
基础上进行推理，并且还一再地将这样的认识成果普遍地编入高
等教育的经济学教科书中。比如，假设市场上只有 A、B 两种商
品，然后分析对这两种商品的选择，这有何意义呢？因为生活在
市场经济之中的每一个人都知道市场上绝不止 A、B 两种商品，
做这样的假设是与现实不相符的。其实，如果对这种不符合事实
的假设能做修改，再前进一步，不是假设 A、B 两种具体的商品
在市场上存在，而是假设市场上所有的商品可以分为 A、B 两大
类，那就会与现实十分地相符。但可惜的是，直到如今原来的假
设还没有修改，并没有向科学化迈进一步。再有，假设社会再生
产都是按原有的产品结构生产的，这也是不符合社会现实的，但
这也未能阻止新剑桥学派的经济学家们继续沿着这一假设进行推
理研究，虽然其表述的思想越来越深刻，但是由于没有修改假设
前提，使之更贴近现实，其认识的结果只能是越复杂越距离现实
更远。还有，对于技术不变的假设，劳动力是商品的假设，消费

效用假设，效用是人的主观心理感受的假设等等假设，都是与社会的基本事实相对照难以成立的假设，但也都是其理论研究者得出认识结论的基石，因而事实上在这些不符合事实的假设前提下推论出来的认识是不能成立的。问题是，至今这些研究者并没有意识到科学的研究不允许不符合事实的假设存在。

关于人是自私的还是不自私的认识选择，也是政治经济学研究的重要前提假设之一。但是，在政治经济学尚未以劳动为最基础范畴进行研究之前，所有的关于这一前提的认识者都是缺乏辩证性的，都不会具有理论研究所要求的深刻性的。如果政治经济学的研究是从人类劳动起源，从人类的生存延续要求来认识人的自私性问题，那将会引用非同假值律来辩难问题的本身。在生活中，并不是所有的问题都只能有肯定或否定的答案。正因此，对这一前提假设的认识需要有较强的辩证认识能力。

同样需要引起重视的是，政治经济学研究的科学化需从基础起步。政治经济学是经济学的基础学科，学科的任务就是研究经济学的基础理论的，或者说这个学科是负责经济学中原理性的问题研究。20 世纪政治经济学的研究缺少对 19 世纪政治经济学研究的继承，问题就表现在这一方面。19 世纪的政治经济学主要是进行基础性研究的，或者说是进行关于经济运动本质问题的理论研究的。这种研究在经济学的理论体系中是必不可少的，并且是决定整个经济科学研究进展的。但 19 世纪的经济学家基本上是坐在屋子里进行这种基础性研究的，他们有睿智的头脑，却没有经济生活的实践。而客观上进行经济学研究尤其是进行政治经济学研究，是要求研究者必须具有丰富的经济生活实践体验的，否则，如果不经历社会实践，对于高度的认识抽象不会有具体的经验感受相辅佐，往往会在纯粹的思考空间行走迷失的，其认识的结论或者说抽象的概括就可能会不符合实际。当学科的发展推

进逐步暴露出 19 世纪政治经济学研究存在的认识偏差问题，20
世纪的政治经济学研究不再继承 19 世纪的某些基础性的研究结
论是有其内在原因的。但是，对于学科发展来说，不再继承原有
的理论不应演变成不再进行基础性研究。20 世纪已经过去了，
历史留下的主要是政治经济学关于经济运行方面的非原理性研
究，或者是对于直观的或表层的问题研究，很少再有基础性的研
究，更缺少整体性的学科基础研究。就此而言，不论是相比自然
科学或社会科学的哪一个学科的建设，经济学研究存在的这种状
态都是很严峻的。在学术领域，任何学科的建设都必须从基础做
起，或是说任何学科的发展都不允许忽视基础性研究。20 世纪
以来，甚至还可以上推到 19 世纪，整个经济学的研究，包括政
治经济学的研究，都缺少最基础的研究范畴，即理论的基础没有
建立在劳动范畴之上，各个学派体系都未对劳动进行系统研究。
而这所有的不以劳动为最基础范畴的研究都只能是没有基础理论
支持的研究，即都是缺乏科学系统性的认识。更突出的缺陷是，
分不清经济学研究与经济研究的差别，一说到范畴研究就退避三
舍，认为是空对空，不愿讨论问题，这就是不懂得经济学就是研
究经济范畴的，对各个经济范畴的认识深化或创新就是学科的发
展。而政治经济学的任务就是研究基础经济范畴的，若不研究本
学科的基础经济范畴，那就只有现实的经济问题研究，而没有政
治经济学的研究。20 世纪的政治经济学缺乏对本质性的基础经
济范畴研究，或者说在 20 世纪的后半叶，从主流趋势讲，政治
经济学的基础性研究功能已经被大大地削弱了。关于劳动、价
值、价格、效用、货币、生产、流通、分配、消费、发展等方面
的基础研究，大都还停留在 19 世纪的认识水平上，缺少积极的
认识推进。因而，在 21 世纪初看来，政治经济学乃至整个经济
学的研究都是在缺少最基础的范畴确定和基础理论尚未在与时俱

进创新之中伫立。这种状态的存在必然会引起其他学科的注视，对政治经济学或经济学的理论科学性表示怀疑。作为一门与现实社会生活联系最紧密的经济学科，是绝不能因为已有的基础性研究存在某些认识偏差就不再继续进行这方面的研究了，将本学科的基础理论研究视为没有用的或可以缺少的，那就好比是只想盖房子，不想打地基，其结果只能是盖一片简单的小平房，而建造坚实的理论大厦是不可能的。

在 20 世纪政治经济学学科发展的历史中，还存在着片面地强调数学化并以数学化充当科学化的做法。一些研究者认为，政治经济学研究的现代化标志就是数学化，还以此形成一种风气，让数学化的研究成果泛滥。其实，就学科本身的严格区分讲，数学不属于社会科学，也不属于自然科学，数学本身是一门独立的工具性学科。因而，不论是自然科学的研究，还是社会学科的研究，都离不开运用数学知识。没有数学的研究发展，人类不可能打破封闭的地球空间进入宇宙去探索；没有数学知识的普及与运用，人们也无法进行宏伟的经济建设和复杂的市场交换。在各门科学学科的研究中，数学都是起工具作用的，而无论是哪一门科学学科的研究，只有达到能用数学语言来描述其研究成果时，才可以称得上是比较规范和比较完善了。然而，在 20 世纪里，一些比较极端的数学化的表现是，将数学的运用当做是政治经济学的研究，不是运用数学研究基础经济范畴，也不是运用数学分析经济生活中基本事实，而是仅仅展现数学运用中的自身的复杂性，与经济理论的认识深化全无关系，甚至有一些研究成果是运用非常复杂的数学知识分析十分简单的经济问题并得出同样是十分简单的认识结论。运用数学的目的是为了帮助政治经济学的研究能够更深刻细微地认识复杂的社会现实经济问题。如果数学化的表述能够帮助人们更清楚更简洁更准确地认识经济问题和构建经济理论，那数学的运用是肯定有意义和受欢迎的；而如果数学化的表述使本来很清楚很简洁的认识思路变成很不清楚和很复杂，甚至是很多人看不懂，那数学的运用就是画蛇添足了。事实上，现代政治经济学的研究还很落后，很需要有数学化介入的成功，或者说，数学的工具性作用增强也是 21 世纪政治经济学的研究走向科学化的必不可少的基础条件之一。但是，不论到何时，也不能用数学研究取代政治经济学研究，实现政治经济学理论研究的科学化只能是依靠经济学家的不懈努力。

自劳动范畴起始，按照客观的联系，层层扩展对于社会经济运动的概括认识，这是走向科学的政治经济学需要建立的完整的由各种范畴和理论链接的逻辑体系。在 21 世纪内，政治经济学理论工作者应当完成这一历史使命。完成这项工作的关键在于学科的研究要循序渐进，要像蚂蚁啃骨头那样一点一点地向前推动。整个学科的建设要从基础做起，讨论一个问题，解决一个问题；分析一个范畴，确定一个范畴；涉及一个理论，就初步完成一个理论的构建；始终沿着社会经济生活的基础层面进行客观性的探索，而绝不能是人为地主观地任意创造学科体系。如果在 21 世纪初就能做到坚持以客观性为认识基点，常年坚持以劳动为最基础范畴的研究，那么经过几代人的努力，在 21 世纪之内就能够达到使政治经济学的学科研究科学化的目的，初步建立起一个具有理论创新力量的新的现代政治经济学的学科体系。

政治经济学研究的根本目的和任务是为了人类的生存延续。走向科学的政治经济学，在 21 世纪里，肩负着为整个经济学的发展和整个社会科学发展提供新的理论认识基础的责任。

只有打破思维方式的封闭性，像 20 世纪的自然科学的发展那样，积极地转换自然观，在 21 世纪，政治经济学的研究才能走向科学，现代的社会科学才能跟上现代的自然科学的发展。

在我们生存的这个时代，人类劳动还是常态的，不完善的。而常态下的不完善的劳动是不能保持人类的生存延续的。对此，现代的政治经济学理论创新已经明确地认识到：在自然的允许下，劳动的完善化是人类的根本出路。

作为具有高度理性的科学工作者，任何一个人，研究政治经济学，可以抱有浓厚的职业兴趣，可以享有幽雅的工作乐趣，但更需要的是，带有沉重的社会责任感。

跋

    "岁月不居，时节如流。"在来到中国社会科学院经济研究所学习和工作近13年之际，我终于完成了《劳动论》、《劳动价值论》和《劳动效用论》这3部著作的整体撰写计划。此时此刻，我由衷地感谢这里宽松的思想环境，感谢老师和同事们激励我在学术探索的道路上不断地进取求精。

    劳动是贯穿我的政治经济学研究全过程的范畴。根据人类劳动起源于动物劳动这一基本的历史事实，我们做出的基本界定是：自起源至今，人类劳动一直是常态劳动，常态劳动是正态劳动与变态劳动的统一，正态劳动是人性的劳动的起始，变态劳动是动物的求生方式在人类常态社会的延续。我关于劳动价值的研究、关于劳动效用的研究，都是在这一界定的基础上展开的。我的研究旨在阐明，劳动是政治经济学也是经济学的最基础范畴，对于人类社会经济生活的研究可以全部涵盖于对人类劳动的一般性的研究之中，概括地讲经济学就是一般化地研究劳动作用和劳动成果作用的科学。

    将军事劳动与剥削劳动界定为变态劳动，是实事求是的，这对于20世纪末和21世纪初的政治经济学理论研究走向科学是极为重要的。考察变态劳动的存在与发展的历史表明，军事劳动是最先存在的变态劳动，也是动物性最为明显的变态劳动，而剥削劳动则是后产生的，相对而言是一种文明的变态，其动物性的表现是寄生性。由于军事劳动与剥削劳动之间存在着历史产生的先后关系，也存在着动物性程度的高低不同，军事劳动是历史上存在最久的动物性最高的变态劳动，因此，一种合乎逻辑的认识结论就是，社会不可能用军事变态劳动去消灭剥削变态劳动。并且，我们的研究也由此得到了更为概括的思想启示，说明在当代社会，认识人类具有某些动物性，比认识人类具有阶级性，是更深刻更重要的。

确认劳动具有整体性是我所进行的以劳动为最基础范畴的政治经济学研究的基础。这既是自然的认识基础，也是逻辑的认识基础。劳动的整体性有两个含义：一是讲人类劳动不分国家或地区为统一的整体，各个时代有各个时代的整体发展水平。再是讲劳动是劳动主体与劳动客体的统一，单纯的劳动主体活动是不存在的。这种劳动整体性的认识，是对马克思经济思想的继承。由这一基础出发，我们的研究阐明：劳动是人类与自然的交流与联系，自然决定人类的存在，而劳动的发展决定人类和人类社会的进步，决定劳动发展的是劳动主体的智力水平的提高，因此，政治经济学不可缺少对劳动主体的研究，必须注重对人的研究，以劳动主体为核心进行对劳动的研究。

思想的力量是无穷的。社会的进步不仅取决于自然科学的认识飞跃，而且也取决于社会科学的理论创新。如果说 20 世纪是自然科学大发展的世纪，那么 21 世纪就将是社会科学大发展的世纪。作为经济学基础学科的政治经济学研究，其打破思维方式的封闭性之后的理论创新，将是推动 21 世纪社会科学大发展的最重要的思想力量。

当今世界，没有宽容，就没有未来；没有融合，就没有发展。思想上的交锋与合作，将为人类的生存延续，创造更丰富的智慧结晶。在我完成本书时，感触最深的是，政治经济学对于劳动的研究，路还远矣。

　　社会科学文献出版社谢寿光社长为中国社会科学院经济研究所的《经济研究文库》、《政治经济学研究报告》等学术著作的出版做出了卓越的贡献。本书的研究亦深受其激励，而本书得以出版的荣誉则完全属于这位极富事业心和工作魄力的出版家。编辑室主任周丽女士将以其一贯的耐心和热情主持策划本书出版的全过程，我在此深表敬意。请屠敏珠老师做本书的责任编辑是我已久的心愿，我十分地敬重她那严谨的工作风格。

　　孤鹜击落霞，长天润秋水。本书的出版得到许多专心于研究政治经济学理论的同仁们的支持，这是诚挚的关爱，我深切感激。

钱　津

2003 年 8 月 3 日于北京

图书在版编目（CIP）数据

劳动效用论：《劳动论》再续集／钱津著 . -- 北京：社会科学文献出版社，2004.12（2025.4 重印）
（劳动论全集）
ISBN 978 - 7 - 80190 - 441 - 6

Ⅰ. ①劳…　Ⅱ. ①钱…　Ⅲ. ①劳动 - 效用论　Ⅳ.
①F014.2

中国国家版本馆 CIP 数据核字（2023）第 070035 号

· 劳动论全集 ·

劳动效用论
——《劳动论》再续集

著　　者／钱　津

出 版 人／冀祥德
责任编辑／屠敏珠　张丽丽
责任印制／岳　阳

出　　版／社会科学文献出版社 · 生态文明分社（010）59367143
地址：北京市北三环中路甲 29 号院华龙大厦　邮编：100029
网址：www. ssap. com. cn
发　　行／社会科学文献出版社（010）59367028
印　　装／三河市尚艺印装有限公司

规　　格／开 本：889mm × 1194mm　1/32
印 张：18.5　字 数：441 千字
版　　次／2004 年 12 月第 1 版　2025 年 4 月第 5 次印刷
书　　号／ISBN 978 - 7 - 80190 - 441 - 6
定　　价／98.00 元

读者服务电话：4008918866